LA SANTÉ DE VOTRE ENFANT

LA SANTÉ DE VOTRE ENFANT

Broquet

97-B, Montée des Bouleaux
Saint-Constant, Qc, J5A 1A9
Tél.: (450) 638-3338 Fax: (450) 638-4338
Web: www.broquet.qc.ca / Courriel: info@broquet.qc.ca

UN LIVRE DE DORLING KINDERSLEY
www.dk.com

Catalogage avant publication de Bibliothèque et Archives Canada

Vedette principale au titre :

La santé de votre enfant

Traduction de: Baby & child health.

Comprend un index.

ISBN 2-89000-735-9

1. Pédiatrie - Ouvrages de vulgarisation. 2. Nourrissons - Santé et hygiène - Ouvrages de vulgarisation. 3. Enfants - Santé et hygiène - Ouvrages de vulgarisation. I. Shu, Jennifer. II. Collins, Jane, Dr.

RJ61.B2214 2006 618.92 C2005-942222-X

Pour l'aide à la réalisation de son programme éditorial, l'éditeur remercie :
Le gouvernement du Canada par l'entremise du Programme d'aide au Développement de l'industrie de l'Édition (PADIÉ) ;
La Société de Développement des Entreprises Culturelles (SODEC) ;
L'association pour l'Exportation du Livre Canadien (AELC).
Le gouvernement du Québec - Programme de crédit d'impôt pour l'édition de livres -Gestion SODEC.

Pour Kate et Tom Evans et toutes les personnes
qu'il m'a été donné de rencontrer dans le cadre de ma profession.
Dr Jane Collins

Le présent ouvrage fournit des informations générales sur un certain nombre de sujets touchant la médecine et la santé. Il n'entend cependant pas se substituer aux avis et conseils des médecins et autres soignants consultés à titre personnel par les parents. *Great Ormond Street Children's Hospital* décline toute responsabilité en cas de blessure ou de maladie survenues du fait de l'application des conseils contenus dans le présent ouvrage. *GOSH* ne fait pas la promotion des organismes et produits mentionnés dans cet ouvrage ni ne désapprouve ceux auxquels il n'est pas fait référence.
Fondation enregistrée sous le n° 235825 © GOSHCC.

Copyright © 2003 Dorling Kindersley Limited
Text copyright © 2003 Jane Collins

Traduit de l'anglais par : Christine Godbille p. 1-67, 168-215, 326-352 ; Élisabeth Guillot p. 68-167 ; Hélène Tallon p. 264-325 ; Simone Honorat p. 216-263
Révision : Caroline Millet, Martine Fichter et Laetitia Herin
Réalisation et exécution graphique : Atelier Gérard Finel, Paris

Pour le Canada :
Copyright © Ottawa 2006 - Broquet Inc.
Dépôt Légal - Bibliothèque nationale du Québec
1er trimestre 2006

ISBN : 2-89000-735-9

Imprimé et relié en Chine par Hung Hing

Demandez conseil à votre médecin avant de commencer tout programme de remise en forme.

Tous droits de traduction totale ou partielle réservés pour tous les pays. La reproduction d'un extrait quelconque de ce livre, par quelque procédé que ce soit, tant électronique que mécanique, en particulier par photocopie, est interdite sans l'autorisation écrite de l'éditeur.

AVANT-PROPOS

Le *Great Ormond Street Hospital* (GOSH) est à la fois un hôpital de proximité, et un centre international de soins, de formation et d'éducation en faveur des enfants malades. Depuis 150 ans, le GOSH met ainsi au service de ses patients des spécialistes de réputation mondiale en matière de soins et de recherches en pédiatrie.

Chaque année, 90 000 petits Britanniques sont soignés par les médecins et autres soignants du GOSH, qui rassemble en un lieu unique un vaste choix de spécialistes de toutes les disciplines. Cet hôpital est le plus grand centre du Royaume-Uni en matière de chirurgie cardiaque et cérébrale de l'enfant, et traite un enfant sur dix atteint de cancer. Les recherches entreprises à l'*Institute of Child Health* (institut de recherche sur la santé infantile) s'adressent aux enfants atteints, entre autres, d'anomalies cardiaques, d'arthrite, d'épilepsie et du SIDA.

Le bien-être physique et psychique des enfants fait également partie de la vocation du GOSH. Tout en encourageant les parents à être partie prenante dans les soins et l'éducation de leurs enfants, il leur propose un grand choix de services d'aide aux familles dans les domaines affectif, spirituel et social.

SOMMAIRE

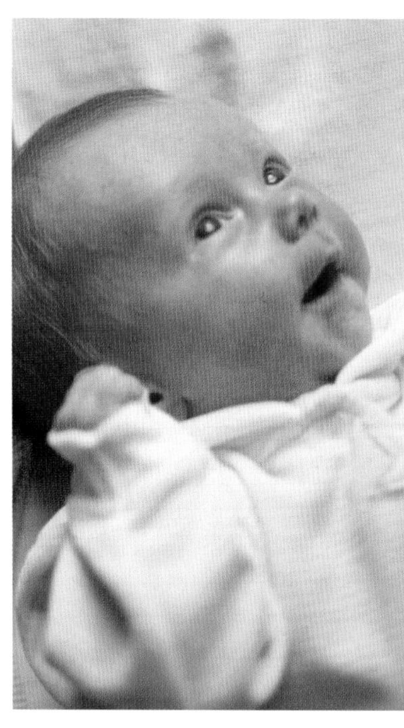

MAUX ET REMÈDES

LES MALADIES

EN CAS D'URGENCE

INTRODUCTION

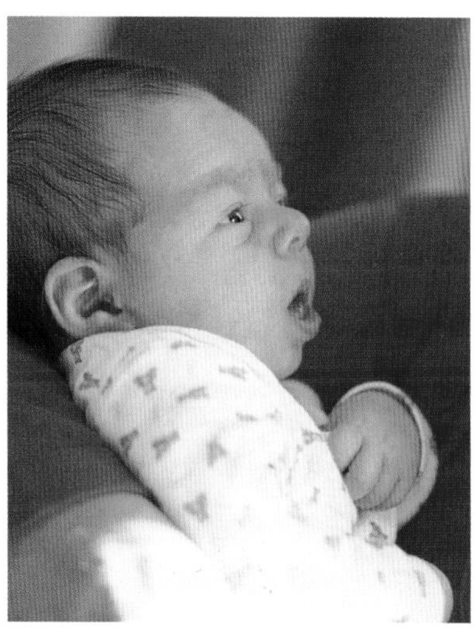

La naissance d'un enfant est une des plus belles aventures humaines, et bouleverse à jamais la vie de la plupart d'entre nous. Les bonheurs et les satisfactions que l'on éprouve à voir grandir ses enfants ne vont cependant pas sans inquiétudes, souvent inhérentes à leur santé et à leur sécurité, surtout au cours des premières années. Quel parent ne se demande en effet, à un moment ou à un autre, si la maladie dont souffre son petit est grave, ou même si sa vie n'est pas en danger ? De même doutons-nous parfois de savoir ce qu'il convient de faire en cas d'urgence. Nous nous posons aussi des questions quant à la façon dont se développe le nouveau-né, au point qu'il nous arrive de le comparer à d'autres, tout en sachant que ce n'est pas la meilleure chose à faire !

« Dans les pays développés, les enfants n'ont jamais été en meilleure santé, et ceci grâce aux moyens dont nous disposons aujourd'hui pour prévenir et guérir nombre de maladies. »

Tous les enfants souffrent un jour ou l'autre de maladies bénignes et aucun n'est épargné par les accidents. Malheureusement, les très jeunes enfants, et *a fortiori* les bébés, ne savent pas dire comment ils se sentent, ni où ils ont mal. Pour ne rien arranger, lors des premières années, les symptômes peuvent être semblables mais indiquer des maladies différentes ! Les vomissements, par exemple, fréquents chez le nouveau-né et le petit enfant, peuvent tantôt signaler un simple inconfort ou au contraire une affection grave. Il n'est pas toujours facile de savoir si l'on peut remédier soi-même à la situation ou s'il convient de demander l'intervention du médecin. Il est en outre important de tenir compte de ce que vous savez de votre enfant car, lorsqu'il s'agit de faire la différence entre une affection banale ou quelque chose de plus inquiétant, votre instinct a souvent raison. En tant que pédiatre, il m'a fallu beaucoup de temps et d'expérience pour être en mesure de sentir chez d'autres enfants ce que je détectais tout naturellement chez les miens. Heureusement, il ne faut que quelques semaines, au plus quelques mois, pour que cette connaissance instinctive de notre enfant nous vienne naturellement.

Dans les pays développés, les enfants n'ont jamais été en meilleure santé, et ceci grâce aux moyens dont nous disposons aujourd'hui pour prévenir et guérir nombre de maladies auparavant mortelles. Il est donc rare qu'un bébé présente un problème grave ou handicapant.

« La plupart des enfants calquent naturellement leur ligne de conduite en nous observant. »

Il peut néanmoins arriver que les parents soient désemparés et ne sachent vers qui se tourner si leur enfant souffre, la famille et l'entourage ne sachant pas toujours non plus comment agir. C'est en cela que le présent ouvrage peut aider. Aussi, sans prétendre traiter tous les problèmes et toutes les maladies infantiles, ce présent ouvrage peut vous guider et vous conseiller. Il propose une description des symptômes les plus communs, vous aide à comprendre et à soulager votre enfant, et à déterminer quand l'intervention du médecin s'impose. Des conseils pratiques susceptibles d'aider les parents d'enfants malades ou handicapés sont également proposés.

Nous sommes aujourd'hui, peut-être plus que par le passé, particulièrement soucieux du développement personnel de nos enfants et de la façon dont ils doivent se comporter en société. Ils sont donc plus que jamais incités à s'adonner à de multiples activités. Quant à moi, et quitte à paraître vieux jeu, j'encouragerais personnellement les parents à apprendre également à leurs enfants à accepter de s'ennuyer, car savoir gérer son ennui peut aider dans la vie. Les attentes que nous avons vis-à-vis de nos enfants varient d'une famille à l'autre. Nous avons cependant tous en commun le souci de leur apprendre à partager et à respecter autrui, entre autres valeurs universelles, valeurs qu'ils doivent acquérir dès le plus jeune âge.

La plupart des enfants calquent naturellement leur ligne de conduite en observant la façon dont nous, parents et adultes, nous comportons. Il est donc particulièrement important de leur montrer et de leur expliquer clairement ce que nous attendons d'eux. De même, ils apprennent à bien se nourrir, si les repas sont autant d'occasions de se retrouver en famille ; ou à aimer le sport si le sport fait partie de vos habitudes.

« Nous n'avons jamais été aussi bien informés sur le développement de l'enfant, sa santé, son équilibre et son besoin d'indépendance. »

Aujourd'hui, la plupart d'entre nous recourent moins que dans le passé à l'aide de nos propres parents. C'est souvent le fait des distances géographiques entre générations. Et les nouveaux parents tendent parfois à considérer que la façon d'élever les enfants au XXIe siècle n'a plus rien à voir avec celle du passé. Nous n'avons jamais été aussi bien informés sur le développement de l'enfant, sa santé, son équilibre et son besoin d'indépendance. Et j'espère que ce livre pourra aider les jeunes parents à élever leurs enfants dans les meilleures conditions, et les aider à devenir des êtres épanouis.

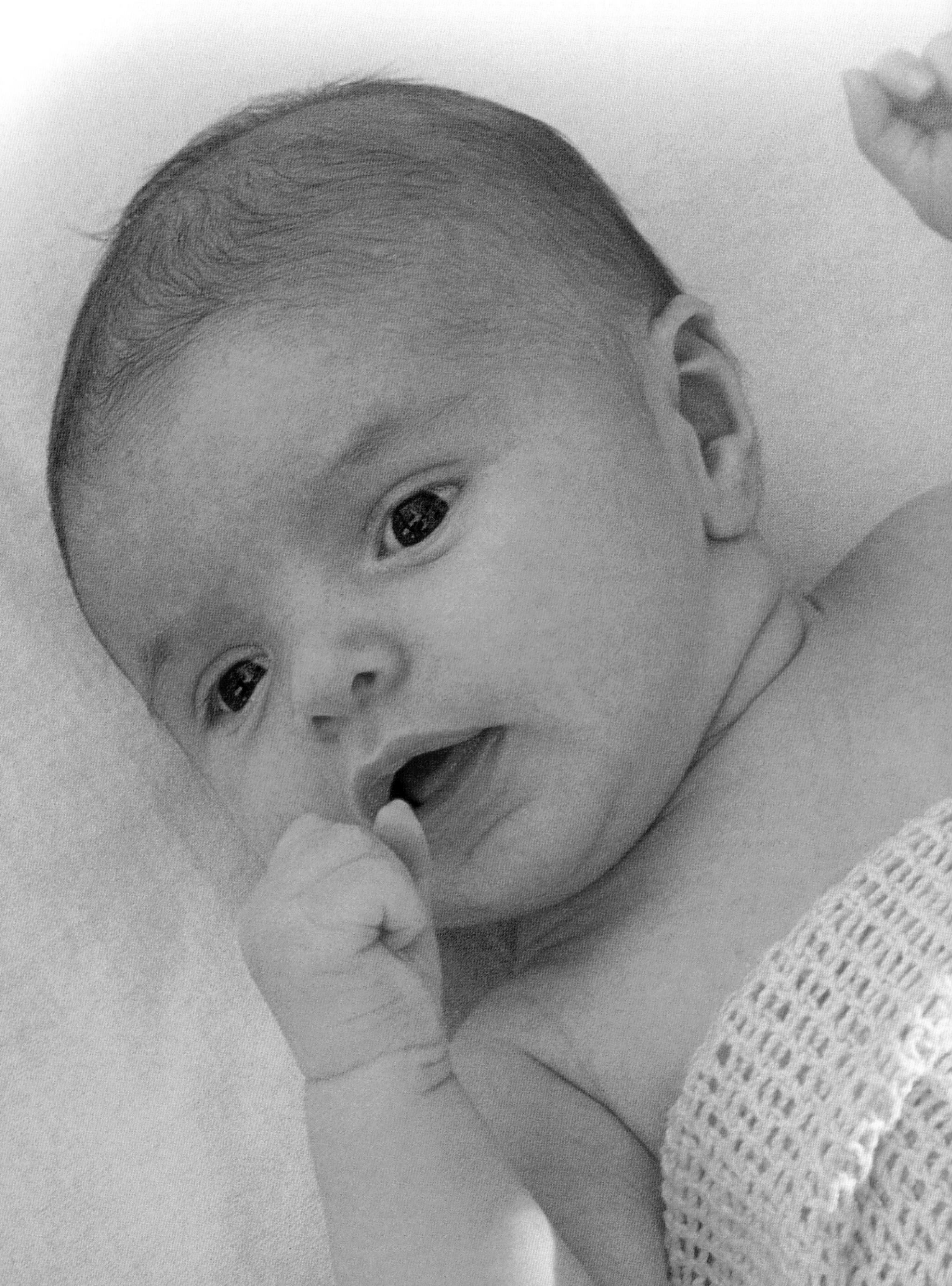

BÉBÉ EST LÀ...

CHAPITRE UN

S'occuper d'un nouveau-né peut être intimidant au début, et l'on n'est pas toujours très sûr de bien agir. Ce chapitre, consacré aux premières semaines et aux premiers mois de votre tout-petit, pourra vous guider et vous fournir des conseils pratiques quant à son alimentation, son sommeil et sa croissance, en général.

PREMIERS JOURS

La plupart des bébés naissent en parfaite santé et s'adaptent immédiatement à ce qui les entoure. La moindre anomalie peut cependant être source d'inquiétude pour les jeunes parents, surtout les premiers jours, le temps de s'adapter à leur nouveau rôle. Rassurez-vous, la plupart de ces problèmes se résolvent très vite d'eux-mêmes, ou avec un minimum d'aide médicale.

Caractéristiques

Votre bébé ne ressemblera peut-être pas exactement à ce que vous imaginiez. Voici quelques caractéristiques qui disparaissent au cours des premières semaines.

Crâne déformé lors de l'accouchement.

Visage gonflé, yeux également gonflés et collés, avec un léger strabisme.

Miliaire : petits points blancs, autour du nez, des joues et du front.

Parties génitales et seins gonflés, chez les filles comme chez les garçons. Les seins peuvent sécréter un peu de liquide.

Peau rouge, marbrée. Les extrémités sont parfois cyanosées tant que la circulation sanguine n'est pas bien établie. La peau peut présenter des taches jaunes si le bébé a expulsé du méconium (contenu de l'intestin) dans la matrice.

Vernix caseosa, substance blanche, épaisse et/ou fin duvet lanugineux, parfois présents sur le corps des prématurés. Les bébés nés après terme peuvent avoir une peau sèche et squamée, et de longs ongles.

PREMIER REGARD

Les nouveau-nés ont souvent la peau fripée et sont un peu recroquevillés ; ils n'acquièrent une jolie frimousse qu'au bout de quelques semaines. À la naissance, les nourrissons peuvent également présenter certaines caractéristiques (*voir ci-contre*) qui tracassent les parents mais sont courantes, et disparaissent rapidement.

Il arrive aussi que Bébé naisse avec une petite anomalie physique : marques cutanées, orteils palmés ou adhérence de la langue. Ces anomalies ne nécessitent aucun traitement, et seront corrigées par une légère intervention chirurgicale.

À la naissance, le bébé est examiné par un pédiatre. On procède à des tests complets, on vérifie ses réflexes et son audition. Au troisième jour, on prélève quelques gouttes de sang sur son talon pour vérifier qu'il ne souffre pas de phénylcétonurie ou d'hypothyroïdie congénitale, maladies graves mais heureusement très rares.

MARQUES DE NAISSANCE

Un bébé peut aussi venir au monde avec des marques de naissance, ou angiomes, généralement divisées en quatre catégories. La « morsure de la cigogne » (sur la nuque) et le « baiser de l'ange » (front, nez, paupières…) sont de petites taches roses qui disparaissent au cours de la première année. Les fraises sont des points rouges qui se transforment en petites zones rouges tachées de blanc ; elles disparaissent généralement vers l'âge de 5 ans. Les tâches de vin, rouge foncé, irrégulières, souvent situées sur le visage, ne disparaissent pas. Les tâches bleutées ou mongoloïdes sont des zones pigmentées bleu nuit, courantes chez les bébés de certaines ethnies ; elles s'estompent normalement au cours de la première année.

PREMIÈRES SELLES

Votre bébé évacuera du méconium, mélange de bile et de mucus, visqueux et brunâtre 12 à 24 heures après la naissance. Ses selles se formeront véritablement dès que vous commencerez à le nourrir et se produisent généralement après chaque tétée ou biberon. Les selles d'un nouveau-né nourri au sein sont molles, couleur moutarde, et n'ont guère d'odeur. Celles d'un bébé nourri au biberon sont marron, plus fermes, et peuvent avoir une odeur marquée. En cas de modification d'aspect des selles, parlez-en à une sage-femme ou à votre médecin.

CE QUE SAIT FAIRE BÉBÉ

À la naissance, les bébés possèdent certains réflexes, qu'ils perdent au cours des trois premiers mois.

- Votre bébé suce tout ce qu'on lui met dans la bouche (succion).
- Il se tourne vers ce qui effleure sa joue (fouissement).

• Posez un doigt dans sa paume : il s'y agrippe (préhension).
• Tenu droit, pieds posés sur une surface plane, il effectue des mouvements de marche avec ses jambes (marche).
• Quand il est surpris, il écarte immédiatement et largement bras et jambes puis les replie lentement contre son corps (réflexe de Moro).
• Votre bébé cligne également des yeux si la lumière est vive, et peut fixer des objets situés jusqu'à 20-25 cm.

LIENS AFFECTIFS

Si mère et enfant sont séparés quelque temps à la naissance, le lien qui les unit n'en est pas moins fort. Les pères ont aussi besoin d'établir un lien, et doivent veiller à échanger avec leur bébé.

LE TEST D'APGAR

Votre bébé est soigneusement examiné à la naissance et peu après par une sage-femme ou un pédiatre. Le test d'Apgar (du nom du Dr Virginia Apgar, qui l'a mis au point) est effectué 1 minute après la naissance et renouvelé 5 minutes après. Il permet d'évaluer cinq éléments clés de la santé du nourrisson.

ÉLÉMENTS-CLÉS	RÉSULTAT
Battements cardiaques	
Plus de 100 battements/min	2
Moins de 100 battements/min	1
Pas de battements	0
Respiration	
Régulière	2
Irrégulière, faible	1
Absente	0
Motricité	
Active	2
Partielle	1
Relâchée	0
Réflexes (réaction aux stimuli)	
Pleurs ou éternuements	2
Grimaces	1
Aucun	0
Couleur de la peau	
Rose	2
Extrémités bleues	1
Bleue	0

Les bébés totalisant 7 points ou plus sont en bonne santé.

Les bébés totalisant entre 5 et 7 points ont besoin de soins légers ou d'un peu de temps pour s'adapter.

Les bébés totalisant 4 points ou moins nécessitent des soins immédiats.

SEIN OU BIBERON ?

LES BIENFAITS DE L'ALLAITEMENT AU SEIN sont considérables à la fois pour la mère et pour le bébé, mais cette méthode n'est pas sans contraintes, le biberon présentant, lui, des avantages pratiques non négligeables. Le choix du mode d'allaitement appartient à la maman, et, quel qu'il soit, elle aura besoin d'être épaulée.

Choisir

Avantages de l'allaitement maternel

- Le lait maternel contient anticorps et nutriments essentiels à la croissance du bébé.
- Les risques de cancer du sein seraient moindres chez la femme qui a allaité.
- Les liens affectifs mère-enfant sont particulièrement forts.
- L'allaitement au sein est pratique, confortable et économique.

Inconvénients

- L'allaitement peut être frustrant et fatigant au début.
- La mère est la seule personne en mesure de nourrir son bébé.

Avantages de l'allaitement artificiel

- Les tétées sont plus espacées.
- Il est plus facile pour la mère d'organiser ses journées et ses nuits.
- D'autres adultes peuvent prendre part à l'allaitement de bébé.

Inconvénients

- Il ne présente aucun des bienfaits de l'allaitement pour la santé du bébé.
- Il exige une hygiène particulièrement rigoureuse.
- Il coûte assez cher.
- Le bébé peut souffrir d'intolérances digestives.

SE PRÉPARER POUR ALLAITER

L'allaitement au sein est naturel mais, jusqu'à ce que la mère et le bébé en aient pris l'habitude, il implique beaucoup de patience, de persévérance, et l'aide de l'entourage. Le nourrisson a en effet besoin d'un certain temps pour apprendre à téter convenablement, et ses tâtonnements peuvent être un peu frustrants pour lui et sa mère.

Les petits problèmes inhérents à ce mode d'allaitement (engorgement mammaire, douleurs, crevasses, mastite) peuvent également subvenir au cours des premières semaines et être source de déception et de fatigue. Mais avec la compréhension et l'aide de votre entourage, vous parviendrez à donner le sein à Bébé aussi longtemps que vous le souhaitez.

L'ALLAITEMENT

Les bienfaits du lait maternel sont évidents puisque celui-ci contient tout ce dont le nourrisson a besoin en matière de nutriments essentiels et d'anticorps, ce qui n'est pas le cas du lait maternisé.

Les bébés nourris au sein connaissent donc souvent moins d'affections banales, telles que la toux et le rhume, que ceux nourris au lait maternisé.

De même, ils sont moins sensibles aux gastro-entérites, infections urinaires, otites et maladies des bronches. Le lait maternel contient également des éléments essentiels à la croissance, qui favorisent une bonne constitution du système nerveux et du système digestif.

Quant aux inconvénients de ce mode d'allaitement, ils sont de deux ordres. D'abord, une tétée pouvant, dans les premiers temps, durer près de deux heures, la maman a le sentiment de passer une grande partie de ses journées et de ses nuits à nourrir son bébé, ce qui semble interminable et s'avère épuisant.

Ensuite, à moins qu'elle ne tire son lait pour qu'il soit donné au biberon, la mère est la seule personne en mesure de nourrir le tout-petit, le père étant alors privé de cette occasion d'être proche de son enfant.

LE BIBERON

Insistons d'abord sur le fait que la maman, déjà émotionnellement fragilisée après l'accouchement, ne doit pas, en plus, se considérer comme une mauvaise mère si elle décide de ne pas nourrir son bébé au sein. Quelles que soient ses raisons, il est important de respecter son choix.

Même si le lait maternisé ne présente pas les qualités naturelles du lait maternel, ses apports nutritionnels sont parfaitement étudiés pour répondre de façon satisfaisante aux besoins des nouveau-nés.

Il s'agit d'un lait de vache modifié de façon à le rapprocher autant que possible des qualités du lait maternel. Il est souvent plus riche en protéines que le lait humain, et il n'est pas rare que les bébés aient besoin de moins de tétées en 24 heures que lorsqu'ils sont nourris au sein.

Grâce à l'alimentation au biberon, il est plus facile de savoir si l'enfant est ou non rassasié. En fonction de son âge, on lui donnera entre cinq et six biberons par jour pendant les six premiers mois ; ainsi, les intervalles entre les biberons sont à la fois mieux répartis et plus longs.

L'allaitement au biberon offre également un autre avantage : il évite à la mère l'embarras de donner le sein en public.

LE ROT

L'air que bébé avale inévitablement en tétant peut occasionner gaz et ballonnements. Cet inconfort digestif est moins fréquent pour le petit nourri au sein, car il absorbe moins d'air, sa bouche étant hermétiquement plaquée autour du mamelon. Il est donc très important de faire faire son rot à votre enfant, après chaque tétée. En asseyant Bébé sur vos genoux, une main sous son menton pour faire en sorte que sa tête reste droite, vous l'aiderez à éliminer l'air avalé.

Vous pouvez aussi le prendre contre votre épaule et lui tapoter le dos d'un geste ferme et régulier. Pensez à poser un linge sous son menton pour éviter que les éventuels renvois ne tachent vos vêtements. Peu à peu, vous saurez s'il va ou non faire un rot, et au bout de combien de temps.

Vous pouvez également le coucher à plat ventre sur vos genoux.

ORGANISATION DES TÉTÉES

Allaitement à la demande ou allaitement à heures fixes ?

L'allaitement à la demande consiste à faire téter Bébé dès qu'il signale qu'il a faim. Dans les jours qui suivent la naissance, il peut avoir besoin d'une tétée toutes les deux heures et jusqu'à dix par 24 heures. Beaucoup de spécialistes encouragent l'allaitement libre car le bébé, plus souvent nourri, prend du poids plus rapidement que le tout-petit nourri à heures fixes.

L'allaitement à heures fixes implique souvent une tétée toutes les trois ou quatre heures. Ceci peut s'avérer plus facile à gérer pour les parents : ils connaissent l'heure de la prochaine tétée et peuvent s'organiser. Attention cependant : les heures des tétées doivent être fonction de celles où le bébé a faim et non pas strictement fonction du temps que vous avez programmé.

L'ALLAITEMENT

L'ALLAITEMENT AU SEIN EST NATUREL mais il ne va pas toujours de soi, et maman et bébé doivent y mettre du leur. Dès lors qu'ils s'y sont accoutumés, il s'avère cependant très gratifiant et, pour le bébé, c'est une merveilleuse façon de démarrer dans la vie !

Positions

Quelle que soit la position que vous adoptez, assurez-vous que Bébé tète bien le mamelon et l'aréole.

Pour vous éviter les contractures du dos et de la nuque pendant la tétée, adossez-vous à un oreiller, sur lequel reposera aussi le bras qui soutient le bébé.

Plutôt que de vous pencher en avant, remontez Bébé contre vous.

Le corps tout entier du bébé – pas seulement la tête – doit vous faire face.

La tête du bébé doit être placée plus haut que son corps.

Jusqu'à ce que l'allaitement au sein soit devenu une habitude, vous verrez plus facilement ce que vous faites si vous portez un vêtement qui se déboutonne par-devant. Par la suite, vous pourrez allaiter plus discrètement en remontant votre vêtement.

Pour nourrir Bébé quand vous êtes couchée, tournez-vous légèrement sur le côté, et placez le bébé contre vous pour qu'il tète le sein le plus bas.

COMMENT FONCTIONNE LA MONTÉE LAITEUSE

Le sein maternel est constitué d'une vingtaine de lobes rassemblés en « grappes de raisin » ; chacun est drainé par un canal galactophore, qui débouche sur le mamelon. Quand le bébé tète, il stimule la glande pituitaire ; ceci provoque l'apparition d'hormones prolactines, ce qui produit du lait, et libère l'hormone ocytocine, qui entraîne la contraction des alvéoles des lobes et qui envoie le lait dans les mamelons. Ce réflexe de montée de lait advient quand le bébé tète mais aussi lorsque vous entendez pleurer votre petit… ou même, parfois, un autre !

LES PREMIÈRES TÉTÉES

À la naissance, les seins ne sécrètent pas encore du lait, mais un liquide blanc-jaunâtre et visqueux, le colostrum, à forte teneur en éléments nutritifs et en anticorps, dont le bébé a besoin dès la naissance. Le sein ne produit que 10-20 ml par jour de colostrum (2 à 4 cuillerées à café) mais, ajouté aux réserves naturelles du nourrisson, ceci suffit à satisfaire ses besoins jusqu'à l'apparition du lait. Ce dernier se modifie pour aboutir au lait de transition au bout de deux à trois jours puis au lait mature à trois semaines de vie. Il convient de mettre Bébé au sein le plus tôt possible car, même s'il ne sait pas encore téter correctement, le simple fait qu'il s'y essaie stimule la production de lait.

COMMENT ALLAITER

Le bébé doit prendre à la fois le mamelon et la zone circulaire pigmentée qui l'entoure, l'aréole. Sinon, outre que la montée de lait se fera difficilement parce que les mamelons seront mal stimulés, ces derniers seront très vite douloureux.

Pour inciter Bébé à ouvrir la bouche et à prendre le sein, caressez-lui la joue. Pincez votre sein pour en relever le mamelon, puis placez toute l'aréole dans sa bouche. Si vous n'y arrivez pas, mettez votre sein contre sa bouche, il trouvera tout seul le mamelon.

Il faut un peu de temps avant que Bébé sache téter correctement. La mère ressent alors nettement un effet de succion au-dessus du mamelon. Le nourrisson a en outre la bouche grande ouverte, sa lèvre supérieure est soulevée, ses oreilles et sa mâchoire ont un mouvement régulier.

LA FIN DE LA TÉTÉE

Pour interrompre le fort mouvement de succion en évitant que Bébé tire sur le mamelon – ce qui peut être irritant et douloureux –, faites-lui doucement lâcher prise en glissant un doigt entre sa bouche et le mamelon. Il est préférable de proposer un seul sein par tétée, en effet, le lait se modifie au cours d'une même tétée : plus riche en lactose au début, il devient plus gras, plus nourrissant ensuite, pour calmer la satiété du bébé. Si vous videz un sein puis continuez par l'autre, commencez la tétée suivante par ce dernier, qui sera plus rempli.

LA PRODUCTION LAITEUSE

Pour produire suffisamment de lait, vous devez augmenter votre ration alimentaire de 500 calories par jour (1 000 si vous avez des jumeaux). Il ne faut jamais adopter un régime quand on allaite car ceci ralentit la production de lait.

Buvez 1 l d'eau supplémentaire par jour pour stimuler la fabrication de lait.

Essayez de vous reposer le plus souvent possible pour que votre corps récupère entre les tétées. Une sieste l'après-midi vous évite d'être épuisée en fin de journée.

Le lait est produit selon le principe de la demande : plus votre bébé tète, plus vous fabriquez de lait. L'allaitement à la demande ne diminue donc pas la sécrétion laiteuse, bien au contraire.

Les bébés aiment téter même s'ils sont rassasiés. Si le vôtre proteste quand vous lui retirez le sein, ce n'est pas parce qu'il a encore faim, mais simplement qu'il tète par plaisir.

Évitez de passer au biberon – de lait maternel ou maternisé – au tout début de l'allaitement. La succion d'une tétine exige une technique différente, et votre bébé apprendrait moins vite à téter au sein.

Une fois mis en place, l'allaitement maternel à la demande exige des tétées plus fréquentes, donc moins régulièrement espacées. Si la courbe pondérale du nourrisson est normale, c'est qu'il est assez nourri, quel que soit le mode d'allaitement.

Prévoyez les petits inconvénients à venir et faites-vous aider.

TIRER SON LAIT

Tirer son lait combine efficacement les avantages de l'allaitement au sein et la liberté de l'alimentation au biberon. Si vous êtes séparée de votre bébé pour une raison quelconque, le lait tiré lui permet de continuer à être nourri naturellement.

Vous pouvez tirer votre lait à la main (on vous montrera comment procéder à la maternité) mais cette méthode peut être contraignante. Achetez ou empruntez plutôt un tire-lait mécanique (ou fonctionnant sur batterie), ou louez un tire-lait électrique, comme ceux utilisés dans les maternités, à la fois rapides, très efficaces et relativement économiques (*voir* Adresses utiles *p. 344.*)

La production laiteuse s'opérant sur le principe de l'offre et de la demande, tirer votre lait ne la réduira donc pas, à condition de ne pas le faire juste avant une tétée. Toutefois, les seins étant plus pleins le matin, il vaut mieux tirer le lait en début de journée que dans l'après-midi ou la soirée. Il n'est pas nécessaire de tirer l'équivalent d'une tétée : ne tirez que ce que vous pouvez.

CONSERVATION DU LAIT TIRÉ

Celui-ci se conservant six mois au congélateur, vous pouvez garder ce que vous n'utilisez pas dans des poches à congeler stériles, disponibles en pharmacie ou dans les services de soins pédiatriques. Au réfrigérateur, le lait maternel se conserve 24 heures.

ENGORGEMENT MAMMAIRE

En cas d'engorgement mammaire ou de mastite, vous devez impérativement tirer votre lait (et le congeler le cas échéant), puisqu'il faut vider vos seins de l'excédent de lait pour les décongestionner. Loin d'aggraver l'engorgement, le fait de tirer votre lait contribue donc à résoudre ce problème.

ÉTABLIR UN RYTHME

Lors des premières semaines suivant la naissance, vous apprendrez à allaiter et à reconnaître quand Bébé a faim, est rassasié ou ne tète que pour le plaisir. Sachez toutefois que pendant environ six semaines, une tétée peut durer un certain temps : Bébé s'arrête de téter, recommence, s'arrête à nouveau…

Si vous tenez à établir un rythme, notez les heures de tétées et leur durée, ceci peut vous aider à distinguer les constantes éventuelles.

Jusqu'à ce que vous maîtrisiez l'allaitement, la tétée doit se faire dans un endroit calme, chez vous plutôt qu'à l'extérieur ; il vaut mieux éviter d'être entourée, sinon vous risquez d'être tendue : Bébé ne manquera pas de le sentir et d'être agité, ce qui ne vous aidera pas.

L'ALLAITEMENT DES JUMEAUX

Si vous avez des jumeaux, vous devez augmenter votre apport calorique de 1 000 calories par jour pour couvrir leurs besoins nutritionnels. Boire beaucoup d'eau et vous reposer souvent dans la journée est aussi doublement important.

Il y a plusieurs manières d'organiser l'allaitement de jumeaux, et vous seule saurez quelle méthode vous convient le mieux. Vous pouvez les nourrir ensemble – chacun tétant alors un sein – ou l'un après l'autre, mais dans ce cas, vous consacrerez sans doute la moitié de vos journées à nourrir vos enfants...

Chacun des jumeaux doit avoir sa ration

Notez par écrit (sinon vous risquez d'oublier) lequel des deux est nourri en premier et à quel sein, le second commence souvent sa tétée par le deuxième sein, qui est le moins plein.

Vous pouvez aussi alterner le sein et le biberon pour chaque bébé en établissant un rythme, l'un des bébés est alors nourri au sein pendant que l'autre l'est au biberon, les rôles s'inversant à la tétée suivante. Ceci vous laisse un peu de répit et permet à chacun des nourrissons d'avoir un moment seul avec vous.

Sachez cependant que des jumeaux ne tètent pas forcément de la même façon et qu'il peut donc être difficile de programmer les tétées ou de respecter telle ou telle méthode à la lettre.

ALLAITEMENT QUESTIONS ET RÉPONSES

Comment traiter l'engorgement mammaire ?

La montée laiteuse pouvant être très rapide, un engorgement douloureux des seins peut advenir si votre bébé ne tète pas encore correctement. L'engorgement peut induire une mastite (infection du sein) qui, si elle n'est pas traitée immédiatement, peut à son tour provoquer un abcès. Continuez à vider vos seins, soit en allaitant Bébé, soit en tirant votre lait ; faites en sorte de tirer un peu de lait avant chaque tétée si vos mamelons sont trop mous pour que Bébé s'y agrippe. Vous n'êtes pas obligée de vider vos seins à chaque tétée – tant que le problème persiste, il vaut mieux allaiter peu mais souvent.

Comment prévenir les crevasses ?

Pour prévenir les crevasses, assurez-vous que votre bébé tète correctement, (en prenant le mamelon et l'aréole) et qu'il ne tire pas sur le mamelon quand vous l'ôtez du sein. Pour traiter les crevasses, exposez vos seins à l'air aussi souvent que possible et changez les coussinets d'allaitement après chaque tétée. Appliquez un peu de lait maternel ou de salive sur les mamelons et laissez-les sécher : c'est un moyen aussi efficace que les diverses crèmes vendues dans le commerce. Vous devez continuer à nourrir l'enfant à ce sein, sinon celui-ci risque de s'engorger. Si la tétée s'avère trop douloureuse, tirez le lait du sein affecté. Vous pouvez aussi utiliser un bout de sein artificiel, mais votre bébé peut ne pas apprécier.

Que faire en cas d'engorgement des canaux galactophores ?

L'engorgement d'un canal galactophore provoque la formation d'une rougeur molle sur le sein. Il est essentiel de vider ce dernier autant et aussi souvent que possible, sinon le lait imprègne les tissus mammaires, ce qui peut provoquer une mastite. Continuez à donner la tétée sur ce sein en commençant par celui-ci. Vous pouvez allaiter en vous mettant à quatre pattes pour que le sein pende au-dessus du bébé, la gravité contribuant alors à vider le sein. Tirez votre lait, surtout si Bébé ne tète pas efficacement. Pour atténuer la douleur, posez un coton chaud sur la rougeur, ou encore une feuille de choux froide – c'est un remède de grand-mère qui a fait ses preuves !

Comment savoir si mon bébé est rassasié ?

Quand Bébé est rassasié, il se met à téter beaucoup moins énergiquement, s'arrête souvent et s'endort parfois. Généralement, quand l'allaitement maternel est bien en place, le bébé absorbe la majeure partie du lait au cours des dix premières minutes ; ainsi une tétée dure généralement vingt minutes. Mais seule l'expérience vous dira si bébé a assez mangé ; en attendant, vous êtes vouée à essayer et... à vous tromper !

Ai-je vraiment assez de lait ?

Beaucoup de mamans se posent cette question quand leur bébé pleure après la tétée comme s'il avait encore faim. Vous pouvez lui donner un biberon de lait maternisé après la tétée pour le rassasier, mais il tétera alors moins énergiquement au sein et vous produirez moins de lait. En fait, il est rare qu'une femme n'ait pas assez de lait, et plus les tétées sont fréquentes, plus la mère produit de lait. Si la courbe de poids de Bébé est normale quand il ne tète qu'au sein, c'est qu'il est assez nourri.

Dois-je continuer à allaiter mon bébé malade ou prématuré ?

Si vous êtes séparée de votre bébé dès la naissance, on vous incitera à tirer votre lait, les bienfaits du lait maternel pour le nouveau-né étant essentiels. Une fois rentrée chez vous, et si votre bébé doit rester hospitalisé, louez un tire-lait électrique (voir plus haut) pour fabriquer le plus de lait possible. Vous l'apporterez à l'hôpital où on le donnera à votre enfant.

LE BIBERON

LA PLUPART DES BÉBÉS SONT NOURRIS au lait maternisé à un moment ou à un autre. Organisation et hygiène sont la clef du succès de ce mode d'allaitement. À la fois pratique et sûr, il permet en outre à d'autres personnes de nourrir le bébé, ce qui laisse à la maman plus de liberté que lorsqu'elle donne le sein.

Équipement

Les biberons Disposer d'au moins six biberons évite de passer son temps à préparer les tétées.

Les tétines Si le débit est trop rapide le bébé avale de l'air, ce qui provoque des gaz. Utilisez des tétines à débit lent pour le nouveau-né, puis, à mesure qu'il grandit, celles à débit plus rapide. Les tétines à débits variables s'avèrent pratiques : elles évitent d'avoir à en acheter plusieurs.

Les goupillons Utilisez des goupillons spécifiquement destinés au nettoyage des biberons et des tétines, vous éviterez les risques de contamination des uns par les autres.

Stérilisation Les stérilisateurs à vapeur électriques ou adaptés au micro-ondes sont les plus préconisés. Les pastilles ou liquides stérilisants sont faciles d'utilisation en voyage.

Lait maternisé Les laits maternisés, spécialement formulés pour ressembler le plus possible au lait humain, sont peu ou prou tous semblables en matière de teneur en nutriments. Renseignez-vous auprès de votre pédiatre.

L'HYGIÈNE

L'alimentation au biberon exige une extrême vigilance en matière d'hygiène, surtout au cours des premiers mois.

Biberons et tétines doivent être lavés à l'aide de goupillons spéciaux, puis rincés à l'eau courante et stérilisés. Tout ce qui sert à préparer les tétées (couverts, etc.,) doit également être lavé, rincé et stérilisé. La stérilisation s'impose pendant six mois.

Lavez-vous les mains avant de préparer les tétées et de donner le biberon. Et ne réchauffez jamais un lait déjà utilisé.

PRÉPARATION DES BIBERONS

On apprend vite à préparer en une seule fois les biberons nécessaires à la journée – les conserver ensuite au réfrigérateur. Il ne faut jamais diluer ou condenser le lait, au risque de sous-alimenter ou, au contraire, de suralimenter Bébé. Si vous réchauffez le biberon au micro-ondes, secouez-le ensuite pour bien distribuer la chaleur. Vérifiez celle-ci en déposant un peu de lait sur l'intérieur de votre poignet.

L'eau servant à la préparation des tétées doit être bouillie puis refroidie ; on peut aussi utiliser de l'eau en bouteille à très faible teneur en minéraux, ou de l'eau filtrée puis bouillie et refroidie.

Le lait maternisé étanchant moins bien la soif que le lait humain, il faut régulièrement donner au nouveau-né de l'eau bouillie refroidie pour éviter qu'il ne se déshydrate. Au début, il boude l'eau, mais il faut insister et lui en proposer fréquemment de petites gorgées. L'eau est beaucoup plus saine pour les bébés que les jus de fruits, et les y habituer très tôt les incitera à en boire volontiers plus tard.

Pour les bébés allergiques au lait de vache, on peut donner du lait maternisé à base de soja, mais consultez votre médecin ou votre pédiatre avant d'en décider.

DU SEIN AU BIBERON

Si, comme de nombreuses mamans, vous passez de l'allaitement au sein à l'allaitement artificiel, prévoyez au moins deux semaines de transition. Ce laps de temps permet à votre production de lait de diminuer progressivement, pendant que Bébé s'habitue à la sensation de la tétine et au goût du lait maternisé. Au début, les petits jusqu'alors nourris au sein peuvent être réticents au biberon. Une situation qui peut créer des soucis à la maman, surtout si elle recommence à travailler. Une autre personne peut prendre le relais et donner le biberon au bébé pour qu'il se déshabitue de l'odeur du lait maternel.

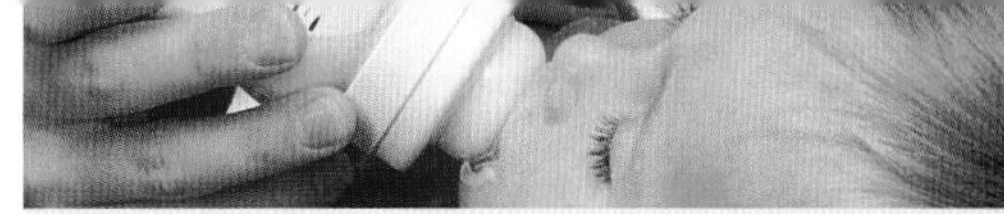

Commencez par un biberon par jour, et donnez-le à un moment où il n'est pas fatigué. Au bout de quelques jours, introduisez un autre biberon à un autre moment de la journée. Puis alternez le sein et le biberon, le sein étant donné lors de la dernière tétée du soir et de la première tétée du lendemain. Enfin, cessez définitivement de donner le sein.

COMMENT DONNER LE BIBERON ?

Bébé doit être correctement installé : tenu droit dans les bras et non couché. Le biberon doit être incliné pour que le lait remplisse complètement la tétine, empêchant tout passage d'air, et permettant un débit adapté au rythme voulu par le bébé. Regardez souvent celui-ci dans les yeux et parlez-lui si vous en avez envie. S'il cesse de téter, caressez-lui la joue pour qu'il recommence. Pour lui ôter la tétine de la bouche, glissez un doigt entre la tétine et la commissure des lèvres.

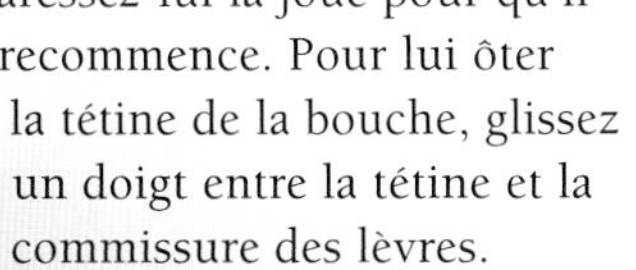

LE BIBERON EN TOUTE SÉCURITÉ

L'hygiène et l'organisation sont les maîtres mots lorsque vous nourrissez Bébé au biberon.

Lavez à l'eau chaude savonneuse et rincez soigneusement tout le matériel, ainsi que les couverts servant à la préparation des tétées. Stérilisez également tout pendant 6 mois.

Lavez-vous les mains avant de préparer les biberons et avant la tétée.

Le lait maternisé se conserve 24 heures maximum au réfrigérateur. Attention, il ne doit jamais être réchauffé car les bactéries se multiplient rapidement dans le lait maternisé.

Lire attentivement les conseils des fabricants de lait.

Secouez le biberon réchauffé au micro-ondes pour y distribuer la chaleur, et vérifiez celle-ci.

Entre les tétées, proposez à Bébé des gorgées d'eau bouillie refroidie pour éviter qu'il ne se déshydrate et pour qu'il s'habitue au goût de l'eau.

Prévoyez au moins 2 semaines d'allaitement mixte pour passer du sein au biberon. Si vous devez retravailler, prévoyez un temps d'adaptation suffisant pour vous et pour l'enfant.

Ne passez pas du lait maternisé de vache à un autre type de lait sans demander l'avis d'un médecin.

QUAND BÉBÉ PLEURE

DEVANT LES LARMES DU NOUVEAU-NÉ, la plupart des parents – surtout les mamans – restent souvent désemparés, d'autant plus s'il s'agit de leur premier enfant. Mais ils apprennent rapidement à déceler les multiples raisons de ces cris et pleurs : bébé pleure pour faire savoir que quelque chose ne va pas bien.

Cris et pleurs

Les pleurs du bébé sont inévitables mais vous serez moins inquiet si vous parvenez à savoir de quoi se plaint votre enfant.

Un bébé peut pleurer et crier pour de nombreuses raisons, auxquelles s'ajoute le fait que certains bébés sont plus calmes que d'autres.

On dit souvent que les mamans reconnaissent d'instinct les pleurs de leur bébé parmi d'autres, mais il faut parfois plusieurs semaines avant d'y parvenir...

Il faut également beaucoup de temps avant de savoir distinguer la nature des pleurs d'un tout-petit, ce qu'ils signifient.

Vous finirez par comprendre que votre nouveau-né pleure pour une ou plusieurs raisons très simples : il a faim ou sommeil et il suffit de l'allaiter ou de le consoler ; il est peut-être également nécessaire de le changer ; il peut aussi souffrir de ballonnements, de gaz ou de coliques (*voir encadré p. 25*) ; enfin, il se peut qu'il ait froid ou trop chaud, ou qu'il ne se sente pas très bien.

COMMENT CALMER BÉBÉ

Quand leur tout-petit pleure, les parents le prennent instinctivement dans les bras, ce qui suffit souvent à le calmer. Les bébés adorent qu'on s'occupe d'eux et le simple fait d'entendre des voix familières et d'être câlinés les apaise.

Parfois, cela ne suffit pas et Bébé continue à se plaindre. C'est peut-être qu'il a faim ou soif : proposez-lui un peu de lait ou d'eau. Vous pouvez aussi lui proposer une tétine à sucer. Quand il aura un peu grandi, il se consolera sans doute tout seul en suçant son pouce.

Il se peut aussi que Bébé pleure parce qu'il a froid, ou trop chaud. La température du corps des nouveau-nés n'étant pas bien régulée, touchez sa nuque pour savoir ce qu'il en est. En règle générale, un bébé doit porter une couche de vêtements de plus que vous. Veillez cependant à ne pas trop le couvrir quand il fait très chaud.

Il peut également souffrir de gaz et de ballonnements ou, s'il vient de téter, avoir besoin de faire son rot. Essayez de le calmer en le posant à plat ventre sur vos genoux et en lui caressant le dos.

Bébé pleure sans raison apparente

Si, âgé de trois semaines à trois mois et demi, votre bébé est systématiquement irritable en début de soirée, c'est peut-être qu'il souffre de coliques (*voir encadré p. 25*). Si tel est le cas, le calmer peut être un peu difficile car les remèdes préconisés – traditionnels ou autres – ne sont pas toujours efficaces.

Lorsqu'un nouveau-né a sommeil, il pleure. Enveloppez-le alors dans un drap ou une couverture légère et posez-le à plat ventre sur votre avant-bras en le berçant, et en lui parlant doucement : un geste très rassurant qui contribuera non seulement à calmer ses pleurs mais aussi à l'endormir.

En désespoir de cause, certains parents mettent le tout-petit en larmes dans son siège-auto et lui font faire un tour de pâté de maisons : une étonnante solution qui fait souvent merveille. Moins radicale mais tout aussi apaisante : une petite promenade en poussette, pour prendre l'air est très bénéfique.

Si, quoi que vous fassiez, votre enfant continue à pleurer de façon colérique et que la colique ne semble pas en être la cause, c'est peut-être qu'il est souffrant. Si tel est le cas, le problème est sans doute bénin, mais n'hésitez pas à appeler votre médecin. Il comprendra votre inquiétude et saura vous rassurer.

LES PREMIÈRES SEMAINES

Il en va des bébés comme des adultes : certains sont par nature mieux disposés que d'autres. Il vous suffira de quelques semaines pour savoir si le vôtre est un petit être tranquille ou exigeant, et comment gérer ses pleurs. Sachez qu'un bébé ne se plaint jamais sans raison et que, jusqu'à ce qu'il grandisse un peu, les larmes sont le seul moyen efficace dont il dispose pour exprimer un besoin ou un mal-être.

FAUT-IL PRENDRE BÉBÉ DANS SES BRAS ?

À seulement quelques semaines, il est tout à fait naturel de prendre Bébé dans ses bras dès qu'il pleure. À mesure qu'il grandit, vous pourrez très bien ne pas obtempérer immédiatement, surtout si vous êtes sûr qu'il n'a rien de grave (il n'a ni faim, ni soif, sa couche est propre et il n'est pas malade). Savoir s'il faut ou non le faire patienter un peu avant de le prendre dépend de vous : vous agirez au mieux pour votre bébé et pour vous-même. L'entourage n'est pas toujours de bon conseil ; ne vous laissez pas influencer. Dites-vous bien que personne ne connaît votre bébé mieux que vous, et que vous

LES PLEURS DU SOIR

Entre 3 semaines et 3 mois et demi, certains bébés pleurent systématiquement le soir. Si les pleurs persistent longuement et que le bébé se replie sur lui-même comme s'il avait mal au ventre, il peut s'agir de coliques.

Il n'est pas toujours facile de diagnostiquer les coliques : selon certains, elles sont dues à des gaz que le nourrisson ne peut expulser ; selon d'autres, elles sont provoquées par des spasmes intestinaux au cours des semaines qui suivent la naissance.

Mais il se peut que ces pleurs persistants du soir soient seulement liés à la sensation de faim, surtout si Bébé est nourri au sein : le lait maternel est souvent moins riche et moins nourrissant le soir. Si la maman peut se reposer dans la journée, son lait n'en sera que meilleur.

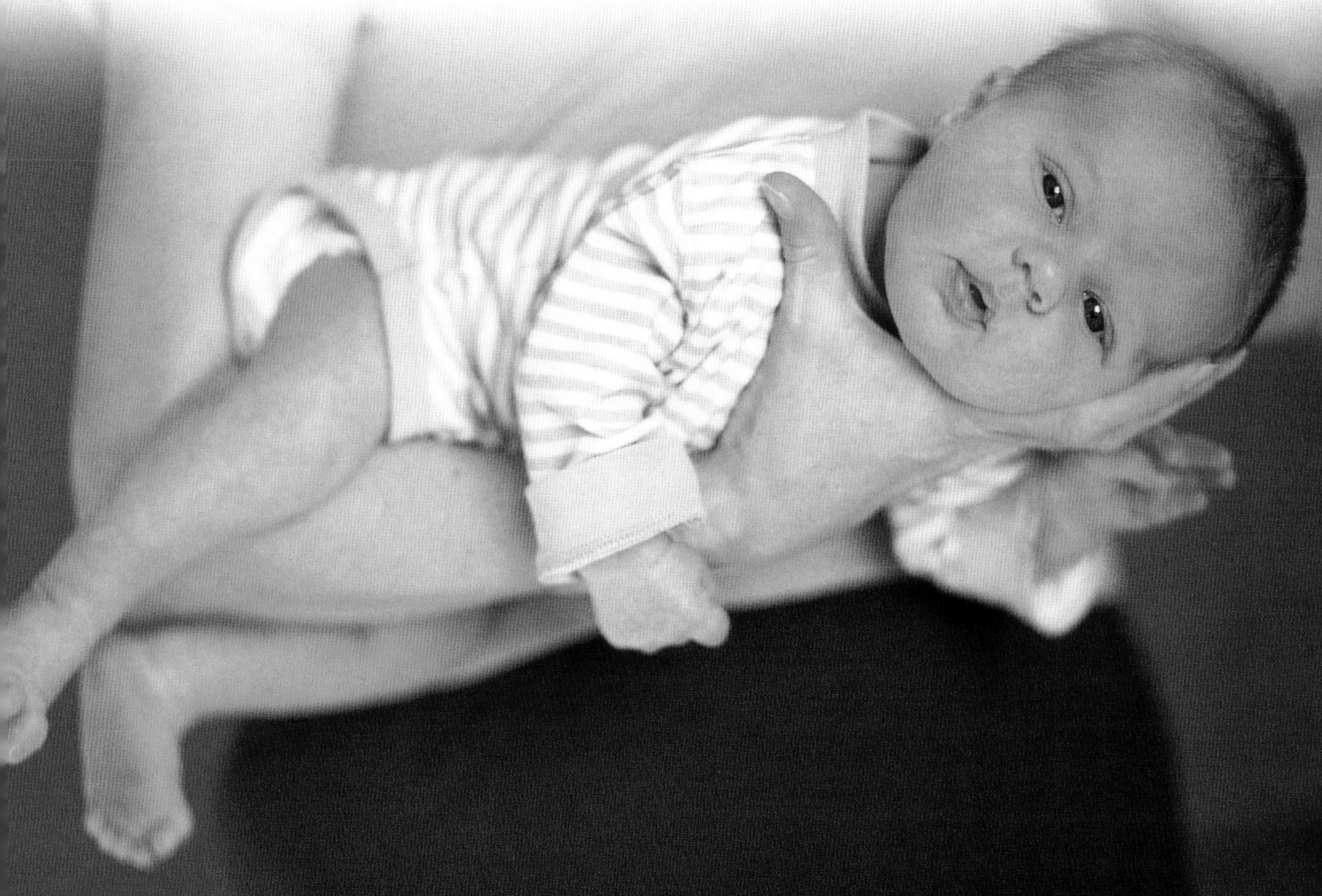

êtes tout à fait capable d'en prendre soin comme il faut.

LE SOMMEIL ET LES LARMES

Aux environs du troisième mois, l'horloge interne de Bébé commence à faire la différence entre le jour et la nuit. Le nourrisson a alors souvent sommeil en début de soirée et pleure, d'une façon différente qu'il ne le fait s'il souffre de colique : c'est peut-être l'heure de le coucher. Sachez qu'un bébé doit apprendre à s'endormir tout seul et que les larmes font partie de cet apprentissage (*voir p. 31*).

LES LARMES APRÈS 6 MOIS

Dès l'âge de 6 mois, Bébé a pris des habitudes, et si elles ne sont pas respectées, il peut ne pas apprécier : il a son caractère ! Si, par exemple, vous tardez à lui donner son biberon, il le réclamera jusqu'à ce que celui-ci arrive. Tout comme il peut manifester son mécontentement pendant le repas parce que ce que vous lui donnez ne lui plaît pas. Ainsi, même s'il ne parle pas encore, Bébé exprime beaucoup de choses avec ses larmes.

FAUT-IL LAISSER BÉBÉ PLEURER ?

Les parents n'aiment pas contrarier leur enfant mais il le faut parfois. Ce n'est pas parce que votre petit de 6 mois pleure qu'il faut céder à toutes ses exigences. Là encore, vous seul êtes à même de décider de ce qu'il convient de faire en fonction des circonstances.

En effet, si par moments, Bébé a de toute évidence besoin d'être consolé, il est d'autres situations où il faut être ferme et le laisser pleurer (comme, par exemple, lorsqu'il veut quelque chose qui peut être dangereux pour lui). Si vous cédez à tout, votre enfant peut devenir exigeant et finir par vous « mener par le bout du nez ». Suivre cette recommandation ne fer[a] pas de vous un mauvais parent : vou[s] ne ferez qu'écouter votre instinct ; souvent de bon conseil, il vous guid[e] dans l'éducation de votre enfant.

LA TÉTINE OU LE POUCE

Les opinions quant à la tétine et au pouce varient, et c'est à vous de décider en la matière. Si l'un ou l'autre parvient à calmer Bébé, les parents sont soulagés : il est toujour[s] très pénible d'entendre pleurer un nourrisson et l'on souhaite par-dess[us] tout sécher ses larmes.

L'avantage du pouce est que le b[ébé] peut lui-même arrêter de le sucer s'[il] veut babiller, sucer autre chose ou se remettre à pleurer. L'inconvénien[t] est que le pouce est à tout moment disponible et peut devenir une habitude difficile à réprimer. La succion du pouce peut aussi, à longue échéance, provoquer

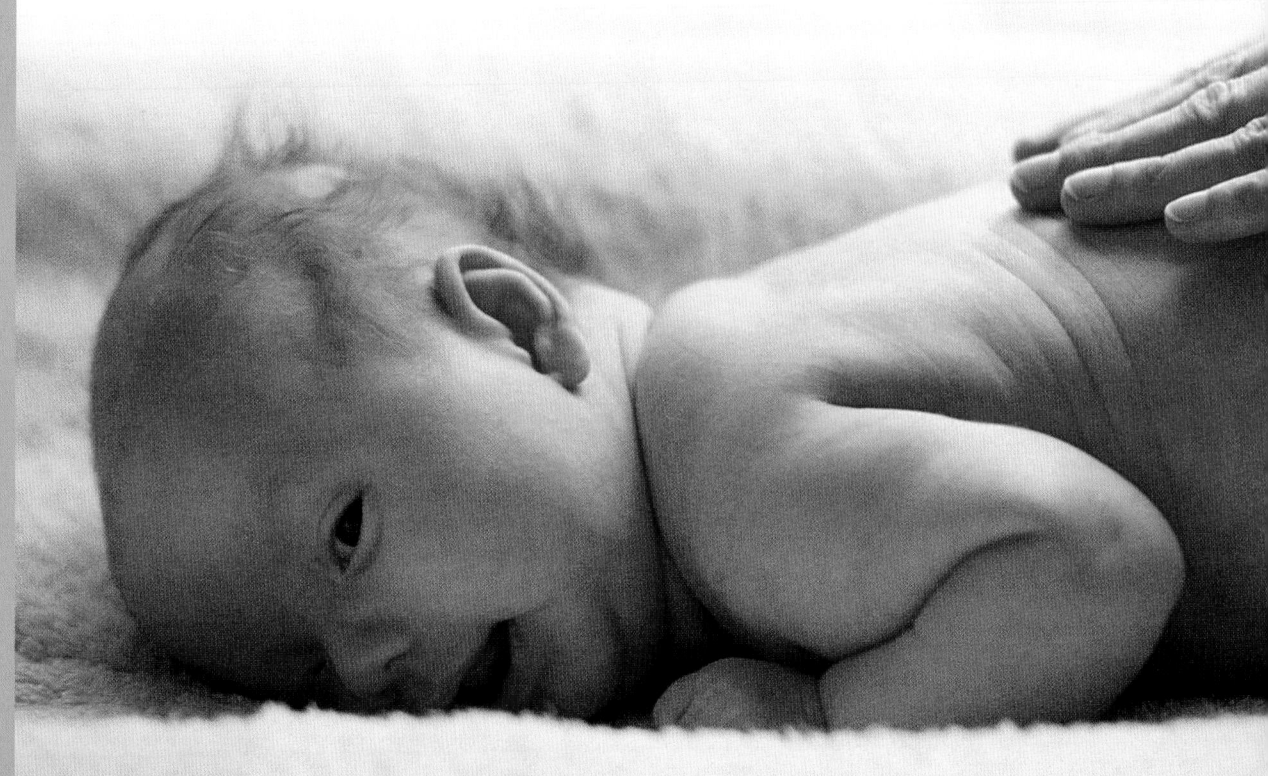

des problèmes dentaires. Quant à la tétine, elle permet aux parents de décider eux-mêmes du moment auquel ils peuvent l'enlever à Bébé, même si cela est souvent plus facile à dire qu'à faire. On considère aujourd'hui que la tétine est plus adaptée qu'auparavant à la bonne formation des dents de l'enfant ; la forme des tétines étant spécialement étudiées, et tenant compte de l'orthodontie. Il est néanmoins prouvé que la tétine peut faire obstacle au langage et au développement général de l'enfant, qui, en suçant, ne peut babiller et devient passif. Elle empêche aussi le bébé de porter des choses à sa bouche, ce qui lui est nécessaire pour explorer le monde qui l'entoure.

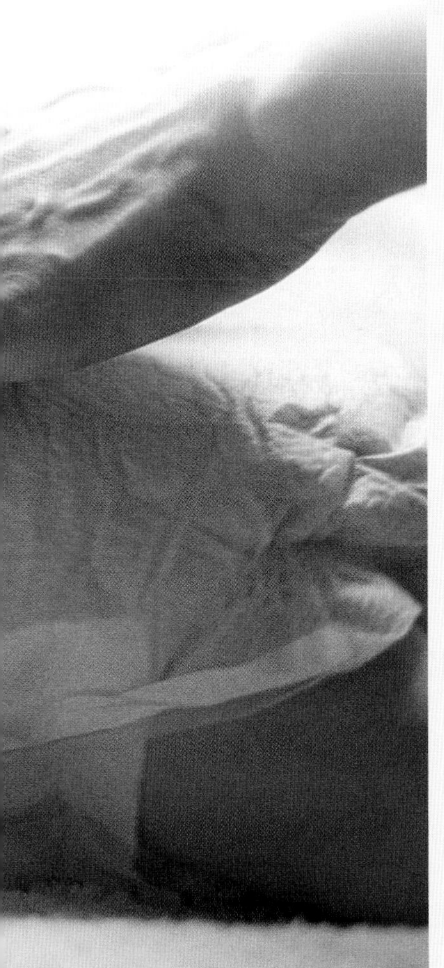

THÉRAPIES COMPLÉMENTAIRES QUESTIONS ET RÉPONSES

J'ai l'impression que mon bébé pleure sans arrêt. Existe-t-il des thérapies non traditionnelles susceptibles de le calmer ?
Si les pleurs de votre bébé n'ont pas de raison évidente, la « médecine douce » peut être envisagée (*voir p. 318*). Tenez cependant compte du fait que la plupart de ces thérapies ne sont pas réglementées officiellement et que leur efficacité n'est cliniquement pas prouvée. Ceci ne signifie pas qu'elles ne servent à rien, mais simplement qu'il est difficile d'évaluer leurs effets sur tel ou tel problème.

L'ostéopathie pourrait-elle aider mon bébé à faire ses nuits ?
L'approche ostéopathique tend à rééquilibrer le corps par des manipulations douces. Pour un enfant, le praticien doit être un pédiatre formé à l'ostéopathie. Pour les bébés, le travail consiste à calmer le système nerveux. Selon les pédiatres ostéopathes, les os d'un bébé sont si malléables qu'ils répondent très rapidement au moindre toucher, ce qui permet d'améliorer le fonctionnement des systèmes nerveux, immunitaire et circulatoire de l'enfant et contribue à le calmer progressivement.

Qu'est-ce que l'ostéopathie crânienne ?
Pendant l'accouchement, les os du crâne bougent plus ou moins pour permettre le passage du bébé. Les bords des os (ou sutures) et les petits creux mous inter-osseux (ou fontanelles) ne se rejoignent complètement que lorsque l'enfant atteint l'âge de 2 ans. L'ostéopathie crânienne est un aspect spécifique de l'ostéopathie, et consiste à encourager l'ajustement des os de façon douce. Le praticien se contente d'effleurer le bébé, dont le crâne est si sensible que le moindre toucher est extrêmement efficace.

L'homéopathie pourrait-elle aider mon bébé à se calmer ?
On a recours à l'homéopathie pour traiter de nombreuses affections. Le principe de cette pratique est de stimuler le système immunitaire en faisant prendre au patient d'infimes doses de substances qui, administrées en grande quantité, provoqueraient cette maladie.

Comment procède l'homéopathe ?
L'homéopathie traite le patient dans sa globalité et pas seulement l'affection dont il souffre. Dans un premier temps, le praticien questionne longuement les parents sur leur bébé, de façon à se faire une idée de sa personnalité et de son comportement. Il a également besoin de connaître la personnalité des parents et la façon dont ils communiquent avec leur enfant. C'est en fonction de ces renseignements qu'il prescrit un remède susceptible de faire reculer, voire disparaître complètement, l'affection dont souffre le bébé.

Que faire si l'homéopathie n'améliore pas immédiatement l'état de mon bébé ?
Le praticien doit parfois essayer plusieurs remèdes avant de trouver celui qui convient. Il lui faut donc un certain temps pour y parvenir, et le résultat n'est pas toujours garanti. Les problèmes liés aux pleurs et au sommeil font cependant partie de ceux que l'homéopathie assure traiter avec succès.

LE SOMMEIL

LE NOUVEAU-NÉ N'A AUCUNE NOTION DU TEMPS, du jour ou de la nuit, et il ne fera correctement ses nuits qu'au bout de plusieurs semaines, voire plusieurs mois. Ce rythme n'a aucune incidence sur sa santé mais peut tout à fait affecter la vôtre dans la mesure où, pendant cette période, vous ne dormirez pas normalement.

Le couchage

Le berceau : il convient au bébé de la naissance à 3 mois.

Le panier moïse et le couffin : conviennent de la naissance à 3 mois.

Le lit d'enfant : convient de la naissance jusqu'à l'âge de 2 ans. Les bébés dorment souvent mieux dans un véritable lit.

Oreillers, duvets et couettes : ils sont déconseillés avant que Bébé ait atteint 1 an, car il peut s'y blottir et s'étouffer.

Draps et couvertures : en laine, ces dernières peuvent irriter la peau délicate du nourrisson ; mieux vaut donc adopter celles en coton, à la fois chaudes et légères. De même pour les draps, évitez les tissus synthétiques qui ne permettent pas une bonne régulation thermique.

Sacs de couchage pour bébés : ils sont déconseillés, Bébé ne pouvant se découvrir s'il a trop chaud. Si vous en utilisez néanmoins, n'ajoutez pas de couverture supplémentaire.

Coussins de protection : ils sont déconseillés avant l'âge d'1 an.

OÙ DOIT DORMIR BÉBÉ ?

Bébé dormira-t-il dans sa chambre ? Dans la vôtre ? Avec vous ? Dans son lit ? À vous de décider ; rien n'empêche qu'il dorme dans tel endroit au début, et ailleurs quand il aura un peu grandi – dès que les tétées seront espacées de quatre heures, par exemple. Songez cependant que le sommeil d'un bébé peut être assez bruyant et vous empêcher de dormir. En outre, même s'il dort dans son berceau, il se rendra vite compte de votre présence et vous ne pourrez ignorer ses pleurs.

Bébé ne doit pas dormir dans votre lit si son père ou vous-même êtes très fatigués ; ou bien sûr si l'un de vous deux a fumé ou a bu de l'alcool.

Beaucoup de parents aiment que le bébé dorme dans leur chambre au cours des premières semaines après la naissance, surtout s'il est allaité au sein, car il peut ainsi être nourri au lit pendant la nuit sans trop déranger.

Plus tard, s'il est nourri au biberon, un parent peut rester auprès du nourrisson pendant que l'autre dort ailleurs. Dès que les tétées sont plus espacées, le petit peut dormir dans sa propre chambre, celle-ci pouvant être équipée d'un système de surveillance sonore qui rassurera les parents.

Bébé doit-il dormir dans votre lit ?
Les parents sont seuls juges en la matière. Comme nous l'avons vu, beaucoup préfèrent que, pendant les premières semaines, l'enfant dorme avec eux une partie de la nuit ou la nuit entière, surtout s'il est nourri au sein, car l'enfant dort mieux, et les parents aussi. Bébé peut également téter pendant que sa mère est assoupie, ce qui lui permet de prendre un temps de repos appréciable.

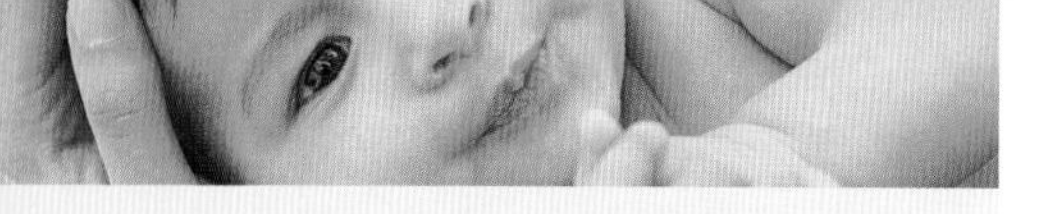

LA MORT SUBITE DU NOURRISSON

Ce syndrome, extrêmement rare, ne concerne que les bébés âgés de 2 à 6 mois. Depuis ces dernières années, la recherche a démontré que certaines mesures simples minimisent ce risque.

Couchez toujours Bébé sur le dos plutôt que sur le côté, et jamais sur le ventre. Ne couvrez pas trop le nourrisson. Les sacs de couchage ne sont pas recommandés, car il ne peut en sortir s'il a trop chaud.

Ne surchauffez pas la chambre de Bébé et assurez-vous qu'elle soit bien aérée, surtout en été. Une température comprise entre 18 et 20 °C est idéale.

Les duvets, couettes, peaux de mouton, oreillers ou coussins de protection sont à éviter. Préférez du linge de literie en coton ; cette fibre permet une bonne régulation thermique.

Ne fumez jamais en présence du bébé, ou même dans la pièce où il dort ; mieux, arrêtez de fumer. Il a été prouvé qu'un bébé court 15 fois plus de risques d'être victime de la mort subite du nourrisson si la mère a fumé pendant la grossesse.

Si vous fumez, buvez ou êtes très fatigué, ne partagez pas votre lit avec votre enfant. Dans l'idéal, bébé doit dormir seul, surtout au cours des quatre mois suivant la naissance.

Couchez Bébé les pieds contre le pied du lit pour l'empêcher de descendre et de glisser sous la couverture.

L'encadré page 29 vous aidera à comprendre les différentes évolutions du sommeil de Bébé, jusqu'à l'âge d'un an.

Certains bébés s'endorment seuls plus facilement que d'autres. Les tout-petits se font aux bonnes comme aux mauvaises habitudes extrêmement vite, mais on peut les faire changer. Pour ce qui concerne le sommeil, il faut s'y prendre tôt et être cohérent. Plus vous laissez s'installer une mauvaise habitude, plus vous aurez de mal à la combattre ensuite. Votre enfant peut être de ceux qui pleurent longtemps avant de s'assoupir, ne vous en inquiétez pas, car cela fait partie de l'apprentissage.

L'importance du rituel

Selon la plupart des experts, il est important d'instaurer des rituels pour qu'un bébé apprenne à s'endormir, et il n'est jamais trop tôt pour le faire, même si les résultats peuvent se faire attendre trois mois. Ce sont ces petits rituels qui indiquent au nourrisson que c'est bientôt l'heure de dormir, pour la sieste ou pour la nuit.

Cependant, si vous décidez de garder l'enfant dans votre lit au-delà des premières semaines, sachez qu'une fois cette habitude prise, cela peut durer des années. En effet, dès que Bébé a compris – c'est-à-dire au cours des premiers mois – que le lit de ses parents est celui où il dort, il est très difficile de l'en déloger, et il sera d'autant moins aisé de l'habituer à son propre lit qu'il aura longtemps partagé le vôtre.

Votre relation de couple, mais également votre vie sexuelle, peuvent en être affectées, surtout si vous et votre mari (ou partenaire) n'êtes pas d'accord quant au fait d'être trois dans le lit. L'un de vous peut mal dormir de peur d'étouffer le bébé, ou craindre que celui-ci ait trop chaud. Il est essentiel de bien peser le pour et le contre avant de décider de laisser ou non Bébé dormir avec vous.

INSTAURER L'HEURE DU COUCHER

Les parents se divisent souvent en deux catégories : ceux qui s'adaptent au rythme de Bébé et ceux qui tentent d'habituer leur enfant au leur. Selon que vous soyez dans un cas ou dans l'autre, votre comportement quant au sommeil de votre enfant sera différent.

Comment faire pour qu'il s'endorme seul, et combien d'heures est-il capable de dormir par nuit, sont les deux questions qui se posent quant au sommeil d'un bébé. Endormir un bébé s'apprend, il y a de multiples façons d'y parvenir. Il est en revanche moins évident de gérer la durée de ses nuits, qui, au cours des trois premiers mois, dépend entre autre, de la façon dont il est allaité ; car un tout-petit nourri au sein se réveille plus souvent pour réclamer la tétée.

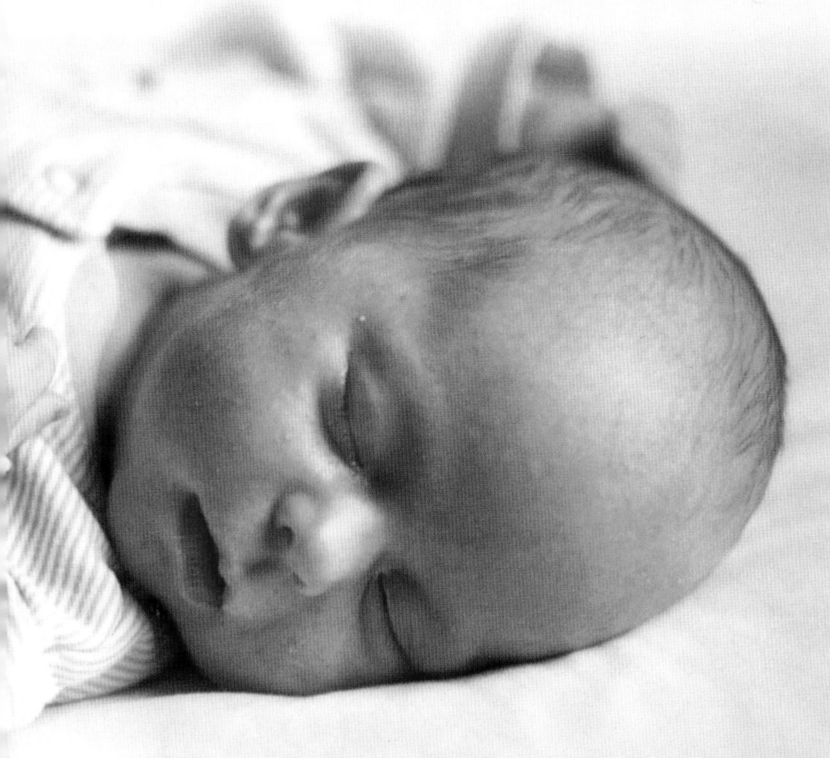

LES CYCLES DE SOMMEIL

Les habitudes de sommeil d'un bébé de moins d'1 an se déroulent généralement selon le schéma décrit ci-dessous

Les premières semaines
Bébé ne reste éveillé que 6 à 8 heures par jour, environ. Au cours de la journée et pendant la nuit, il dort par phases, son cerveau ne faisant pas encore la différence entre le jour et la nuit.

De 6 semaines à 3 mois
L'horloge interne du bébé change doucement. Il dort de moins en moins dans la journée, et les phases de sommeil nocturne peuvent être plus longues.

De 3 à 6 mois
À cet âge, les bébés font maintenant la différence entre le jour et la nuit, et peuvent dormir 4 heures d'affilée entre les tétées.

Dès 6 mois
Bébé doit pouvoir dormir 6 heures d'affilée, voire plus. À 6 mois, un enfant n'a normalement plus besoin de téter pendant la nuit. S'il réclame à manger, essayez de le rendormir en lui donnant quelques gorgées d'eau (ou de lait, maternel ou maternisé, dilué dans de l'eau), et encouragez-le calmement à se rendormir.

Le rituel du coucher
Vous vous rendrez rapidement compte que le simple fait d'établir un bon rituel du coucher pendant sa première année *(voir p. 30)* aidera Bébé à accepter d'aller dormir et s'avère utile pendant toute son enfance.

Outre que le rituel du soir apprend à Bébé qu'il faut dormir, il contribue à le calmer. On peut lui donner un bain, lui mettre des vêtements autres que ceux qu'il portait dans la journée, le faire téter dans la pièce où il va dormir (en faisant l'obscurité), et lui faire un gros câlin avant de le mettre au lit. Tout ceci ne doit pas durer trop longtemps et, du bain au coucher, il ne doit normalement pas se passer plus de 45 minutes.

Les petits « plus »

Les petites cajoleries avant de dormir font partie du rituel : ce sont pour Bébé des signes lui rappelant qu'il va bientôt être le moment de dormir.

On peut masser son bébé après le bain avec des huiles essentielles diluées (avec de l'huile de lavande, par exemple) ou lui donner un tissu doux, dont l'odeur le rassurera ; c'est souvent une peluche particulière, le bavoir qui a servi pendant la tétée, ou tout autre « doudou » bien aimé. Il faut bien sûr éviter de l'exciter ou de l'inciter à jouer à ce moment-là, même si l'on est tenté de partager encore des moments de gaîté avec son bébé.

Enfin, il est important qu'il soit éveillé quand on le couche : il faut qu'il perçoive toutes les petites choses qui signifient : « il est l'heure de dormir ». De plus, s'il s'est endormi dans une autre pièce que celle où on le couche, il pourra se réveiller paniqué parce qu'il ne saura pas où il est. Vous pouvez le laisser s'endormir ailleurs que dans son lit lors des premières semaines mais cela ne doit pas devenir une habitude au-delà de cette période.

LE SOMMEIL QUESTIONS ET RÉPONSES

Quand puis-je espérer que mon bébé fasse ses nuits ?

Certains bébés nourris au biberon dorment 6 heures d'affilée – autant dire une nuit entière – dès 4 à 6 semaines, mais quel que soit le mode d'allaitement, les nourrissons ne commencent véritablement à faire leur nuit qu'à partir de 3 mois. Le rituel précédant le coucher instauré au cours des premières semaines contribue au fait que bébé accepte d'aller dormir.

Pourquoi mon bébé de 6 mois réclame-t-il encore à manger la nuit ?

Assurez-vous qu'il est suffisamment nourri dans la journée ; ne lui donnez pas sa dernière tétée et son dernier repas trop tôt dans la soirée, et ne les espacez pas de plus de 2 heures. Le biberon ne doit pas remplacer le dîner mais au contraire compléter ce dernier, et contribuer à rassasier le bébé.

Si votre bébé réclame à manger pendant la nuit, il se peut qu'il n'ait pas faim et ne se réveille que par habitude. Diluez progressivement son lait avec de l'eau ou, si vous l'allaitez au sein, donnez-lui de l'eau ou du lait tiré, dilué dans de l'eau. Si un autre adulte peut se charger de le nourrir à votre place, le bébé apprendra à accepter de ne pas avoir le sein à disposition.

Pourquoi est-ce que je ne parviens pas à calmer mon bébé de 6 mois quand il s'éveille la nuit ?

Il se peut que votre petit ne se calme que s'il a un gros câlin, ou que si vous le prenez dans votre lit. Dans ce cas, essayez de le calmer en lui parlant. Évitez de le prendre immédiatement dans vos bras et ne l'excitez pas (maintenez sa chambre dans la plus grande obscurité possible.)

Il faut parfois laisser pleurer votre bébé un certain temps (*voir ci-dessous*) ; sinon, il se rend vite compte que ses pleurs lui permettent d'avoir un long câlin avec papa ou maman, et peut-être même de dormir dans leur lit. Évitez de céder, sinon il en prendra vite l'habitude et il sera difficile de l'en défaire à mesure qu'il grandira.

En quoi consiste le fait de « laisser pleurer Bébé » ?

Cette « technique » permet de calmer le bébé dans son berceau, lorsqu'il a plus de 6 mois. Il s'agit de le laisser pleurer, d'abord cinq minutes, puis d'aller le voir et de lui parler tout en le caressant, mais sans le prendre dans les bras. On recommence ainsi mais en allant le voir toutes les 10, 15, 20 minutes, jusqu'à ce qu'il se rendorme tout seul.

Laisser pleurer son bébé peut être angoissant pour les parents, sans compter que, plus il grandit, moins cette méthode est efficace. Mais si vous restez fermes et cohérents, il finira par apprendre à s'endormir tout seul.

Pourquoi mon bébé dort-il mal dans la journée ?

Bébé apprécie les rituels, et si vous organisez vos journées, il apprendra à s'endormir quand vous le souhaitez. Essayez de le laisser pleurer un peu avant ses siestes (*voir ci-dessus*).

Faites en sorte qu'au moins une des siestes de Bébé dans la journée se passe toujours dans le même lit et à la même heure. S'il s'endort à des heures irrégulières pendant que vous êtes occupé, et s'il est dans sa poussette ou en voiture, il ne s'habituera pas facilement à dormir dans la journée.

En outre, et bien que ceci semble paradoxal, s'il ne dort pas assez dans la journée, il aura peut-être du mal à faire ses nuits. En effet, s'il grogne et s'énerve dans la soirée parce qu'il n'a pas dormi dans la journée, vous aurez sans doute du mal à le coucher et à l'endormir.

LES SOINS DU CORPS

LE BIEN-ÊTRE DE BÉBÉ EST ÉVIDEMMENT LA PRIORITÉ DE TOUS LES PARENTS. S'il s'agit de votre premier enfant, vous n'avez aucune expérience en la matière et vous allez devoir apprendre à l'habiller, le changer, lui donner le bain, etc. Mais tout cela n'a rien de très compliqué et s'acquiert tout naturellement.

Un bébé propre

Lavez-vous les mains avant et après chaque change.

Utilisez du coton et de l'eau bouillie et tiédie pour laver les fesses du bébé. Laissez-les sécher à l'air autant que possible.

Nettoyez et séchez minutieusement l'ombilic et ce, tous les jours.

Pendant le bain, ne lâchez jamais le bébé. Plutôt que du savon ou des produits moussants, utilisez une huile de bain hypoallergénique.

Utilisez un coton pour chaque œil.

Frottez-lui les gencives dès l'apparition de la première dent.

Un nourrisson doit porter une couche de vêtements de plus que vous. Les vêtements et le linge de lit en coton conviennent mieux que la laine ou les tissus synthétiques.

La température ambiante doit être de 18 à 20 °C. Il vaut mieux ajouter une couverture qu'un vêtement. Évitez d'augmenter le chauffage de la pièce.

LE CHANGE SIMPLE

Un bébé doit être changé après chaque tétée, avant le coucher et au réveil. S'il reste trop longtemps dans une couche souillée et mouillée, l'ammoniaque contenue dans l'urine brûle la peau et peut provoquer des rougeurs. Si tel est le cas, il faut traiter immédiatement (*voir p. 56*) pour éviter une infection.

On vous montrera à la maternité comment changer votre bébé. L'hygiène est essentielle pour l'enfant. Vous devez en particulier vous laver les mains avant et après chaque change.

Nettoyer les fesses de Bébé

Au cours des premières semaines après la naissance et aussi longtemps que possible ensuite, on utilisera du coton et de l'eau bouillie et tiédie pour nettoyer les fesses de Bébé. La peau du nouveau-né est extrêmement sensible et un rien l'irrite, même parfois les lingettes hypoallergéniques. Réservez celles-ci pour les changes du bébé quand vous n'êtes pas chez vous ou lorsque vous voyagez. Le mieux est d'utiliser un lait et du coton, moins irritants que les lingettes. Si vous utilisez des couches en tissu, assurez-vous qu'elles soient bien rincées et débarrassées de toute trace de lessive avant de les faire sécher.

Il est recommandé d'enduire les fesses du nourrisson d'une crème protectrice après chaque change ; mais on peut aussi choisir de ne pas le faire pour laisser la peau respirer.

Garçons et filles

Pour les petits garçons, ne jamais tirer sur le prépuce pour découvrir le gland (décallotage). Quant aux petites filles, contentez-vous d'essuyer les lèvres et la vulve. Essuyez toujours en direction de l'anus, et non l'inverse pour ne pas souiller de bactéries le pénis ou la vulve. Pensez à essuyer l'intérieur des plis de la peau, et assurez-vous que celle-ci est bien sèche avant de mettre

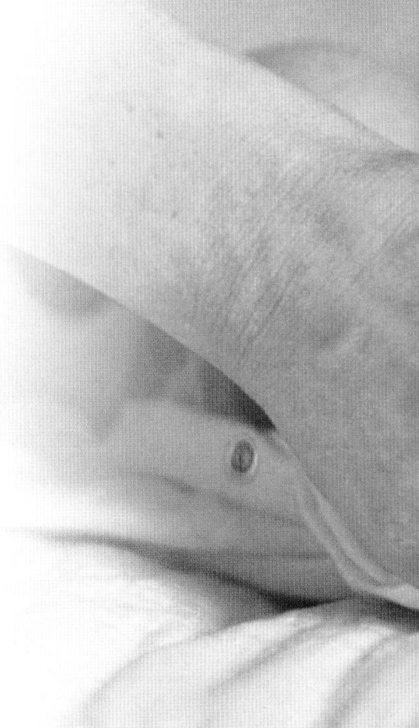

une couche propre. Le mieux est de laisser Bébé les fesses nues le plus souvent possible, ce qui évite rougeurs et érythèmes. S'il fait un peu frais dans la pièce où vous changez Bébé, celui-ci – les garçons en particulier – a tendance à uriner dès qu'il est débarrassé de sa couche.

SOINS DU VISAGE ET SOINS COMPLÉMENTAIRES

Le nouveau-né bouge peu et ne se salit guère, à la différence d'un bébé plus grand, il n'est donc pas nécessaire de le baigner tous les jours. Vous pouvez vous contenter de lui nettoyer le visage, les fesses, les bras et les aisselles, si nécessaire.

Comment procéder

Il vous faut une cuvette d'eau bouillie et refroidie, à la température du corps, du coton et une serviette douce. Pensez à vous laver les mains avant de commencer. Essuyez les yeux du bébé. Pour ce faire, mouillez un morceau de coton, essorez-le et essuyez l'œil délicatement, de l'angle interne vers l'angle externe (pour ôter les sécrétions sans les ramener dans l'œil). Changez de coton pour l'autre œil afin d'éviter de transmettre une éventuelle infection d'un œil à l'autre. Essuyez ensuite le reste du visage et le cou avec un autre coton, en soulevant le menton pour bien nettoyer l'intérieur des plis. Séchez en tapotant avec une serviette. Lavez les mains, les aisselles et les fesses du bébé, là encore en changeant de coton chaque fois.

Et si Bébé n'aime pas être lavé ?

Si Bébé semble mécontent lors des premières toilettes, essayez de le calmer en lui parlant doucement ou en chantonnant tout en le lavant. Il apprendra vite que ces toilettes font partie d'un rituel quotidien.

LE CORDON OMBILICAL

Le cordon ombilical reste attaché au ventre du nourrisson pendant une dizaine de jours suivant la naissance. Il se dessèche ensuite progressivement et tombe tout seul pour former le nombril.

Pour éviter toute infection, il est particulièrement important de nettoyer et de sécher tous les jours le cordon ombilical, et ce jusqu'à ce qu'il sèche et tombe.

Vous pouvez nettoyer l'ombilic avec des compresses antiseptiques et des poudres qui aideront à la cicatrisation. Ces produits vous seront fournis à la maternité. Sinon, n'hésitez pas à questionner votre médecin ou votre pharmacien qui sauront vous conseiller en la matière.

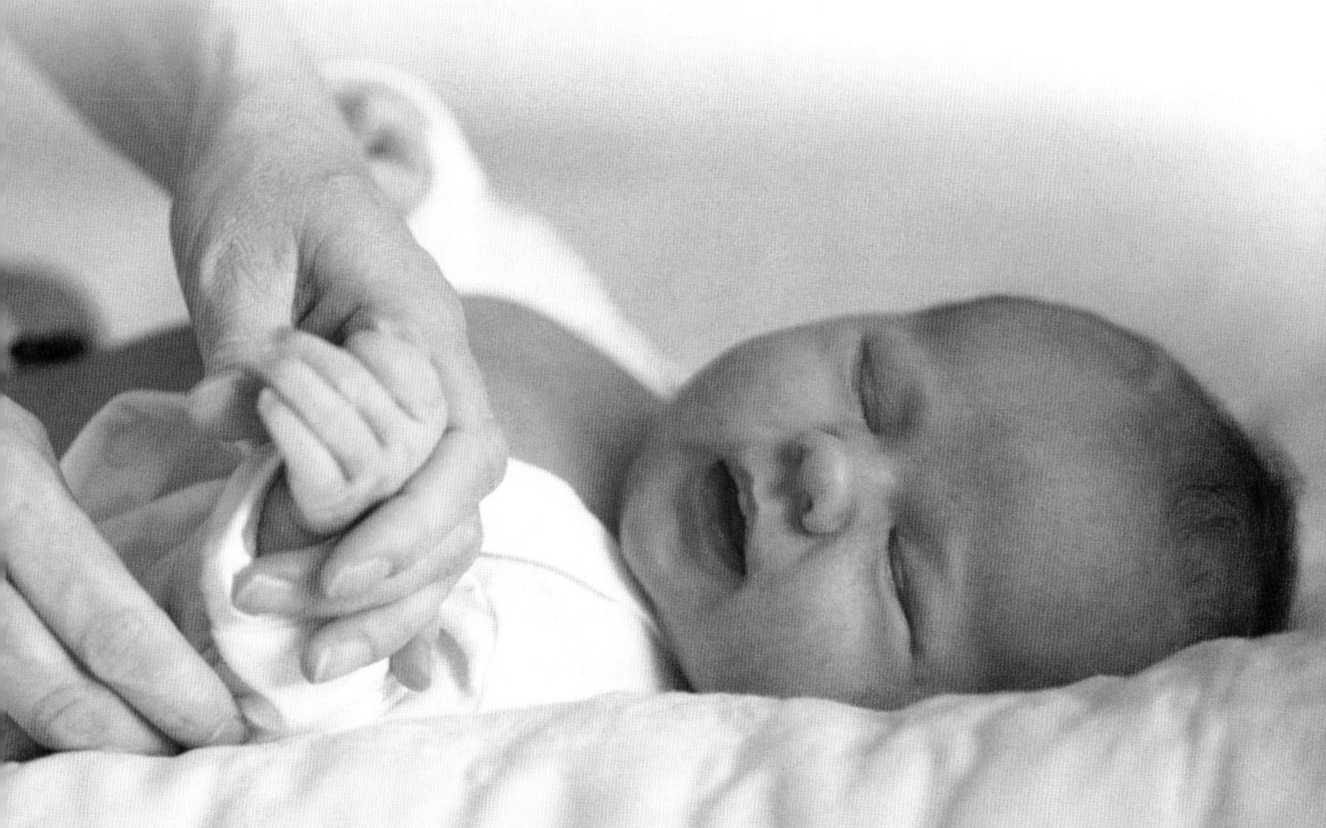

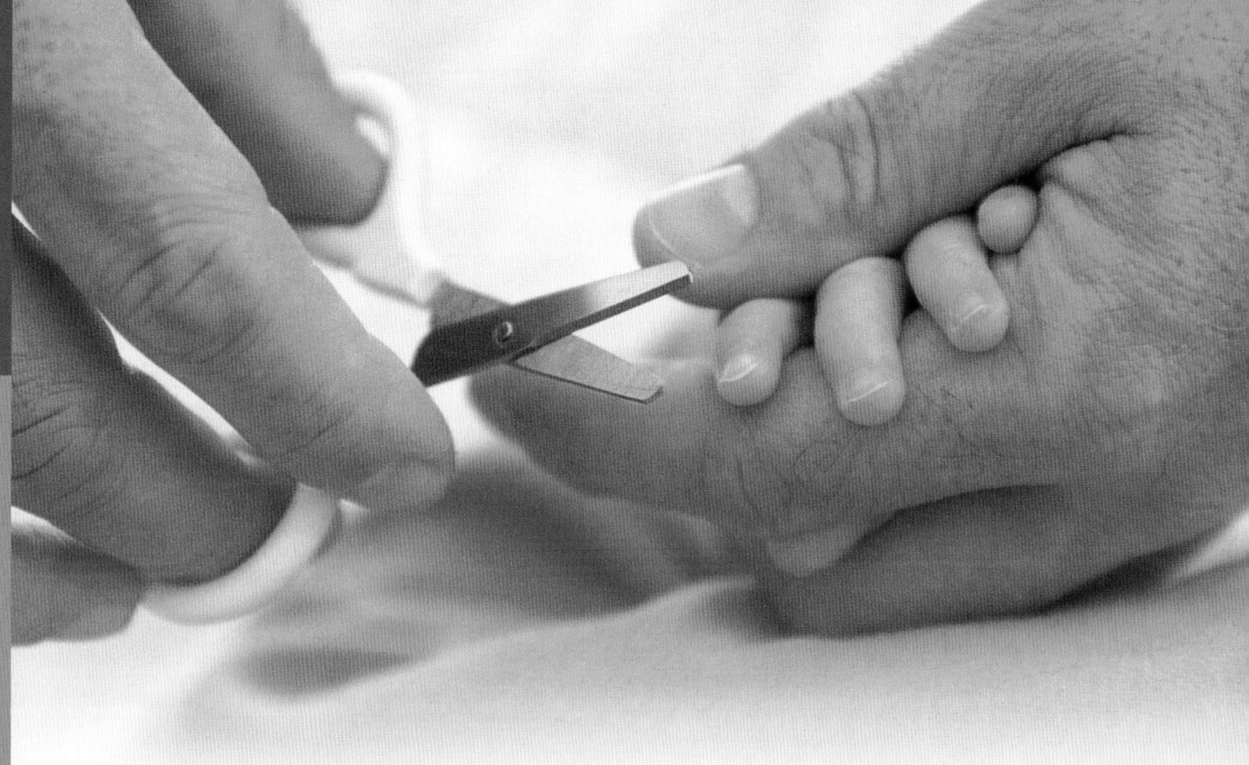

LE SHAMPOING

Même si vous baignez Bébé tous les jours, il n'est pas nécessaire de lui laver les cheveux plus d'une fois par semaine. Pour ce faire, enveloppez-le dans une serviette et posez-le sur votre avant-bras, votre main soutenant sa tête. Tenez-le au-dessus de l'eau et mouillez-lui délicatement les cheveux. Comme Bébé a souvent très peu de cheveux, il n'est pas nécessaire d'utiliser du shampoing avant qu'il ait un peu grandi. Essuyez les cheveux en les tapotant avec une serviette douce.

SOINS DES DENTS ET DES ONGLES

Les dents de lait ne commencent à pousser que vers l'âge de 6 mois, mais il n'est pas rare qu'elles ne viennent qu'à 1 an. Dès l'apparition de la première dent, il faut commencer les soins de la bouche. Nettoyez les dents à l'aide d'un carré de gaz ou d'une brosse à dents pour bébés, et d'un tout petit peu de dentifrice fluoré spécial enfants. Coupez-lui régulièrement les ongles des mains et des pieds avec un coupe-ongles ou des petits ciseaux.

VÊTEMENTS ET LINGE DE LITERIE

Au cours des premières semaines après la naissance, la régulation thermique du corps des bébés est aléatoire, il est donc très important qu'ils n'aient ni froid ni trop chaud. Au cours de cette période, le bébé doit porter une couche de vêtements de plus que vous, sauf en cas de grande chaleur. À l'intérieur, un body, un dors-bien et un cardigan suffisent. Vous pouvez aussi envelopper votre petit dans une couverture en coton ou un châle, selon la température ambiante. Dans la maison, il peut rester tête nue. Par ailleurs, il ne faut jamais le laisser près d'un feu ou d'une autre source de chaleur.

À mesure que la régulation thermique se fait, il convient d'enlever la couche supplémentaire de vêtements. À l'extérieur, s'il fait froid, il faut lui couvrir les mains, les pieds et surtout la tête, car c'est par cette partie du corps que s'opère principalement la déperdition de chaleur.

Le coton, à la fois chaud et aéré, est le tissu le plus approprié, les vêtements en laine, comme les cardigans et les bonnets, pouvant être irritants pour la peau très sensible du tout-petit. Les tissus synthétiques (laine polaire par exemple) sont moins aérés : quand il fait chaud, Bébé transpire, et s'il fait froid, ils retiennent moins bien la chaleur.

La température de la maison, surtout celle de la chambre du nourrisson, doit se situer entre 18 et 20 °C. Préférez les draps et couvertures aux couettes, qui peuvent être trop chaudes (*voir p. 28-29*). Pour savoir si votre enfant a froid ou trop chaud, tâtez-lui la nuque, car celle-ci donne une bonne indication de la température générale de son corps.

S'il semble avoir un peu froid, il vaut mieux lui ajouter une couverture qu'un vêtement.

LE BAIN : UN PUR MOMENT DE BONHEUR

Avant de donner son bain à Bébé, assurez-vous qu'il fait bien chaud dans la salle de bain et la pièce où vous le déshabillez et le rhabillez. Outre qu'ils n'aiment pas être déshabillés, les nouveau-nés ont très vite froid, ce qui, surtout les premiers temps, peut les faire pleurer pendant le bain, et gâcher leur plaisir et le vôtre.

Portez des vêtements qui ne craignent pas l'eau car vous allez sans aucun doute être mouillé !

Nettoyez le visage de Bébé et lavez-lui les cheveux avant de lui donner son bain (*voir* Soins du visage et soins complémentaires, *p. 33*). Mais rappelez-vous : un shampoing hebdomadaire suffit (*voir page ci-contre*).

Avant de commencer le bain, placez à portée de main tout ce qui vous est indispensable à sa toilette complète (serviette, jouets, etc.)

Vérifiez la température de l'eau avec le coude (plus sensible à la chaleur que la main). L'eau doit être à 37 °C (température du corps). Il ne faut jamais ajouter de l'eau chaude lorsque Bébé est dans la baignoire.

Ne vous inquiétez pas si Bébé pleure pendant le bain les premiers temps : cela lui passera très vite et il prendra bientôt plaisir à ce moment de bonheur à partager avec ses parents.

LE BAIN

À la maternité, les puéricultrices vous ont peut-être montré comment donner le bain, mais les premiers temps, vous aurez sans doute un peu d'appréhension. Quant aux pères, on les sait souvent terrifiés à l'idée de laisser tomber le bébé ou de lui faire mal. Il est néanmoins important qu'ils s'habituent à baigner Bébé le plus tôt possible, sinon, ils n'auront jamais confiance en eux, ce qui est doublement dommage : ils passent à côté de l'occasion de partager un moment très agréable avec leur enfant, et ne peuvent aider la mère, qui apprécierait sans doute d'être épaulée en la matière, surtout si elle allaite.

Comment tenir Bébé dans la baignoire

Un bébé mouillé glisse facilement, il est donc conseillé d'utiliser une petite baignoire en plastique, où l'enfant n'est pas libre de ses mouvements. Ce type de baignoire évite en outre d'avoir mal au dos puisqu'on n'a pas à se pencher en avant pour le laver, comme on est obligé de le faire dans une baignoire pour adultes.

Contrairement à certaines idées reçues, les nourrissons apprécient d'être tenus fermement. Après vous être assurés que l'eau est à la bonne température et qu'il ne risque pas d'avoir froid, posez doucement Bébé dans l'eau en le maintenant bien comme il faut, une main sous l'aisselle ; ses épaules, sa nuque et sa tête reposant sur votre avant-bras, ce qui laisse votre autre main libre pour le laver ou attraper ce dont vous avez besoin, comme la serviette, par exemple. Il ne faut jamais laisser seul un bébé dans son bain. Restez près de lui à tout moment, même lorsqu'il peut se tenir assis.

Le bain

Évitez le savon ou les produits moussants qui assèchent la peau déjà très fragile du tout-petit ; une huile de bain émolliente ou une huile pour bébés, douce et hypoallergénique, sont parfaitement adaptées.

Les premières fois, certains bébés sont moins à l'aise que d'autres, mais tous finissent par adorer le bain. Si le vôtre proteste ou a l'air un peu anxieux au début, rassurez-le en lui parlant et en lui souriant. Quand il aura un peu grandi, vous lui donnerez des jouets de bain.

Évitez d'asperger le nouveau-né ou de faire dégouliner l'eau sur son visage et sa tête, pour ne pas lui faire peur ; il s'y fera plus tard. Si vous en avez envie, prenez un bain en même temps que lui, c'est une merveilleuse expérience, dénuée de risque, et qu'il appréciera autant que vous.

Bébé s'amuse

Jouer dans l'eau contribue à faire du bain un vrai moment de plaisir, alors donnez-lui de quoi se distraire : bateaux, livres en plastique de couleurs vives, etc.

Quand il sera un peu plus grand et capable de tenir des objets, vous ajouterez aux jouets des petits gobelets en plastique avec lesquels il s'amusera à transvaser de l'eau.

Quelle que soit la façon dont vous jouez avec votre tout-petit pendant le bain, rappelez-vous que vous ne devez jamais le lâcher une seule seconde et encore moins le laisser sans surveillance. Ceci vaut également pour les bébés plus âgés.

LE PREMIER MOIS

LES SEMAINES QUI SUIVENT L'ARRIVÉE D'UN BÉBÉ SONT À LA FOIS MERVEILLEUSES ET ÉPUISANTES. Tandis que les parents font doucement connaissance avec leur bébé et gèrent de leur mieux leurs journées et leurs nuits bouleversées par le nouveau venu, celui-ci passe tranquillement de l'état de petit être somnolent à celui de nourrisson alerte.

Les premières semaines

Un bébé communique avec son entourage dès la naissance.

Dès les premières semaines, certains des réflexes de naissance (réflexe de Moro, réflexe de marche, etc.) disparaissent complètement ou presque.

Bébé ne peut encore fixer que des objets proches de lui mais il vous suit du regard. Il cligne des yeux si la lumière est vive, et essaie de s'en protéger en cherchant à regarder un endroit plus sombre. Il est très rare qu'un bébé ait un défaut visuel important, mais si le vôtre ne semble pas réagir ainsi, signalez-le au médecin lors de l'examen du premier mois (*voir encadré p. 37*).

Les bruits forts font sursauter Bébé, qui se calme au son de la voix rassurante de ses parents, vers lesquels il se tourne parfois. S'il semble surpris de vous voir parce qu'il ne vous a pas entendu approcher ; s'il ne réagit pas aux bruits ou aux voix, signalez-le également au médecin, même si son audition a déjà été vérifiée.

INSTAURER DES HABITUDES

Quoi qu'on dise, un nouveau-né se fait rarement aux habitudes avant l'âge de 6 semaines. Les petits nourris au sein tètent peut-être à heures plus régulières et dorment plus longtemps que ceux au biberon, mais on programme difficilement la durée de ces intervalles et l'heure du biberon suivant. Ne vous inquiétez donc pas si votre tout-petit ne mange ni ne dort pas encore à heure fixe : c'est très fréquent et les choses se stabiliseront progressivement, surtout si vous le voulez.

À quel moment instaurer un rythme de vie ?

C'est donc généralement au bout de 4 à 6 semaines que les parents peuvent envisager d'instaurer certaines habitudes. Ce laps de temps n'est évidemment pas obligatoire, mais il correspond souvent à la première visite chez le pédiatre, qui vous dira comment se porte votre bébé.

Si vous en éprouvez le besoin, vous pouvez donc commencer à mettre en place des habitudes. Si Bébé est nourri au sein, il tète sans doute à la demande et chaque tétée ne prend pas plus d'une vingtaine de minutes. S'il est au biberon, il lui en faut six par jour et il les boit relativement vite.

Il faut garder suffisamment de temps entre deux repas pour que Bébé puisse dormir ou jouer un peu. Un tout-petit aime la compagnie et s'ennuie s'il est seul dans son lit ou son landau : posez-le donc par terre sur un tapis de jeu, où il pourra librement bouger bras et jambes.

Devenu nettement plus alerte, il peut aussi être installé dans un siège de bébé légèrement incliné, de façon à ce qu'il voie ce qui se passe autour de lui. Ne le laissez cependant pas dans cette position plus d'une quinzaine de minutes, et ne posez jamais le siège en hauteur car il pourrait tomber au moindre mouvement brusque.

LES SIESTES

Il faut préparer votre bébé à faire une sieste dans la matinée et une autre l'après-midi, même s'il ne s'y habituera véritablement que lorsqu'il aura un peu grandi. Ne croyez pas qu'ayant dormi deux fois dans la journée, il n'aura plus sommeil la nuit ; au contraire, un nouveau-né qui ne dort pas suffisamment dans la journée est épuisé, et beaucoup plus difficile à calmer le soir venu.

LE COUCHER

Vous pouvez aussi commencer à instaurer le rituel du coucher

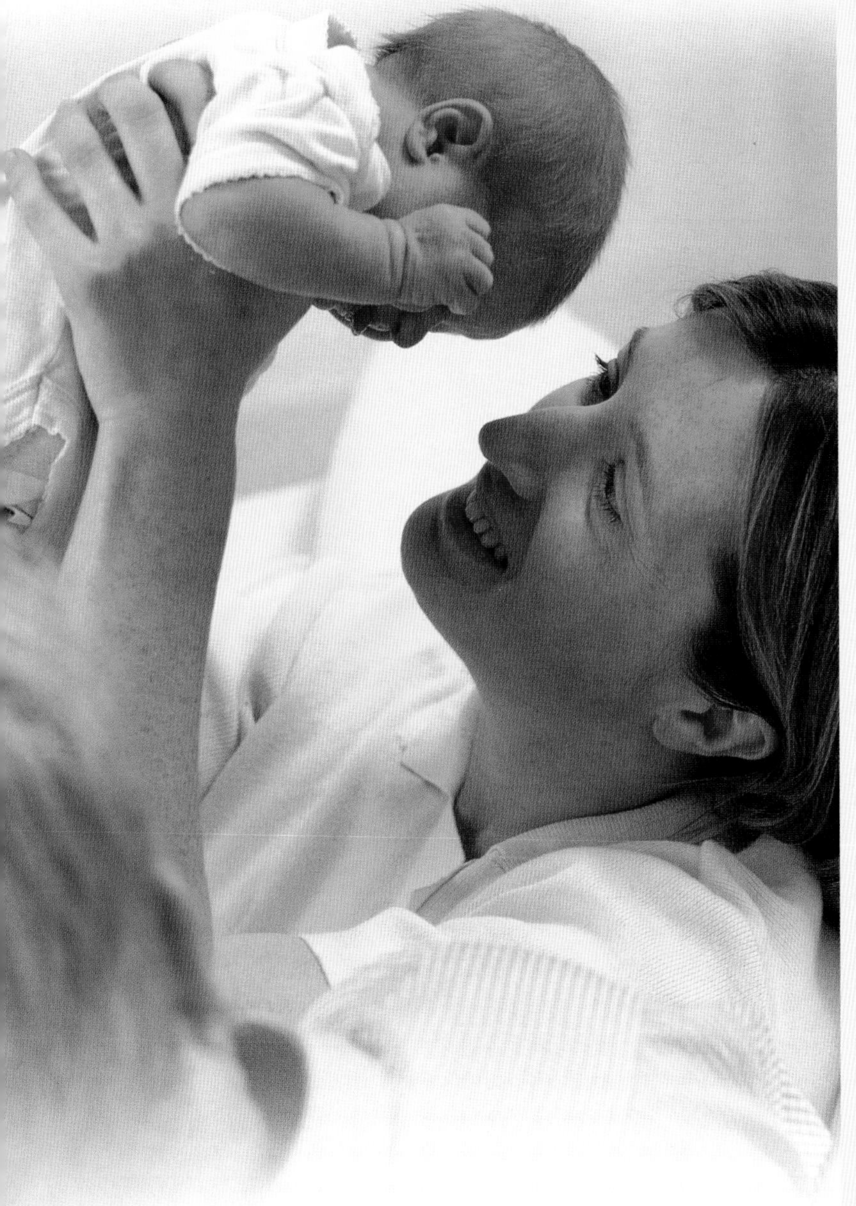

(*voir p. 30*), ce qui aidera votre bébé à sentir que le moment est venu d'aller dormir. Les bains du soir présentent l'avantage de fatiguer le nourrisson et de l'habituer à ce rituel.

Noter les heures auxquelles Bébé tète et dort présente une solution pour organiser les soirées et les nuits. Vous prendrez ainsi de la distance et verrez plus facilement si vous progressez dans la bonne direction.

Aucune habitude ne peut être respectée à la lettre – les parents qui ont du mal à admettre cette évidence deviennent très vite tendus et frustrés – mais il n'en reste pas moins que les bébés apprécient les habitudes.

Ceux qui en ont peu dans la journée ou dans la soirée ont du mal à dormir. Si cela ne vous gêne pas, tant mieux, sinon, ne tardez pas à instaurer des habitudes et tout le monde s'en trouvera mieux.

L'EXAMEN DU PREMIER MOIS

Un mois après la naissance, le médecin ou le pédiatre procède au premier examen de Bébé. Il est généralement effectué indépendamment de celui que subit la maman à la même époque.

Cet examen est destiné à vérifier son bon développement, sa taille, son poids, le périmètre crânien, sa vue et son audition, ses réflexes et ses battements cardiaques. C'est également l'occasion de procéder au dépistage éventuel d'une luxation des hanches, si cela n'a pas déjà été fait à la maternité.

Un test permet de mettre en évidence une luxation congénitale plus fréquente chez les filles que chez les garçons ; les hanches, mal articulées, peuvent entraîner une boiterie à l'âge de la marche. Dépisté très tôt, ce problème est facilement traité par le port d'un coussin d'abduction ou d'un appareil souple.

Le médecin vérifiera que les testicules du petit garçon sont bien descendus dans le scrotum. Sinon, il vous sera simplement conseillé d'attendre quelques mois, car il faut parfois plus de six semaines pour que les testicules descendent tout seuls.

Si le bébé est né prématurément, il en sera tenu compte dans l'évaluation de sa croissance.

Cet examen du premier mois est aussi pour vous l'occasion de poser au médecin les questions qui vous préoccupent éventuellement concernant le bon développement de votre enfant.

LE SEVRAGE

LE SEVRAGE EST UNE ÉTAPE IMPORTANTE DANS LE DÉVELOPPEMENT DE VOTRE ENFANT ET CONSISTE À L'HABITUER À D'AUTRES ALIMENTS QUE LE LAIT – maternel ou maternisé – dont il a été nourri jusqu'alors ; une étape qui intervient généralement vers l'âge de 6 mois. Et bien que la transition ne soit pas toujours facile, cette nouvelle phase dans la vie de l'enfant peut être source de plaisir.

Manger avec ses doigts

Dès que Bébé est en âge de manger seul, vous pouvez lui proposer des aliments très divers.

Petits morceaux de légumes cuits à la vapeur (carottes, par exemple). Pas de petits légumes ronds tels que petits pois ou maïs, avec lesquels il risque de s'étouffer.

Fruits doux en petits morceaux (bananes ou poires bien mûres, par exemple). Pas de grains de raisin entiers, de petits fruits ou de fruits à noyau ou pépins.

Raisin, mais avec parcimonie : pris en grande quantité, ce fruit a un effet laxatif.

Morceaux de pain, galettes ou biscuits premier âge, qui peuvent être trempés dans un liquide.

Biscottes sans adjonction de sucre.

Pain de mie en petits morceaux ajoutés à d'autres aliments, dont la purée de légumes. Bébé peut aussi en faire des mouillettes !

QUAND COMMENCER ?

Avant l'âge de 4 mois, le système digestif immature du bébé ne lui permet pas d'assimiler d'autres aliments que le lait. La nourriture solide qui lui est proposée provoque souvent des réactions pouvant donner lieu à de l'eczéma, de l'asthme ou le rhume des foins, maladies d'origine allergique. Jusqu'à l'âge de 6 mois, Bébé n'a donc besoin que des nutriments essentiels que lui apporte le lait, surtout celui de sa mère. Après 6 mois, il convient de l'habituer à d'autres aliments.

On sait qu'il est temps de sevrer Bébé quand il indique qu'il a encore faim après la tétée, qu'il a de plus en plus faim entre les tétées, ou qu'il se réveille la nuit pour réclamer à manger.

L'alimentation solide ne doit cependant pas remplacer totalement le lait, dont Bébé a besoin (600 ml par jour jusqu'à l'âge d'1 an). Assurez-vous donc que ce qu'il mange ne l'empêche pas de boire son biberon ou de téter le sein de façon suffisante pour maintenir sa ration alimentaire.

Les repas que vous préparez vous-même sont préférables aux préparations vendues dans le commerce ; même les produits de qualité ont un goût différent de ce qui est fait à la maison. En outre, les aliments n'en sont pas assez solides ; Bébé risque de s'y habituer et, par la suite, de rechigner à mâcher lorsqu'il s'agira de se nourrir « normalement ».

L'INTRODUCTION DES ALIMENTS SOLIDES

Commencez par introduire des aliments solides une fois par jour, au cours d'un repas donné, et continuez ainsi pendant quelques

jours, jusqu'à ce que Bébé semble s'y être habitué. Dès qu'il accepte bien ce repas, proposez-lui des aliments solides au cours d'autres repas, jusqu'à ce qu'il ait l'équivalent de trois repas par jour, en plus de sa ration de lait.

Le riz est souvent le premier aliment solide proposé par les parents car il a un goût peu prononcé et peut être mélangé à du lait maternel ou maternisé pour avoir la consistance souhaitée.
Au début, une cuillerée de riz suffit.

Dès que votre bébé est prêt à passer à autre chose, il faut lui proposer des fruits et des légumes (*voir* Les premiers aliments solides, *p. 39*), bouillis, cuits à la vapeur ou au four à micro-ondes, puis écrasés. L'adjonction de sel ou de graisse est inutile, le tout-petit n'en a pas besoin. Congelez de petites quantités de ces aliments dans des bacs à glaçons que vous étiquetterez. Vous verrez très vite qu'il vous suffit d'une heure pour préparer une semaine de repas.

AIDER BÉBÉ À MANGER

Dès 8 mois, votre bébé peut tenir son biberon tout seul et boire avec un gobelet à bec, même si beaucoup ont encore besoin du biberon donné par maman – ou du sein – avant d'aller dormir pour être apaisés.

À cet âge, il commence également à mettre toutes sortes de choses dans sa bouche et essaie de manger tout seul. Proposez-lui donc des aliments qu'il peut porter à sa bouche avec une cuillère ou avec ses doigts. Peu importent les dégâts qu'occasionnent ces premières expériences malhabiles, il faut le laisser faire, et vous l'y encouragerez en prenant vos repas ensemble.

LES PREMIERS ALIMENTS SOLIDES

Dès l'âge de 6 mois, Bébé peut en toute sécurité manger les aliments présentés ci-dessous.

Vers l'âge de 6 mois : pommes de terre, courgettes, patates douces, carottes, choux-fleurs, brocolis, haricots verts, poireaux, pommes, poires, bananes (mûres et non cuites).
Si vous hésitez pour d'autres aliments, demandez conseil à votre pédiatre ou à votre médecin.

À partir de 6 mois, le système digestif de Bébé est plus mature, et vous pouvez alors proposer des aliments plus variés.

Dès 6 mois : purée de pois et autres légumes secs, produits laitiers tels que yaourts au lait entier (mais il est encore trop tôt pour lui faire boire du lait de vache), poulet, viande rouge, foie (à proposer entre 6 et 9 mois), aliments à base de blé, comme le pain ou les pâtes.

Dès 9 mois : tomates, fruits rouges et agrumes, raisins, fruits à noyaux (tels que prunes et pêches), poissons, mais pas de coquillages.

Dès 1 an : œufs et lait de vache, en boisson.

Au début, ne proposez les aliments nouveaux (comme le kiwi, par exemple) qu'en toutes petites quantités car Bébé peut avoir du mal à les digérer. En règle générale, proposez-lui tous les nouveaux aliments en petites quantités, et attendez 24 heures pour voir s'ils n'entraînent pas des réactions particulières.

LES ALIMENTS À ÉVITER

Pendant la première année, et même par la suite, certains aliments peu équilibrés ou sans grande valeur nutritionnelle sont à éviter. D'autres aliments ne doivent pas être proposés à l'enfant s'ils sont susceptibles de provoquer des allergies, surtout chez les bébés sensibles, ou si les parents souffrent eux-mêmes d'allergies.

Les aliments peu équilibrés ou à faible valeur nutritionnelle

Les aliments très salés, comme les chips et les plats préparés pour adultes, ne doivent pas être proposés aux bébés, car leurs reins pourraient en souffrir. Ceux contenant beaucoup de glucides (gâteaux et biscuits) sont peu nourrissants et ne feront qu'habituer l'enfant au sucre.

De même, évitez les aliments à faible teneur en lipides car les enfants ont besoin de corps gras, qui leur apportent une énergie instantanée et leur permet de métaboliser certaines vitamines essentielles. Dès lors que la courbe pondérale de votre enfant est normale, vous n'avez pas à éviter les graisses. Pour la même raison, et jusqu'à l'âge de cinq ans, les enfants doivent boire du lait entier.

Régimes spéciaux

Si vous êtes végétariens ou végétaliens, assurez à votre enfant un apport suffisant en vitamines et minéraux nécessaires à la croissance des os, des muscles, du système nerveux et du cerveau. Les végétaliens en particulier souffrent d'une carence en calcium et vitamine B12, essentiels à la croissance, qui ne se trouvent que dans les produits d'origine animale. Demandez conseil à votre médecin pour que le régime de votre enfant soit équilibré.

Aliments allergéniques

À la naissance, le système immunitaire du bébé n'est pas complètement développé, et si vous et votre famille avez des antécédents liés aux allergies (asthme ou eczéma par exemple), votre bébé peut ne pas supporter certains aliments s'ils lui sont donnés trop tôt.

Une réaction allergique advient lorsque le système immunitaire se sent agressé et secrète immédiatement des anticorps pour réagir, parfois sévèrement, contre la substance étrangère. Les aliments les plus allergisants sont les œufs, le soja, le blé, le poisson, les coquillages et le lait de vache. Attendez l'âge de 3 ans au moins pour proposer noix, noisettes, graines de sésame, arachides et autres grains. Lisez attentivement les étiquettes de plats préparés car nombre d'entre eux contiennent des dérivés de ces grains et fruits à coque.

Les œufs sont à éviter pendant la première année. Par la suite, proposez-les progressivement : un quart d'œuf dur, puis une moitié, enfin un œuf entier. Pas d'œufs brouillés ou crus, au début.

Le poisson ne doit pas être donné aux enfants de moins de 9 mois, et avant d'en proposer au petit enfant, assurez-vous bien qu'il n'y ait pas d'arêtes. Pas non plus de coquillages aux enfants de moins de 2 ans.

Et le lait de vache ?

Les petits de moins d'un an ne doivent pas boire de lait de vache, celui-ci étant la principale cause d'allergies infantiles. En revanche, les yaourts, le fromage et les autres produits laitiers, en petites quantités, sont permis. Ne donnez pas de lait de soja sans l'avis de votre médecin car votre enfant peut y être allergique.

Si vous avez l'impression que votre bébé ne tolère pas tel ou tel aliment ou y est allergique, consultez votre médecin, qui procédera à des tests.

LE SEVRAGE QUESTIONS ET RÉPONSES

Quels volumes de nourriture dois-je donner à mon bébé ?

Au tout début, 1 cuillerée (l'équivalent d'un cube de glaçon) suffit. Bébé se fera vite à 2 ou 3 cuillerées d'aliments solides par repas. Par la suite, fiez-vous à son appétit. Donnez-lui surtout des aliments non sucrés.

Comment alterner le lait et les aliments solides au cours de la journée ?

La plupart des parents trouvent plus efficace d'alterner aliments solides et lait. À 6 mois, les repas types d'une journée peuvent être répartis ainsi :

Matin :	Lait
Petit déjeuner :	Riz pour bébé ou céréales
Milieu de matinée :	Lait
Déjeuner :	Aliments solides
Milieu d'après-midi :	Lait
Dîner :	Aliments solides
Coucher :	Lait

Le bébé refusera progressivement un de ses repas à base de lait, en général celui du milieu de matinée ou d'après-midi ; et il n'est pas rare que ce refus aille de pair avec le refus d'une de ses siestes diurnes. Quelle que soit la façon dont vous alternez le lait et les aliments solides, assurez-vous, au cours de la première année, qu'il continue à boire l'équivalent de 600 ml de lait maternel ou maternisé par jour.

Quand faut-il introduire de plus gros morceaux de nourriture ?

Dès 6 mois, Bébé, même dépourvu de dents, peut ingérer des morceaux de nourriture plus gros car la capacité de mastication de ses gencives est impressionnante. Ne le laissez cependant pas sans surveillance quand il mange de gros morceaux solides car il peut s'étouffer, surtout s'il se sert de ses doigts. Pour introduire la nourriture à mâcher, écrasez-la à la fourchette au lieu d'en faire de la purée ; plus tard, vous la lui donnerez en petits morceaux. La nourriture préparée à la maison facilite mieux l'apprentissage de la mastication que les aliments solides tout prêts, trop onctueux.

Que doit-il boire ?

De l'eau (bouillie et refroidie les six premiers mois), car celle-ci étanche la soif et n'attaque pas les dents. Beaucoup de bébés habitués au lait, légèrement sucré, refusent d'abord de boire de l'eau, mais continuez à lui en proposer par petites gorgées car la plupart des nourrissons finissent par en accepter le goût.

Et s'il refuse de boire de l'eau ?

S'il boude décidément l'eau et commence à se déshydrater (vous remarquerez alors un état de constipation), diluez-la dans autant de jus de fruit. Évitez les jus proposés dans le commerce car ils sont trop sucrés et donc nocifs pour les dents du bébé. Vous pouvez lui donner de l'eau filtrée, bouillie et refroidie, et de l'eau en bouteille à faible teneur en minéraux.

Mon enfant peut-il grignoter entre les repas ou dois-je le limiter à « trois repas par jour » ?

Même si les bébés et les petits enfants dépensent beaucoup d'énergie, ils sont généralement incapables de prendre un gros repas en une seule fois. Les petits repas (fruits, pain, galettes de riz, morceaux de fromage, par exemple) contribuent à renouveler l'énergie dépensée, et évitent qu'ils soient grognons parce qu'ils ont faim. Toutefois, soyez logiques et n'attendez pas de votre enfant qu'il dévore aux principaux repas s'il a grignoté auparavant !

LES SORTIES

DÈS QUE VOUS AUREZ TROUVÉ VOTRE RYTHME AVEC BÉBÉ, vous aurez envie de sortir. Vous n'êtes pas obligée de vous précipiter, prenez votre temps, commencez par de courtes promenades, allez rendre visite à des amis, allez au parc où vous pourrez rencontrer d'autres parents et leurs bébés. Ces contacts sociaux sont bénéfiques tant pour vous que pour votre enfant.

Équipement

Le matériel de sortie avec Bébé offre un large choix.

Le porte-bébé ventral
Il convient bien pour les tout-petits. Vous avez les mains libres et pouvez donc faire des courses. Bébé s'y sent en sécurité et s'y endort souvent, sa tête doit être bien maintenue. En revanche, ce type de porte-bébé n'est pas idéal pour le dos des parents – des mamans surtout – car un bébé de 3 ou 4 mois pèse relativement lourd.

Le porte-bébé dorsal
Il convient aux bébés un peu plus âgés, qui peuvent se tenir tête droite. Ces porte-bébés sont utiles dans les endroits où les poussettes n'ont pas accès, et la personne qui le porte a les mains libres. Mais là aussi, dès que l'enfant a 2 ou 3 ans, il peut peser très lourd pour le dos de ses parents.

La poussette-canne
Il en existe de nombreux modèles, des tout-terrain à grandes roues, aux poussettes prévues pour voyager dont le siège se fixe dans la voiture. Les poussettes traditionnelles sont souvent moins chères et Bébé y est mieux assis.

BÉBÉ A BESOIN DE SORTIR...

S'ils ne voient rien d'autre que les quatre murs de la maison, les mêmes jouets, les mêmes visages, les tout-petits s'ennuient ; ils peuvent alors devenir agités, grognons et souffrir du manque de stimulation.

Le simple fait d'aller vous promener avec Bébé lui sera donc bénéfique. Vous pouvez le sortir par tous les temps, sauf s'il fait vraiment très froid. En hiver, assurez-vous qu'il soit bien couvert, équipez la poussette pour le protéger de la pluie et de la neige, et, lorsqu'il fait beau, ajoutez une ombrelle, un chapeau et de la crème de protection solaire. L'air frais stimule les bébés (et les fatigue) et, même âgés de quelques semaines, ils s'intéressent au monde qui les entoure.

Outre ces promenades régulières, retrouver des amis ou des membres de votre famille ailleurs que chez vous, vous sera bénéfique. Renseignez-vous sur les clubs et les associations où vous pouvez aller avec votre enfant, comme les piscines, qui prévoient des plages horaires réservées aux bébés (mais attention : Bébé doit avoir été vacciné contre la polio avant de pouvoir être autorisé à nager). Ces sorties et rencontres habitueront le tout-petit aux lieux autres que sa maison, et aux personnes étrangères à son entourage familier ; en particulier aux enfants de son âge, avec lesquels il apprendra à jouer et à échanger, ce qui le rendra sociable et capable de s'adapter facilement – vous apprécierez quand il sera plus grand !

... ET VOUS AUSSI

Quand ils s'ennuient, les bébés, tout comme les adultes, sont de mauvaise humeur. Nombre de femmes actives avant la naissance de leur enfant sont surprises de se sentir si seules et meurent d'ennui, enfermées chez elles avec un nouveau-né.

Pour les parents dont c'est le premier enfant, c'est parfois l'occasion de s'apercevoir que, comme ils ne faisaient souvent que travailler avant la naissance du bébé, ils n'ont pas beaucoup d'amis et ne connaissent quasiment personne dans leur quartier !

Vous pensiez que les rencontres avec d'autres mamans autour du bac à sable ou d'un café ne seraient jamais, au grand jamais, votre tasse de thé ? Mais, Bébé s'avérant malgré lui le meilleur des entremetteurs, vous vous découvrirez vite des affinités avec les personnes que vous rencontrerez ! Avec le temps, vous vous ferez des amies parmi les autres mamans et pourrez échanger émotions, expériences pratiques

et conseils utiles (mais ne vous laissez pas impressionner par celles dont le bébé est la huitième merveille du monde !).

EN VOITURE

En voiture, la sécurité est primordiale et la loi est particulièrement claire à ce sujet. Les bébés doivent être attachés dans un siège qui réponde à des normes de sécurité bien précises. Si vous utilisez un siège d'occasion, assurez-vous qu'il ne présente aucun défaut : il peut avoir été déformé lors d'un accident. Les sièges les plus petits sont adaptés aux nourrissons, et aux bébés qui ne pèsent pas plus de 13 kg et conviennent jusqu'à l'âge de 9 mois.

Le bébé est dos à la route, installé soit à l'avant (s'il n'y a pas d'airbag) – il s'agit alors d'un siège muni d'une poignée qui vous permet de le sortir de la voiture et d'emmener bébé avec vous sans avoir à le détacher – ; soit à l'arrière, le bébé étant alors couché dans un lit-nacelle.

La deuxième taille de sièges concerne les bébés de 9 kg à 18 kg et convient jusqu'à l'âge de 2 ans au moins. Bébé voyage dans le sens de la marche et le siège est conçu pour rester dans la voiture, de préférence à l'arrière, et jamais près d'un coussin gonflable.

VOTRE BIEN-ÊTRE

Plusieurs accouchées souffrent de dépression postnatale et du « baby blues ». Pour éviter l'un et l'autre, les jeunes mères, particulièrement vulnérables, doivent absolument éviter de rester isolées à cette période de leur vie.

Si vous n'êtes pas en forme, éprouvez de la tristesse et avez l'impression de ne servir à rien, et si ces symptômes perdurent au-delà des premiers mois après la naissance, parlez-en à votre médecin. La dépression postnatale est un syndrome bien connu et se soigne facilement. Pour éviter qu'elle ne se transforme en dépression chronique, il est indispensable de la traiter sans attendre.

Allez vous promener régulièrement, voire quotidiennement, avec votre enfant. L'air frais et la marche sont bons pour votre forme physique et votre moral, et ils sont également recommandés pour le bien-être de Bébé. Alors, pourquoi s'en priver ?

Vous devez également rencontrer d'autres adultes au cours de la journée. Voyez des amies ou participez à des activités au sein d'un club ou à la piscine.

Que la garde de l'enfant soit dévolue au père ou à la mère, l'un et l'autre doivent veiller à avoir des contacts avec d'autres adultes, et varier leurs activités au cours de la journée. Ces comportements sont extrêmement bénéfiques pour garder un bon équilibre émotionnel. Ce changement dans la routine permet aussi d'être émotionnellement et psychologiquement moins dépendant du conjoint, et peut ainsi éviter bien des problèmes de couple.

LA PSYCHOMOTRICITÉ

AU COURS DES DOUZE PREMIERS MOIS DE SA VIE, Bébé passe de l'état de nouveau-né incapable de se mouvoir et de soulever la tête, à celui d'enfant se traînant à quatre pattes et pouvant même marcher. C'est la période fascinante au cours de laquelle le nourrisson évolue le plus vite, physiquement et mentalement. Notez que ce qui suit ne constitue que des indications, certains enfants évoluant plus ou moins vite.

La sécurité

Pour que le développement psychomoteur de votre enfant se déroule normalement, il faut qu'il puisse se déplacer librement, mais surtout en toute sécurité (voir p. 165).

Pour lui permettre de bouger librement, installez-le sur un tapis de jeu confortable.

Quand il est prêt à se tenir assis, ne l'installez pas dans un siège de bébé, il pourrait basculer en avant.

Si vous habitez une maison à étage, installez des barrières en haut et en bas des escaliers avant qu'il ne commence à ramper.

Enlevez tous les meubles instables qu'il pourrait renverser en s'y agrippant pour se mettre debout.

Les sièges à bascule doivent être posés par terre, jamais en hauteur.

Anticipez chaque nouvelle étape de sa motricité, prévoyez les changements que celle-ci va induire pour tout le monde et surtout, ne laissez jamais Bébé sans surveillance.

LE DÉVELOPPEMENT PHYSIQUE

À la naissance, les mouvements du bébé se limitent aux réflexes archaïques et involontaires.
Il plie et déplie ses doigts lorsqu'il est nourri, ou lorsqu'il dort (réflexe de préhension) ; il déplie ses bras et ses jambes lorsqu'il est surpris (réflexe de Moro) ; il peut également donner des « coups de pieds » lorsqu'il pleure. Pour que ceux-ci deviennent des mouvements volontaires, il faut que son système nerveux se développe, véritable réseau de communication partant du cerveau puis se ramifiant du corps jusqu'aux extrémités. Les parties du corps qui bougent en premier de façon délibérée sont la tête et le cou. La plupart des mouvements du tronc et des membres précèdent ceux, plus sophistiqués, des doigts et des orteils.

Évolution psychomotrice des premiers mois

À 3 mois, Bébé lève la tête, et si vous le mettez sur le ventre, il tente de relever celle-ci en prenant appui sur ses bras. Cette position l'incite à faire fonctionner son cou et les muscles de sa nuque. C'est également un bon moyen de l'inciter à réaliser de nouveaux mouvements (attention toutefois, à ne jamais le laisser sans surveillance hors de son berceau ou de son parc).

Les premiers mouvements

Vers l'âge de 3 mois, Bébé peut supporter son propre poids quand il est tenu debout. Ses pieds se posent à plat et il se tient fermement sur ses jambes. Entre 3 et 6 mois, il commence à faire des bonds quand on le tient debout.

Entre 2 et 5 mois, le nourrisson allongé sur le dos est capable de se retourner sur le ventre. Ce mouvement étant imprévisible, ne le laissez jamais seul sur une surface plane (lit, table à langer ou canapé).

Le dos, rond à la naissance, se redresse et, entre 6 et 9 mois, Bébé apprend à s'asseoir tout seul. Au début, il bascule parfois sur le

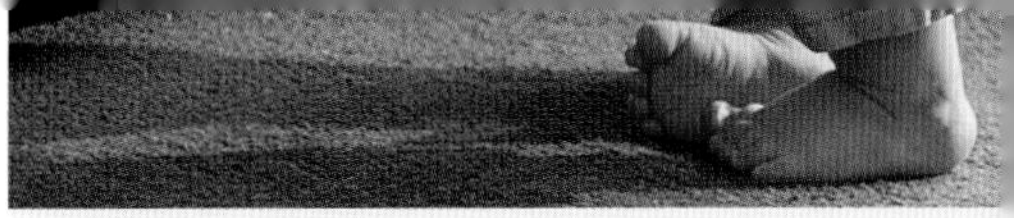

INQUIETS ?

À quel moment dois-je m'inquiéter si mon bébé ne se met pas à quatre pattes ou ne marche pas ?
Avant qu'un bébé ait atteint l'âge d'un an, il est difficile de détecter un quelconque problème ou retard. Dans ce cas précis, peut-être prend-il tout simplement son temps pour se mettre en position assise, ou qu'il tient de vous, qui avez marché tard. Si dans l'ensemble, son développement vous semble un peu lent, parlez-en à votre pédiatre. Mais s'il progresse normalement, vous n'avez pas de raison de vous inquiéter.

côté ou en arrière, il faut donc l'entourer de coussins pour l'aider à se maintenir, et amortir ses chutes. Bientôt, il s'assoit tout seul et prend ainsi du plaisir à regarder ce qui l'entoure.

MARCHE À QUATRE PATTES

Certains bébés sautent cette étape, mais, entre 6 et 10 mois, la plupart se déplacent en s'appuyant sur la paume des mains et sur les genoux, ou avancent assis sur le derrière. Dès que Bébé arrive à se déplacer tout seul, on ne l'arrête plus ; soudain, le voilà capable d'aller partout, de façon assez téméraire, et si on ne le surveille pas, on le perd de vue. Cette période de vigilance constante est l'une des plus fatigantes pour les parents.

LA MARCHE

La plupart des bébés ont besoin de se mettre debout dès qu'ils savent ramper. Ainsi, aux alentours de 6 ou 10 mois, ils arrivent à se lever en prenant appui ou en s'accrochant à tout ce qui leur tombe sous la main, que ce soit des objets stables ou instables (les barreaux de leur lit ou les pieds de chaises, par exemple).

« Cabotage » et marche

Entre 9 et 15 mois, survient une phase très brève qui sépare la position debout de la marche proprement dite. Tenu par une main ou s'agrippant aux meubles, Bébé se met alors à faire du « cabotage », c'est-à-dire à longer ce qui l'entoure, en se tenant. Il aime aussi se déplacer en crabe autour d'une table basse ou marcher avec vous quand vous le tenez par les deux mains. Et puis un jour, il lâche tout et s'aventure tout seul. Il fait alors ses premiers pas. Ce moment particulièrement émouvant pour les parents, advient en règle générale entre 10 et 20 mois, l'âge moyen étant de 15 mois.

Inutile de tenter d'accélérer les progrès du bébé en lui faisant faire de l'exercice : si vous, parents, avez marché tard, il y a des chances que votre enfant fasse de même. Et un bébé qui marche tôt n'a pas plus de chances de devenir un champion sportif que celui qui prend son temps pour faire ses premiers pas. Tout dépend en effet de l'évolution de son système nerveux (sur laquelle vous n'avez aucune influence). Et parfois même de son bon vouloir, certains bébés étant plus « paresseux » que d'autres.

L'HABILETÉ

À LA NAISSANCE, BÉBÉ EST INCAPABLE DE MOUVOIR SES MAINS VOLONTAIREMENT, mais il va peu à peu prendre conscience qu'elles lui appartiennent et qu'il peut s'en servir pour faire beaucoup de choses. Son évolution psychomotrice s'affinant, son agilité manuelle va continuer à progresser au cours de la première année, mais aussi pendant les suivantes.

Sécurité

Vers 8 mois, Bébé commence à porter à sa bouche tout ce qui lui tombe sous la main : surveillez-le de près car les risques d'étouffement avec de petits objets sont fréquents.

Placez hors de sa portée pièces de monnaie et autres petits objets, plus dangereux pour lui que les gros objets domestiques pas toujours très propres qu'il peut ramasser.

Placez des caches de sécurité sur les prises électriques : un bébé est très curieux et, intrigué par ces trous, il peut y mettre un doigt…

De même pour un magnétoscope, masquez-en les orifices avec un couvercle vendu à cet effet car Bébé peut y introduire tout et n'importe quoi.

Assurez-vous que les placards à sa portée ne contiennent pas d'objets dangereux. Si tel est le cas, fermez-les à clef ou rangez ces objets ailleurs. Réservez à Bébé un placard de la cuisine dans lequel il trouvera des choses avec lesquelles il peut jouer sans danger pendant que vous vaquez à vos occupations.

BÉBÉ DÉCOUVRE SES MAINS

À 3 mois, Bébé découvre ses mains. Ses fonctions cognitives et motrices évoluent ensemble : c'est parce qu'il comprend qu'il peut se mouvoir. Ainsi, c'est lorsqu'il réalise que ses mains font partie de lui qu'il commence à les bouger ensemble.

Entre 3 et 6 mois, Bébé prend conscience du phénomène de cause à effet entre le fait d'avancer la main et de prendre un objet. Incitez-le à faire le lien entre les deux en posant des jouets un peu loin de lui afin qu'il s'en approche pour les saisir. Il sait également agiter ses mains quand il veut quelque chose, son biberon, un jouet ou une peluche, par exemple. Maintenant qu'il a reconnu ses mains et sait s'en servir, il peut se mettre à sucer son pouce comme il le désire.

LAISSER TOMBER DES OBJETS

L'étape suivante, qui advient entre 6 et 9 mois, consiste pour Bébé à apprendre à faire passer des objets d'une main dans l'autre. Ce faisant, il remarque que lorsqu'il tient un objet dans ses mains et qu'il ouvre celles-ci, l'objet tombe. À la fin de cette étape, il a découvert un jeu dont il ne se lasse pas : lâcher des choses pour regarder les adultes les ramasser obligeamment ! C'est à cela que servent désormais le biberon, la petite cuillère, etc., surtout si Bébé a plus envie de jouer que de manger !

LA PRÉHENSION

Jusqu'à présent, Bébé a appris à saisir de gros objets. L'agilité motrice grossière que ceci implique doit être acquise avant qu'il parvienne à faire des choses plus délicates. Entre 7 et 10 mois, il utilise de plus en plus précisément son pouce et son index, comme une pince, pour saisir de petits objets. Cette faculté signifie aussi que désormais, il est capable de tout mettre dans sa bouche : grains de raisin entre autres aliments, mais aussi objets sales, ou dangereux, pièces de monnaie, perles, etc.

L'acquisition de cette capacité motrice fine coïncide avec l'étape de développement cognitif au cours duquel il porte des objets divers à sa bouche pour se familiariser avec ce qui l'entoure. Certains le font plus que d'autres, mais tous, à un moment ou à un autre, passent par cette phase essentielle de leur développement et, à moins qu'il s'agisse d'objets dangereux, il ne faut pas les en empêcher. Les parents sont parfois tentés de lui mettre une tétine dans la bouche, et il est vrai que c'est pratique. Mais le fait de porter des choses à sa bouche est une étape importante de sa croissance : réservez la tétine aux moments où il a besoin de se reposer.

TAPER DANS SES MAINS ET LANCER

À 9 mois, votre petit sait taper dans ses mains, ou « applaudir ». À l'âge d'1 an, il est tout à fait capable de lancer des objets – ce qu'il trouve particulièrement intéressant quand, de mauvaise humeur ou frustré, il lui prend l'envie de projeter ses jouets, sa cuillère, ou son assiette !

Certes, l'ordre et la propreté de la maison sont alors un peu mis à mal, et il convient d'établir certaines limites à ce type de comportement. Mais il s'agit là d'une étape nécessaire qui permet à Bébé d'acquérir son autonomie physique et de construire sa propre personnalité.

INQUIETS ?

Dois-je m'inquiéter si mon bébé n'a pas franchi telle ou telle étape importante de son développement psychomoteur ?
Les bébés grandissent et apprennent à leur rythme, et l'un peut atteindre une étape quand l'autre n'y est pas encore. Si votre enfant ne parvient que lentement à tel ou tel stade, cela ne signifie pas qu'il rencontre des difficultés. En revanche, s'il semble ne pas acquérir une série de connaissances et que cela vous inquiète, n'hésitez pas à en parler avec votre généraliste ou votre pédiatre. Encore une fois, on ne peut véritablement diagnostiquer la présence d'un problème physique ou intellectuel avant que l'enfant ait atteint l'âge d'1 an.

LE LANGAGE

POUR LES PARENTS, L'ACQUISITION DU LANGAGE est une phase du développement de leur enfant vraiment passionnante. Et en effet, n'est-il pas extraordinaire que, de façon innée, le bébé comprenne ce que ses parents et son entourage disent, analyse la complexité des phrases et, à la fin de la première année, arrive à prononcer certains mots ?

Communiquer

Les tout-petits aiment que les adultes s'approchent d'eux pour leur parler, car leurs yeux ne voient pas très loin. En grandissant, leur vue s'affine et ils peuvent observer les mouvements de leurs lèvres.

Les nourrissons aiment que le visage de ceux qui leur parlent soit expressif. Souriez, Bébé adorera !

Les bébés apprécient tout particulièrement les voix haut perchées et qui s'adressent visiblement à eux. La plupart des adultes adoptent souvent d'instinct ce « parler bébé » pour communiquer avec les tout-petits.

Dès que Bébé commence à prononcer des sons, reproduisez-les et voyez s'il les répète : ainsi il apprend en quelque sorte à établir une conversation.

Expliquer tout haut à Bébé ce que vous êtes en train de faire est également une excellente façon de lui apprendre à parler. Dès 9 mois, il aime aussi regarder les images du livre que vous lui commentez.

LA PREMIÈRE PHASE DE COMPRÉHENSION

À bien des égards, la phase la plus étonnante de l'acquisition du langage a lieu lors des six premiers mois du bébé. Les chercheurs ont en effet mis en évidence que l'enfant peut alors distinguer sa langue maternelle parmi d'autres sons, mais aussi reconnaître d'autres langues, avec lesquelles il n'a aucun rapport. Il perd malheureusement cette capacité à 6 mois, âge auquel il apprend sa propre langue à lui, c'est-à-dire le système qui lui est le plus familier. Il est alors attentif aux sons spécifiques à cette langue, et peu à peu, commence à comprendre ce qui se dit. C'est ainsi que les bébés en contact avec deux langues à la naissance parviennent à les distinguer et à les séparer en deux codes aux sons différents.

LES PREMIERS ÉCHANGES

À la naissance, Bébé reconnaît très vite les voix de ses parents et se calme quand il les entend ; il se peut qu'il ait fait connaissance avec elles dans le ventre de sa mère. Vers l'âge de 3 mois, il pousse des cris et gazouille, souvent avec plaisir : il commence à communiquer. Beaucoup de bébés adorent aussi faire des bulles et crachouiller, ce qui contribue à entraîner les muscles faciaux aux différents mouvements de la parole.

SE PRÉPARER À PARLER

Entre 4 et 6 mois, il commence à babiller : quelle que soit la langue qu'il parlera plus tard, il répète un son comportant une consonne et une voyelle, souvent *«gou»* et *«ga»* (et ce, quelle que soit sa future langue maternelle «officielle»). Ces babillages étaient auparavant considérés comme une succession de sons prononcés par hasard ; on pense aujourd'hui qu'ils constituent ses premiers balbutiements.

Après 6 mois, le bébé commence à montrer qu'il comprend ce que vous lui dites. Là encore, ceci peut

varier de façon importante d'un enfant à l'autre.

Les aînés apprennent parfois un peu plus vite à parler que les puînés, tout simplement parce que les parents leur ont consacré plus de temps. Les aînés ont aussi parfois tendance à dire les choses à la place de leurs petits frères ou sœurs avant que ces derniers n'aient le temps d'ouvrir la bouche. Quoi qu'il en soit, entre 6 et 9 mois, votre enfant commence à comprendre lorsque vous nommez quelqu'un d'autre, ou quelque chose. Il commence parfois aussi à comprendre son propre prénom.

C'est aux alentours de cet âge qu'il commence à prononcer des sons monosyllabiques, même si ces derniers sont des mots parfaitement incompréhensibles par l'entourage.

LES PREMIERS MOTS

Entre 9 et 12 mois, Bébé comprend un certain nombre d'injonctions et de phrases simples, comme «Non», «Donne-moi» et «Où est... ?» Il réagit de plus en plus souvent aux mots, à la musique et à tout ce qui l'entoure. C'est à cet âge qu'il dit souvent «Papa» et «Mama». Ces babillages expressifs sont souvent très mélodieux et donnent l'impression qu'il se parle à lui-même. C'est également de cette façon qu'il exprime, avec beaucoup d'efficacité, son contentement ou sa colère !

Le bébé prononce ses premiers mots compréhensibles entre 9 mois et 1 an. Son premier mot (le nom de quelqu'un, par exemple) est parfois le mélange de deux autres, ou de deux mots mal prononcés. Pour d'autres personnes que les parents, ce mot peut avoir une consonance étrange ou étrangère, mais s'il persiste à le dire et que vous le comprenez, c'est que pour vous et lui, il s'agit bien d'un mot.

INQUIETS ?

Mon bébé a 1 an et ne prononce toujours pas de mots.

D'abord, faites vérifier qu'il n'a pas un problème d'audition non détecté jusqu'alors ; c'est parfois le cas des enfants qui tardent à parler.

S'il comprend visiblement ce que vous dites et arrive à communiquer autrement – par exemple en pointant du doigt ou en babillant – vous n'avez sans doute aucune raison de vous inquiéter : il prend tout simplement son temps pour parler (c'est en particulier le cas des enfants bilingues, et de ceux ayant déjà des frères et sœurs). Il peut aussi faire partie des enfants qui sautent la phase des premiers mots et, en quelques mois, se mettent directement à prononcer de courtes phrases.

En revanche, si votre enfant semble être lent dans d'autres aspects de son évolution psychomotrice, ou s'il ne babille pas, il convient, si vous êtes inquiets, d'en parler à un médecin. Sachez cependant que, comme nous l'avons vu plus haut, tant qu'un bébé n'a pas atteint l'âge d'un an, il est prématuré de diagnostiquer un quelconque problème d'apprentissage.

Mon enfant de 2 ans prononce difficilement certains sons alors que sa sœur aînée le faisait à son âge. Cela signifie-t-il qu'il a un problème ?

Comme pour la question précédente, il peut s'agir d'un petit problème d'audition ; assurez-vous que tout va bien pour votre bébé à cet égard. Si tel est le cas, rappelez-vous que l'apprentissage du langage varie d'un enfant à l'autre, même au sein d'une même famille. À 2 ans, beaucoup d'enfants ont des difficultés à prononcer certains sons ; il leur est en particulier difficile de dire «*r*» et «*oua*», qui sont les derniers sons qu'ils parviennent à dire correctement. Il est encore beaucoup trop tôt pour diagnostiquer un problème. Cela dit, si vous êtes inquiet, parlez-en à votre médecin.

LA SOCIALISATION

AU COURS DE LA PREMIÈRE ANNÉE, Bébé découvre progressivement le monde qui l'entoure : il se rend compte qu'il est une personne à part entière, et apprend à échanger avec son entourage. Si vous n'avez aucune possibilité d'agir pour accélérer l'évolution psychomotrice ou l'acquisition du langage de votre enfant, il vous est en revanche possible d'aider au bon développement de son comportement social.

Les grandes étapes

À 6 semaines : Il se peut que Bébé vous offre son premier sourire. Beaucoup de parents pensent qu'un bébé sourit avant cet âge, et il est depuis peu prouvé que c'est parfois le cas.

Entre 3 et 6 mois : Les réactions du bébé face à la mère ou au père sont de plus en plus manifestes, et il les regarde avec intérêt.

Entre 6 et 12 mois : Bébé peut manifester des signes d'angoisse de séparation quand vous le quittez.

Entre 9 et 12 mois : Il réagit de plus en plus face aux personnes autres que ses parents.

Entre 12 et 18 mois : Bébé joue avec d'autres nourrissons de son âge et les imite parfois.

À 15 mois : L'angoisse de séparation peut s'estomper un peu, encore qu'elle persiste chez certains bébés jusqu'à la petite enfance (*voir p. 129*).

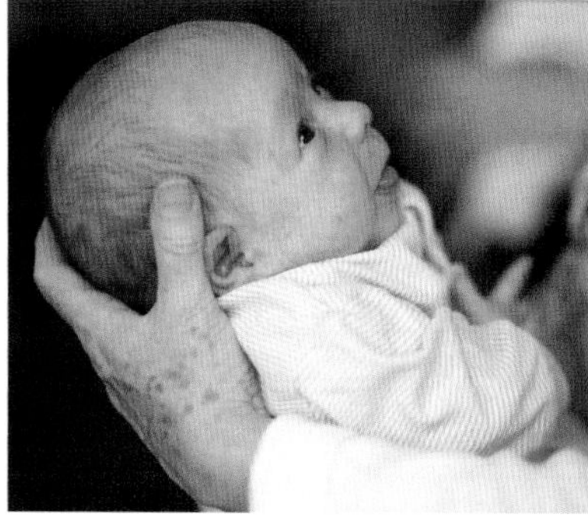

LA SOCIABILITÉ DE BÉBÉ

Dès la sixième semaine, parfois plus tôt, Bébé se met à sourire, un des premiers signes indiquant qu'il réagit au monde qui l'entoure. À 3 mois, il fixe ses parents avec un intérêt particulier, il les suit du regard et tourne la tête dans leur direction quand il les entend entrer dans la pièce où il se trouve.

Entre 3 et 6 mois, il est capable de saisir ses jouets et d'agiter les bras, et joue donc plus souvent. À présent, ses parents sont les personnes envers lesquelles il réagit plus qu'il ne le fait pour d'autres, même pour celles qu'il voit régulièrement.

Dès 6 mois, Bébé commence à faire preuve d'humour, à rire et à s'émerveiller de jeux, comme les chatouilles et les « Coucou ! » Entre 6 et 12 mois, il peut aussi manifester ce que l'on nomme l'angoisse de séparation (*voir encadré ci-contre*) : si ses parents s'éloignent, il pleure et s'agrippe à eux. C'est une réaction tout à fait normale car il a maintenant conscience des différentes identités de son entourage, et réalise que des choses dépassent son champ de vision.

LA RÉACTION AUX AUTRES

À 9 mois, Bébé est chaleureux face aux personnes qu'il connaît et semble parfois un peu sur ses gardes vis-à-vis des nouveaux venus. Il réagit aux questions simples, et il sait montrer du doigt, babiller, autant de signes indiquant qu'il sait échanger.

Les bébés sont généralement très sociables, et dès l'âge de 2 ans, il est bon de les mettre en présence de petits du même âge pour stimuler leur sociabilité : ils ne se contentent plus de leur présence mutuelle mais jouent ensemble et apprennent à partager et à échanger des jouets.

LA POSSESSIVITÉ

Un enfant doit apprendre que tout ne lui appartient pas ; de même, il lui faut accepter de prêter ses affaires. La capacité à partager requiert un peu de temps et, comme dans beaucoup d'autres domaines, elle vient plus facilement à certains qu'à d'autres.

DÉFINIR DES LIMITES

Les bébés adorent les câlins, les bisous et les mots d'encouragement et de félicitation. Mais ils naissent sans aucune notion de limite et vient un moment, avant la fin de la première année, où vous devez aussi commencer à lui dire « Non ». C'est à vous de décider à quel moment il faut intervenir. Si vous êtes fermes et cohérents, s'il sait ce qui est permis ou non, il se sentira plus confiant et sûr de lui hors de son cercle familial.

Aimer son enfant, c'est bien sûr lui donner autant d'affection et d'amour que possible, mais c'est aussi lui apprendre à vivre avec les autres pour qu'il soit capable de s'adapter au monde qui l'entoure.

L'ANGOISSE DE SÉPARATION

L'angoisse de séparation est un phénomène tout à fait normal, mais la plupart des parents ont du mal à voir leur bébé pleurer et tenter de les retenir lorsqu'ils s'éloignent. Il faut apprendre à surmonter cette épreuve sans dramatiser. Essayez de rester calme, distrayez votre enfant avec un jouet, et dites-lui au revoir sans vous attarder : les bisous qui n'en finissent pas tendent à inquiéter le bébé. Ne vous angoissez pas et soyez assuré qu'il cessera de pleurer quelques minutes après votre départ.

Constatant que vous revenez toujours, Bébé réalisera peu à peu que vous ne l'abandonnez pas. Ainsi, il deviendra un petit être plus confiant, plus indépendant que les enfants dont les parents n'osent pas confier la garde à d'autres personnes.

INQUIETS ?

Pourquoi mon bébé de 6 mois ne cherche-t-il pas à entrer en contact visuel avec moi ?

À cet âge, un bébé aime regarder ce qui l'entoure, surtout ses parents. Si le vôtre ne vous suit pas du regard quand vous vous déplacez dans la pièce ou s'il ne vous voit pas approcher quand vous entrez dans son champ de vision, un problème de vue peut en être la cause. Son manque d'intérêt à entrer en contact visuel quand vous êtes près de lui et que vous lui parlez peut être un symptôme d'autisme (*voir p. 299*) ou d'autres difficultés d'apprentissage (*voir p. 147*). N'hésitez pas à faire part de vos inquiétudes à votre médecin ou à votre pédiatre.

Est-il normal que mon bébé de 6 mois ne réagisse pas toujours aux bruits qui l'entourent ?

Beaucoup d'enfants ne réagissent pas toujours aux bruits, même lorsque ces derniers sont notoires : cela dépend de leur humeur. Si vous vous posez des questions à ce sujet, faites vérifier l'audition de votre bébé – même si cela a déjà été fait à la naissance – car il se peut qu'il entende certains sons et pas d'autres. La surdité profonde est rare chez les bébés, mais certains petits problèmes d'audition sont assez fréquents, et la plupart sont faciles à traiter. Il faut simplement veiller à les détecter assez tôt pour que l'apprentissage du langage n'en soit pas retardé.

Mon bébé de 12 mois refuse de jouer avec d'autres bébés – est-ce normal ?

Les bébés n'apprennent à jouer avec leurs semblables qu'entre 18 mois et 2 ans. Avant cet âge, ils jouent souvent seuls, côte à côte, observent ce que font les autres et, parfois, les imitent. Quand il sera temps de le faire, encouragez votre enfant à échanger avec d'autres.

LE JEU

LES ENFANTS SONT NATURELLEMENT CURIEUX et jouer leur permet d'explorer le monde qui les entoure, surtout au cours des premières années. Pour les parents, partager les jeux de leur enfant est un moment privilégié. Ils ont alors l'occasion de les voir évoluer, et de construire ainsi, pour eux-mêmes et leur petit, des souvenirs inoubliables.

Jeux et activités

Les jeux sont importants pour le développement de Bébé car ils le stimulent mentalement et physiquement. Voici une liste de jeux appropriés aux différentes étapes de leur développement.

0-3 mois :
- Mobiles (musicaux, lumineux...)
- Portiques de lit
- Jouets musicaux de formes originales et de couleurs vives

3-6 mois :
- Hochets et jouets faciles à tenir
- Jouets en caoutchouc qui couinent
- Jouets qui rebondissent
- Tapis d'activités

6-9 mois :
- Cloches, maracas
- Jouets qui cliquettent et tournent, miroirs
- Peluches
- Jouets à empiler

9-12 mois :
- Déambulateurs, porteurs
- Jouets d'encastrement
- Livres (livres d'activités, imagiers)
- Comptines (surtout si elles s'accompagnent de gestes)

APPRENDRE EN JOUANT

Le jeu est essentiel pour le bon développement de l'intelligence des enfants qui, tout en se distrayant, élargissent leur connaissance de ce qui les entoure. Les tout-petits possèdent une incroyable faculté pour absorber les nouvelles expériences et en tirer des leçons. Il existe d'innombrables façons de partager les jeux d'un bébé : jouets, objets de tous les jours, activités physiques, musicales ou verbales, etc.

Un bon tapis d'activités est indispensable, même si votre sol est couvert de tapis ou de moquette. Dès que votre petit atteint l'âge de 6 semaines, achetez ou empruntez un siège de bébé qui lui permette de jouer assis (mais cessez de l'utiliser quand l'enfant est capable de se tenir assis tout seul).

Les enfants s'ennuient très vite, pensez à diversifier leurs jouets : éloignez-en certains pendant une semaine pendant que bébé joue avec d'autres, puis réintroduisez-les, et ainsi de suite.

Résistez à la tentation d'essayer de le rendre « plus intelligent » en lui donnant des jouets qui ne sont pas encore de son âge, cela aurait l'effet inverse : comme il ne pourra s'en servir, il sera frustré et ne sera pas porté vers ces objets quand il sera en âge de jouer avec.

Évitez également de mettre fin à un jeu que votre bébé trouve difficile (empiler des objets, par exemple). À moins qu'il ne s'ennuie vraiment, encouragez-le à persévérer, ceci lui apprendra à se concentrer et à faire des efforts – ces derniers devant être applaudis !

QUELS JOUETS LUI DONNER

De la naissance à 3 mois, le nourrisson ne distingue pas les couleurs mais fait plus facilement la différence entre le rouge et le jaune qu'entre le bleu et le vert. Il préfère les objets qui bougent (comme les mobiles), aime beaucoup les contrastes et s'intéresse aux formes complexes (comme des formes noires et blanches). Il préfère les motifs symétriques et circulaires, aux motifs carrés.

Entre 4 et 6 mois, il aime les jouets faciles à tenir, comme les hochets, et il apprécie particulièrement tout ce qu'il peut agiter en l'air, avec lesquels il peut taper ou faire du bruit. Posez les jouets un peu loin de lui pour l'inciter à aller les chercher.

Entre 6 et 9 mois, il s'assied et se traîne à quatre pattes, ce qui ouvre de nouveaux horizons de jeux. C'est le stade sensori-moteur ; il aime les jouets qui vibrent, tournent, sautent, et qu'il peut agiter, comme les cloches et les maracas. À cet âge, les bébés sont fascinés par leur propre reflet et adorent les miroirs. Ils portent tous les jouets à leur bouche, celle-ci possédant plus de terminaisons nerveuses que les autres parties de leur corps, elle leur permet de « sentir » ce qu'ils touchent.

Entre 9 et 12 mois, Bébé se déplace plus facilement et comprend mieux le monde qui l'entoure ; il sait pousser les objets et en imbriquer certains dans d'autres. Il aime aussi empiler et ranger. Jouets d'encastrement et jouets qu'il peut pousser sont alors tout indiqués.

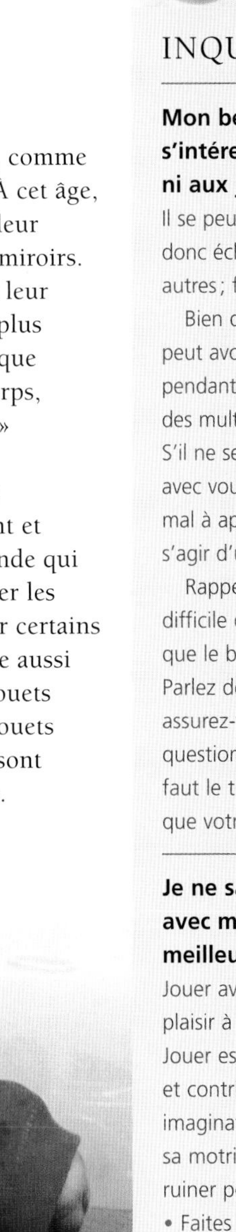

INQUIETS ?

Mon bébé ne semble pas s'intéresser aux personnes ni aux jeux.

Il se peut qu'il entende mal et ne puisse donc échanger correctement avec les autres ; faites vérifier son audition.

Bien que ce soit rare, votre enfant peut avoir eu un petit problème pendant la naissance, ou souffrir d'une des multiples difficultés d'apprentissage. S'il ne semble pas rechercher le contact avec vous, évite votre regard et a du mal à apprendre à parler, il pourrait s'agir d'une forme d'autisme.

Rappelez-vous néanmoins qu'il est difficile de poser tout diagnostic avant que le bébé ait atteint l'âge d'1 an. Parlez de vos inquiétudes au médecin, assurez-vous qu'il répond à toutes vos questions car s'il y a un problème, il faut le traiter le plus tôt possible pour que votre bébé soit aidé efficacement.

Je ne sais pas comment jouer avec mon bébé. Quelle est la meilleure façon de commencer ?

Jouer avec votre enfant peut être un plaisir à la fois pour vous et pour lui. Jouer est essentiel pour votre enfant et contribue à développer son imagination, son intelligence et sa motricité. Et pas besoin de vous ruiner pour vous amuser…

- Faites et refaites les mêmes jeux avec lui : il finira par vous imiter.
- Surprenez-le par des « Coucou ! » et jouez à cache-cache.
- Prenez des objets ordinaires (clefs, grosses cuillères en bois, couvercles, etc.) et faites-en des jouets, tout en le surveillant, bien sûr.
- Acceptez le désordre, et avec lui prenez plaisir à démolir des piles de cubes !
- Emmenez-le au parc : cela vous fera du bien et lui donnera l'occasion de voir d'autres bébés. Les balançoires, toboggans et structures à escalader contribueront à coordonner ses mouvements et à l'enhardir.

RETRAVAILLER

SI VOUS ENVISAGEZ DE RETRAVAILLER, il vous faudra trouver un certain nombre de solutions pour organiser à la fois votre vie professionnelle et la garde de votre enfant. Certains facteurs extérieurs, nécessité financière ou pressions de votre entourage, pourront influencer votre décision.

Faire garder son enfant

Réfléchissez au type de garde approprié à votre situation : nourrice, service de garde ou personne de votre famille, et organisez-vous bien avant de reprendre votre travail.

Avant de confier votre bébé à la garde de quelqu'un d'autre, assurez-vous qu'il se nourrit correctement au biberon. L'idéal est d'y consacrer deux semaines avant de recommencer à travailler.

La personne qui va le garder n'agira pas comme vous, et c'est normal. Si vous ne lui faites pas totalement confiance, votre retour au travail risque d'en être perturbé.

Au début, quitter votre bébé ne sera facile ni pour vous, ni pour lui, mais ne vous inquiétez pas : il s'y fera et vous aussi.

Évitez les bisous et les palabres qui n'en finissent pas et provoquent les larmes : ils ne sont bons ni pour vous ni pour Bébé !

PRÉPARER LA TRANSITION

S'organiser au plan pratique évite l'énervement et facilite la transition entre la vie de mère au foyer et celle de femme active.

Mettez-vous en quête de quelqu'un pour garder Bébé bien avant de retourner au travail. Il n'est jamais trop tôt pour chercher une nourrice ou trouver une place en service de garde. Si vous recherchez une aide à domicile, comptez au moins deux mois : ceci vous donne le temps detrouver la personne souhaitée, qui aura le temps de s'habituer à vous et à votre bébé.

Si vous allaitez, il est conseillé de commencer à habituer votre bébé au biberon au moins deux semaines – et si possible un mois – avant votre retour au travail. Vous pourrez continuer à l'allaiter après, soit en tirant assez de lait pour couvrir ses besoins de la journée (certaines

femmes tirent leur lait sur leur lieu de travail, mais ce n'est pas toujours facile), soit lui donner le sein le matin avant de partir et le soir en rentrant ; dans la journée, il sera nourri au lait maternisé.

TRANSMETTRE VOS INSTRUCTIONS

Commencez à prendre note des habitudes de votre bébé avant de retourner travailler pour que la personne qui va s'en occuper sache comment sont organisées ses journées. Ainsi, elle pourra faire connaissance avec vous, votre bébé, et votre maison si elle reste à domicile.

Vous pourrez aussi lui faire faire le tour des jardins et parcs du quartier et la présenter à vos amies, et aux autres voisines. Comptez au moins une semaine pour mettre cette transition en place.

PRÉPARATION MENTALE

À moins d'être mentalement déjà prête à confier la garde de votre bébé à quelqu'un d'autre, votre retour au travail peut s'avérer éprouvant. Selon que votre congé maternité a été plus ou moins long, il se peut aussi que vous doutiez de votre capacité à retravailler.

Si vous le pouvez, essayez de retourner travailler quelques heures la veille de votre reprise, ce qui vous permettra de vous réhabituer à votre lieu de travail et dédramatisera votre retour « officiel ».

Essayez d'accepter le fait que la personne à laquelle vous confiez votre enfant ne se comportera pas comme vous. Cela ne veut pas dire qu'elle agit mal, mais qu'elle et vous êtes différentes. Vous devez lui faire confiance pour avoir avec elle une relation satisfaisante et durable.

DROITS PARENTAUX - QUESTIONS ET RÉPONSES

Quelle est la durée légale d'un congé maternité ?

En France, la femme salariée bénéficie de 16 semaines de repos : 6 semaines avant la naissance et 10 semaines après. En cas de maladie, un congé pathologique peut prolonger son absence, de 2 semaines avant la naissance et 4 après.

Le repos minimum obligatoire est de 8 semaines au total (2 semaines avant et 6 après l'accouchement). À partir du 3e enfant, ce congé est porté à 8 semaines avant et 18 après.

À quelles prestations ai-je droit ?

Pendant la durée du congé, la salariée perçoit des indemnités journalières versées par la sécurité sociale. (Toutefois, certaines conventions collectives prévoient le maintien intégral du salaire.) Elle doit en outre se soumettre aux examens médicaux obligatoires.

Quand puis-je partir en congé maternité ?

Le repos est obligatoire au plus tard 2 semaines avant l'accouchement mais aucune obligation n'existe quant à la date de déclaration de votre grossesse à votre employeur.
Cependant, le plus tôt sera le mieux, vous pourrez bénéficier des avantages liés à votre situation dès le 3e mois de grossesse (notamment une protection contre un licenciement). Il faut de toute façon prévenir votre employeur avant votre départ pour éviter une rupture de contrat de travail.

Quel préavis de reprise dois-je donner à mon employeur lorsque je suis en congé maternité ?

L'employeur doit être informé de la date de votre retour dans l'entreprise au moins 15 jours avant le terme du congé maternité, par lettre recommandée avec accusé de réception.

Puis-je prendre des heures pour mes rendez-vous médicaux avant l'accouchement ?

Vous avez le droit de vous absenter pour vous rendre aux examens médicaux obligatoires dans le cadre de la surveillance médicale de la grossesse. Ces absences, assimilées à des périodes de travail effectif, n'entraîneront aucune perte de salaire.

Je travaille au contact de substances chimiques. Puis-je demander de changer de poste pendant que je suis enceinte ?

Certains travaux pénibles ou dangereux sont réglementés par le Code du travail. Consultez également votre convention collective qui peut comprendre des cas supplémentaires. En outre, le médecin du travail peut demander, s'il le juge utile, des examens supplémentaires ou une mutation de poste.

Les pères sont-ils autorisés à prendre des congés de paternité ?

Le congé de paternité est fixé à 11 jours consécutifs en cas de naissance simple et peut se cumuler avec le congé de 3 jours accordé au père à la naissance. Ce congé est indemnisé par la sécurité sociale.
Un congé parental d'éducation de un an, renouvelable deux fois, ou une réduction de temps de travail peuvent être envisagés pour le père comme pour la mère. Il existe diverses autres dispositions dépendant des conventions collectives des différents secteurs professionnels.

Quels sont mes autres droits ?

Aucun licenciement ne peut intervenir, du début de la grossesse jusqu'à 4 semaines après la fin de votre congé. Par ailleurs, la jeune mère peut s'abstenir de reprendre son travail (congé sans solde) pour élever son enfant et, pendant une année, bénéficier d'une priorité de réembauchage.

LES PETITS MAUX

À UN MOMENT OU À UN AUTRE AU COURS DE LA PREMIÈRE ANNÉE, la santé de votre bébé vous causera sans doute quelques petites frayeurs. Il s'agit généralement de maladies bénignes qui se traitent simplement. Dans tous les cas, il est conseillé de consulter un médecin. Quelles que soient vos inquiétudes, n'hésitez pas à lui demander conseil, il saura vous rassurer.

Autres pathologies

Les maladies ci-dessous sont également fréquentes (voir aussi *Les maladies*, p. 216 à 219) :

Bronchiolite : Inflammation des ramifications bronchiques les plus fines (*voir p. 228*).

Rhume : Infection virale mineure, fréquente (*voir p. 221*).

Conjonctivite : Inflammation oculaire (*voir p. 244*).

Convulsions : Contractions musculaires involontaires lors de fortes fièvres (*voir p. 292*).

Croup : Type de laryngite (*voir p. 224*).

Gastro-entérite : Inflammation des muqueuses gastriques et intestinales (*voir p. 254*).

Stomatite : Inflammation de la bouche (*voir p. 247*).

Hernie : Sortie de tout ou partie d'un organe de la cavité qui le contient normalement (*voir p. 260*).

Impétigo : Infection bactérienne de la peau (*voir p. 235*).

Muguet : Infection mycosique de la bouche (*voir p. 248*).

Roséole : Infection bénigne qui provoque des rougeurs (*voir p. 187, 267*).

Dermatite seborrhéique : Inflammation cutanée (*voir p. 230*).

L'ÉRYTHÈME FESSIER

L'érythème fessier est souvent provoqué par une diarrhée, une maladie ou l'ammoniaque naturellement présente dans l'urine. Il s'agit de rougeurs, parfois accompagnées d'une inflammation du siège ainsi que du sexe et de l'entrejambe. La peau peut aussi présenter des papules ulcérées et infectées ; le médecin peut alors prescrire une crème corticostéroïde douce pour réduire l'inflammation, ainsi qu'une pommade qui traitera l'infection. La plupart des bébés souffrent d'érythème, certains plus que d'autres. La peau du nouveau-né, extrêmement sensible, surtout pendant les six premiers mois, guérit heureusement très vite avec un traitement approprié. Tout rentre généralement dans l'ordre au bout de 3 à 4 jours, une semaine au plus (sinon, consultez un médecin).

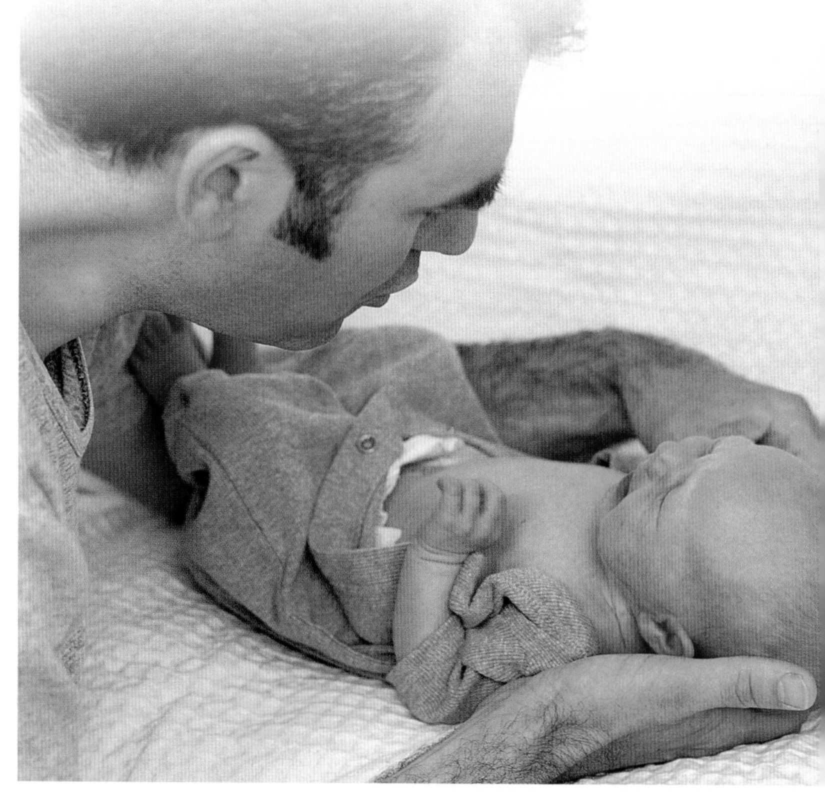

Pour laver la partie affectée, n'utilisez que du coton et de l'eau tiède, et évitez les lingettes (réservées au bébé âgé d'au moins 6 mois) ou les crèmes pour bébés, même hypoallergéniques. Séchez la peau en la tapotant avec une serviette douce ou, mieux, laissez-la sécher à l'air libre. Il est d'ailleurs conseillé de laisser bébé les fesses nues aussi souvent que possible. Changez ses couches très fréquemment.

Pour éviter l'érythème, on peut appliquer sur les fesses du nourrisson une crème protectrice après chaque change ; ces précautions étant inutiles si l'on utilise du coton et de l'eau tiède, et si les couches sont changées très souvent.

LE REFLUX GASTRO-ŒSOPHAGIEN

Les reflux gastro-œsophagiens (RGO) sont fréquents chez les bébés lors des premières semaines suivant la naissance mais disparaissent généralement dans le courant de l'année ; la faiblesse du muscle situé à l'entrée de l'estomac ne permettant pas d'éviter des régurgitations du contenu de l'estomac.

Les principaux symptômes de ce reflux sont des vomissements persistants et la régurgitation des aliments, sortant de façon continue de la bouche du bébé. L'enfant pleure, est irritable et, si le problème persiste, il devient apathique. Si les aliments rejetés contiennent du sang, appelez votre médecin sans attendre.

Si votre bébé souffre de reflux gastro-œsophagien, il est préférable de le coucher sur le côté. Surélevez légèrement le berceau de façon que la tête soit surélevée par rapport à l'estomac. Pendant la journée, placez l'enfant dans un siège incliné en arrière (ou une chaise haute s'il est en âge de s'asseoir).

Si les vomissements sont importants et persistants, épaississez les tétées avec un peu de farine pour bébé. S'il est en âge (*voir p. 38*), essayez des aliments plus solides. Surveillez ses selles, s'il est constipé, Bébé peut souffrir de déshydratation.

L'OTITE

L'otite est une maladie bénigne douloureuse, très fréquente. Il s'agit d'une inflammation de l'oreille moyenne (*voir p. 240*). Si Bébé souffre d'une otite, il pleure et essaie de tirer ou de frotter son oreille ; s'il a de la fièvre (plus de 38 °C) et se réveille la nuit, consultez votre médecin. (Donnez-lui de l'acétaminophène pour calmer la douleur.) Couchez-le sur le côté, oreille malade sur l'oreiller pour favoriser un éventuel écoulement.

LA POUSSÉE DENTAIRE

Bébé fera sans doute sa première dent entre 6 mois et 1 an, voire un peu plus tard ; sa dernière dent de lait poussant vers l'âge de 3 ans. L'apparition des incisives n'est pas douloureuse ; celle des canines et des molaires l'est un peu plus.

Lors d'une poussée dentaire, Bébé a les joues rouges, les gencives sensibles, et bave beaucoup. Il peut être irritable, pleurer souvent et avoir du mal à dormir.

Pour atténuer la douleur, frottez les gencives avec un baume spécial, incitez-le à mâcher quelque chose de ferme et de froid (comme un anneau de dentition, qui ne doit cependant jamais être mis à refroidir au congélateur), et administrez-lui de l'acétaminophène. L'apparition des dents ne provoque jamais de fièvre ou de diarrhée.

QUAND APPELER LE MÉDECIN ?

En règle générale, suivez votre instinct : si vous pensez que Bébé ne va pas bien et que son état vous inquiète, appelez votre médecin. Si son cabinet est fermé, adressez-vous au service des urgences de l'hôpital le plus proche, où l'on vous dira très vite si votre bébé a besoin de soins.

Appelez le médecin dans les situations suivantes :

- La température est supérieure à 38 °C (un thermomètre digital à lecture rapide est idéal). La fièvre est un précieux indicateur, elle peut augmenter ou baisser très rapidement, mais elle signale toujours une affection, même si elle n'est pas grave.
- Bébé pleure plus que d'habitude et rien ne le calme.
- Il ne dort pas, ou seulement par intervalles.
- Il est anormalement léthargique ou somnolent.
- Il a des rougeurs.
- Il mange sans appétit.
- Il vomit plus d'une fois en 24 heures.
- Il ne garde aucune nourriture, y compris l'eau.
- Il a la diarrhée, ses selles et urines contiennent du sang.
- Sa fontanelle est soit déprimée soit bombée (consultez immédiatement un médecin).
- Il respire difficilement (il peut également éternuer et respirer anormalement vite).
- Il tousse.
- Il semble avoir mal ou souffrir d'une infection.

Rappelez-vous qu'un bébé se déshydrate très rapidement. Il est donc important de voir un médecin sans tarder si l'enfant persiste à refuser de boire et/ou ne cesse de vomir ou d'avoir la diarrhée.

BÉBÉ A DE LA FIÈVRE

LA FIÈVRE SURVIENT QUAND LA TEMPÉRATURE DU CORPS augmente de façon sensible, généralement pour combattre une infection. Si votre enfant a chaud, est agité ou irritable (*voir p. 238*), prenez sa température. De 36-37 °C, il n'a pas de fièvre ; en revanche, à partir de 38 °C, c'est que quelque chose ne va pas.

SYMPTÔMES	CAUSES POSSIBLES
Bébé a moins de 6 mois. Bébé, âgé de 6 mois ou plus, a des rougeurs, (*voir p. 186*).	Il est inhabituel qu'un enfant de moins de 6 mois ait de la fièvre ; celle-ci peut indiquer une maladie grave.
Bébé pleure, tire sur une de ses oreilles ou se réveille en pleurant.	Inflammation de l'oreille moyenne (*p. 240*).
Bébé respire normalement mais il tousse ou a le nez qui coule.	Rhume (*p. 221*), grippe (*p. 225*) ou rougeole (*p. 264*).
Bébé respire plus vite que la normale.	Pneumonie (*p. 227*) ou bronchiolite (*p. 228*).
Bébé vomit sans diarrhée, sans être apathique ou spécialement irritable.	Roséole (*p. 267*) ou méningite (*p. 294*).
Bébé vomit et a des diarrhées.	Gastro-entérite (*p. 254*).
Bébé semble être chaud.	Il est trop couvert, ou il fait très chaud dans sa chambre.
Bébé refuse la nourriture solide.	Infection de la gorge : amygdales (*p. 223*) ou infection de la bouche : stomatite (*p. 247*).

SYMPTÔMES ALARMANTS

Appelez immédiatement le médecin si votre bébé présente un ou plusieurs des signes suivants :

- Respiration anormalement rapide
- Respiration bruyante
- Respiration difficile
- Dolence anormale
- Irritabilité inhabituelle
- Refus de boire
- Vomissements durant 6 heures ou plus, accompagnés ou non de diarrhée
- Température supérieure à 39 °C

COMMENT RÉAGIR ?

Appelez immédiatement un médecin. En attendant, faites baisser la température *(voir encadré ci-contre)*.

Consultez le médecin dans les 24 heures.
En attendant, faites baisser la température et soulagez la douleur (*p. 205*).

Si l'état du bébé ne s'améliore pas dans les 24 heures, s'il respire difficilement, ou s'il survient une rougeur, appelez un médecin.

Appelez immédiatement un médecin. En attendant, faites baisser la fièvre.

Demandez immédiatement l'avis du médecin.

Demandez l'avis du médecin dans les 24 heures.

Si vous pensez que votre bébé a trop chaud, habillez-le plus légèrement et baissez la température de la pièce. Si la fièvre n'a pas baissé dans l'heure, ou si Bébé présente des symptômes inquiétants (*voir ci-dessus*), et appelez un médecin.

Si l'état de l'enfant ne s'améliore pas dans les 24 heures, appelez un médecin. En attendant, soulagez le mal de gorge (*p. 198*) et faites baisser la température.

PREMIERS SOINS

Comment faire baisser la température

Lorsque la fièvre baisse, votre bébé devient moins irritable et montre des signes de mieux-être. S'il a entre 3 mois et 5 ans, vous lui évitez également le risque de convulsions (*voir p. 292*). Les conseils suivants valent pour les enfants de tous âges :

- Déshabillez l'enfant au maximum et, s'il est couché, enlevez couverture et drap.
- Rafraîchissez-le dans un bain tiède ou avec une éponge trempée dans de l'eau tiède. Évitez l'eau chaude, qui peut faire augmenter la température du corps.
- Donnez-lui de l'acétaminophène en respectant les doses prescrites pour son âge. L'ibuprofène buvable peut être administré à partir de 3 mois.
- Maintenez la température de la chambre de l'enfant aux environs de 15 °C.

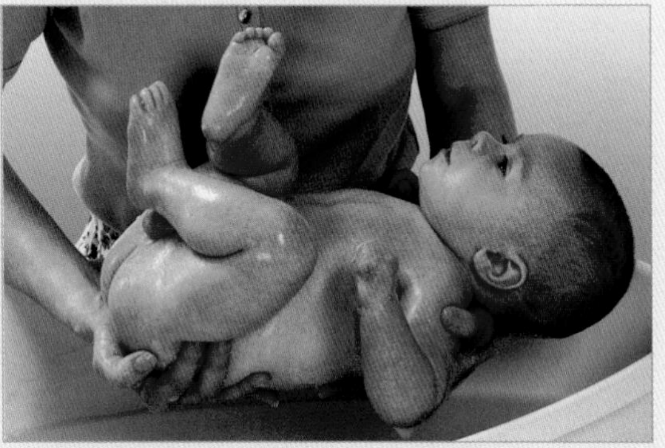

MIEUX-ÊTRE – *Baignez l'enfant dans de l'eau tiède pour faire baisser la fièvre, il se sentira mieux.*

BÉBÉ VOMIT

Si un nouveau-né vomit, il peut s'agir de petites régurgitations de lait qui n'indiquent rien de sérieux, mais il peut aussi être malade. Il faut appeler le médecin si les vomissements persistent au-delà de six heures ou s'ils s'accompagnent d'élimination de faibles quantités d'urine, d'une apathie ou d'une irritabilité anormales.

SYMPTÔMES	CAUSES POSSIBLES	COMMENT RÉAGIR ?
Bébé semble aller bien et mange normalement mais il a de gros renvois de lait sans effort.	Reflux gastro-oesophagien (*p. 57*).	Demandez conseil au médecin dans les 24 heures.
Petit renvoi de lait sans effort.	Régurgitation probable, généralement due à des gaz, et sans gravité.	Aidez-le à faire son rot (*p. 65*). Assurez-vous qu'il n'est pas suralimenté.
Bébé a moins de 2 mois et vomit après chaque tétée.	Sténose du pylore (*p. 260*).	Demandez conseil au médecin dans les 24 heures.
Bébé vomit brusquement, ou a de la fièvre, est anormalement dolent, ou refuse de manger ou de boire.	Roséole (*p. 267*) ou méningite (*p. 294*).	Appelez immédiatement un médecin.
Bébé vomit brusquement et a la diarrhée.	Gastro-entérite (*p. 254*).	Appelez immédiatement un médecin. En attendant, évitez qu'il se déshydrate. (*p. 63*).
Bébé vomit brusquement et tousse.	Bronchiolite (*p. 228*) ou coqueluche (*p. 269*).	Demandez conseil au médecin dans les 24 heures. En attendant, faites baisser la température (*p. 59*) et apaisez la toux (*p. 197*).
Bébé vomit brusquement et rejette un liquide jaune-verdâtre.	Occlusion intestinale (*p. 256*).	Il faut le faire hospitaliser d'urgence. En attendant, ne lui donnez rien à boire ni à manger.

L'ALIMENTATION

Les problèmes liés aux repas difficiles de Bébé sont pénibles pour lui-même et ses parents. Les premières semaines suivant la naissance peuvent être particulièrement éprouvantes car l'allaitement au sein est en cours de mise en place. Mais si Bébé va bien et que sa courbe pondérale est normale, vous n'avez pas à vous inquiéter.

SYMPTÔMES	CAUSES POSSIBLES	COMMENT RÉAGIR ?
Bébé ne prend pas de poids.	Il est en mauvaise santé.	Voyez votre médecin.
Bébé prend normalement du poids mais vous craignez de ne pas avoir assez de lait.	La peur de ne pas avoir assez de lait est courante chez les mères dont les bébés pleurent et ne semblent pas rassasiés.	Si Bébé continue à pleurer et que cela vous inquiète, consultez un médecin. (*voir aussi* Les pleurs, *p. 64-65*).
Bébé refuse de téter, ce qui ne lui ressemble pas.	Ce symptôme peut signifier un rhume (*p. 221*), mais aussi un problème plus grave.	Appelez immédiatement votre médecin.
Bébé se fait toujours prier pour téter mais sa courbe de poids est normale.	Ce phénomène est fréquent, si votre bébé semble aller bien, ne vous inquiétez pas.	Si d'autres symptômes apparaissent, consultez votre médecin.
Bébé tète plus souvent que d'autres.	Il arrive que les nouveau-nés nourris au sein aient besoin de téter toutes les deux heures, surtout lors des premières semaines après la naissance (*voir* L'allaitement, *p. 18-21*).	Les tétées fréquentes fatiguent les mamans qui allaitent. Tirez votre lait et demandez au papa de vous relayer la nuit. Si vous êtes déprimée ou irritable, consultez votre médecin.
Bébé pleure souvent au début des tétées.	Le lait tarde à parvenir aux mamelons ou y parvient trop brusquement.	Si le lait tarde à venir, essayez de vous décontracter. S'il arrive trop brusquement, tirez-en un peu avant de mettre votre bébé au sein.
Bébé refuse souvent certains des aliments solides proposés.	Le bébé peut refuser des aliments auxquels il n'est pas habitué. Il peut faire de même avec des aliments qu'il appréciait au début.	Continuez à lui proposer des aliments variés, fournissant tous les nutriments nécessaires (*voir* Le sevrage, *p. 38-41*).

BÉBÉ A LA DIARRHÉE

DES SELLES LIQUIDES PLUS DE DEUX FOIS D'AFFILÉE EN 24 HEURES, ou intermittentes, signalent sans doute une diarrhée. Ne confondez cependant pas celle-ci avec les selles semi-liquides des bébés nourris au sein. Les bébés souffrant de diarrhée doivent boire beaucoup pour ne pas se déshydrater.

SYMPTÔMES	CAUSES POSSIBLES
Bébé a de la fièvre (38 °C ou plus).	Gastroentérite (*p.* 254).
Bébé n'a pas de fièvre mais la diarrhée persiste depuis 2 semaines ou plus, même de façon intermittente.	Infection virale probable. Il peut aussi s'agir, plus rarement, d'allergies à certains aliments (*p.* 252), de giardiase (*p.* 262), de maladie cœliaque (*p.* 256) ou de mucoviscidose (*p.* 315).
Bébé a la diarrhée depuis moins de 2 semaines, vomit, se fait prier pour téter, il est léthargique depuis plusieurs jours.	Gastroentérite (*p.* 254).
Vous administrez à Bébé des médicaments prescrits par le médecin pour soigner une maladie quelconque.	La diarrhée peut être un effet secondaire des médicaments.
Bébé boit plus de jus de fruit que d'habitude.	Pris en grandes quantités, les jus de fruits peuvent provoquer des diarrhées.
La diarrhée de Bébé est survenue dans les 24 heures qui ont suivi l'introduction d'un nouvel aliment.	L'introduction de nouveaux aliments peut entraîner une diarrhée.
Bébé n'est pas encore sevré, et vous avez introduit un nouvel aliment il y a plus de 24 heures.	Réaction à la nourriture (*p.* 252) ou gastroentérite sans gravité (*p.* 254).

SYMPTÔMES ALARMANTS

Appelez immédiatement le médecin si votre nouveau-né présente les symptômes suivants :

- Léthargie ou irritabilité anormales
- Refus de téter pendant 6 heures ou plus
- Vomissements depuis 6 heures ou plus
- Yeux excavés
- Élimination de petites quantités d'urine

COMMENT RÉAGIR ?

Consultez votre médecin dans les 24 heures. En attendant, faites-le boire pour qu'il ne se déshydrate pas (*voir ci-contre*) et faites baisser sa température (*p. 59*).

Consultez le médecin dans les 24 heures. En attendant, donnez à votre bébé des tétées fréquentes de son lait habituel. S'il est en cours de sevrage, cessez de lui donner des aliments solides.

Consultez votre médecin dans les 24 heures. En attendant, prévenez la déshydratation, et faites baisser la fièvre.

Demandez à votre pharmacien/médecin si ces médicaments pourraient être la cause de ces symptômes et si vous devez arrêter ce traitement.

Diluez toujours le jus de fruit dans une quantité égale d'eau bouillie refroidie. À la place du jus de fruit, proposez au bébé de l'eau bouillie et refroidie. Évitez les concentrés de jus de fruits.

Ces symptômes ne durent généralement pas. Dans le cas contraire, ou s'ils semblent être liés à un aliment en particulier, consultez un médecin. En attendant, prévenez la déshydratation. Si vous savez quel aliment provoque la diarrhée, cessez de le lui donner jusqu'à ce que vous ayez vu le médecin.

Consultez votre médecin dans les 24 heures. En attendant, évitez de lui donner des aliments solides et prévenez la déshydratation (*voir ci-contre*).

PREMIERS SOINS

Prévenir la déshydratation

L'eau est essentielle à la vie et doit être remplacée une fois éliminée. Si un bébé en perd plus qu'il n'en absorbe, il risque de se déshydrater. La déshydratation d'un nourrisson est très grave. Elle peut être consécutive à une diarrhée, de la fièvre ou des vomissements persistants depuis 6 heures ou plus. Dans chacun de ces cas, il faut faire boire l'enfant plus que d'habitude. Consultez votre médecin si vous ne savez pas comment le réhydrater.

- La meilleure façon de donner au nourrisson le liquide complémentaire dont il a besoin est de lui faire boire une solution réhydratante (Pédialyte, par exemple). Ces produits n'ont pas à être prescrits et sont donc en vente libre.
- Vous pouvez préparer vous-même une solution réhydratante : dissolvez 2 cuillerées à café rases de sucre dans 200 ml d'eau préalablement bouillie et refroidie ; une façon temporaire de réhydrater l'enfant avant de vous procurer un produit réhydratant.
- Un bébé doit boire entre 500 et 1 500 ml de liquide par jour. La quantité exacte dépend de son poids (*voir tableau ci-dessous.*)
- Bébé doit boire des petites gorgées de solution réhydratante toutes les heures, ou toutes les 2 heures tant que dure la diarrhée.
- Si la diarrhée s'accompagne de vomissements, donnez-lui la solution réhydratante toutes les heures mais en plus petites quantités, car il la régurgitera s'il en boit trop à chaque fois.

BESOIN DU NOURRISSON

POIDS DU BÉBÉ		QUANTITÉ LIQUIDE/JOUR	
kg	livre	ml	cl
−4	−8	500	50
4	8	600	60
6	12	900	90
7	14	1050	105
8	16	1200	120
9	18	1350	135
+10	+20	1500	150

LES PLEURS

LES PLEURS SONT LE SEUL MOYEN DONT DISPOSE LE BÉBÉ pour signaler ses besoins : faim, soif ou énervement. Et si l'on en comprend assez vite la cause, il est cependant des cas où, quoi que l'on fasse, il continue de pleurer. Si les larmes et les cris persistent, ou s'il se plaint de façon anormale, consultez votre médecin.

SYMPTÔMES	CAUSES POSSIBLES
La tétée fait cesser les larmes.	Bébé avait faim. Celle-ci est une des causes les plus fréquentes des pleurs du nouveau-né.
Il ne pleure habituellement pas et a chipoté lors de la dernière tétée.	Il a peut-être mal quelque part ; il peut souffrir d'une otite, par exemple (*p. 240*).
Votre famille vit un changement ou traverse une phase de tension.	Bébé est peut-être déstabilisé par un changement dans ses habitudes, ou une tension familiale.
Un peu d'eau bouillie et refroidie calme Bébé rapidement.	Il avait peut-être soif, surtout s'il est nourri au biberon, ou s'il fait chaud.
Il cesse de pleurer dès qu'il a fait son rot.	Bébé était sûrement gêné par l'air absorbé (*p. 17*).
Votre bébé de moins de 3 mois pleure en fin d'après-midi ou en début de soirée.	Colique du soir (*p. 25*).
Votre bébé, âgé de 3 mois ou plus, cesse de pleurer quand vous le prenez dans vos bras et lui consacrez toute votre attention.	Il a besoin de plus de câlins et d'attention de la part de ses parents que d'autres tout-petits du même âge.

GROS CHAGRIN – *Les pleurs sont le moyen le plus efficace dont Bébé dispose pour attirer votre attention. Vous saurez vite distinguer les degrés de gravité des larmes et des cris de votre bébé.*

COMMENT RÉAGIR ?

Si votre bébé cesse de pleurer après une tétée, cela peut signifier qu'il faut réduire les intervalles entre les tétées pour éviter qu'il ait faim.

Appelez immédiatement un médecin.

Si un changement advient dans votre vie de famille, essayez de maîtriser votre anxiété, car elle peut déstabiliser votre enfant. Prenez du temps pour vous-même, utilisez des techniques de relaxation, parlez de vos problèmes avec vos proches. Si les pleurs de votre bébé vous mettent en colère ou que vous lui en voulez, parlez-en avec votre médecin.

Donnez-lui plus souvent de l'eau bouillie et refroidie, au biberon ou à la petite cuillère.

Aidez-le à éliminer l'air avalé (*voir ci-contre*).

Commencez par lui donner sa tétée. Ensuite, essayez de le calmer en le berçant, en lui tapotant le dos ou en lui massant le ventre.

Chouchoutez votre bébé aussi souvent qu'il le demande : à cet âge-là, il s'agit rarement de caprices.

PREMIERS SOINS

L'air avalé et les gaz

Si votre petit pleure juste avant une tétée, ou s'il tète de façon vorace, il peut avaler de l'air, qui gênera sa digestion. Voici ce que vous pouvez faire pour éviter qu'il avale de l'air ou pour l'aider à éliminer les gaz :

- Si vous le nourrissez au biberon, assurez-vous que les trous de la tétine ne sont pas collés et que la tétine est appropriée à son âge.
- Pendant la tétée, Bébé doit être en position assise, légèrement incliné vers l'arrière.
- Faites-lui faire son rot après chaque tétée. Vous pouvez soit l'appuyer contre votre épaule, l'asseoir, ou bien le coucher à plat ventre sur vos genoux. Calmez-le en lui tapotant le dos.

FAIRE SON ROT *Après chaque tétée, changez Bébé de position (comme ici, debout et appuyé contre votre épaule) pour l'aider à éliminer l'air qu'il a absorbé.*

Calmer Bébé

Techniques manuelles
Certaines pratiques thérapeutiques basées sur des manipulations douces peuvent aider à éliminer les causes des pleurs intempestifs (*voir* Ostéopathie *p.323*, Chiropractie *p.323 et* Thérapie cranio-sacrée *p.324*).

L'homéopathie
Les nourrissons souffrant souvent de coliques réagissent bien à l'homéopathie. Selon les symptômes de votre bébé, un homéopathe saura vous conseiller.

Les sons
L'enregistrement de sons réguliers (comme les battements de votre cœur) peut contribuer à calmer Bébé.

LES TROUBLES CUTANÉS

TRÈS SENSIBLE, LA PEAU DU NOURRISSON EST FACILEMENT IRRITABLE. Si un problème persiste, ou s'il s'accompagne d'autres symptômes, consultez votre médecin. Si Bébé a de la fièvre, reportez-vous à la rubrique LES ROUGEURS AVEC FIÈVRE (*p. 186*). S'il n'a pas de température, voyez LES TACHES ET ROUGEURS (*p. 184*).

SYMPTÔMES	CAUSES POSSIBLES	COMMENT RÉAGIR ?
Bébé a moins de 3 mois et présente des rougeurs squamées sur le cou, le visage, le bas du dos, derrière les oreilles ou sous les bras.	Dermatite séborrhéique (*p. 230*).	Si, au bout de quelques semaines, ces rougeurs persistent, ou si elles s'étendent ou suintent, consultez un médecin.
Bébé a une tache rouge squamée, irritée au visage, au creux des coudes ou derrière les genoux.	Eczéma atopique (*p. 234*).	Si cette rougeur s'étend, suinte, est très irritée ou gêne votre bébé, consultez un médecin.
Bébé présente des croûtes jaunes sur le crâne.	Croûte de lait (*voir* Dermatite séborrhéique, *p. 230*).	Si les croûtes s'étendent ou sont accompagnées d'autres symptômes, consultez.
Bébé a des inflammations rouges sur les parties génitales et l'anus.	Érythème fessier.	Si ces rougeurs persistent, s'accompagnent d'ulcération sèche ou suintante, consultez.
Bébé a des plaques sur le corps, mais il va bien et se nourrit normalement.	Irritation cutanée bénigne.	Si ces rougeurs persistent plus d'une journée ou si l'enfant ne va pas bien, appelez un médecin.

PREMIERS SOINS

Calmer une irritation cutanée

Si votre bébé se gratte, les rougeurs risquent de s'infecter. Pour calmer l'irritation :

- Les crèmes, gels ou pommades à base de plantes (calendula, camomille ou aloe vera par exemple) sont très efficaces pour les rougeurs cutanées sèches ; pour les lésions suintantes, les lotions conviennent mieux.
- Pendant le bain, utilisez un produit non irritant tel que savon neutre ou surgras. Assurez-vous bien que l'eau du bain n'est pas trop chaude.
- Une peau sèche indique souvent que la rougeur est plus irritante. Hydratez la peau de Bébé plusieurs fois par jour avec une crème émolliente.
- Évitez les vêtements synthétiques, préférez le coton.

LA COURBE DE POIDS

UNE VISITE RÉGULIÈRE CHEZ VOTRE PÉDIATRE permettra d'être rassuré sur la prise de poids régulière de votre enfant. Des tableaux figurant les courbes pondérales courantes et intégrant bon nombre de variables, vous donneront la possibilité de suivre l'évolution de votre enfant.

SYMPTÔMES	CAUSES POSSIBLES	COMMENT RÉAGIR ?
Bébé n'a pas l'air d'aller bien.	Un malaise probablement passager empêche peut-être Bébé de se sentir bien et de prendre du poids normalement.	Faites examiner votre enfant.
L'alimentation solide fait désormais partie du régime de Bébé.	Son alimentation peut ne pas être assez riche en solides, auquel cas l'enfant manque de nutriments essentiels.	Demandez conseil à votre médecin ; il vous suggérera peut-être de modifier le régime de votre bébé (*voir* Le sevrage, *p. 38-41.*)
Quand Bébé pleure, vous lui donnez presque toujours le sein.	Il se peut que vous n'ayez pas assez de lait pour satisfaire tous les besoins de votre enfant. À 6 mois, celui-ci doit passer à l'alimentation solide.	Consultez. Le médecin conseillera de compléter le régime par des biberons ou d'introduire des aliments solides (*voir* Le sevrage, *p. 38-41.*)
Bébé est toujours allaité au sein ou au biberon à heures fixes.	La quantité de lait prise par Bébé à heures fixes ne suffit peut-être pas pour qu'il prenne du poids comme il le faudrait.	S'il n'y a pas de prise de poids normale pendant 2 semaines, consultez un médecin. En attendant, faites-le téter chaque fois qu'il pleure.
Vous ajoutez peut-être trop d'eau ou ne mettez pas assez de lait maternisé dans les biberons.	Trop diluées, les tétées ne contiennent peut-être pas assez des nutriments dont votre bébé a besoin.	S'il n'y a pas de prise de poids sur 2 semaines, consultez un médecin. Suivez bien les conseils de préparation des biberons de lait maternisé.
Bébé finit tous ses biberons jusqu'à la dernière goutte.	Il a sans doute encore faim après ses tétées, qui ne lui suffisent peut-être pas.	S'il n'y a pas de prise de poids sur 2 semaines, voyez votre médecin. Donnez à Bébé autant de lait qu'il en réclame. À 6 mois, il doit en outre passer à l'alimentation solide.

GRANDIR EN BONNE SANTÉ

CHAPITRE DEUX

À mesure que votre enfant grandit, un rapport d'égal à égal commence à s'installer entre lui et vous. Vous vous posez de nouvelles questions au sujet de son développement physique, émotionnel et social. Ce chapitre tente de vous aider à trouver vos propres réponses à ces questions.

LA CROISSANCE

Au cours de sa première année, l'enfant connaît une vitesse de croissance très rapide, qui se ralentit considérablement ensuite. Dans d'autres domaines, la vitesse de développement varie d'un enfant à l'autre, tout en respectant certaines normes. L'évolution générale est surveillée à certains âges afin de s'assurer que l'enfant grandit correctement.

«… En règle générale, un enfant atteint environ la moitié de sa taille adulte vers l'âge de 2 ans.»

LA CROISSANCE

La stature définitive d'une personne tend à refléter celle de ses parents. En règle générale, un enfant atteint environ la moitié de sa taille adulte vers l'âge de 2 ans.

Mais en matière de croissance, la stature n'est pas le seul élément qui change après la première année. La tête de votre enfant qui, à la naissance représentait environ un tiers d'une tête adulte, atteint presque sa taille définitive vers l'âge de 2 ans. Les muscles sont plus forts, les os moins flexibles, le cœur se renforce, si bien que le rythme cardiaque diminue et que la pression sanguine augmente. La digestion des aliments est plus efficace et le système immunitaire, constamment sollicité au cours de la première année, est également consolidé.

Des études réalisées sur plusieurs années ont montré que les enfants sont de plus en plus grands en raison de meilleures conditions de vie et d'une alimentation plus riche. Aujourd'hui, les enfants de 5 ans sont en moyenne de 7 à 8 cm plus grands qu'il y a 100 ans.

La croissance d'un enfant n'est pas constante. Elle tend à se faire par étapes, les enfants grandissant plus rapidement au printemps et en été qu'en automne et en hiver.

Entre les périodes de croissance, le corps semble se reposer et ne grandit quasiment pas. Les enfants grandissent aussi davantage la nuit, les hormones de croissance étant produites en plus grande quantité pendant le sommeil; l'enfant est réveillé par des douleurs dans les jambes (qui le font pleurer parfois). Chez certains enfants, la croissance nocturne peut entraîner des troubles du sommeil. Veillez, durant toute son enfance, à ce que votre enfant ne manque pas de sommeil.

Vitesse de croissance

Hormis la croissance rapide au cours de la première année, et une phase de croissance vers le milieu de l'enfance, les garçons et les filles grandissent à une vitesse constante d'environ 7 à 8 cm par an. Peu avant la puberté, cette vitesse passe à environ 5 cm par an, les garçons étant généralement un peu plus grands que les filles. Chez les filles, la puberté commence habituellement vers l'âge de 11 ans et chez les garçons vers l'âge de 12 ans. Au cours de la phase de croissance qui se produit alors, garçons et filles prennent environ 30 à 45 cm. Ils atteindront généralement leur taille adulte vers l'âge de 16 ans pour les filles, et de 18 ans pour les garçons. Ainsi, les filles commencent leur puberté plus tôt que les garçons mais elles grandissent également plus vite au début. Les garçons grandissent au contraire plus vite pendant le dernier tiers de leur puberté. Ceci explique pourquoi pendant deux ans environ les filles sont souvent plus grandes que les garçons du même âge.

La croissance pré-pubertaire

Au cours des années qui précèdent la puberté, les filles accusent souvent un léger excès de poids, qui, avec la vitesse de croissance de la puberté, ne tarde pas à disparaître. Au contraire, la croissance rapide des garçons leur donne parfois un aspect un peu dégingandé tout à fait temporaire. Cette gaucherie passagère peut, dans les deux cas, provoquer chez certains adolescents une certaine gêne par rapport à leur corps. Au cours de cette période, la plupart des adolescents ont davantage besoin de sommeil. Pour une bonne croissance, garçons et filles doivent prendre des repas

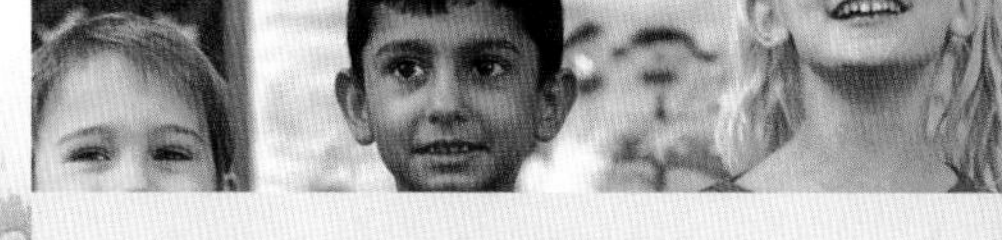

LA BONNE TAILLE

En termes de stature, la norme connaît des variations individuelles considérables; toutefois la plupart des enfants ont une courbe de croissance dite normale. La taille est en grande partie une caractéristique héréditaire et, que les deux parents soient grands ou petits, il y a de fortes chances pour que leur enfant soit d'une taille comparable. Mais si la mère est de grande taille et le père de petite taille, par exemple, celle de leur bébé reflétera sans doute celle de la mère. Au cours de ses deux premières années, l'enfant atteindra sa taille véritablement génétique, héritée de ses deux parents.

Après la première année, la taille d'un enfant – plus que son poids – permet de dépister des troubles de croissance. Une maladie peut parfois lui faire perdre du poids et arrêter momentanément sa croissance, mais dès qu'il sera guéri, il rattrapera son retard.

Si votre enfant paraît vraiment petit par rapport à ceux de son âge, ou aux autres membres de la famille, surveillez l'évolution de sa taille pendant une courte période avant de consulter un médecin. Mesurez votre enfant à plusieurs reprises avec précision sur une période de six mois et notez les valeurs ainsi obtenues sur une courbe de croissance (vous pouvez vous en procurer auprès de votre médecin ou contacter un organisme spécialisé. La taille d'un enfant ayant un retard de croissance peut ne pas sembler basse sur la courbe, mais celle-ci n'évolue pas parallèlement aux courbes de référence. Le fait de surveiller la taille de votre enfant vous permettra de gagner du temps dans le dépistage d'un éventuel retard de croissance.

réguliers et nutritifs, et éviter grignotage et boissons gazeuses. Ils ont besoin d'un apport en calcium adapté (lait, yaourts et fromages), lequel favorisera la bonne croissance osseuse. Cela est particulièrement important pour les filles, car le calcium réduit le risque d'ostéoporose (« maladie des os fragiles ») après la ménopause.

Le retard de croissance
Environ 3 % des enfants accusent jusqu'à deux ans de retard de croissance par rapport à la moyenne de leur âge, les garçons étant dix fois plus touchés que les filles. En outre, les enfants ayant de l'asthme ou de l'eczéma semblent plus enclins aux retards de croissance. Ce retard peut apparaître dans les premières années, mais il peut également ne se manifester qu'à la puberté. Il est parfois lié à des antécédents familiaux, l'un des deux parents ou autre membre de la famille ayant eu un problème similaire à la puberté. Mais la plupart des enfants finiront par rattraper la moyenne.

Cependant, un retard de croissance a parfois d'autres causes, un déficit hormonal par exemple, qui nécessitera une prise en charge médicale. Ces problèmes ne peuvent être dépistés qu'avec l'aide d'un spécialiste qui procédera à des examens spécifiques comme des radios des os du poignet, pour évaluer l'âge osseux de l'enfant, ainsi que des prises de sang pour doser le taux hormonal.

Certains enfants peuvent également souffrir d'une déficience nutritionnelle, d'une anémie, ou d'un trouble de l'absorption des nutriments, par exemple une allergie au gluten du blé. Ces enfants présentent souvent d'autres symptômes, un manque d'énergie ou un mal-être diffus, par exemple.

Plus rarement, une détresse psychologique peut retentir sur la production d'hormones de croissance et donc sur la croissance de l'enfant, mais dans ce cas, la croissance normale reprend dès que la détresse a disparu.

LA PROPRETÉ

« L'éducation à la propreté » est une expression assez inadéquate car il est impossible d'« éduquer » un enfant à utiliser le pot ou les toilettes avant qu'il ne soit physiologiquement prêt. L'éducation à la propreté n'est possible que si l'enfant est capable de contrôler ses sphincters anal et vésical (de la vessie) qui n'arrivent à maturité qu'entre 18 et 30 mois environ. C'est pourquoi ce n'est qu'à partir de l'âge de 2 ans que vous pourrez envisager de lui apprendre la propreté. Et ne perdez pas de vue non plus qu'en ce domaine les filles sont souvent plus précoces que les garçons.

Quand commencer ?
Lorsque la vessie de l'enfant est suffisamment développée pour pouvoir contenir une assez grande quantité d'urine et qu'il a conscience d'uriner ou d'aller à la selle, l'acquisition de la propreté peut aller très vite. Il doit également avoir envie d'apprendre. Il est bon d'avoir un pot dans la salle de bains quelques mois avant que l'enfant soit prêt, car il pourra ainsi prendre l'habitude de s'asseoir dessus. S'il lui arrive de l'utiliser au bon moment, cela fournira un bon départ pour débuter l'apprentissage.

Outre la faculté de contrôler les sphincters de l'anus et de la vessie, votre enfant a sans doute développé d'autres capacités qui s'avéreront fort utiles lors de l'éducation à la propreté. Est-il capable d'enlever ses collants ou son pantalon et sa culotte tout seul ? Est-il capable de s'asseoir sur le pot et de s'en relever facilement ? Est-il capable de vous dire qu'il a envie de faire ses besoins ? Des études ont montré que beaucoup d'enfants qui avaient commencé l'apprentissage de la propreté avant l'âge de 18 mois n'étaient pas tout à fait propres avant l'âge de 4 ans, alors que ceux qui avaient commencé vers l'âge de 2 ans étaient propres avant leur troisième anniversaire.

Au moment de remplacer les couches par des culottes, peut-être souhaiterez-vous utiliser des culottes d'apprentissage pendant un temps. Mais ces culottes ressemblant un peu aux couches, certains parents préfèrent passer directement aux culottes ordinaires.

N'oubliez pas de demander régulièrement à votre enfant s'il veut aller sur le pot. Ensuite, ne l'asseyez sur le pot que s'il vous a répondu oui, sinon il ne ferait pas l'association de lui-même. Parfois, il vous répondra non, pour s'apercevoir deux minutes plus tard qu'il avait bel et bien envie. Certains accidents sont inévitables : rappelez-lui doucement à quoi sert le pot, changez-le et ne le grondez pas. Si vous avez une réaction négative, votre enfant risque de vous en vouloir et d'être moins disposé à réessayer. Partez du principe qu'il faut récompenser ses efforts et ses succès et ignorer, dans

LA PROPRETÉ

Rechercher les signes indiquant que votre enfant est prêt à se passer de couches.

- Vous a-t-il vu, vous ou un autre membre de la famille, utiliser les toilettes ?
- A-t-il conscience d'uriner ou d'aller à la selle, même lorsqu'il porte une couche, et est-ce qu'il le dit ?
- Est-ce qu'il s'assied sur le pot avant son bain du soir, par exemple ?

Quand vous sentirez que votre enfant est prêt à commencer à utiliser les toilettes, les conseils suivants pourront vous être utiles.

- Évitez les périodes où votre enfant traverse des bouleversements dans sa vie : un déménagement, la venue d'un autre bébé ou tout autre changement. Sans stress supplémentaire, ce sera plus facile pour vous deux.
- Assurez-vous d'avoir un pot confortable sur lequel il pourra s'asseoir facilement. Pour les garçons, choisissez de préférence un pot avec un rebord plus élevé à l'avant.
- Il faut expliquer aux petits garçons que leur pénis doit être tourné vers l'intérieur du pot pour qu'ils réussissent, sinon un échec pourrait les décourager!
- Expliquez à votre enfant que s'il n'a pas de couche, il doit utiliser le pot. Les couches modernes sont conçues pour empêcher que l'enfant ne se sente mouillé, alors il faudra peut-être attendre qu'il n'ait plus de couches pour qu'il fasse vraiment l'association entre vouloir uriner et la sensation que cela procure. N'oubliez pas que vous devrez sans doute tolérer quelques « accidents » avant que votre enfant ait compris. S'il n'a pas fait de progrès au bout d'une semaine environ, reprenez les couches pendant un petit moment et réessayez plus tard.

« … Toucher et caresser les bébés et les enfants leur donne le sens de leur propre existence physique. »

la mesure du possible, les accidents. Si, au bout d'une semaine il n'a fait aucun progrès, revenez aux couches pendant quelque temps.
Il n'a peut-être pas encore atteint ce stade de développement. Environ 15 % des enfants n'ont pas encore acquis la propreté à l'âge de 3 ans, et 4 % à l'âge de quatre ans.

Si votre enfant se trouve bien sans couches pendant la journée, il peut en avoir besoin pour la sieste ou la nuit. Vous pouvez lui suggérer de s'en passer en l'habituant à aller sur le pot avant d'aller se coucher. Peut-être se réveillera-t-il avec une couche sèche, notamment après la sieste, et vous pourrez l'en féliciter. Si, le matin au réveil, sa couche est souvent sèche, tentez de la lui ôter pour la nuit. Veillez à protéger le matelas avec une alèse imperméable, et à ce qu'il y ait suffisamment de lumière, la nuit, pour qu'il puisse aller sur le pot ou aux toilettes tout seul.

LES SENS

Votre enfant est né avec tous ses sens, mais ceux-ci n'arrivent à maturité que lorsqu'il s'en sert, progressivement. Le développement sensoriel dépend de la stimulation, laquelle crée les itinéraires neurologiques nécessaires à leur fonctionnement ultérieur.

Le toucher

Bien qu'à la naissance le sens du toucher soit loin d'être à maturité, il est plus avancé que celui de la vue, de l'ouïe ou même du goût. Toucher et caresser les bébés et les enfants leur donne le sens de leur propre existence physique et contribue également au bon développement du système nerveux.

Le toucher aide aussi le bébé à comprendre le monde qui l'entoure et à développer sa sensibilité tactile et ses compétences motrices. La bouche de Bébé est très sensible au toucher, ce qui explique pourquoi il l'utilise en premier lieu pour faire connaissance avec les objets. Même à l'âge de 5 ans, le visage d'un enfant est encore plus sensible au toucher que ses mains, bien que l'usage de celles-ci pour explorer les alentours soit devenu une seconde nature. À son premier anniversaire, le cerveau de l'enfant peut traiter des informations tactiles quatre fois plus vite qu'à la naissance, et à l'âge de 6 ans ses compétences sont presque identiques à celles d'un adulte.

Le toucher est aussi une forme extrêmement importante de communication non verbale. Câlins et caresses favorisent le développement émotionnel de l'enfant, ainsi que sa santé et sa croissance en général.

L'odorat

Après le toucher, l'odorat est le sens le plus développé à la naissance, et il est particulièrement important pour un bébé qui ne voit clairement que jusqu'à 16 cm environ. L'odorat est une faculté utile pour reconnaître très tôt ses parents et tisser des liens avec eux. Des études ont montré que les jeunes enfants préféraient l'odeur de leurs frères et sœurs à celle d'autres enfants, ce qui contribue à créer un lien fraternel particulier. Les odeurs familières augmentent le sentiment de sécurité de l'enfant, et peut ainsi expliquer en partie son attirance pour un jouet ou un tissu fétiches.

Le goût

Les enfants manifestent souvent très tôt des goûts bien définis, voire sophistiqués, pour différents aliments, pour peu qu'on leur donne l'occasion de les goûter. Les bébés ont une préférence naturelle pour le goût sucré du lait maternel, plus intéressant sur le plan nutritionnel. En outre, Bébé goûte aux saveurs de la cuisine familiale qui filtrent dans le lait maternel. Les goûts stimulent la salivation, la déglutition et les mouvements de la langue, qui permettront de goûter à la nourriture solide plus tard. La faculté de distinguer les quatre saveurs (sucrée, aigre, salée et amère) apparaît progressivement à mesure que l'enfant découvre de nouveaux aliments. Cependant, la plupart d'entre nous gardons un penchant naturel pour les aliments sucrés et gras qui, comme le lait maternel pour les bébés, ont des propriétés apaisantes.

L'ouïe

L'ouïe est un sens relativement développé à la naissance, car le fœtus a pu l'utiliser pendant environ 12 semaines dans l'utérus. La voix de sa mère est le son le plus familier et le plus rassurant qui soit pour le nouveau-né.

Le développement de l'ouïe comporte différents aspects. La sensibilité aux fréquences les plus hautes et les plus basses est l'une des premières qui arrive à maturité, suivie de la capacité à localiser l'origine d'un son. Les très jeunes enfants ont du mal à distinguer des sons particuliers dans un environnement bruyant. D'ailleurs, quand l'enfant apprend à parler, il faut garder à l'esprit que si l'on ne dialogue pas assez avec lui, et sans éliminer les bruits de fond, le développement de son langage pourra s'en ressentir. Prenez le temps de parler à votre enfant dans le calme, postes de télévision et de radio éteints. L'audition s'améliore jusqu'à la puberté.

FAVORISER LA CONCENTRATION

Apprendre à se concentrer est un long processus que l'on peut favoriser de multiples façons.

- Alternez activités et calme, quel que soit l'âge de votre enfant.
- Choisissez un moment où votre enfant est content, il sera plus disposé à se concentrer sur une activité à deux.
- Réduisez les bruits de fond (radio, télévision…).
- Sélectionnez un jouet en particulier et rangez les autres pour que votre enfant ne soit pas distrait.
- Choisissez une activité adaptée à la durée pendant laquelle votre enfant peut soutenir son attention et essayez de la terminer.
- Sollicitez l'attention de votre enfant en lui posant des questions et en commentant ce que vous faites.
- Écoutez ce que dit votre enfant et répondez-lui de manière adaptée pour qu'il sache qu'il a été entendu.
- Choisissez les activités en fonction de l'âge de votre enfant, par exemple feuilleter ou lire un livre ensemble, faire un puzzle, jouer aux devinettes, s'adonner à un jeu de construction ou dessiner.
- Évitez de trop aider votre enfant, laissez-lui le temps de faire les choses par lui-même.
- Encouragez-le à terminer une activité et félicitez-le pour ses efforts.

Certains enfants sont par nature plus actifs que d'autres et c'est normal. Mais d'autres ont toujours du mal à se concentrer et doivent recevoir une aide spécifique. Si vous pensez que votre enfant a des difficultés de concentration, vérifiez d'abord qu'il n'a pas de problèmes de santé, tels qu'une fatigue excessive ou une déficience nutritionnelle. Notez régulièrement ses comportements particuliers puis demandez conseil à votre médecin.

La vue

La vue est probablement le sens le moins performant à la naissance. Les yeux ont besoin de « voir » pour se développer et pour que la faculté du cerveau d'interpréter les images arrive à maturité.

La coordination binoculaire est l'une des premières fonctions visuelles à se mettre en place. La vision des détails met plus de temps à s'établir. Les nouveau-nés sont très myopes. La vision des couleurs ne devient optimum que vers la fin de la troisième année, et le développement des nerfs oculaires est alors achevé, même si beaucoup d'enfants continuent de souffrir d'une légère myopie jusqu'à l'âge de 10 ans.

TESTS DE DÉVELOPPEMENT

Vision et audition nécessitent des tests particuliers du fait de leur influence sur le développement physique et intellectuel de l'enfant.

Tests visuels

La vue de votre enfant sera contrôlée à chaque examen de santé, vers 6-8 semaines, 6-9 mois, 18-24 mois vers l'âge de 3 ans et avant l'entrée à l'école.

À mesure que la vision binoculaire se développe chez le nourrisson, celui-ci peut présenter un léger strabisme qui disparaîtra par la suite. Un strabisme doit toujours être traité. Bien qu'il n'affecte pas l'œil lui-même, il nuit au développement de l'aire visuelle du cerveau et risque, s'il n'est pas corrigé, de porter durablement préjudice à la vision de l'enfant.

Les tests visuels réguliers ne sont pas indispensables avant l'âge scolaire, à moins qu'il n'y ait dans la famille des antécédents de troubles visuels précoces. En revanche, dès que votre enfant va à l'école, faites contrôler périodiquement sa vision, car il pourrait avoir besoin de lunettes pour le travail scolaire. Le fait de porter des lunettes à un âge précoce n'affaiblit nullement la vision une fois adulte.

Tests auditifs

À la maternité, certains nouveau-nés sont soumis à un test auditif dès leur naissance. L'audition est soigneusement contrôlée à chaque examen de santé, notamment entre 6 et 9 mois.

Une bonne audition est indispensable à l'acquisition du langage aussi, est-il particulièrement important, au cours de la petite enfance, que les troubles auditifs soient décelés au plus tôt.

Une légère surdité peut être causée par une chose aussi banale qu'une oreille bouchée lors d'un rhume. Les infections à répétition des oreilles, ce que l'on nomme otites séreuses (qui, du fait d'une oreille constamment bouchée, provoque une baisse d'audition ; *voir p. 241*) doivent être traitées sans délai. Si vous avez une quelconque inquiétude au sujet de l'audition de votre enfant, parlez-en dès que possible à votre généraliste. Mieux vaut consulter pour une fausse alerte et être rassuré.

LA CONCENTRATION

La concentration se développe plus facilement chez certains enfants que chez d'autres, mais il est important de la stimuler très tôt pour faciliter l'apprentissage. La durée de l'attention d'un petit enfant est naturellement limitée et facilement affectée par la fatigue, la faim ou la soif. Les enfants débordent aussi d'énergie et ils peuvent trouver difficile de rester tranquilles, mais il est important de les encourager, même très jeunes, à se concentrer sur une activité particulière, ne serait-ce qu'un petit moment.

Les parents constatent parfois que Bébé est capable d'être attentif de courts instants quand ils jouent ou qu'ils dialoguent avec lui. Mais il faut attendre la fin de sa première année pour que la durée de son attention s'en ressente. Sa capacité à ignorer certaines choses croîtra également.

Il arrive parfois que des enfants en âge d'aller à l'école aient une capacité de concentration insuffisante et qu'ils aient besoin d'aide pour acquérir les compétences nécessaires qui leur permettront de se concentrer plus longtemps.

TDA/H – TROUBLE DE DÉFICIT DE L'ATTENTION/HYPERACTIVITÉ

Voici une liste de comportements pouvant être associés au TDA/H (*voir p. 299*). N'oubliez pas que beaucoup d'enfants d'âge préscolaire manifestent parfois ces comportements.

- Est maladroit.
- Est irritable et volontairement perturbateur.
- Est impulsif.
- A des troubles du sommeil.
- Est agité, avec des agissements incohérents.
- Est incapable de soutenir son attention.
- A du mal à faire les choses dans l'ordre, s'habiller par exemple.
- Est agressif et ne s'intègre pas dans un groupe.
- Manque de confiance en soi.

Si vous pensez que votre enfant présente ce syndrome, consultez votre généraliste qui mettra en œuvre les explorations nécessaires.

LA MOTRICITÉ

À LA FIN DE LEUR PREMIÈRE ANNÉE, LA PLUPART DES BÉBÉS ont acquis la force physique et la motivation nécessaires pour passer à l'étape suivante de leur développement moteur : l'apprentissage de la marche, de la course, et des sauts. Acquérir des compétences physiques grâce aux jeux de fiction et d'action, et s'habiller tout seul contribuent à accroître chez l'enfant la confiance en soi et l'autonomie.

« … Les progrès sont individuels, mais tous les enfants présentent le même développement… Il est impossible de courir avant de savoir marcher. »

LES CAPACITÉS MOTRICES GLOBALES

On prend habituellement pour points de repères des mouvements fondamentaux visant à déterminer les étapes du développement. Mais tous les enfants sont différents : un enfant peut marcher à 10 mois, et un autre à 14 mois. Ils sont tous deux dans les limites de ce que l'on considère comme normal. Mais même s'ils atteignent ces points de repère à des âges légèrement différents, les enfants présentent la même séquence de développement. En bref, il est impossible de courir avant de savoir marcher !

Il faut aussi se rappeler que certains enfants sont naturellement beaucoup plus actifs physiquement que d'autres, ce qui en retour influence également la vitesse de leur développement physique. Un enfant plus calme et plus contemplatif sera peut-être tout simplement moins motivé pour foncer et donc moins pressé de marcher. Ainsi, il est important d'encourager chez tous les enfants des activités équilibrées, alternant action et tranquillité.

Essayez de ne pas trop vous inquiéter de voir votre enfant acquérir davantage de mobilité. Pour avoir confiance en lui, il aura besoin de sentir que vous le croyez capable d'entreprendre de nouvelles activités. Encouragez-le et offrez-lui votre aide seulement lorsqu'il en a besoin, sans la lui imposer.

Marcher

Avant de savoir marcher, l'enfant s'entraîne en se tenant à ses parents ou aux meubles. Avec leur soutien, il esquisse quelques pas qui contribuent à renforcer les muscles de ses jambes et à le préparer à marcher tout seul. Ces premiers pas, souvent entre deux coins de meubles, sont des préliminaires indispensables à la marche autonome.

L'étape suivante dans l'apprentissage de la marche consiste à tenir en équilibre tout seul. Il titube un peu au début, le temps d'ajuster ses nouvelles sensations dues à la station debout. S'il ne maîtrise pas bien la station debout, il s'assied brusquement pour éviter de tomber. Enfin, les pieds bien écartés l'un de l'autre, les orteils tournés vers l'extérieur et les bras levés sur les côtés pour se maintenir en équilibre, il fait ses premiers pas tout seuls. Prudent, l'enfant y met parfois fin en s'asseyant ou en basculant soudain dans les bras d'un adulte, mais à partir de là, les progrès sont généralement rapides.

Courir

Au début, l'enfant semble s'élancer pour marcher, mais cet élan n'est pas tout à fait identique à celui de la course volontaire.

La « fonction *aller* » est plus efficace que la « fonction *s'arrêter* », si bien que les tout-petits ont tendance à s'élancer pour marcher et à s'asseoir pour s'arrêter. Avec la pratique et la découverte de son centre de gravité, vers la fin de sa deuxième année, la marche sera plus facile à maîtriser. Avant de bien savoir courir, votre enfant doit apprendre à s'arrêter, à recommencer et à changer de direction. Une fois les muscles renforcés et la coordination perfectionnée, courir devient plus naturel. L'enfant en est généralement capable dès la fin de sa deuxième année.

Sauter

Vers l'âge de 2 ans, l'enfant essaie de sauter, mais ses pieds ne quittent pas tout à fait le sol ! Il lui sera peut-être plus facile de s'entraîner sur une surface souple telle qu'un petit trampoline. Peut-être parviendra-t-il aussi à sauter d'un objet peu élevé en tenant la main d'un adulte. À l'âge de 3 ans, avec la pratique et le renforcement de ses muscles, il maîtrise le saut. Au début, il lève les pieds pour sauter et fléchit les jambes pour amortir le choc en retombant sur le sol.

Sauter à cloche-pied

Le saut à cloche-pied exige également des muscles plus solides, mais aussi un équilibre plus assuré. Se tenir sur une seule jambe exige entraînement et ajustements. Encouragez d'abord votre enfant à sauter d'un pied sur l'autre, ce qui n'est guère différent du saut à pieds joints, puis essayez de le faire sauter

LES PREMIÈRES CHAUSSURES

Pour apprendre à marcher, il est plus facile d'être pieds nus.
Le contact étroit avec la surface sur laquelle marche l'enfant offre une plus grande stabilité. Ménagez-lui de nombreuses occasions d'explorer son environnement pieds nus. Si vous devez lui mettre des chaussures, choisissez-les assez souples et pourvues d'une semelle antidérapante.

Les chaussures ne deviennent véritablement nécessaires que lorsque l'enfant commence à marcher à l'extérieur.
Il faut alors que les chaussures soient parfaitement à sa taille. Si votre enfant maîtrise déjà la marche pieds nus, l'adaptation aux chaussures n'en sera que plus facile. Évitez les semelles trop rigides.

sur un pied puis sur l'autre. Il sera capable de sauter à cloche-pied avant de se tenir en équilibre sur une jambe.

Se tenir sur la pointe des pieds

Vers l'âge de 3 ans, l'enfant est capable de marcher et de se tenir sur la pointe des pieds ; une autre manière de solliciter le développement de l'équilibre et de la coordination. Vous constaterez sans doute que votre enfant se met spontanément sur la pointe des pieds pour atteindre ou regarder quelque chose plus facilement, sans même s'en rendre compte.

Frapper sur un ballon

Au début, l'équilibre de l'enfant n'est pas assez stable pour qu'il puisse frapper sur un ballon, et il le pousse simplement du pied. Vers l'âge de 3 ans, la plupart des enfants sont capables d'envoyer un ballon assez loin avec le pied, de préférence toujours avec le même pied.

Lancer et rattraper un ballon

Les bébés peuvent lancer un ballon dès qu'ils ont appris à lâcher volontairement un objet, vers la fin de leur première année. Attraper un ballon est plus difficile que de le lancer car cela demande une bonne coordination de la main et de l'œil. Vous remarquerez peut-être que lorsque votre enfant s'exerce à rattraper un ballon, il tend ses deux mains et, au lieu de regarder le ballon, regarde votre visage pour anticiper ce qui va se passer. Ces compétences motrices nécessitent de la pratique et certains enfants ont une meilleure coordination que d'autres pour ce type d'activités. À 3 ans, la plupart des enfants sont capables d'attraper un ballon à une courte distance, s'il est assez gros.

Monter les escaliers

À 2 ans, votre enfant saura sans doute monter et descendre les escaliers en sautant à pieds joints sur chaque marche, et en se tenant à la rampe ou au mur.

À 3 ans, il sera capable de gravir les escaliers un pied après l'autre, même si pour les descendre il continuera de sauter à pieds joints. Il est souhaitable d'encourager votre enfant à apprendre à utiliser les escaliers en toute sécurité, pour éviter les accidents.

LES CAPACITÉS MOTRICES FINES

Les compétences motrices fines concernent les mains et les bras. Le nourrisson de 2 mois a commencé à les acquérir en tapant sur un jouet et, à la fin de sa première année, il a beaucoup progressé. Le bébé commence par saisir fermement des objets dans son poing pour les laisser tomber de manière aléatoire, il apprend ensuite à les lâcher volontairement. Vers son premier anniversaire, il peut ramasser un objet, le passer d'une main à l'autre ou le poser et le lâcher. Aussi simple que cela puisse paraître, il s'agit d'une nouvelle compétence essentielle qui lui permet de mieux maîtriser son environnement.

La capacité de s'emparer d'un objet commence à s'affiner et il devient capable d'utiliser ses doigts et son pouce, puis uniquement son pouce et son index comme une pince. Les parents remarquent la plus grande habileté de leur enfant quand celui-ci manipule efficacement la nourriture, même si manger à la cuillère reste encore difficile.

À mesure que les os du poignet se développent, les mouvements de torsion avec la main deviennent plus faciles et, vers 15 mois, l'enfant jouit d'une plus grande dextérité dans les mouvements de la main. Vers l'âge de 18 mois, il est également capable de tenir les objets entre son pouce et ses doigts, et de les lâcher volontairement. Cela signifie qu'il est capable d'empiler des objets les uns sur les autres tels que des cubes de construction, et de jouer avec des puzzles simples. Le développement de la coordination entre la main et l'œil contribue aussi au succès de telles activités.

Les mouvements plus fins de la main, tels qu'enfoncer un doigt, presser, rouler et tordre, sont mis en pratique quand l'enfant joue, notamment avec de la pâte à modeler. À l'âge de 2 ans, il est tout à fait capable de tenir un crayon ou un stylo. Griffonner sur un papier, prémices du dessin et de l'écriture, devient alors une activité passionnante. C'est à ce stade également que la préférence pour une main (celle que votre enfant choisit toujours pour lancer, gribouiller ou utiliser une cuillère) devient manifeste. La dominance latérale est génétiquement déterminée et, si les petits enfants continuent de changer de main pour certaines activités, l'emploi d'une main dominante s'impose rapidement.

Vers l'âge de 3 ans, un enfant doit être capable de manger avec une cuillère et une fourchette, de s'habiller tout seul (sauf pour les boutons et les lacets), de jouer avec des jeux de construction adaptés à son âge, d'enfiler de grosses perles sur un fil et de recopier sur du papier avec un crayon des motifs simples tels qu'une croix. Toutes ces activités démontrent et renforcent l'habileté manuelle à partir de laquelle, ensuite, se développeront des compétences plus fines, telles que boutonner un bouton ou utiliser des ciseaux.

«… La mobilité croissante de votre enfant va de pair avec un désir accru d'indépendance… Faites-lui comprendre qu'il doit être prudent. »

LA SÉCURITÉ

À mesure que la mobilité de votre enfant s'accroît, ainsi que son envie d'explorer le monde, il importe de veiller à sa sécurité. Cette période peut être épuisante pour les parents, mais les capacités intellectuelles de l'enfant ont rattrapé ses compétences physiques et il est désormais capable de comprendre certaines des mesures de sécurité que vous devez lui imposer.

La mobilité croissante de votre enfant va de pair avec un désir accru d'indépendance, ce qui peut conduire à un conflit que vous devez gagner !

S'il est essentiel de prendre des précautions de base pour éviter de mettre votre enfant en danger, il faut aussi lui apprendre le sens de la prudence. Laissez-le essayer certaines choses, sous votre contrôle, pour l'aider à comprendre pourquoi elles sont dangereuses.

Il est également important d'établir des règles non négociables. Au début, il est plus simple de dire à un enfant qu'il doit simplement suivre les règles qui s'appliquent à tout le monde ; plus grand, on pourra mieux lui expliquer le pourquoi des choses, et refaire passer le message à chaque occasion. Il faut répéter ces informations sans relâche, car la mémoire des jeunes enfants et leur manque d'expérience font qu'ils ne les intègrent pas forcément la première fois.

Les jouets et la sécurité

Tandis qu'il acquiert une meilleure

coordination et une plus grande mobilité, l'enfant devient capable de pratiquer des activités telles que la bicyclette (avec des stabilisateurs au début), la trottinette ou le skateboard. Apprendre à s'en servir correctement lui procure beaucoup de plaisir en même temps qu'il acquiert plus de confiance en lui. Mais il est vital pour votre enfant de toujours porter un équipement de sécurité approprié, un casque notamment, lorsqu'il pratique ces activités : une règle à ne pas transiger.

« Danger étranger »

Il faut malheureusement reconnaître que les enfants sont souvent plus en danger avec des personnes qu'ils connaissent qu'avec des étrangers. Ainsi, mettre votre enfant en garde contre tout « inconnu » peut effrayer votre enfant inutilement. Mieux vaut établir des règles simples qui s'appliqueront en toute situation.

- Apprenez-lui à ne jamais aller n'importe où avec quelqu'un, même un ami, sans que ses parents ou la personne qui s'occupe de lui soient d'accord.
- Dites-lui que seuls les bons secrets doivent être gardés, comme par exemple la surprise pour un anniversaire. Si quelque chose ne va pas, il doit pouvoir vous en parler et être sûr que vous ne le gronderez pas.
- Quand votre enfant sera un peu plus grand, parlez avec lui des types de comportements de la part d'une tierce personne qui risqueraient de le mettre mal à l'aise, pour qu'il apprenne à se fier à son instinct.
- Vers l'âge de 5 ans, faites-lui apprendre par cœur le numéro de téléphone et l'adresse de la maison, et vérifiez périodiquement qu'il s'en souvient.

PROTÉGER SON ENFANT

La sécurité routière

Les accidents dont sont victimes les enfants piétons surviennent en général quand ils traversent la chaussée. Un jeune enfant n'est pas capable d'évaluer la distance ou la vitesse, et ne peut pas non plus voir (ou être vu) à côté ou derrière une voiture garée. Ainsi, à la première occasion, même si votre enfant est encore en poussette, commencez à lui expliquer les règles de base de la sécurité routière.

- Traverser toujours sur un passage pour piétons lorsqu'il y en a un.
- Même sur un passage pour piétons, attendre que les voitures s'arrêtent.
- Les enfants trop jeunes pour traverser tout seuls doivent toujours s'arrêter au bord du trottoir et ne traverser qu'en donnant la main à un adulte.
- S'arrêter, regarder et écouter autour de soi avant de traverser. Quand vous apprenez la sécurité routière à votre enfant, demandez-lui s'il pense pouvoir traverser en toute sécurité, cela l'aidera à se concentrer.
- Éviter de traverser la rue entre des voitures garées, car la visibilité est mauvaise.
- En hiver, porter des vêtements avec des bandes réfléchissantes.

La sécurité en voiture

En étant correctement attaché dans la voiture, votre enfant aura 90 % de chances de ne pas être tué en cas accident. C'est pourquoi il est indispensable d'utiliser un siège pour enfant ou des ceintures de sécurité adaptées, même pour un trajet très court. Tenir un enfant sur ses genoux n'est jamais sûr.

- Dès que votre enfant sera assez grand, responsabilisez-le pour qu'il prenne l'habitude d'attacher lui-même sa ceinture de sécurité. Mais vérifiez toujours et félicitez-le.
- Veillez à ce que le verrouillage des portes soit enclenché.
- Faites-lui comprendre que les boutons et les poignées de la voiture ne sont pas des jouets.

La sécurité dans le parc

Le jardin est souvent un endroit merveilleux pour jouer, mais assurez-vous qu'il est sans danger. Tout accès à la route devrait être fermé par une barrière, éventuellement avec une serrure. Tout bassin, aussi petit soit-il, doit être entouré d'une barrière ou recouvert, et les enfants doivent toujours être surveillés s'il y a une piscine.

- Faites comprendre à votre enfant qu'il ne doit jamais manger les fleurs, les feuilles ou les baies du jardin, car de nombreuses plantes communes sont toxiques.
- Apprenez à votre enfant à se laver les mains après avoir joué au parc.

La sécurité dans la cuisine

La cuisine peut être un endroit dangereux, d'autant plus que l'enfant y passe beaucoup de temps. C'est pourquoi il est nécessaire de lui enseigner les règles de sécurité et de prendre les mesures qui s'imposent pour sécuriser au maximum cette pièce (voir p. 166).

- Montrez-lui ce qui est chaud pour qu'il comprenne pourquoi il ne faut pas y toucher. Placez tous les plats chauds, bouilloire et autres appareils hors de sa portée. Il en va de même pour les objets coupants.
- Il devrait toujours être interdit de courir dans la cuisine.

L'eau et la sécurité

Les petits enfants ne devraient jamais être laissés seuls à proximité de l'eau, même si elle est peu profonde. Ne laissez jamais un enfant seul dans la salle de bain, même pour quelques secondes. Entourez les bassins du jardin avec du grillage ou bouchez-les, et surveillez les enfants autour des piscines.

PENSER ET COMPRENDRE

LES ENFANTS SONT « PROGRAMMÉS » POUR APPRENDRE. Ils acquièrent leurs connaissances en pratiquant essais, erreurs, exploration et interaction avec leur environnement. Les jeunes enfants apprennent surtout à travers le jeu, de préférence quand ils sont reposés et qu'ils s'amusent. Les enfants plus grands devraient être encouragés à faire leurs devoirs seuls autant que possible, et à en prendre la responsabilité.

« … Il est important de maintenir un équilibre entre les activités physiques et les activités plus calmes. »

COMMENT LES ENFANTS APPRENNENT-ILS ?

Pour offrir de multiples opportunités éducatives à son enfant, il n'est pas nécessaire de posséder un grand nombre de jouets éducatifs ou de prévoir pour lui des activités structurées. Savoir évaluer à peu près à quelle étape de développement il se trouve et lui proposer des activités dans lesquelles il s'investira vraiment et qui lui permettront de pratiquer ses nouvelles compétences, exige un certain niveau d'engagement et d'implication de la part des parents. Il ne sert à rien d'avoir un grand nombre de cubes de construction en plastique coloré si vous ne montrez pas à votre enfant ce qu'il peut en faire. Souvenez-vous aussi que certains enfants doivent fournir davantage d'efforts que d'autres pour rester concentrés et qu'il est important de maintenir un bon équilibre entre les activités physiques et les activités plus calmes.

Un enfant n'a pas besoin d'une multitude de jouets, mais surtout d'un matériel de jeu qui lui offre l'opportunité de s'exprimer, de développer ses capacités motrices fines et d'élargir son imagination, à savoir des crayons et du papier pour gribouiller, de vieux vêtements pour se déguiser, de la pâte à modeler et des cubes de construction, autant objets qui lui permettront d'explorer et de découvrir son environnement.

Les enfants apprennent aussi en imitant. Longtemps avant de comprendre le sens de ce qu'ils font, ils imitent le comportement des autres. Ce n'est qu'ensuite qu'ils lui attribuent un sens. L'imitation sert aussi de prélude au jeu de fiction, une composante essentielle de l'apprentissage parce qu'il favorise créativité, résolution des problèmes et jeux de rôle, et parce qu'il rend également l'enfant capable d'imaginer ce que les autres ressentent.

L'apprentissage des compétences sociales

En jouant avec ses pairs, l'enfant se familiarise avec les interactions sociales au sein de son groupe d'âge. Contrairement aux adultes, les enfants ne sont guère indulgents envers le comportement des autres enfants. C'est donc l'occasion pour eux d'apprendre à négocier et à faire des compromis, à avoir de l'assurance, à gérer les refus, à se faire des amis et à s'amuser. Ces compétences primordiales ne

PREMIER PAS VERS LA LECTURE

En dehors du goût des livres, d'autres activités développent les compétences dont l'enfant aura besoin pour apprendre à lire. Rappelez-vous qu'il s'agit de jeux et que l'enfant devrait toujours y prendre plaisir, quand il est en âge de les apprécier. S'il s'est lassé d'un jeu et qu'il ne veut plus y jouer, n'insistez pas et passez à autre chose.

L'écoute Dialogues avec l'enfant, jeu du « téléphone arabe ».

La mémoire Comptines avec gestes et refrain, jeux de cartes (type « Memory »).

La reconnaissance des formes Puzzles, jeux simples tels qu'imagiers et autres jeux de discrimination visuelle où il faut associer des formes identiques.

Classement Jeux qui demandent de ranger une série d'objets dans le bon ordre, comme classer un jeu de cartes. Ces activités s'adressent à des enfants un peu plus grands.

La reconnaissance des sons Jeux où l'on cherche à reconnaître la présence d'une certaine lettre dans le nom des objets représentés.

peuvent s'apprendre qu'au contact d'autres enfants. Certains ont plus de mal que d'autres à les assimiler et de toute façon, votre enfant aura probablement besoin de votre aide surtout au début, afin d'élaborer des stratégies pour faire face à différentes situations en société. En lui montrant que vous le croyez capable d'avoir des amis et de les apprécier, vous l'aiderez à accroître sa confiance en lui.

Il est important d'avoir des activités en tête-à-tête avec son enfant, surtout pour le bon développement du langage. Chaque jour, votre enfant a besoin que vous lui consacriez quelques moments d'attention. Il n'est pas nécessaire de lui accorder toute votre attention en permanence, ce serait d'ailleurs excessif et parfois inutile, mais essayez de lui consacrer exclusivement au moins une demi-heure par jour. Trouvez l'occasion de partager une activité, de feuilleter un livre ensemble, d'évoquer la journée, ou de parler de sentiments ou d'événements particuliers, toutes choses qui lui permettront de se sentir aimé. Le fait de veiller à ce que l'enfant reçoive chaque jour suffisamment d'attention présente aussi l'avantage de réduire son besoin d'agir pour attirer l'attention.

Apprentissage et langage

Le développement du langage est indispensable à la capacité d'apprentissage du jeune enfant. Grâce au langage, il peut poser des questions, nommer des objets, exprimer des idées et des sentiments, et donc apprendre. Et si on l'écoute attentivement (en attendant qu'il ait fini pour lui répondre), il apprendra à en faire de même. Essayez de ne pas corriger ouvertement ses premières fautes de langage ; répétez simplement ce qu'il vient de dire dans la forme correcte, tout en articulant bien. Le fait de vous entendre prononcer des mots correctement l'aidera aussi plus tard à identifier les mots écrits.

Il importe également de ménager des moments de calme aux jeunes enfants. Ils ont besoin de périodes de réflexion pour donner sens à ce qu'ils ont appris. S'ennuyer de temps en temps est aussi bénéfique car ce n'est qu'en expérimentant l'ennui occasionnel que l'enfant peut découvrir en lui les ressources et l'imagination qui lui permettront de dépasser son ennui. Le fait de l'abreuver constamment d'activités et de jeux structurés peut en fait le priver de cette occasion de développer son autonomie.

L'aptitude à apprendre par l'expérience va également de pair avec le développement de la mémoire. Les jeunes enfants aiment répéter les expériences agréables (jeux, histoires ou activités), cette répétition consolide le passé et finit par créer des souvenirs.

Apprendre en classe

Quand l'enfant va à l'école, il commence à apprendre de manière plus formelle. Une part non négligeable des apprentissages précoces a lieu en collectivité et il est donc important pour l'enfant de savoir comment se comporter en société ; s'insérer à un groupe de jeux ou fréquenter un milieu de garde est essentiel. Votre enfant doit savoir écouter et attendre son tour.

LES DIFFICULTÉS D'APPRENTISSAGE

Elles recouvrent tout ce qui de près ou de loin empêche l'enfant d'apprendre. Il peut s'agir d'un facteur spécifique tel que la dyslexie ou l'autisme, ou d'un retard dans son développement.

Quand il n'y a pas eu de problèmes notables à la naissance, les parents sont souvent les premiers à remarquer un retard dans le développement de leur enfant. Une difficulté d'apprentissage est parfois décelée par un médecin à l'occasion d'une visite ou, plus tard, par un enseignant.

Les visites médicales effectuées au cours des premières années de vie permettent de surveiller l'âge auquel l'enfant atteint les principales étapes de croissance ainsi, un problème naissant pourra être dépisté. Plus une difficulté est décelée précocement, et mieux on répond aux besoins spécifiques de l'enfant. Les tests visuels et auditifs font également partie de ces visites de routine.

FAVORISER LA CONFIANCE EN SOI

Les enfants qui ont confiance en eux ont moins de difficultés dans la vie. Ce phénomène est lié au fait qu'ils se sentent aimés et acceptés sans conditions. Les enfants qui ont confiance en eux s'attendent à réussir ou à recevoir l'aide d'une personne en cas de difficultés. Certains enfants sont naturellement plus confiants que d'autres, mais vous pouvez faire beaucoup pour encourager votre enfant à avoir confiance en lui, de la naissance à l'adolescence.

Les enfants ont besoin de savoir qu'ils comptent, que leurs sentiments seront respectés, leurs besoins satisfaits et leurs opinions entendues, même si vous n'êtes pas toujours d'accord avec eux. Ils ont besoin de sentir que vous avez confiance en eux et qu'ils sont capables de répondre à vos attentes du moment qu'elles sont réalistes (un enfant a besoin de se sentir aimé pour ce qu'il est et pas seulement pour ses actes). En voulant vous satisfaire, l'enfant prendra plaisir à votre plaisir, ce qui augmentera sa confiance en lui pour essayer à nouveau.

- Félicitez votre enfant pour ses efforts aussi bien que pour ses actes.
- S'il se comporte mal, faites-lui comprendre que c'est son comportement et non pas sa personne que vous désapprouvez.
- N'humiliez jamais un enfant qui n'arrive pas à exécuter une tâche ou une activité en lui disant qu'il est maladroit (il refusera de réessayer).
- Pendant qu'il tente de faire quelque chose, ne l'aidez pas trop, sinon il penserait qu'il ne peut pas y arriver tout seul. Demandez-lui s'il a besoin de votre aide plutôt que de la lui imposer.
- Si un petit accident se produit, évitez d'en faire un drame ou de le lui reprocher, et montrez-lui plutôt comment réparer.
- Choisissez une activité que votre enfant apprécie et encouragez-le ; s'il réussit, cela lui donnera confiance pour tenter de nouvelles expériences.
- Encouragez votre enfant à parler en son nom au lieu de répondre à sa place.
- Apprenez-lui à nager ou à monter à bicyclette : ces compétences lui donneront un sentiment de réussite et lui permettront de partager des activités avec d'autres.
- Lorsque vous donnez des instructions à votre enfant, mettez en valeur l'aspect positif au lieu d'insister sur le négatif. Au lieu de dire « Fais attention à ne pas le renverser », dites plutôt « Sers-toi de tes deux mains et tout ira bien ».
- Ne niez pas les sentiments négatifs de votre enfant sur un sujet particulier, et ne faites pas l'éloge excessif de quelque chose dont il n'est pas satisfait. Au lieu de cela, vous pouvez lui proposer d'autres solutions, ou lui suggérer de faire une pause avant qu'il ne soit envahi par la frustration.
- Évitez de laisser voir que vous êtes inquiet de savoir s'il va réussir seul, surtout s'il doit faire face à une situation nouvelle, telle que l'entrée à l'école ou le passage d'un examen.
- Insistez sur le fait qu'une erreur est une occasion d'apprendre comment gérer une situation et que ce n'est pas la fin du monde.

Un enfant prend confiance en lui lorsqu'il se voit capable d'affronter de nouvelles situations. Par exemple, être capable de mettre tout seul ses chaussures ou d'utiliser une paire de ciseaux avant l'entrée à l'école, l'aidera à sentir qu'il est compétent, et lui donnera plus de confiance en lui pour essayer de nouvelles activités. C'est pourquoi il est important d'encourager les enfants à réaliser tout seul des tâches adaptées à leur âge, plutôt que de tout faire à leur place. Attention à ne pas leur confier des tâches plus difficiles avant qu'ils n'y soient prêts.

Si vous soupçonnez une difficulté d'apprentissage, demandez l'avis d'un spécialiste ou d'un psychologue afin de clarifier le type et l'étendue de cette difficulté. Il vous proposera une aide adaptée qui permettra à l'enfant de réaliser son potentiel personnel, quelles que soient ses limites. Le fait d'apporter assez tôt aide et soutien à un enfant en difficulté d'apprentissage peut également prévenir la frustration qui pourrait s'ensuivre et qui provoque souvent des problèmes de comportement connexes.

LA LECTURE

Encourager l'enfant à s'intéresser aux livres et à y prendre plaisir dès son plus jeune âge est un préliminaire essentiel à l'apprentissage de la lecture. Dès que vous asseyez votre bébé sur vos genoux pour feuilleter avec lui un livre cartonné, vous commencez le voyage qui le conduira à la lecture autonome. À ce stade, il s'agit simplement de lui suggérer que les livres sont une source de plaisir et d'information. Les moments où vous feuilletez des livres ensemble sont aussi des tête-à-tête où vous parlez ensemble, ce qui contribue au développement du langage.

Avant de pouvoir lire, une étape importante consiste à reconnaître la sonorité des mots et à distinguer les différentes lettres. Ces compétences se développent chez l'enfant en parlant avec lui, non pas en corrigeant ses fautes de langage mais en reformulant correctement ce qu'il vient de dire.

Si par exemple il montre une image en disant « ouaf », vous pouvez dire « Oui, c'est un chien et les chiens font "ouaf" ». Vous pouvez ensuite saisir l'occasion pour lui demander « De quelle couleur est le chien ? », pour prolonger la conversation. Veillez à ce qu'il n'y ait pas de bruit autour de vous afin que votre enfant puisse clairement percevoir les mots.

Les premiers livres de l'enfant peuvent être des livres de comptines : répétition et rimes aident à comprendre comment fonctionne le langage écrit et oral. On peut aussi lui proposer des comptines avec gestes, des contes ou des chansons. Les comptines à gestes aident à développer la mémoire chez les jeunes enfants qui commencent à parler, et elles sont également très amusantes ! Vous constaterez probablement que votre enfant aime regarder toujours le même livre avec vous, et c'est très bien ainsi !

N'hésitez pas à visiter votre bibliothèque, elle aura sans doute un rayon enfant, et demandez conseil aux bibliothécaires. Beaucoup de bibliothèques proposent des animations avec des contes pour les plus jeunes.

Apprendre l'alphabet

En principe, l'apprentissage de l'alphabet inclut l'apprentissage du nom des lettres ainsi que de leur sonorité. Veillez à ce que les sonorités des lettres soient évidentes : « s » pour soleil et non pour stylo, par exemple ! Bien que la reconnaissance des mots fasse partie de l'apprentissage de la lecture, les enfants doivent aussi comprendre comment les éléments de construction des mots (les lettres) s'articulent entre eux. Lorsque vous montrez des lettres à votre enfant, choisissez des minuscules plutôt que des majuscules. Les lettres majuscules ont un aspect trop uniforme alors que les lettres minuscules donnent une forme plus individualisée aux mots, ce qui permet à l'enfant de les reconnaître plus facilement.

« … Dès que vous feuilletez un livre avec votre enfant, vous commencez le voyage qui le conduira à la lecture autonome. »

LES PARENTS TROP EXIGEANTS

Si tous les parents souhaitent ce qu'il y a de mieux pour leur enfant, il est parfois difficile de trouver un équilibre entre ce que l'on estime bon pour lui et ce dont il a envie. Vous pouvez être tenté d'imposer vos propres centres d'intérêts à votre enfant, mais si vous exagérez dans ce sens, vous risquez de provoquer en lui ressentiment et résistance. Si vous avez toujours voulu jouer du piano, prenez vous-même des cours !

Les devoirs à la maison, les activités extra-scolaires et les cours particuliers accaparent beaucoup de temps. Pour un enfant de 8 ans, passer six heures à l'école, se livrer ensuite à des activités variées, puis faire ses devoirs chaque soir pendant une heure – sans oublier éventuellement la pratique d'un instrument – c'est plus qu'il n'en faut. L'enfant a besoin de temps libre pour se reposer et d'un espace à soi pour découvrir et approfondir ses propres idées. Il est très important de l'encourager à avoir ses centres d'intérêt personnels et de ne pas tout décider à sa place.

N'EN FAITES PAS TROP

Si l'emploi du temps d'un enfant est trop bien structuré, il n'apprendra pas à se motiver par lui-même, ce qui pourtant est une faculté essentielle pour son parcours scolaire.

En exigeant de votre enfant qu'il réponde toujours à vos attentes, vous risquez de faire naître en lui du ressentiment, même s'il fait exactement ce que vous lui demandez.

Valoriser constamment la réussite pour la réussite diminue le plaisir que l'enfant peut avoir à exécuter une tâche. Il aura le sentiment de ne jamais avoir assez bien réussi si vous insistez toujours sur la prochaine chose à faire.

Le stress n'est pas bon pour la santé d'un enfant et il se manifeste par des symptômes tels que des douleurs d'estomac, des troubles du sommeil et des problèmes de comportement.

Dans la mesure du possible, ne récompensez pas votre enfant avec de l'argent ou des biens matériels. Son succès devrait toujours être sa seule récompense.

LANGAGE ET COMMUNICATION

La plupart d'entre nous croyons que la parole et le langage viennent de manière naturelle. C'est un processus fascinant, tant par la rapidité à laquelle il se déroule que par le fait que l'enfant semble presque apprendre tout seul. Les premières paroles prononcées sont souvent l'objet d'émerveillement et d'amusement car les parents commencent à considérer leur tout-petit comme une personne à part entière.

« … Le langage est essentiel pour entrer à l'école, car il permet la communication en classe comme en cour de récréation. »

LE LANGAGE EN PÉRIODE PRÉSCOLAIRE

Après avoir acquis un premier répertoire de quelques mots isolés, l'enfant commence progressivement à faire des phrases de deux ou trois mots et l'on ne tarde pas à oublier ses premiers balbutiements.
On commence même à avoir de véritables conversations avec lui. Bien sûr, dans cette première phase, il est encore concentré sur ce qu'il voit ou sent, et ne peut pas s'engager dans de véritables conversations. Mais bientôt il sera capable de commenter ce que font les autres et vers l'âge de 4 ans, il devinera ce que les autres pensent et répondra de manière appropriée.

À cet âge, les enfants utilisent également des phrases plus complexes dont beaucoup ressemblent à des phrases d'adultes. Ils continuent de faire des erreurs, notamment dans la conjugaison des verbes (ils disent par exemple « Je viendra » au lieu de « Je viendrai » ou « Il est viendu » au lieu de « Il est venu »), ou encore dans la prononciation (ils confondent par exemple « s » et « ch »). Mais ces étapes sont tout à fait normales avant l'acquisition d'un langage fluide.

Le langage et la communication sont indispensables pour l'entrée à l'école. On prétend que la parole et le langage se développent principalement avant l'entrée à l'école primaire (vers l'âge de 6 ans), et ce phénomène se vérifie en effet pour beaucoup d'enfants.

À leur entrée à l'école, les enfants doivent avoir acquis des capacités d'écoute et d'attention qui leur permettront de suivre en classe. Ils ont également besoin d'avoir des facultés de compréhension et d'expression plus étendues pour comprendre ce que dit leur professeur, répondre aux questions qu'on leur pose et pouvoir raconter leurs propres expériences. Les compétences linguistiques de l'enfant lui permettent aussi de communiquer avec ses semblables dans la cour de récréation et de tisser les liens sociaux forts qui seront essentiels à son bon épanouissement au sein du milieu scolaire. Enfin, il est essentiel que les enfants apprennent assez tôt à lire, écrire et compter pour pouvoir aborder ensuite de nouveaux sujets en classe ; sujets qui constitueront les fondements de leur future instruction.

LES COMPÉTENCES LINGUISTIQUES

Les parents peuvent favoriser les premières étapes du développement du langage chez leur enfant en suivant quelques points-clé :

S'impliquer activement dans un dialogue très précoce avec son bébé lui permet de réaliser que la communication est importante et lui donne envie de se faire comprendre.

Aider son enfant à écouter attentivement peut être un atout précieux dans le développement précoce du langage.

Limiter, autant que possible, l'exposition à la télévision et à la musique enregistrée qui nuisent au développement de l'écoute.

Communiquer verbalement très tôt avec son petit et répondre à ce qui l'intéresse, au lieu de lui parler tout le temps, l'aide à se concentrer sur le sens des mots et à retenir les structures sonores et verbales.

Échanger avec son enfant, dès qu'il commence à parler, et répéter ce qu'il vient de dire l'aide à comprendre que ce qu'il a à dire intéresse les autres. N'oubliez pas que les jeunes enfants apprécient les rituels familiers et qu'ils veulent souvent répéter des choses qu'ils aiment dire longtemps après que les adultes s'en sont désintéressés, alors soyez patients.

Lire des livres à son enfant peut être un moyen efficace de l'aider à se concentrer sur le langage. Les enfants adorent écouter un adulte commenter les images qu'ils sont en train de regarder. Mais il faut éviter de presser son enfant en lui demandant de commenter lui-même ce qu'il voit avant qu'il n'y soit prêt.

LANGAGE ET AUTRES DÉVELOPPEMENTS

Le développement de la parole et du langage est étroitement lié aux autres compétences sensorielles de l'enfant (un enfant apprendra bien plus facilement à parler s'il voit et s'il entend bien).

Le langage et la communication sont aussi en étroite relation avec la faculté de marcher, de manipuler des objets, de mémoriser, d'écouter et d'être attentif. Le langage est associé au développement général de l'enfant et si, lors du processus, chacun peut emprunter un chemin différent, dans l'ensemble, ceux qui s'en sortent bien dans un domaine tendent à réussir aussi dans les autres.

QUAND LE LANGAGE POSE PROBLÈME

Certains enfants ont des difficultés à acquérir la parole et le langage. Ils ne saisissent pas toujours aussi bien que les enfants de leur âge le sens des mots et ne les reconnaissent pas aussi rapidement ; ils ont parfois du mal à s'exprimer de manière fluide et peuvent se mettre à bégayer. Soit ils n'arrivent pas à produire les sons, soit ils les mélangent entre eux et personne ne les comprend, sauf leur entourage.

Faites part de vos inquiétudes à un professionnel du langage (un orthophoniste, par exemple) avant de conclure que quelque chose ne va pas ; les difficultés précoces d'élocution et de langage entraînant souvent des problèmes scolaires, il ne faut pas les prendre à la légère.

COMMENT FAVORISER LE DÉVELOPPEMENT DU LANGAGE ?

Les parents se demandent parfois s'ils doivent « enseigner » le langage et la parole à leur enfant ou juste le laisser faire. Il est aujourd'hui admis que les enfants sont, jusqu'à un certain point, « programmés » pour acquérir le langage un peu comme une fleur est programmée pour s'épanouir, du moment qu'elle reçoit assez d'eau ou comme un enfant est « programmé » pour atteindre la puberté si tant est qu'il reçoive l'alimentation nécessaire.

En règle générale, les enfants développent effectivement leur aptitude au langage et à la communication sans recevoir un enseignement volontaire de la part de leurs parents – à ne pas confondre avec le fait d'enseigner aux enfants le sens de certains mots, la correction grammaticale et l'usage de ce que l'on considère comme des expressions de politesse. Certains aspects du langage écrit font aussi, évidemment, l'objet d'un apprentissage comme la ponctuation par exemple.

Bien qu'il y ait peu de choses à enseigner sur le langage, il est toujours souhaitable d'écouter son enfant pour qu'il soit convaincu que ce qu'il dit est digne d'intérêt. Le fait de l'écouter augmentera sa confiance en lui et lui donnera envie de participer aux conversations à la maison et à l'école. C'est cette même confiance dans ses propres idées et dans sa capacité à communiquer efficacement qui lui permettra plus tard de bien communiquer en tant qu'adulte.

APERÇU DU DÉVELOPPEMENT NORMAL DU LANGAGE DANS LES ANNÉES PRÉSCOLAIRES

2-3 ANS

- Vaste panel de sons, mais il peut avoir des difficultés avec certaines sonorités comme « f », « v », « z ».
- Phrases de deux ou trois mots.
- Langage utilisé dans différents buts : possession/affirmation/refus/attribution, etc.
- Capacité à trouver deux ou trois objets quand on le lui demande.

Dans les cas suivants, consultez :

- Ne prononce que des sons simples, par exemple « d ».
- Contrôle mal ses muscles faciaux.
- Les personnes extérieures à la famille le comprennent mal.
- Aucune combinaison de mots à 2 ans.
- Vocabulaire très restreint.
- Incapable de trouver deux objets quand on le lui demande, à 2 ans.

3-4 ANS

- La plupart des phonèmes sont prononcés correctement. Mais il peut avoir des difficultés avec « ch » ou « j ».
- Peut s'exprimer de manière moins intelligible sous l'effet de l'excitation.
- Élocution de plus en plus fluide.
- Est capable de se référer à des événements passés ou futurs.
- Capable de comprendre des notions telles que la couleur, la taille, etc.
- Comprend quasiment tout ce que ses parents disent.

Dans les cas suivants, consultez :

- Répertoire de phonèmes très limité ; inintelligible la plupart du temps.
- La non fluidité du langage, fréquente chez les enfants plus petits, persiste.
- Faible interaction dans la conversation, soit parce qu'il parle très peu, soit parce qu'il continue de répéter par mimétisme ce qu'on lui dit.
- Usage restreint des verbes et des attributs.
- Compréhension très limitée en dehors du contexte quotidien. Il n'a peut-être pas encore pris conscience de la fonction des objets.

4-5 ANS

- Est tout à fait intelligible à l'exception de quelques erreurs occasionnelles.
- Des erreurs grammaticales persistent mais sans affecter le sens.
- Phrases de quatre à six mots utilisées de manière cohérente.
- Formes interrogatives (« pourquoi ? ») à présent courantes.
- Est capable de construire ses propres histoires.
- Compréhension de mots abstraits tels que « toujours ».
- Est capable de comprendre et de restituer une séquence narrative.

Dans les cas suivants, consultez :

- Ce qu'il dit est encore très souvent inintelligible.
- Il commence éventuellement à bégayer, surtout s'il « bloque » sur certains mots ou sons.
- Il a de plus en plus conscience de ses difficultés et ressent de la frustration par rapport au langage.
- Il tend à éviter les situations où il doit prendre la parole.
- Il continue de répondre avec des mots isolés ou d'utiliser des structures grammaticales très simples.
- Faible notion du temps.
- Il ne peut pas restituer une histoire.
- Sa compréhension peut être suffisante dans des situations familières de routine mais il est dépassé si la situation change.
- Faible socialisation, car il n'a pas le même niveau linguistique que ses pairs.

Points auxquels il faut être attentif :

- Antécédents familiaux de troubles de l'élocution ou du langage.
- Antécédents de troubles d'audition.
- Relation parents-enfants difficile.
- Troubles connexes de comportement ou d'attention.

Si vous avez la moindre inquiétude quant au développement de l'élocution et du langage chez votre enfant, consultez un orthophoniste ou à un pédopsychiatre.

VIVRE EN FAMILLE

IL EXISTE DIFFÉRENTS TYPES DE FAMILLES : celles où les parents sont mariés, celles où ils vivent en concubinage, les familles monoparentales, les familles d'accueil, les familles recomposées. Chacune se distingue par des caractéristiques et des problèmes différents, ce qui est bon pour l'une, ne l'est pas forcément pour une autre. À vous de trouver votre style de vie selon la famille qui vous correspond.

« … Le défi consiste à trouver un mode de vie qui vous convienne à vous aussi bien qu'à vos enfants. »

LES FAMILLES AUJOURD'HUI

Être parent n'a jamais été facile, aujourd'hui pas plus qu'hier. Il faut souvent savoir jongler avec des choses aussi diamétralement opposées qu'une carrière professionnelle et l'éducation des enfants. Mais les enfants sont eux aussi confrontés à de multiples pressions, par exemple le fait de devoir passer des examens de plus en plus nombreux. Le défi consiste à trouver un mode de vie qui vous convienne à vous aussi bien qu'à vos enfants et qui leur assure le meilleur départ dans la vie. Différentes approches peuvent vous y aider. Le stress faisant partie intégrante de la vie moderne, savoir l'accepter et le gérer est une donnée indispensable, dans tous les cas. Si votre petit dernier, par exemple, pique régulièrement des crises de colère le matin alors que vous devez

emmener votre aîné à l'école, levez-vous si possible un peu plus tôt pour avoir plus de temps.

S'ENTENDRE AVEC SON PARTENAIRE

Il n'est pas toujours facile de s'entendre avec son partenaire au sujet de l'éducation des enfants, mais être cohérents, même sur les petites choses, ne peut que profiter à votre enfant. Il risque, par exemple, de se sentir perdu si votre partenaire insiste pour qu'il termine ses légumes alors que vous ne le faites pas : il apprendra alors très vite à jouer de vos incohérences. Définissez une ligne commune avec votre partenaire et tenez-vous y. Si vous n'arrivez pas à vous mettre d'accord, évitez au moins de vous chamailler devant vos enfants. En cas de désaccord sur un point touchant à sa sécurité ou à sa santé, prenez conseil auprès d'une personne qualifiée.

Si le partage des tâches ménagères pose problème, faites appel à une aide extérieure pour le nettoyage et le repassage (si vos moyens vous le permettent) ; ou bien demandez à votre partenaire, à un parent ou à un ami de garder les enfants, pendant que vous les effectuez. Beaucoup de parents disent bénéficier au plus haut point de l'amitié d'autres parents avec lesquels ils peuvent discuter et s'entraider.

N'oubliez pas également de prendre du temps pour vous, ne serait-ce qu'une demi-heure le soir pour prendre un bain ou lire un livre. Quand les enfants sont là, il est facile d'oublier ses propres besoins. Réservez-vous régulièrement des moments en tête-à-tête avec votre partenaire. Les gardienne sont là pour ça.

LES RELATIONS ENTRE FRÈRES ET SŒURS

L'arrivée d'un petit frère ou d'une petite sœur est le point de départ d'une relation qui aura une incidence considérable sur toute la vie de l'enfant. Les enfants qui grandissent ensemble peuvent être tour à tour les meilleurs amis puis les pires ennemis du monde. Vous les verrez s'en prendre l'un à l'autre, physiquement ou verbalement, ou se liguer contre vous. La rivalité entre frères et sœurs est normale, saine et tout à fait bénéfique ! Les enfants éprouvent un sentiment de liberté et de sécurité avec leurs frères et sœurs qu'ils n'ont pas avec les autres enfants. Cela leur permet de tester toutes sortes d'émotions qu'ils n'oseraient pas manifester envers quelqu'un d'autre. La rivalité entre frères et sœurs est habituellement à son apogée dans les premières années, mais ne soyez pas étonné de voir vos enfants se chamailler jusqu'à leur adolescence, parfois même jusqu'à l'âge adulte.

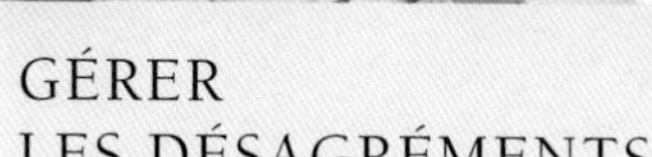

GÉRER LES DÉSAGRÉMENTS

En grandissant, les enfants ont tendance à se disputer. Les laisser régler leurs différends seuls, leur apprend à résoudre les problèmes et à négocier. Mais, s'ils n'y arrivent pas, ou si l'un d'entre eux risque d'être blessé, intervenez.

Essayez de vous comporter en arbitre et d'éviter de gronder l'un des enfants. Demandez-leur de vous expliquer ce qu'il se passe. Demandez-leur ensuite de s'excuser l'un envers l'autre et, s'ils refusent, éloignez-vous en disant « Cela ne me plaît pas du tout ». Il y a de fortes chances pour qu'ils se réconcilient très vite. Vous pouvez également reparler de cet incident un peu plus tard, en suggérant ce qu'ils auraient pu faire au lieu de se disputer.

Les comportements sournois sont plus difficiles à gérer. Un des enfants, par exemple, a caché un objet fétiche d'un de ses frères ou sœurs. Si vous grondez celui que vous soupçonnez, vous n'obtiendrez probablement qu'un déni. Mais si vous avez la certitude de savoir qui est l'auteur de ce geste, dites-lui que vous savez et que cela vous fait de la peine.

Les comparaisons et la compétition sont naturelles dans une fratrie. Quel que soit le vainqueur, félicitez toujours tous vos enfants d'avoir participé. Évitez de comparer vos enfants, notamment concernant l'apparence physique ou les résultats scolaires.

Quand vos enfants jouent tranquillement ensemble, soyez positif. Le simple fait de leur dire « Vous avez bien joué ensemble cette après-midi » leur fera comprendre combien vous appréciez qu'ils s'entendent bien.

LES GRANDS-PARENTS

Pour beaucoup, le fait de devenir parent place leurs relations avec leurs propres parents dans une perspective différente. Vous vous surprendrez peut-être à repenser à votre enfance, à ce que vous aimiez, à ce qui comptait pour vous, et peut-être aux erreurs que vous voudriez éviter.

Le rôle des grands-parents dans la vie de vos enfants dépendra beaucoup de la proximité ou de l'éloignement de leur domicile, de leur personnalité et de leurs capacités physiques. S'ils vivent près de chez vous, ils pourront vous aider sur le plan pratique, en gardant les enfants, par exemple. Mais même quand ils habitent loin, les grands-parents peuvent être d'un grand soutien, sans compter qu'ils tissent souvent des relations très spéciales avec leurs petits-enfants, relations qui sont profitables aux deux parties.

Vous n'envisagez certainement pas l'éducation des enfants de la même façon que des personnes d'une génération plus ancienne. Essayez de parler ouvertement de ces divergences de vue avec les grands-parents maternels et paternels de vos enfants. Vous pourriez par exemple leur expliquer qu'une éducation cohérente serait bénéfique pour votre enfant et que vous aimeriez qu'ils respectent les mêmes règles de base que celles que vous appliquez chez vous.

L'une des plus grandes joies des grands-parents, est de pouvoir gâter leurs petits-enfants de temps en temps, puis de les rendre à leurs parents. Veillez à ne pas demander aux grands-parents plus d'aide que celle qu'ils sont désireux ou capables d'offrir.

Comment les aider

Les parents peuvent tempérer les relations entre leurs enfants. Le fait de préparer l'aîné à la venue d'un petit frère ou d'une petite sœur est un bon point de départ. Si la dispute menace, prenez l'initiative d'une discussion.

Quand Bébé est né, la manière dont vous le présentez compte beaucoup ! Il serait judicieux que le bébé soit dans un petit lit ou dans les bras de quelqu'un d'autre que vous. Ainsi, vos bras seront libres pour embrasser l'aîné et lui consacrer entièrement ces premières minutes. Cela est primordial. Une astuce bien utile consiste à prévoir un cadeau pour l'aîné de la part du bébé. Ces attentions rassureront votre aîné sur son importance à vos yeux et le familiariseront avec les notions de donner et de recevoir.

L'expérience montre que la manière dont une mère se comporte avec son nouveau bébé affecte la relation future de la fratrie. Une attitude protectrice est bien naturelle, mais en surprotégeant votre petit dernier, vous risquez de provoquer ressentiment ou agressivité chez l'un des aînés.

N'oubliez pas de passer du temps seul à seul avec votre aîné. Pas besoin de prévoir une activité particulière : le seul fait d'être ensemble, pour lire un livre ou regarder un film, suffit. Mais vous trouverez parfois que le temps vous manque pour vous reposer, n'hésitez pas alors à demander de l'aide à la famille ou aux amis. Demandez à une personne de votre entourage d'emmener l'aîné à son activité favorite, par exemple, pour vous ménager des moments avec votre bébé, ou pour vous reposer.

LES RELATIONS AVEC LES ENFANTS PLUS ÂGÉS

À mesure qu'il approche de la puberté, l'enfant peut donner l'impression de changer complètement de caractère du jour au lendemain. Tantôt, il réclamera plus d'indépendance, paraîtra difficile, repoussera les limites toujours plus loin et déclenchera des disputes. Tantôt, il se comportera à nouveau comme un petit. Ce comportement peut s'avérer épuisant et frustrant pour les parents.

En entrant dans l'âge de la puberté, votre enfant demandera sans doute à passer moins de temps en famille et davantage avec ses amis. Il s'agit d'une étape charnière pour lui, qui consiste à acquérir le sens de sa propre identité comme distincte de celle de sa famille. Les relations d'amitié ne lui enseignent pas seulement l'art de s'entendre avec d'autres, elles lui permettent aussi de s'identifier à un groupe d'enfants du même âge.

Les ennuis sérieux peuvent apparaître quand l'enfant commence à avoir ses propres idées qui ne seront pas forcément les vôtres. Cependant, même si vous avez l'impression de vous disputer

fréquemment, il y a de fortes chances pour que votre enfant vous tienne encore en haute estime (mais il ne vous mettra sans doute pas au courant). Les rejets et les conflits que vous vivez peut-être, ont en général bien peu à voir avec votre personnalité, ils surviennent tout simplement parce que vous êtes les parents de votre enfant et qu'il doit s'éloigner progressivement de vous s'il veut construire sa propre vie.

Les règles et la négociation
Ayez si possible toujours une longueur d'avance. Votre premier rôle est de fournir à l'enfant une sécurité de base. Comme lorsqu'il était plus petit, l'essentiel est, ici aussi, que ses parents s'entendent et se soutiennent mutuellement. Un parent qui se ligue avec son enfant contre l'autre parent mène toujours au désastre.

Instaurez des règles et des limites en insistant sur ce qui est acceptable, pour votre partenaire et vous, et sur ce qui ne l'est pas. Quelle que soit la rapidité à laquelle grandit votre enfant, il est encore sous votre responsabilité, et il est donc tout à fait normal que vous édictiez les règles de base. Elles doivent être claires pour tout le monde et appliquées de manière cohérente. Toutefois, ces règles devront être raisonnables et de plus en plus souples au fil du temps, car en grandissant les enfants deviennent plus responsables.

Votre partenaire et vous devrez choisir entre ce que vous considérez comme important et ce qui l'est moins, afin qu'il n'y ait pas pléthore de règles. Certains sujets ne seront pas négociables, d'autres, au contraire, pourront être rediscutés. Les sanctions, telles que la

« … Les relations d'amitié ne lui enseignent pas seulement l'art de s'entendre avec d'autres, elles lui permettent aussi de s'identifier à un groupe d'enfants du même âge. »

> « … la révolte et la remise en question de l'autorité sont des étapes normales du développement de l'enfant. »

privation de sortie ou d'argent de poche, fonctionneront mieux si elles ont été établies à l'avance. Il ne faut jamais menacer d'appliquer des sanctions, sans jamais les mettre à exécution, elles finiraient par perdre tout leur sens.

Il est réconfortant de savoir qu'en réalité les règles aident l'enfant à se sentir en sécurité pendant cette période de transition. Aussi paradoxal que cela puisse paraître, il a besoin de règles pour pouvoir se révolter contre elles… La révolte et la remise en question de l'autorité sont des étapes normales de son développement. Les règles l'aident également à penser les choses par lui-même et à élaborer sa propre échelle de valeurs morales.

Écouter son enfant

Si votre enfant semble se lasser des activités en famille, demandez-lui ce qu'il aimerait faire à la place. Il appréciera peut-être de passer un moment en tête-à-tête avec vous, pour faire une ballade, ou aller voir un film. Profitez des moindres occasions pour parler avec lui. Les voyages en voiture sont souvent un moment idéal pour discuter. Les parents ont parfois l'impression de servir de taxi, mais ces déplacements sont de bonnes occasions pour discuter avec leur enfant.

L'essentiel est de l'écouter. Vous ne pourrez lui proposer conseil ou réconfort que s'il sait que vous lui prêtez une oreille compréhensive et que vous n'allez pas le juger ou le critiquer.

QUAND LES PARENTS SE SÉPARENT

Les séparations sont de plus en plus fréquentes. En 2001 au Québec, on comptait 335 595 familles monoparentales, représenteront 17 % des familles avec enfant(s). Les séparations touchent un nombre encore plus élevé d'enfants « naturels », c'est-à-dire d'enfants nés de couples vivant en concubinage. La vie de l'enfant s'en trouve alors bouleversée, mais avec quelques précautions et un minimum de sensibilité, les dommages peuvent être limités.

Pour un enfant, la séparation de ses parents est un moment extrêmement déroutant. Il peut éprouver toute une gamme d'émotions, depuis la colère et le rejet jusqu'à l'inquiétude de savoir s'il est pour quelque chose dans cette séparation ; ou un sentiment de perte, qui, d'une certaine façon, ressemble au deuil.

Comment les enfants sont-ils affectés ?

Les troubles psychoaffectifs et comportementaux sont fréquents. Si les parents avaient l'habitude de se disputer, ces troubles peuvent apparaître longtemps avant la séparation effective. Lorsqu'elle a lieu, l'enfant a parfois le sentiment d'être tiraillé dans deux directions opposées (« conflit de loyauté »). Une séparation est souvent plus difficile à vivre pour les garçons que pour les filles, car ils ont en général plus de mal à exprimer leurs sentiments.

En cas de séparation, on attend souvent du père qu'il quitte le domicile familial, et c'est donc la relation avec le père qui est susceptible d'en pâtir le plus. Des recherches montrent l'importance de l'implication du père dans le bien-être et la réussite scolaire d'un enfant. Les enfants ont besoin de savoir que leurs deux parents les aiment comme avant, et qu'ils continueront de s'impliquer dans leur vie.

Préparer une séparation

Pour aider les enfants à traverser ces moments difficiles, les deux parents peuvent concerter un plan visant à établir le partage de leurs responsabilités dans l'éducation des enfants. Ce plan devrait être flexible, et refléter à la fois le tempérament et les besoins évolutifs de chaque enfant, ainsi que la manière dont chacun s'efforcera d'y répondre.

Pourquoi ne pas attribuer un rôle concret et pratique à celui ou celle qui a quitté le domicile, aller chercher les enfants après le sport une fois par semaine, par exemple ? Le fait de conserver une attitude cohérente avec l'autre parent sur des sujets tels que la discipline et les sorties est également crucial.

Il importe aussi d'entretenir les relations avec les grands-parents. Non seulement ils continueront probablement d'être importants dans la vie de l'enfant – et voudront rester en contact –, mais ils pourront aussi l'aider et le soutenir.

Que faire si la communication est rompue ?

Une médiation externe peut se révéler d'un grand secours. En revanche, une procédure judiciaire ne devrait être engagée qu'en dernier recours. Quand les parents n'arrivent pas à se parler, il est néanmoins vital de parler aux enfants tout au long du processus de séparation pour les aider à comprendre et à accepter la situation. Les parents veulent souvent préserver leurs enfants de toutes souffrances, mais ces derniers finissent toujours par savoir ce qui se passe ; ainsi, il vaut mieux leur faire un récit cohérent de la situation, sans dénigrer l'autre.

Il est également essentiel de donner aux enfants l'opportunité d'exprimer leur sentiment de perte et de douleur. Parler à une tierce personne, un grand-parent ou un conseiller, peut aider les enfants un peu plus grands, surtout s'ils ont besoin d'aborder des sujets tels que leur sentiment d'être tiraillés entre deux êtres aimés ou leur sentiment de culpabilité.

FAMILLES RECOMPOSÉES

D'après une étude de la FAFMRQ en 1998 au Québec 10 % des familles étaitent des familles recomposées. S'il semble qu'un certain nombre d'entre eux juge cette situation positive, d'autres, au contraire, se sentent impuissants et exclus. Par-dessus tout, les jeunes vivant dans des familles recomposées disent qu'ils ont besoin de se sentir écoutés par quelqu'un.

On s'imagine parfois que, parce qu'on aime son partenaire, on aimera aussi ses enfants et que ses enfants nous aimeront de même. Mais, cela commence rarement comme cela. Pour un enfant qui a déjà vécu l'expérience de la perte d'un ou de ses deux parents divorcés puis remariés, s'intégrer dans une famille recomposée est un passage difficile. Chaque parent peut apporter un style d'éducation différent, susceptible de perturber les enfants qui viennent d'arriver dans la famille recomposée.

Pour construire une famille recomposée, il faut prendre beaucoup sur soi. Quatre ans, en moyenne, (mais parfois dix...) seront nécessaires pour que la famille se stabilise véritablement.

LE JEU

LE JEU EST INDISSOCIABLEMENT LIÉ À L'ENFANCE. À tout âge, les enfants adorent jouer. Et loin d'être une simple occupation ou un divertissement, le jeu est vital pour leur développement psychique, physique et social. Pourtant, beaucoup de parents considèrent le jeu au mieux comme une activité de peu d'importance, au pire comme une perte de temps.

«… Le jeu est la façon unique et naturelle qu'ont les enfants d'apprendre. »

L'IMPORTANCE DU JEU

Pour les enfants, jouer c'est travailler. Ils ne jouent pas pour se détendre, même si le jeu peut avoir cette conséquence. Au contraire, le jeu est la façon unique et naturelle qu'ont les enfants d'apprendre, et ils ont besoin d'apprendre pour survivre. Cette affirmation peut paraître exagérée et pourtant, dès les premiers mois, le jeu est leur seul moyen d'acquérir les compétences nécessaires à leur développement physique, psychique et social.

L'enfant n'apprend pas à parler avec des livres et des cassettes, comme le font les adultes pour les langues étrangères. On lui chante des comptines, on feuillette avec lui des livres d'images et, peu à peu, il commence à comprendre les bases du langage. En secouant un hochet, l'enfant découvre qu'il fait du bruit et réalise qu'il peut ainsi agir sur les

choses, et c'est une première leçon sur la relation de cause à effet.

Les différents jeux ont des fonctions différentes. Le jeu physique est essentiel pour développer la force musculaire, l'équilibre et la coordination. Les jeux « salissants » permettent à l'enfant de découvrir le monde physique qui l'entoure.

En jouant avec d'autres, l'enfant acquiert un comportement social vital, il apprend ainsi à coopérer avec eux et à mieux les comprendre. Le jeu lui enseigne également à résoudre des problèmes et à communiquer. Il n'y a qu'un seul ballon pour deux enfants et chacun le veut pour lui, quelle est la meilleure solution et comment la faire accepter à l'autre ?

Ainsi, le jeu est toujours une activité constructive indispensable pour qu'un enfant se développe bien, soit heureux et en bonne santé.

FAVORISER LE JEU

Les enfants adorent jouer. Et s'il est important pour les parents que le jeu ait un but et un sens, ils ne doivent pas perdre de vue que jouer, c'est avant tout s'amuser.

Ainsi, n'hésitez pas à favoriser cette activité à la fois pédagogique et divertissante. Dès leur plus jeune âge, les enfants raffolent des jouets. Sans être forcément chers ou nombreux, ils doivent surtout être adaptés à l'âge de l'enfant. Vous pouvez investir les yeux fermés dans des jeux qui évolueront avec votre enfant. Un jeu de construction, par exemple, que vous enrichirez au fil des années, servira maintes et maintes fois.

Les enfants ont aussi besoin d'avoir le temps de jouer. À quoi bon posséder des jouets si votre enfant n'a jamais l'occasion de s'en servir ? La nécessité de faire garder son enfant et le désir de lui donner tous les atouts dès le départ poussent de nombreux parents à surcharger son emploi du temps avec toutes sortes d'activités extrascolaires. Laisser à un enfant le temps qu'il voudra pour transformer sa chambre en épicerie, par exemple, peut être plus précieux que de lui acheter le dernier jeu à la mode ou de l'inscrire à une nouvelle activité.

Stimulation

De nouveaux environnements peuvent fournir une stimulation puissante. Si votre petit de 4 ans aime encore se fabriquer une cabane avec des chaises et des couvertures, celui de 8 ans recherche peut-être de nouveaux défis. Un pique-nique en forêt, par exemple, lui donnera peut-être l'envie de fabriquer une autre sorte de cabane avec des feuilles, des branches et des pierres.

Proposer des jeux intéressants peut s'avérer de plus en plus difficile à mesure que l'enfant grandit. Les jeux d'extérieur sont particulièrement importants parce qu'ils offrent aux enfants l'opportunité

JOUER SEUL

L'enfant habitué à avoir un partenaire de jeu (qu'il s'agisse d'un de ses parents, de ses frères et sœurs ou de ses amis) peut trouver difficile de s'amuser tout seul.
Sur le plan pratique, les parents voudraient que leur enfant soit capable de s'occuper tout seul de temps en temps pour qu'eux-mêmes puissent vaquer à leurs tâches quotidiennes. Mais savoir jouer seul est aussi une compétence qui vaut la peine d'être encouragée car elle aide l'enfant à développer ses propres idées. Voici quelques suggestions pour aider votre enfant à apprendre à s'amuser tout seul.

Prévoyez diverses activités que votre enfant apprécie et qu'il peut effectuer tout seul : jouer avec de la pâte à modeler, dessiner, colorier, (éventuellement avec un code couleurs chiffré).

Négociez en lui disant que s'il peut s'amuser une demi-heure tout seul, pendant que vous finissez de préparer le dîner, vous jouerez avec lui ensuite.

Félicitez votre enfant lorsqu'il a joué seul, surtout quand il a su s'occuper sans que vous le lui ayez demandé.

Ne soyez pas trop exigeant trop tôt : les jeunes enfants ont une durée d'attention très courte, et même un nouveau jouet ne les occupera que quelques minutes.

Si la plupart des enfants en âge scolaire sont contents de rester seuls dans une pièce pendant quelque temps, les plus jeunes ont encore besoin d'être rassurés par votre présence.

leur confiance en eux, de prendre des décisions et de développer leur capacité à évaluer les risques. Pourtant, des études ont montré que beaucoup d'enfants trouvent souvent les parcs et les squares ennuyeux. De nombreux parents préfèrent que leur enfant ne fasse pas de vélo, de skateboard, qu'il ne grimpe pas aux arbres ou aux tours à escalader des aires de jeu, de peur qu'il ne se blesse. Certains hésitent aussi à les laisser explorer leur environnement, comme eux ont pu le faire à leur âge, en raison de l'augmentation de la circulation sur les routes et de notre peur naturelle du « danger extérieur ».

Jusqu'à quel point est-on prêt à laisser son enfant découvrir la liberté et l'aventure est une affaire individuelle, et dépend, dans une certaine mesure, de l'endroit où vous habitez ainsi que de l'âge et de la maturité de votre enfant. Beaucoup de familles profitent des vacances ou des week-ends pour louer une maison à la campagne ou faire du camping en bord de mer afin de donner à leurs enfants l'occasion de déployer leurs ailes en toute sécurité.

LE JEU DE FICTION

Regarder son enfant s'inventer des histoires est l'une des grandes joies des parents. Tout petit, il fait semblant de boire dans une tasse en plastique. Puis, quand il est en âge d'aller à l'école, il transforme son lit superposé en château, un manche à balai en cheval, et insiste pour que vous l'appeliez « chevalier » quand vous le priez de venir dîner. À l'âge de l'école primaire, l'enfant aime encore le jeu du « faire semblant », mais désormais il est probablement le maître de l'histoire.

Certains enfants préfèrent partager leur jeu de fiction avec d'autres et distribuer des rôles à leurs frères et sœurs, ou à des amis. D'autres s'absorbent dans leurs propres mondes imaginaires. Il n'est pas rare de voir de jeunes enfants s'inventer des partenaires de jeu.

Le jeu de fiction est bon pour l'enfant. Il stimule son imagination, sa créativité et son aptitude à résoudre les problèmes. Les enfants imaginent souvent qu'ils sont menacés par un monstre ou un méchant. En jouant à être un héros conquérant, ils acquièrent le sentiment de pouvoir contrôler leur environnement.

JOUER AVEC SON ENFANT

Dès le premier jour, vous êtes le partenaire de jeu privilégié de votre enfant et, que vous le vouliez ou non, il vous harcèlera de nombreuses heures pour que vous jouiez avec lui à ses jeux favoris. Pour certains parents, jouer est naturel. Pour d'autres, se déguiser en pirate et passer l'après-midi dans un bateau de fortune n'est pas très passionnant, surtout quand les tâches domestiques s'accumulent.

Pourtant, le jeu est l'un des moyens par lequel parents et enfants tissent leurs liens. Et même s'il est parfois difficile d'ignorer les corvées, cela vaut peut-être la peine de les remettre à plus tard pour entretenir une relation de qualité avec son enfant. Jouer ensemble est aussi une activité socialisante. C'est l'un des principaux moyens par lequel l'enfant apprend à entrer en relation avec les autres.

Faire des compromis

On se sent parfois plus en phase avec les besoins de son enfant à certaines étapes de son développement plutôt qu'à d'autres. Certains parents sont très à l'aise avec les bébés et adorent les câlins et les chatouilles. Jouer à « faire semblant » vous ennuie peut-être à mourir mais vous adorez passer une demi-heure à faire du coloriage. Si c'est le cas, inutile de vous culpabiliser ou de vous forcer à pratiquer une activité que vous détestez, votre enfant percevrait votre contrariété. Recherchez plutôt des activités que vous aimez tous les deux. Si vous éprouvez un véritable plaisir à jouer et que vous ne faites pas seulement semblant, votre enfant accordera alors plus de valeur à cette activité.

TÉLÉVISION, ORDINATEUR, JEUX VIDÉO

Beaucoup de parents se plaignent que leurs enfants regardent trop la télévision ou qu'ils passent trop de temps devant l'ordinateur. Mais que faut-il entendre par trop ? Il y a peu de risques, par exemple, si vous vous affalez sur le canapé un ou deux soirs par semaine avec votre aîné pour regarder un de vos programmes préférés, que cela lui porte un grave préjudice. La télévision constitue aussi une source non négligeable d'informations. En la regardant de manière raisonnable, votre enfant élargit sa vision du monde.

Les ordinateurs sont un autre outil d'apprentissage notable qui fait de plus en plus partie de la vie de tous les jours. Bien sûr, si vous laissez votre enfant seul, il risque de passer de nombreuses heures devant l'écran.

Mais ce dont on peut s'inquiéter davantage, c'est que l'enfant voit des choses qu'il ne devrait absolument pas voir. De nombreux jeux informatiques ont des thèmes agressifs, et la violence apparaît souvent à la télé. On peut s'inquiéter aussi de l'inactivité et de l'isolement d'un enfant qui passe toute la journée à l'intérieur, devant un écran.

Si vous craignez que la télévision ou l'ordinateur n'empiètent trop sur l'emploi du temps de votre enfant, fixez des limites. Autorisez-le à regarder la télévision ou à jouer à des jeux informatiques chaque jour pendant une durée raisonnable, ou un certain nombre d'heures par semaine. Placez poste de télévision et ordinateur dans une pièce commune afin de pouvoir surveiller.

« … Autorisez votre enfant à regarder la télévision ou à jouer à des jeux informatiques pendant une durée raisonnable, où un certain nombre d'heures par semaine. »

L'EXERCICE

LA FORME PHYSIQUE EST ESSENTIELLE POUR LA SANTÉ DE VOTRE ENFANT. Qu'il soit naturellement attiré par le sport ou non, et que cela vous intéresse personnellement ou pas, il existe mille et une manières pour qu'il soit actif tout en s'amusant. En l'encourageant à bouger dès son plus jeune âge, vous lui donnerez de bonnes habitudes qui l'aideront à rester en bonne santé.

«... Se lever du canapé pour bouger donne un cœur, des muscles et des os solides. »

FAIRE DE L'EXERCICE

Veiller à ce que l'enfant soit en forme et en bonne santé est une condition essentielle de son bien-être. Se lever du canapé pour bouger donne un cœur, des muscles et des os solides, réduit la graisse corporelle et améliore le bien-être – des substances chimiques appelées endorphines, libérées par le cerveau, procurent un sentiment de détente. Réussir une activité de son choix aide aussi l'enfant à avoir confiance en lui. S'intégrer à un groupe sportif influe aussi de manière positive sur sa socialisation, et lui permet de se mêler à d'autres, de se faire des amis et d'apprendre à donner et à recevoir.

Encourager les enfants à faire de l'exercice met également en place les bases pour une bonne forme physique. Des études ont montré que des enfants physiquement actifs avaient plus de chances de le rester à l'âge adulte. Or les adultes ayant une bonne forme physique risquent moins de souffrir de maladies graves telles que les maladies cardio-vasculaires, le diabète ou l'ostéoporose.

TROP OU PAS ASSEZ ?

Des études ont montré que pour maintenir un bon niveau de forme physique, les enfants de tous âges devaient pratiquer chaque jour au moins une heure d'activités d'une intensité qualifiée de modérée. Les activités d'intensité modérée sont notamment la marche rapide, la natation, la danse, les jeux physiques, la bicyclette, ainsi que la plupart des sports.

Le genre d'exercice que votre enfant aime est également important. Des professionnels de la santé recommandent que les enfants participent au moins deux fois par semaine à des activités favorables

au développement et à l'entretien de leur force et de leur souplesse musculaire, ainsi qu'à leur santé osseuse. L'escalade, le saut, le saut à la corde et la gymnastique sont notamment bénéfiques sur ce plan.

Une heure par jour peut paraître beaucoup, mais les enfants préfèrent les périodes d'activité courtes et répétées plutôt que les efforts soutenus, et ils y sont également plus adaptés. Par exemple, un enfant qui va à l'école et qui en revient en marchant rapidement, qui joue la plupart du temps dehors, qui a une activité régulière, telle que le soccer ou la danse, et qui participe aux activités familiales le week-end atteint certainement le niveau d'activité recommandé au cours de la semaine.

LES ACTIVITÉS EN FAMILLE

À l'âge de l'école primaire, les enfants sont plus attirés par les activités auxquelles participent leurs parents. Valoriser le plaisir et la participation de toute la famille plutôt que l'activité physique en soi peut inspirer le plus sédentaire des enfants. Si votre enfant voit à quel point être dehors et bouger est important pour vous, il y a plus de chances qu'il y accorde de la valeur lui aussi. Essayez, par exemple, d'organiser des activités physiques spécifiques pour la famille le week-end, telles que natation, vélo ou marche. Tout le monde attendra la fin de semaine avec impatience. Aucun enfant n'aura plaisir à faire une randonnée simplement parce que c'est bon pour lui, mais

VOTRE ENFANT BOUGE-T-IL ASSEZ ?

Utilisez ce simple questionnaire pour savoir si votre enfant fait suffisamment d'exercice.

Votre enfant regarde-t-il la télévision moins de trois heures par jour ?
Oui/non

Votre enfant se rend-il régulièrement à l'école à pied ou en vélo ?
Oui/non

Votre enfant joue-t-il dehors la plupart du temps (en dehors des récréations scolaires) ?
Oui/non

Votre enfant participe-t-il régulièrement à des activités physiques organisées en dehors de l'école ?
Oui/non

Pratiquez-vous des activités physiques en famille, telles que la marche, la natation ou des jeux physiques ?
Oui/non

Résultats :

Que des oui
Votre enfant a très certainement suffisamment d'exercice en dehors de l'école : gardez le rythme !

Que des non
Votre enfant n'est pas assez actif. Il a besoin d'au moins une heure d'activité physique par jour, mais commencez progressivement.

Mélange de oui et de non
Vous y êtes presque. Essayez d'ajouter une nouvelle activité ou d'opérer quelques changements dans votre mode de vie pour répondre aux besoins d'activités de votre enfant.

Source : *The British Heart Foundation*

prévoyez un pique-nique et un cerf-volant, et il passera une après-midi mémorable. Vous pouvez également l'emmener dans un centre de loisirs ou au club de tennis. Outre le plaisir que vous aurez à pratiquer des activités avec lui, vous verrez que des activités structurées pour enfants d'âge scolaire ou préscolaire sont peut-être comprises dans l'abonnement.

Pour être actif physiquement, il n'est pas toujours nécessaire de sortir. Si vous avez un jardin, profitez-en. Si vous n'avez pas envie de jouer une fois de plus au soccer, persuadez votre enfant de vous aider aux travaux de jardinage, en arrachant les mauvaises herbes ou en balayant les feuilles mortes.

Avec le début de l'hiver, il est facile de passer plus de temps à l'intérieur, mais, bien équipé, on n'a aucune excuse pour ne pas sortir. Habillez votre enfant avec une veste en polaire, un imperméable et une paire de bottes, et il s'amusera beaucoup à patauger dans les flaques d'eau. Les jours de pluie, vous pouvez aussi vous distraire activement à l'intérieur, surtout avec de jeunes enfants. Danser sur une musique que vous aimez sera aussi bon pour vous que pour votre enfant. Sauter à cloche-pied ou à la corde n'exige pas non plus beaucoup de place, si vous n'êtes pas trop pointilleux en ce qui concerne votre intérieur.

Les jeunes enfants sont actifs naturellement et adorent bouger,

il n'est donc pas difficile de les persuader de sortir. Pour peu que vous soyez vous-même actif, vos enfants suivront. Aller au magasin à pied ou en vélo au lieu de prendre la voiture peut faire une grosse différence. Si bouger devient une seconde nature pour votre enfant, il y aura plus de probabilités que cela l'accompagne toute sa vie.

Activités physiques pour enfants de moins de 5 ans

Dès qu'ils savent se déplacer, la plupart des jeunes enfants semblent être constamment en mouvement, et il revient aux parents de trouver des moyens constructifs de canaliser cette énergie naturelle. Pour les petits de moins de 3 ans, les activités auxquelles participent les parents sont plus indiquées, alors qu'un enfant d'âge préscolaire se satisfera davantage d'une activité sous votre œil attentif. Les ateliers de musique ainsi que la gymnastique sont des loisirs très appréciés. Ils enseignent aux enfants toute une série de compétences essentielles qui favoriseront la mémorisation, la coordination, l'équilibre et l'agilité. La natation est également une bonne idée.

À cet âge, il est particulièrement important d'alterner les périodes d'activité et de calme où l'enfant pourra recharger ses batteries. Les enfants ne connaissent pas leurs limites et ont parfois du mal à se détendre. Ceux qui débordent d'énergie risquent de manquer de sommeil, ce qui peut entraîner des troubles du comportement. Le fait d'inclure des activités calmes et relaxantes dans l'emploi du temps de votre enfant l'aidera à maintenir un bon niveau d'énergie, mais aussi sa bonne humeur.

Activités pour enfants plus âgés

Dès que l'enfant commence à aller à l'école, il peut avoir envie de pratiquer une activité extrascolaire. Le centre de loisirs ou la bibliothèque de votre quartier vous renseigneront sur les clubs, les jeux et autres activités disponibles. Pensez en termes de santé et de forme physique, plutôt qu'en termes de jeux organisés et vous n'aurez que l'embarras du choix entre le soccer et le tennis, le patin à glace et le judo, par exemple.

Plus votre enfant essaiera d'activités, plus il aura de chances d'en trouver une qui lui plaise. Ces périodes d'essais peuvent se révéler frustrantes et onéreuses pour les parents. Vous pouvez, jusqu'à un certain point, éviter les faux départs en vous assurant que votre enfant est vraiment intéressé par l'activité qu'il a choisie. Peut-être seriez-vous ravi de voir votre fille apprendre le tennis ? Avant de l'inscrire, demandez-lui d'assister à une séance. Cela vous permettra, par la même occasion, de voir si cette activité est bien gérée. Les enfants ont-ils l'air de s'amuser ? L'équipe pédagogique est-elle sympathique et encourage-t-elle suffisamment les enfants ? Tient-elle compte des besoins et des capacités de chaque enfant ?

Les enfants sont souvent mieux disposés envers une nouvelle activité si un de leurs amis y participe. Voyez avec les parents des amis de votre enfant si l'un d'entre eux serait également intéressé ; une solution qui vous permet en outre de partager les responsabilités pour la surveillance et le transport des enfants.

La personnalité de votre enfant sera un facteur non négligeable dans le choix d'une nouvelle activité.

EN PLEINE FORME !

Montrez l'exemple : si votre enfant vous voit prendre plaisir à des activités physiques, il aura envie de vous rejoindre et de vous imiter.

Au moins une fois par semaine, essayez de pratiquer une activité en famille, telle que la natation ou le vélo.

Emmenez votre enfant d'âge préscolaire à un atelier de musique ou à un cours de gymnastique.

Encouragez-le à faire une activité après l'école, inscrivez-le dans un club.

Apprenez à votre enfant à sauter, à lancer et à rattraper un objet.

Invitez d'autres enfants : les jeux physiques sont plus amusants à plusieurs.

Limitez le temps passé devant la télévision ou l'ordinateur.

Offrez-lui l'équipement nécessaire pour s'amuser en bougeant : un vélo, une corde à sauter, des ballons…

Persuadez votre enfant de sortir au moins une partie de la journée.

« … Plus votre enfant essaiera d'activités, plus il aura de chances d'en trouver une qui lui plaise. »

QUELQUES VÉRIFICATIONS

Si votre enfant participe à une activité organisée ou pratique un sport en dehors de l'école, il est recommandé de vérifier certains éléments concernant l'entraîneur, et la manière dont celui-ci mène cette activité.

Vérifiez que l'entraîneur est correctement entraîné et qualifié.

Vérifiez que cette activité est reconnue par la fédération sportive correspondante.

Vérifiez que l'entraîneur s'efforce d'ajuster l'activité aux besoins et aux capacités de chaque enfant.

Vérifiez que l'entraîneur valorise le plaisir et la participation plus que la réussite en soi.

Veillez à ce que l'environnement soit sécurisé et l'équipement bien entretenu.

Certains enfants naturellement sportifs s'épanouissent dans un environnement plutôt compétitif. Mais si votre enfant n'est pas très sûr de lui, un sport tel que le soccer où il devra participer activement risque de le décourager. L'inscrire à un club de natation ou de poneys, où il pourra progresser à son propre rythme, sera peut-être une meilleure idée.

Quand votre enfant se sera décidé pour une activité, ne le brusquez pas. Certains voudront peut-être seulement regarder le premier cours. Ne le mettez pas sous pression. Au contraire, faites-lui remarquer combien les autres semblent s'amuser, et rassurez-le sur le fait qu'il passera sans doute lui aussi de très bons moments.

Lorsque votre enfant aura commencé, n'hésitez pas à le féliciter souvent et à l'encourager. Dites-lui vos bonnes impressions et évitez de le pousser trop. Souvenez-vous qu'il s'agit de mettre l'accent sur le plaisir.

Prêts pour l'action

Si votre enfant n'a pas encore vécu d'activité physique soutenue, il faudra commencer lentement. Cela vaut également si votre enfant était malade ou immobilisé pour une raison ou une autre. En faire trop, trop tôt, risquerait de l'épuiser et il finirait par abandonner. Commencez plutôt par une demi-heure d'activité quotidienne puis augmentez progressivement.

Votre enfant appréciera d'autant plus ses activités qu'il se sentira débordant d'énergie. Et les plus petits, notamment, s'épuiseront s'ils n'ont pas une alimentation et un repos réguliers et suffisants.

Les enfants brûlent les calories très vite, il est donc nécessaire de prévoir des en-cas nutritifs tels que des bananes, pour qu'ils ne souffrent pas de baisses d'énergie. Emporter un goûter à la sortie de l'école afin que votre enfant refasse le plein d'énergie avant son cours de danse ou de natation. Veillez à ce qu'il prenne son petit déjeuner avant de partir à l'école, et incitez-le à faire un repas consistant avant une marche ou une ballade en vélo.

Lorsqu'ils sont en pleine activité les enfants se déshydratent également très vite, ce qui peut les rendre irritables ou léthargiques. Pendant qu'il se dépense physiquement, offrez à votre enfant suffisamment à boire, de préférence de l'eau.

En pleine croissance, les enfants se fatiguent facilement et doivent donc se reposer suffisamment pour recharger leurs batteries.

Entre l'âge de 5 et 11 ans, ils ont besoin d'au moins neuf heures de sommeil par jour. Mais s'ils sont trop stimulés, aller se coucher peut devenir problématique. Terminez les activités assez longtemps avant l'heure du coucher pour que votre enfant ait eu le temps de s'apaiser.

LE PLEIN AIR

Si vous avez un jardin, profitez-en au maximum. Les portiques de jeux ont un assez faible encombrement au sol. Ils peuvent être un peu onéreux mais on en trouve également d'occasion. Une installation à escalader, une balançoire ou une simple corde accrochée à une branche solide inciteront votre enfant à bouger. D'autres jouets peuvent donner envie aux enfants de s'activer dehors, ce sont par exemple les anneaux en caoutchouc, les cerceaux, le trampoline, les vélos et les patins à roues alignées.

N'oubliez pas l'espace vert local. Les équipements de jeux permettent aux plus petits de développer leurs forces et leur sens de la coordination. Il fournit aux plus grands l'espace nécessaire pour taper dans un ballon, courir, jouer à chat. Emmenez les amis de votre enfant avec vous, et organisez un roulement avec les autres parents.

Lézarder sur une plage peut être très reposant, mais les vacances actives sont aussi très toniques et vivifiantes. Il existe un vaste choix de vacances et d'excursions pleines d'aventure organisées pour les familles. Une semaine passée à apprendre le canoë-kayak ou la voile pourrait bien suffire à éveiller chez votre enfant une passion qui durera toute sa vie.

Attention à l'épuisement !

Tant qu'il est encore très jeune, incitez votre enfant à tester différentes activités au lieu de se spécialiser dans une seule. De nombreux experts sportifs reconnaissent que les enfants qui ne pratiquent qu'un seul sport, de manière intensive, risquent de se lasser et de s'épuiser. Pratiquer divers sports et activités contribue également à développer différentes compétences.

Aller à l'école à pied

Si votre enfant a la possibilité d'aller à l'école à pied, non seulement cela sera excellent pour sa santé, mais contribuera à diminuer les embouteillages et la pollution.

« … En pleine croissance, les enfants se fatiguent facilement et doivent donc se reposer suffisamment pour recharger leurs batteries… »

BIEN DORMIR

LE SOMMEIL EST ESSENTIEL POUR LES ENFANTS. Il stimule la croissance, joue un rôle primordial dans le développement du cerveau et influence la vie de l'enfant au quotidien. Tout le monde sait que les enfants ont besoin de dormir, et pas seulement parce que les parents en profitent aussi pour prendre un repos bien mérité ! Le sommeil est vital, il donne aux enfants l'énergie nécessaire pour apprécier la vie.

« … Le sommeil est essentiel pour le développement du cerveau, car il permet à l'enfant de traiter de nouvelles informations. »

DORMIR POUR VIVRE

La plupart des parents ont constaté que sans un sommeil régulier, leurs enfants étaient de mauvaise humeur et qu'ils avaient du mal à se concentrer. Le manque de sommeil affecte également l'appétit et affaiblit le système immunitaire.

Le sommeil est aussi fondamental pour la croissance de l'enfant. Les nouveau-nés qui semblent dormir tout le temps, se développent à une vitesse impressionnante, car c'est pendant le sommeil que l'hormone de croissance est libérée et que les cellules se multiplient le plus rapidement. Ensuite, l'enfant grandit par phases, et il a alors besoin de plus de sommeil pour compenser.

Le sommeil est indispensable au bon développement du cerveau de l'enfant. Des études ont montré que les nouveau-nés ont besoin de 50 % de plus de sommeil paradoxal que les adultes. Au cours du sommeil paradoxal, le corps est détendu mais le cerveau est actif. Vous avez sans doute remarqué qu'à ce moment-là, le visage des bébés semble s'animer et que leurs yeux bougent sous leurs paupières.

LE BESOIN DE SOMMEIL

Les enfants n'ont pas tous besoin de la même durée de sommeil, mais il existe quelques règles de base. Un nouveau-né dort de 16 à 18 heures par jour, un nombre qui diminue progressivement pour se rapprocher de 14 heures en moyenne vers 6 mois (y compris une ou deux siestes de 1 ou 2 heures). Les bébés de 2 ans dorment de 10 à 12 heures, y compris une sieste qui peut aller de 20 minutes à 1 ou 2 heures. Vers 3 ans, les besoins en sommeil varient de 9 à 12 heures par jour, et les siestes ne sont souvent plus qu'un bon souvenir.

À mesure que l'enfant grandit, ses habitudes de sommeil restent à peu près les mêmes. À l'âge de l'entrée à l'école, les enfants sont souvent très fatigués les premières semaines, et doivent dormir un peu plus pour compenser.

Pour savoir si votre enfant dort suffisamment, observez-le pendant la journée. Un enfant «difficile», irritable, doit peut-être aller au lit plus tôt. Avancer l'heure du coucher d'une demi-heure pourrait résoudre bien des problèmes.

RITUELS DU SOIR

Tout comme les adultes, les enfants ont besoin d'un rituel pour s'endormir. Respectez tous les soirs le même, et votre enfant comprendra bien vite ce que vous attendez de lui.

Commencez, par exemple, par un bain suivi d'une histoire, et d'un câlin avant d'éteindre la lumière. L'essentiel étant d'aider l'enfant à se détendre, les jeux turbulents ne sont pas indiqués le soir. Il est également important de coucher l'enfant avant qu'il ne soit endormi. Plus grand, il apprendra à s'endormir seul le soir sans votre intervention, ce qui lui permettra aussi de se rendormir seul s'il vient à se réveiller.

Si votre enfant est assez grand pour aller au lit tout seul, il peut néanmoins avoir encore besoin d'aide pour laisser retomber l'agitation de la journée. Regarder la télévision ou discuter au téléphone sont des activités trop stimulantes juste avant l'heure du coucher. Incitez-le plutôt à lire ou à écouter de la musique.

L'INSOMNIE

Il arrive parfois que des enfants plus grands soient sujets à des insomnies. S'agiter parce qu'on ne trouve pas le sommeil risque alors de faire empirer les choses. Le temps est peut-être venu de le laisser veiller un peu plus tard le soir pour qu'il puisse aller se coucher lorsqu'il sera vraiment fatigué. Le fait de le laisser éteindre la lumière lui-même, quand il sera prêt, le rassurera et l'aidera à s'endormir.

CAUCHEMARS ET TERREURS NOCTURNES

Si votre enfant se réveille la nuit en pleurant, rassurez-le en lui disant que ce n'était qu'un cauchemar et que les cauchemars ne peuvent pas faire de mal. Dites-lui que tout le monde fait des cauchemars et que lorsqu'il se rendormira, son cauchemar se sera envolé. Restez auprès de lui jusqu'à ce qu'il se soit rendormi. Les terreurs nocturnes ne sont qu'une forme extrême de cauchemars et, comme ceux-ci, elles ne sont pas inquiétantes, à moins de se répéter souvent. L'enfant semble éveillé, il a les yeux ouverts et il est très effrayé. Garder son calme est primordial. N'essayez pas de le réveiller. Il se calmera bientôt sans se réveiller et le lendemain matin il ne se souviendra de rien.

RÉVEILS NOCTURNES

Chez certains enfants, les réveils nocturnes représentent un problème qui peut durer toute la petite enfance, voire plus longtemps. Rompre les habitudes de l'enfant qui réclame ses parents la nuit est épuisant sur les plans émotionnel et physique mais cela rendra service à tout le monde.

La «technique» consistant à laisser pleurer l'enfant de manière contrôlée (voir p. 31) *peut se révéler aussi efficace pour rompre les habitudes de réveil nocturne des jeunes enfants que ça l'est pour les bébés, même s'il faut parfois persévérer un peu plus longtemps avec les enfants plus âgés. Essayez la méthode suivante :*

Quand l'enfant se réveille, évitez de lui donner à manger, de le câliner ou de discuter avec lui.

Assurez-vous qu'il est en sécurité, dites-lui quelques mots apaisants et embrassez-le comme au moment du coucher. S'il est venu jusque dans votre lit, ramenez-le immédiatement dans le sien.

S'il se remet aussitôt à pleurer, ne retournez pas le voir tout de suite. Laissez-lui l'opportunité de pleurer, d'arrêter de pleurer, et de se rendormir tout seul.

Retournez le voir si ses pleurs semblent plus désespérés, puis reprenez la séquence ci-dessus.

Il vous faudra peut-être répéter cette «technique» plusieurs fois pendant des heures avant que votre enfant finisse par s'endormir. Mais cela vaut la peine de persévérer pendant quelques nuits. Au bout d'environ une semaine, la plupart des enfants ont appris à s'endormir seuls.

BIEN SE NOURRIR

UNE ALIMENTATION SAINE ET ÉQUILIBRÉE EST ESSENTIELLE À LA CROISSANCE ET AU BON DÉVELOPPEMENT DE L'ENFANT. Son alimentation se diversifie. Les cinq premières années, notamment, sont marquées par de nombreuses découvertes et expériences gustatives, permettant à l'enfant de s'habituer à une grande variété de textures et de saveurs.

LES BONNES HABITUDES COMMENCENT TÔT

Chacun sait combien il est difficile de perdre des habitudes bien ancrées. Ceci est particulièrement vrai pour l'alimentation. Ainsi, même si votre enfant semble encore bien loin de l'âge adulte, montrez-lui le bon exemple dès maintenant, et il aura plus de chance de conserver une alimentation saine tout au long de sa vie. Le familiariser avec une alimentation équilibrée dès son plus jeune âge, est un des plus beaux cadeaux que vous puissiez lui faire.

Bien se nourrir, ce n'est pas seulement manger équilibré, c'est aussi tenir compte des aspects social et psychologique de l'alimentation. Il a été démontré que les bonnes habitudes alimentaires, telles que manger en famille régulièrement, peuvent favoriser les compétences de communication des enfants et le développement du langage.

QU'EST-CE QU'UNE ALIMENTATION ÉQUILIBRÉE ?

Une alimentation équilibrée fournit tous les nutriments essentiels à la croissance et au développement. Pour cela, l'enfant doit avoir une alimentation aussi variée que possible. On divise généralement, les aliments en six catégories :

– le lait et les produits laitiers ;
– les protéines (viande, poisson, œufs) ;
– les fruits et légumes crus ;
– les fruits et légumes cuits ;
– les féculents (pain, riz, pâtes, pommes de terre) ;
– les matières grasses (beurre, huiles…).

Pour un apport optimal en nutriments, ces six catégories devraient être représentées chaque jour. Consommez chaque jour des glucides, au moins cinq portions de fruits et légumes, deux ou trois produits laitiers, et des protéines. Ce modèle est valable pour toute la famille, sauf pour les enfants de moins de 5 ans qui doivent consommer plus de glucides et de matières grasses. L'énergie (ou calories) apportée par ces aliments soutient la croissance et le développement rapides nécessaires à cette tranche d'âge. Bien qu'il soit important de s'acheminer progressivement vers une alimentation d'adulte, le régime des petits ne doit pas être trop riche en fibres ni trop pauvre en graisses. Les produits allégés sont déconseillés aux enfants de moins de 2 ans.

L'ALIMENTATION D'UN ENFANT D'ÂGE PRÉSCOLAIRE

Pour soutenir la croissance rapide d'un enfant d'âge préscolaire, celui-ci doit manger à la fois des aliments riches en calories et en nutriments. Mais les jeunes enfants, ayant un petit estomac, ne peuvent pas en absorber de grosses quantités à la fois. Les recommandations faites aux adultes, de manger des aliments riches en fibres et pauvres en graisses, ne s'appliquent pas aux jeunes enfants.

Ces premières années sont néanmoins le meilleur moment pour influencer les habitudes alimentaires des enfants. Avant l'entrée à l'école, ils dépendent totalement de leurs parents ou des personnes qui les

nourrissent, et ils acquièrent leurs habitudes alimentaires en imitant celles des adultes ou des autres enfants autour d'eux.

Pendant les trois premières années, le lait fournit jusqu'à la moitié des calories nécessaires à l'enfant. Ensuite, les aliments apporteront progressivement plus de calories que le lait. Il est parfois difficile de faire accepter une nourriture variée aux enfants, mais cela se passera d'autant mieux que vous ne serez pas focalisé sur ce qu'ils absorbent. Il est donc particulièrement important de réunir toute la famille aux repas et d'en faire des occasions de socialisation.

Des études ont montré que de nombreux enfants d'âge préscolaire n'absorbaient pas suffisamment de fer, de calcium et de vitamine D. Le ministère de la Santé a défini les Apports Nutritionnels Conseillés (ANC) et recommande, dans certains cas, une supplémentation en vitamine D.

IMPORTANCE DES ACTIVITÉS PHYSIQUES

Il importe également de faire régulièrement de l'exercice pour être en forme. L'augmentation de l'obésité est en partie liée à des niveaux d'activité trop faibles.

OGM ET ALIMENTS BIOLOGIQUES

On a vanté et dénigré les aliments génétiquement modifiés. Mais de quoi s'agit-il exactement ? Un organisme génétiquement modifié (OGM) est un organisme dans lequel on a introduit le gène correspondant à un caractère recherché après que celui-ci ait été identifié dans un autre organisme, puis isolé et multiplié. Au Canada, le système d'étiquetage des aliments génétiquement modifiés (GM) rend obligatoire l'étiquetage de ces aliments uniquement si un problème pour la santé est avéré (p. ex. l'allergénicité) ou si le contenu nutritionnel a été modifié. La réglementation canadienne oblige ces aliments a être évalués en termes d'effets sur la santé humaine et l'environnement. Comme les aliments GM qui se retrouvent sur le marché ont été jugés sécuritaires par les ministères et agences responsables1, il n'est pas obligatoire de les étiqueter.Quelques groupes de consommateurs et de défense de l'environnement souhaitent un étiquetage obligatoire de ces aliments.

Les aliments biologiques sont fabriqués sans engrais ni pesticides de synthèse et contiennent beaucoup moins de résidus de pesticide que les autres aliments. Mais, à ce jour, rien ne prouve que les aliments biologiques soient plus riches en nutriments, ou plus sains que les aliments conventionnels. Les animaux élevés de manière biologique ne reçoivent pas de traitements antibiotiques préventifs contre les maladies ou pour stimuler leur croissance.

Le surcoût des méthodes de culture biologiques se répercute sur le prix élevé des produits. Une augmentation de la demande pourrait entraîner une baisse du prix de ces produits.

IDÉES DE PIQUE-NIQUES ÉQUILIBRÉS

Sandwich crudités (tomates, œuf dur, salade,...) au pain complet, gâteaux secs, yaourt à boire.

Sandwich jambon-fromage au pain multicéréales, clémentines, pain d'épices, bouteille d'eau.

Sandwich au saumon fumé dans un pain suédois, yaourt maigre (ou au soja, enrichi au calcium), portion de fruits au sirop, barre de céréales, boisson aux fruits allégée en sucre.

Sandwich au fromage, fruit, petit pain aux raisins, yaourt, jus de pommes.

Coquillettes avec dés de poulet, maïs et tomates cerises, pomme, petit pain, compote de fruits.

Sandwich au thon, avec quelques feuilles de laitue, raisins secs, génoise, une bouteille d'eau.

Sandwich au pain complet et au blanc de poulet, banane, biscuit au chocolat, jus d'orange dilué.

Les enfants deviennent léthargiques et gros consommateurs d'aliments gras et sucrés, car ils passent souvent plus de temps devant la télévision ou leurs jeux électroniques qu'à se dépenser physiquement. Certaines activités ne riment pas forcément avec dépenses physique. Pour que votre enfant bouge, allez au jardin public aussi souvent que possible, et laissez-le courir et se dépenser. Le week-end, en famille, pratiquez la natation ou la marche, jouez au football ou au badminton, etc.

À l'école, l'enfant a plus d'occasions de se dépenser physiquement dans la cour de récréation et lors des activités sportives organisées, mais c'est insuffisant. Favorisez l'activité physique et la socialisation de votre enfant en l'inscrivant à un club de sport, par exemple. Les enfants doivent se dépenser physiquement au moins une heure par jour, afin de prévenir l'obésité et les maladies cardiaques, mais aussi pour consolider les os et améliorer l'humeur et la concentration. Pour plus d'idées sur les activités physiques, voir p. 104.

VERS UNE ALIMENTATION D'ADULTE

Dès l'âge de 5 ans environ, l'enfant sort de sa période d'expérimentation alimentaire et mange à peu près comme le reste de la famille. Avec sa première rentrée scolaire et le changement d'environnement social, de nouveaux défis apparaissent. Ses repas et ses activités changent. Votre enfant commence à prendre des portions plus proches de celles d'un adulte et, plus actif, il a moins le temps de grignoter entre les repas.

Dans l'ensemble, sa croissance sera constante et progressive. Dès qu'un enfant entre à l'école, on peut commencer à l'habituer aux principes de l'alimentation saine recommandés pour les adultes :

manger des aliments peu gras, riches en fibres, surveiller son poids dans des limites raisonnables et modérer l'apport en sel. Si vous avez déjà inclus, avant l'entrée à l'école, fruits, légumes, légumes secs, céréales et pain complet dans son alimentation, la transition vers une alimentation proche de celle de l'adulte sera aisée.

MAINTENIR UN BON ÉQUILIBRE ALIMENTAIRE

Il importe, tout en aidant l'enfant à acquérir de bonnes habitudes alimentaires, de rester réaliste. Le nouvel entourage social de votre enfant lui fera découvrir des habitudes alimentaires et des aliments nouveaux que vous considérez peut-être comme « malsains ». Il passera sans doute aussi plus de temps à l'extérieur, là où vous ne pourrez pas influencer ses choix alimentaires. L'apprentissage précoce de bonnes habitudes alimentaires l'incitera peut-être à se tourner de lui-même vers des aliments sains. Il manifestera aussi de nouveaux dégoûts pour certains aliments, du fait de la pression de ses pairs. Faites en sorte que les repas ne soient pas l'occasion de conflits permanents. Continuez de proposer à votre enfant la même nourriture qu'au reste de la famille, et veillez à ce que les repas demeurent une occasion de socialisation pour tous.

BEAU SOURIRE GARANTI

La plupart des enfants de 5 ans ont au moins un plombage. C'est une statistique inquiétante. Il est indispensable d'imposer dès le plus jeune âge, une bonne hygiène buccale. Les aliments et boissons sucrés contribuent fortement à la formation de caries dentaires chez les enfants et fournissent des calories « vides », c'est-à-dire dépourvues de nutri-

UNE ALIMENTATION SAINE JUSQU'À 11 ANS

Bébé ou enfant d'âge préscolaire

- Introduisez les nouveaux aliments progressivement, pas plus d'un par semaine environ.
- Préparez des repas aussi variés et colorés que possible. Cela l'incitera à accepter les nouveautés, et réduira le risque des mauvaises habitudes alimentaires.
- Proposez des repas fractionnés pour le petit estomac de votre bébé. Prévoyez quatre à six repas par jour, selon ses besoins.
- Donnez du lait entier jusqu'à l'âge de 2 ans. Le lait demi-écrémé, allégé en graisse et donc en calories, peut être donné à partir de 2 ans si l'enfant mange bien par ailleurs.
- Essayez de réunir toute la famille autour de la table pour les repas.
- Les conseils diététiques destinés aux adultes, tels que manger des aliments riches en fibres ou pauvres en gras, ne conviennent pas aux petits.
- Introduisez naturellement les fibres en utilisant du pain multicéréales ou complet, des céréales au petit déjeuner, des fruits et des légumes.
- Incitez-le à manger 5 portions de fruits et légumes par jour. Une portion de fruits représente, par exemple, la moitié d'1 grosse clémentine pour un enfant de 2 ans, ou 1/2 pomme pour un enfant de 5 ans.
- Veillez à ce que la plupart des aliments qu'il consomme soient issus des six principales catégories d'aliments, et évitez les fantaisies grasses et sucrées, pauvres en nutriments.
- Les arachides ne doivent pas être proposées avant 3 ans en cas d'antécédents atopiques dans la famille (eczéma, asthme, rhume des foins, allergies alimentaires).
- Les fruits à coque (noix, noisettes...) ne doivent pas être introduits avant 5 ans, en raison du risque d'allergie et d'étouffement.
- S'il refuse un aliment, proposez-le-lui à nouveau, plus tard, sous une forme différente. Par exemple, des carottes crues, cuites, écrasées, mélangées avec des pommes de terre, ou débitées sous diverses formes.
- Il peut ne pas aimer certains aliments. Tant qu'il mange varié, respectez ses goûts. Aimeriez-vous qu'on vous force à manger quelque chose que vous n'aimez pas ?
- Veillez à ce qu'il boive suffisamment : 6 à 8 verres d'eau par jour, en moyenne.
- Réduisez les bonbons, les sucreries, les chocolats et les chips au minimum et réservez-les de préférence aux occasions spéciales.

Enfant de 5 à 11 ans

- Veillez à ce que ses repas soient réguliers, notamment le petit déjeuner (*voir p. 118*).
- Assurez-vous qu'il mange des aliments appartenant aux six principaux groupes (*voir p. 112*) chaque jour.
- Offrez-lui beaucoup de féculents (pain complet, riz, pommes de terre, céréales, pâte...).
- Essayez de lui faire consommer 5 portions de fruits et légumes quotidiennement. Une portion représente 1 pomme, 1 poire ou 1 pêche, 2 grosses clémentines ou des prunes, 1 poignée de raisins, 1 petit bol de fruits au sirop (soit environ 100 g), 1 petite salade, 2 cuillerées à soupe de légumes cuits.
- Servez-lui des viandes tendres ou du poisson (surtout des poissons gras : saumon, maquereau, ou sardine), et des légumes secs.
- Les produits laitiers, la principale source de calcium, ne doivent pas être écrémés ou allégés.
- Évitez d'utiliser trop d'huile ou de beurre lorsque vous cuisinez.
- N'ajoutez pas de sel à table et n'en abusez pas en cuisine.
- Réduisez les sucreries, chocolats, gâteaux, sodas et boissons sucrées au minimum.

PROTÉGER LES DENTS DES ENFANTS

L'hygiène dentaire est étroitement liée à l'hygiène alimentaire. Outre les visites régulières chez le dentiste, il y a bien des manières de protéger les dents des enfants des caries.

Évitez les boissons sucrées gazeuses. Leur acidité associée au sucre attaque plus vite les dents. Mais certaines boissons sans sucre posent aussi des problèmes. Les boissons diététiques ne sont pas adaptées aux jeunes enfants. Les enfants qui en boivent beaucoup ont un apport important en édulcorants artificiels, tels que l'aspartame ou la saccharine; substituts dont on ne sait pas s'ils sont ou non dénués de risques pour la croissance des enfants.

Les jus de fruits devraient toujours être dilués de moitié avec de l'eau. Les jus de fruits contiennent naturellement de l'acide et du sucre qui gâtent les dents.

Proposez à votre enfant un gobelet dès qu'il sera prêt. Le biberon devrait être éliminé progressivement à partir de l'âge de 6 mois.

Apprenez-lui à se brosser les dents dès que possible. Essayez d'en faire un jeu quotidien pour que le brossage devienne un geste naturel. Il vous faudra du temps au début et c'est vous qui ferez presque tout le travail, mais, vers 6 ou 7 ans, votre enfant sera sans doute capable de se brosser les dents seul, sous votre surveillance. Vous pourrez l'aider le matin et le laisser faire le soir, ou vice-versa.

Commencez à l'emmener chez le dentiste dès l'âge de 2 ans environ pour un suivi bucco-dentaire.

ments. Cependant, force est de constater qu'il est impossible d'éviter tous les aliments sucrés, mais on peut limiter les dégâts causés par ces aliments. Des études montrent que c'est la fréquence des prises, et non leur quantité, qui est la plus nocive pour les dents. C'est pourquoi il est préférable de consommer des aliments sucrés lors des repas, plutôt qu'en dehors. Outre le souvenir inconscient et réconfortant du lait maternel naturellement sucré, notre penchant pour le sucré viendrait, dit-on, de ce qu'il permettait à nos ancêtres de distinguer les fruits mûrs des fruits verts, avariés ou toxiques, qui avaient un goût amer ou aigre.

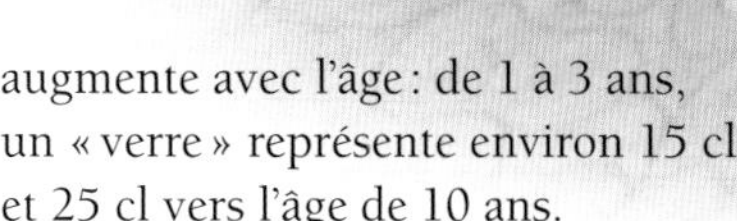

MON ENFANT BOIT-IL ASSEZ ?

Les liquides sont indispensables pour prévenir la déshydratation dont la soif est un des premiers symptômes. Les enfants ont proportionnellement plus besoin de liquides que les adultes car ils en perdent plus facilement. Les besoins en liquides dépendent du niveau d'activité physique de l'enfant, ou s'il a de la fièvre, etc., mais en moyenne un enfant devrait boire 6 à 8 verres d'eau par jour. La quantité de liquide nécessaire augmente avec l'âge : de 1 à 3 ans, un « verre » représente environ 15 cl, et 25 cl vers l'âge de 10 ans.

L'eau devrait toujours être la boisson de base. Il est recommandé d'en boire fréquemment de petites gorgées entre les repas. Les boissons contenant de la caféine ou du sucre ne sont pas indiquées car, paradoxalement, elles tendent à augmenter la soif. Pour savoir si votre enfant boit suffisamment, observez la couleur de ses urines. Plus elles sont foncées, plus il risque d'être déshydraté. L'urine doit être jaune clair, presque transparente, sauf celle du matin au réveil, qui s'est concentrée pendant la nuit.

LES ENFANTS DIFFICILES

Votre enfant peut aimer ou détester certains aliments, et ce à différents moments. S'il refuse un nouvel aliment, essayez de le lui proposer

PRINCIPALES RAISONS DU MANQUE D'APPÉTIT

Maladie ou fièvre. Si l'enfant est malade, il se peut qu'il n'ait pas faim. Ce n'est pas grave, il recouvrera plus tard son appétit.

Grignotage en dehors des repas. Si vous voulez qu'il mange bien aux repas, évitez les encas ou veillez à ce qu'ils soient pauvres en calories.

Boissons. L'estomac de l'enfant étant plus petit que celui des adultes, boire beaucoup (de lait ou autre chose) peut lui couper l'appétit.

Constipation. La constipation vient parfois d'un régime pauvre en fibres ou en liquides. Vérifiez que l'urine de l'enfant est jaune clair, et si ce n'est pas le cas, incitez-le à boire davantage (de l'eau de préférence).

Souvenez-vous que si on leur montre l'exemple, la plupart des enfants finissent par acquérir de bonnes habitudes alimentaires.

à nouveau plus tard, sous une forme différente. Mais s'il montre un dégoût persistant pour un aliment spécifique, proposez-lui autre chose : nous avons tous nos préférences ! S'il persiste à refuser un fruit ou un légume particulier, essayez-en un autre. S'il ne veut pas manger de fromage, donnez-lui un yaourt à la place. Des recherches ont mis en évidence que le fait d'offrir une alimentation variée à un enfant dès son plus jeune âge réduisait le risque qu'il refuse obstinément une catégorie d'aliments.

Il n'est pas rare non plus que les enfants aient des comportements alimentaires différents à certains moments de leur développement. Parfois, l'enfant mange tout ce qui est dans son assiette, alors que le lendemain il refuse tout un repas. Cela peut traduire une phase de croissance ou correspondre à un niveau d'activité différent ce jour-là. Des études américaines ont montré que les comportements alimentaires changeants n'entraînaient pas forcément une prise alimentaire insuffisante.

L'enfant absorbe également le stress de son entourage et manifeste ses chagrins ou ressentiments à l'occasion des repas. Aussi difficile que cela soit, il faut alors éviter de réagir, et ne pas se focaliser sur son refus de manger ou sur la trop petite quantité avalée. S'il refuse de manger, enlevez son assiette et jetez les restes quand toute la famille aura terminé. Ne lui offrez pas de repas de remplacement. Essayez de rester calme et incitez les autres membres de la famille à bavarder normalement entre eux. Il n'en souffrira pas et se rattrapera au repas suivant, quand il aura vraiment faim. S'il demande à manger autre chose avant le prochain repas, donnez-lui seulement un fruit ou un verre d'eau. Restez cohérent et veillez à ne pas céder à ses demandes.

Si vous trouvez que votre enfant ne grandit pas normalement, (*voir p. 70*) consultez votre médecin qui vous orientera éventuellement vers un diététicien diplômé.

L'ENFANT VÉGÉTARIEN

Rien ne s'oppose à ce qu'un enfant ait une croissance normale en ayant une

LES RÉGIMES VÉGÉTALIENS

Si vous souhaitez que votre enfant suive un régime végétalien, soyez vigilant. Avec la multiplication dans les supermarchés de produits à base de soja, la qualité et la variété des régimes végétaliens tendent à s'améliorer. Mais ce type de régime apporte beaucoup de fibres, et il est donc nécessaire de soigner particulièrement les repas des enfants de moins de 5 ans. Un repas riche en fibres rassasiera vite un enfant sans lui fournir les calories et les nutriments dont il a besoin, et sa croissance pourrait s'en ressentir. Les parents qui souhaitent que leurs enfants adoptent un régime végétalien doivent consulter un diététicien pour s'assurer qu'ils recevront une alimentation parfaitement adaptée à leur âge.

Pour qu'un repas végétalien soit assez équilibré pour un enfant, il faut une nourriture riche en matières grasses et en nutriments. Par exemple :

- Du beurre d'amandes ou d'arachide (mais pas avant 3 ans en cas d'antécédents familiaux d'asthme, d'eczéma, de rhume des foins ou d'allergies alimentaires).
- De la pâte de sésame (tahini), mêmes précautions que ci-dessus.
- De l'hoummous à base de tahini et de pois chiches écrasés.
- Des avocats, qui sont aussi une excellente source d'acides gras.
- Des huiles de première pression à froid seront utilisées généreusement dans les plats de haricots et de lentilles.

Les régimes végétaliens sont pauvres en vitamine B12, indispensable à la formation des globules rouges, renseignez-vous auprès d'un diététicien. Les boissons au soja étant pauvres en matières grasses, mieux vaut donner aux enfants de moins de 2 ans des laits de soja infantiles.

alimentation végétarienne. Des millions de gens de par le monde sont en parfaite santé tout en étant végétariens. Les aliments végétariens sont désormais largement disponibles dans tous les supermarchés comme dans les boutiques spécialisées, et les idées de recettes ne manquent pas. En outre, des enquêtes ont montré que les enfants nourris selon un régime végétarien consommaient plus de fruits et couraient moins de risques de développer à l'âge adulte des pathologies telles que obésité, cancer des intestins ou maladies cardio-vasculaires. L'essentiel pour les enfants végétariens est d'avoir une alimentation variée ; toutefois la teneur en fibres de leurs aliments ne doit pas être trop élevée. Cela vaut surtout pour les enfants de moins de 5 ans.

FER ET PROTÉINES

Le corps n'absorbe pas le fer d'origine végétale aussi bien que celui d'origine animale. La vitamine C favorisant l'absorption du fer, les aliments riches en vitamine C devraient figurer aux menus de vos enfants, sous forme de jus de fruit ou de légumes (carottes, tomates) ou de fruits frais crus.

L'apport en protéines est souvent un sujet de préoccupation pour les végétariens. Du moment que votre enfant consomme quotidiennement un mélange de protéines de sources végétales (tofu et produits au soja enrichis en calcium, protéines végétales texturées, légumes secs, noix et graines) de produits laitiers et d'œufs, ses besoins en protéines devraient être couverts.

Le petit déjeuner

Pour chacun d'entre nous, le petit déjeuner devrait être le repas le plus important de la journée. Au réveil, le dernier repas remonte à 12 à 14 heures environ et le taux de sucre dans le sang (glycémie) est bas. Il est particulièrement important pour un enfant de démarrer la journée avec une bonne portion de glucides. Ils l'aideront à refaire le plein d'énergie, et empêcheront le taux de sucre de chuter en milieu de matinée, favorisant ainsi sa concentration à l'école.

Mieux vaut éviter de donner aux enfants des céréales enrobées de sucre ou de miel. Préférez-leur d'autres céréales à base d'avoine, ou du muesli (sans sucre ajouté). Lisez les informations nutritionnelles sur l'étiquette et choisissez les produits affichant moins de 20 g de sucre pour 100 g de céréales.

Pour votre enfant, ces céréales ne seront peut-être pas très appétissantes. Mais vous pouvez les améliorer à votre façon en ajoutant des fruits coupés, ou un peu de sucre de canne, certains ajoutent aussi de la compote de fruits. Si toute la famille adopte ce style de petit déjeuner, l'enfant l'acceptera plus facilement.

VITAMINES ET MINÉRAUX

Les besoins en vitamines et en minéraux de l'enfant peuvent être couverts entièrement par son alimentation. Mais le ministère de la Santé recommande un supplément en vitamines K et D, et en fluor pour les bébés allaités. Plus l'enfant aura une alimentation variée, plus il aura de chances de bénéficier de suffisamment de vitamines et minéraux. Il n'y a donc aucune raison de donner des suppléments en dehors des recommandations ci-dessus.

Il a été démontré que les vitamines et minéraux isolés n'étaient pas aussi bons pour la santé que lorsqu'ils sont combinés dans les aliments. En effet, l'excès d'une vitamine ou d'un minéral peut être toxique et empêcher l'assimilation d'autres vitamines ou minéraux. Il ne faut absolument pas introduire de suppléments dans l'alimentation d'un enfant sans avoir consulté un médecin au préalable.

ENCAS ET PETITS DÉJEUNERS ÉQUILIBRÉS

Exemples de petits déjeuners :

- Céréales avec du lait + rondelles de banane + 1 verre de jus de fruits dilué.
- Œuf sur le plat (avec du bacon éventuellement) sur un toast + 1 verre de jus de fruits dilué.
- Céréales non enrobées de sucre enrichies de morceaux de fraises.
- Tartine de pain beurrée et confiture + 1 verre de lait chaud.
- Pâtisserie maison + fruit.
- Petit pain brioché + fromage blanc.

Exemples de collation :

- Pâtisserie maison.
- Cake aux raisins ou aux fruits.
- Tartine (ou toast) au beurre et à la confiture.
- Banane écrasée, saupoudrée de poudre chocolatée.
- Barre de céréales.
- Céréales non enrobées de sucre avec du lait (entier jusqu'à 2 ans).
- Fruits tranchés et refroidis, ils seront plus appétissants.
- Fromage blanc à la confiture.
- Compote de fruits.

« … familiariser votre enfant avec une alimentation saine dès son plus jeune âge, sera peut-être l'un des plus beaux cadeaux que vous puissiez jamais lui faire. »

La lumière du soleil sur la peau permet de fournir en quantité suffisante les besoins en vitamine D, nécessaires à une bonne croissance osseuse. Les personnes ayant une peau sombre ou s'exposant peu à la lumière risquent de manquer de cette vitamine. Cela concerne notamment les personnes qui font de longs séjours à l'hôpital, celles qui ne sortent pas de chez elles et les personnes (surtout des femmes) de certaines ethnies s'exposant peu au soleil. Dans tous ces cas, un apport individualisé en vitamine D est primordial, mais il est aussi recommandé pour les nourrissons. Consultez un médecin ou un diététicien si vous craignez que votre enfant manque de vitamine D.

L'ENFANT ET L'OBÉSITÉ

Le nombre de personnes obèses au Québec tend à progresser de manière inquiétante, et les instances politiques prennent cette situation très au sérieux. L'obésité augmente le risque de mort prématurée, de diabète et de maladies cardio-vasculaires, et favorise les maux de dos et autres problèmes articulaires graves.

L'obésité fait notamment des ravages chez les jeunes. D'après les enquêtes menées au Québec, la proportion d'enfant en surpoids a grandement augmentée depuis une trentaine d'année.

Question de gènes ?

Les facteurs génétiques jouent un rôle dans la tendance à l'obésité. Les enfants dont les deux parents sont obèses ont 80 % de risques de le devenir, contre 20 % de risques si les deux parents ont un poids normal.

Mais des études ont montré que l'obésité est surtout due à un mode de vie peu équilibré. Les parents obèses ont tendance à moins bouger, à manger des aliments énergétiques, riches en calories, et donc à transmettre ces habitudes à leurs enfants, qui à leur tour deviendront probablement obèses. Force est de constater que l'alimentation n'est pas seule en cause dans l'obésité des enfants, leur niveau d'activité physique compte aussi beaucoup.

Il faut s'attaquer très sérieusement au problème de l'obésité pendant l'enfance. En dehors des problèmes de santé, l'obésité peut avoir des répercussions d'ordre psychosocial, tels que la dépression et le manque de confiance en soi. Les enfants en surpoids sont souvent stigmatisés, victimes de brimades et exclus socialement.

Que faire si votre enfant est en surpoids ?

L'indice de masse corporelle (IMC) sert à dépister, chez l'enfant, le risque d'obésité. Divisez le poids de l'enfant en kilogrammes par le carré de sa taille en mètre. Par exemple, s'il pèse 30 kg et mesure 1,3 m, son IMC sera : $30 : 1{,}3^2 = 17$. Quand l'IMC est compris entre 25 et 30, il est en surpoids. Un IMC supérieur à 30 signale une obésité. La valeur calculée de l'IMC peut être reportée sur des courbes de référence permettant d'évaluer le statut pondéral d'un enfant en fonction de son âge et de son sexe.

Le traitement de l'obésité et du surpoids chez l'enfant est différent de celui de l'adulte. En effet, un régime amaigrissant destiné aux adultes, risquerait de compromettre sa croissance et son développement. Les restrictions alimentaires doivent être supervisées par un médecin ou un diététicien. Mais la clé du succès réside dans un changement de mode de vie impliquant des changements alimentaires adaptés et plus d'exercice physique. La motivation de l'enfant pour perdre du poids est également primordiale.

Si votre enfant a un excès de poids sans être obèse, l'objectif sera de maintenir un *statu quo* afin qu'il mincisse en grandissant. S'il est obèse, il devra perdre du poids, mais il est indispensable de consulter un spécialiste. Les régimes très pauvres en calories et ceux qui entraînent une perte de poids excessive et rapide compromettraient le développement de votre enfant : ils sont donc à proscrire. L'alimentation des enfants de moins de 5 ans est plus facile à contrôler. Un enfant plus âgé passe plus de temps et mange plus souvent à l'extérieur, il faut donc lui faire confiance. À cet âge, il importe que l'enfant soit motivé pour améliorer son problème de poids. L'ensemble de la famille devra lui apporter son soutien et modifier aussi ses habitudes alimentaires, en adoptant une attitude posée envers la nourriture, sous peine de voir l'enfant développer un trouble du comportement alimentaire.

ANOREXIE ET BOULIMIE

Les troubles du comportement alimentaire désignent à la fois l'anorexie, qui consiste à ne presque rien manger, et la boulimie, qui est une tendance à se jeter sur la nourriture puis à se purger en se faisant vomir ou en recourant à des laxatifs. Les troubles du comportement alimentaire ne sont pas très répandus avant l'entrée au collège, mais les enfants de cet âge sont déjà de plus en plus soucieux de leur corps.

Afin d'éviter que votre enfant ne développe un problème de cet ordre, valorisez une alimentation saine et des activités physiques dès son plus jeune âge, et montrez vous-même l'exemple. Si vous vous inquiétez de votre poids, ou que vous suivez un régime, n'en parlez pas trop devant lui, car il risquerait de s'approprier votre anxiété.

Les enfants à tendances perfectionnistes et ceux qui se sentent soumis à une forte pression pour réussir sont parfois plus sujets à ces troubles. Si vous craignez que votre enfant ne développe un trouble du comportement alimentaire, s'il semble avoir une image déformée de son propre corps, s'il perd du poids ou s'il devient irritable et paraît perturbé, consultez votre médecin dès que possible.

DEVENIR INDÉPENDANT

En grandissant, l'enfant veut faire de plus en plus de choses par lui-même. Ce besoin d'indépendance doit être encouragé, en l'aidant à découvrir de nouvelles compétences, par exemple. L'inciter à être autonome (faire ses devoirs ou se préparer pour l'école) l'aidera à développer son sens des responsabilités.

« Une action simple, comme aller promener le chien, aide l'enfant à se sentir important. »

STADES DE DÉVELOPPEMENT

Ce qu'un enfant est capable de faire dépend pour beaucoup du stade de développement physique et mental qu'il a atteint. Le cerveau se développe particulièrement vite pendant les deux premières années de vie. L'enfant commence à maîtriser les mouvements de sa tête, puis de ses membres et de son tronc pour terminer par le contrôle de ses doigts (motricité fine). Il peut alors exécuter des tâches délicates, comme tenir un crayon et écrire. Tandis que son système nerveux continue de se développer, il devient capable de contrôler sa vessie et son sphincter anal.

Grâce à l'apprentissage de diverses compétences pendant l'enfance, des interconnexions complexes se mettent en place au sein du système nerveux. Au cours de cette période, os et muscles se développent et se consolident. Puis, à la puberté, commence la maturation sexuelle.

Comment l'aider ?

Comment aider votre enfant à devenir indépendant ? Au début, vous apprendrez à repérer les signaux qu'il envoie pour signifier qu'il est prêt à apprendre certaines choses seul. Quand il tend les mains vers quelque chose, par exemple, laissez-le tenter de l'attraper seul. Ne le lui donnez pas tout de suite. Donnez-lui une cuillère et laissez-le essayer de manger tout seul. Proposez à l'enfant des choix simples pour lui apprendre à se sentir responsable de ses actes. Veut-il une pomme ou une poire ? Une brosse à dent rouge ou jaune ?

Dès qu'il a la dextérité nécessaire, donnez-lui une brosse à cheveux et montrez-lui comment s'en servir. Laissez-le se brosser les dents même si vous devrez passer derrière jusqu'à ce qu'il ait 6-7 ans. À 3 ans, il sera peut-être capable de se débarbouiller et de se peigner avec un peu d'aide. À 4 ans, il pourra sans doute s'habiller seul, sauf pour le boutonnage.

Quand il essaie d'apprendre quelque chose, comme lacer ses chaussures, laissez-lui le temps nécessaire. Il comprendra ainsi que vous avez confiance dans ses capacités. Ne proposez votre aide que s'il en a réellement besoin.

LA CONFIANCE EN SOI

Avoir confiance en soi est essentiel pour développer son indépendance. L'enfant développe cette confiance en étant aimé et reconnu par ses parents. Il a besoin d'un amour cohérent pour se sentir valorisé. Lorsqu'il sait que vous l'aimez et que ses opi-

nions et ses pensées comptent pour vous, votre enfant se sent en sécurité et il a confiance en lui.

Pour que votre enfant sache que vous l'aimez, il n'est pas nécessaire de le couvrir de cadeaux. Passer du temps ensemble à faire des choses simples, comme promener le chien, parler avec son enfant, écouter ce qu'il a à dire et lui faire savoir qu'on apprécie sa compagnie contribuent à lui donner le sentiment qu'il est une personne importante pour vous.

Dites à votre enfant que vous l'aimez. Remarquez ce qu'il fait sans que vous le lui ayez demandé et faites des commentaires positifs. Par exemple : « Merci d'avoir rangé tes jouets, tu as fait du bon travail. » Préférez les compliments précis aux louanges générales.

Les félicitations sont tout aussi importantes pour les enfants plus âgés, qu'ils aient eu de bons résultats

INDÉPENDANCE PHYSIQUE

En grandissant, les enfants réclament plus d'indépendance physique. Ils veulent aller dans des magasins ou se rendre chez des amis sans vous. Cela inquiète les parents d'aujourd'hui plus que cela n'inquiétait leurs propres parents. La circulation s'est accrue, rendant les routes plus dangereuses, et même s'ils sont rares, les cas d'enlèvements d'enfants, fortement médiatisés, font que la peur, elle, est bien réelle. Mais les enfants doivent apprendre à se débrouiller seuls et ils n'y parviendront pas sans pratique.

J'ai commencé avec mes propres enfants à partir de l'âge de 8 ans, en procédant par étapes. Lorsque je les sentais prêts, ils tentaient un aller-retour jusqu'au magasin au bout de la rue en utilisant le passage piéton. Vers 9 ou 10 ans, ils allaient chez des amis qui habitaient une rue à côté et téléphonaient à leur arrivée. À 10 ou 11 ans, ils revenaient tout seuls de l'école à pied. Nous avions préalablement fait la route ensemble pour repérer les trajets et la durée. Cela leur a fait comprendre que j'avais confiance en eux.

L'indépendance, c'est aussi avoir du temps pour ne rien faire. Il est facile de surcharger l'emploi du temps d'un enfant avec des activités variées, mais il importe de trouver le juste équilibre. Votre enfant a besoin de temps pour des jeux calmes et non structurés. Je suis convaincue qu'un enfant qui s'ennuie de temps en temps développe des ressources insoupçonnées en cherchant ce qu'il pourrait bien faire.

Laisser à l'enfant un espace pour lui seul l'aidera aussi à renforcer sa confiance en lui. Tous les enfants ne peuvent pas avoir une chambre à eux, mais il est souhaitable de leur réserver un espace qu'ils puissent s'approprier.

à l'école, qu'ils aient donné un coup de main à la maison ou qu'ils se soient simplement montrés aimables.

Favoriser ses centres d'intérêt

S'efforcer de découvrir avec lui ses points forts et ses centres d'intérêt contribue non seulement à renforcer sa confiance en lui mais l'aide aussi à mieux se connaître. S'il n'est pas intéressé par le passe-temps ou le sport qui vous passionne, vous serez peut-être déçu, mais mieux vaut respecter ses idées en ce domaine. Il est important de l'écouter et de lui faire comprendre que vous l'avez compris. Sans que vous soyez forcément d'accord avec lui, le fait que vous preniez ses pensées et ses sentiments au sérieux l'aidera à affirmer ses opinions. Vous le critiquerez sans doute quelquefois, mais des critiques constructives l'aideront à mieux se connaître. Attention, cependant, de bien choisir votre moment et de ne pas le critiquer devant des amis ou devant ses frères et sœurs. Faites d'abord un commentaire positif tel que « D'habitude, tu es vraiment fort en lecture, mais… »

Développer les compétences physiques

Si votre enfant sait courir, monter à bicyclette, grimper aux arbres et s'il a l'occasion de se montrer hardi, il aura confiance dans ses propres capacités. Au cours de ces cinq premières années, il n'y a guère de différences entre les filles et les garçons en termes de croissance et d'aspect physique. Pourtant, les filles semblent plus douées pour les jeux de précision ou de jugement, tels que la marelle, et pour les courses sur de petites distances. Les garçons préfèrent quant à eux les jeux de ballon et paraissent parfois plus costauds que les filles.

Si votre enfant montre de l'intérêt pour une activité particulière, soutenez-le et encouragez-le. La plupart des enfants ont en général une préférence pour une activité physique plutôt qu'une autre et il en existe des centaines, comme le football, la natation, le vélo, la danse, la gymnastique ou le judo.

Le fait d'encourager les compétences de votre enfant dans d'autres domaines contribuera également à lui donner le sens de sa valeur. Cherchez ce qu'il aime, que ce soit jouer d'un instrument de musique, dessiner, fabriquer ou collectionner des objets. Félicitez-le et dites-lui que vous pensez qu'il est bon dans la discipline qu'il a choisie.

Les enfants apprennent par l'exemple et, dans les premières années, les parents sont leurs modèles les plus influents, il est donc important que vous vous sentiez vous-même épanoui. Trouver du temps pour soi est souvent difficile, surtout quand on a des enfants en bas âge, mais faire des choses simples, comme aller se détendre chez le coiffeur, ou jouer au tennis, sera aussi bénéfique pour vos enfants.

INDÉPENDANCE ET RÈGLES DE VIE

À mesure que l'enfant grandit et devient plus indépendant, il doit bien connaître les règles et les limites que vous lui imposerez. Pour vivre en société, il est indispensable d'observer ces règles. En famille, elles permettent de vivre paisiblement sous un même toit. Même les bébés doivent apprendre le sens du « oui » et du « non ». D'ailleurs, les enfants aiment les règles parce qu'elles leur indiquent clairement ce qu'on attend d'eux et, quand ils sont plus âgés, ce contre quoi ils peuvent se révolter.

Avec les enfants très jeunes, les règles, très simples, servent à faire ressortir le comportement que l'on attend d'eux. Quand ils sont plus grands, certaines règles peuvent être renégociées sans rompre pour autant avec les principes d'origine, l'enfant doit être convaincu que ses opinions comptent. Encouragez-le à développer ses propres idées pour l'aider à mieux se connaître et à avoir plus confiance en lui. Parlez avec lui du déroulement de sa journée à l'école, de ce qu'il a aimé ou pas, et pourquoi. Plus tard, vous pourrez aborder aussi des sujets plus abstraits, comme la politique ou les problèmes internationaux.

N'oubliez pas non plus de faire participer votre enfant aux décisions familiales. Certaines familles fixent un moment et un lieu particuliers pour discuter ensemble régulièrement. D'autres, profitent du temps passé ensemble dans la voiture, par exemple.

Il n'est pas nécessaire que vous soyez toujours d'accord l'un avec l'autre. Les disputes et les désaccords sont inévitables et constituent une part non négligeable de la vie de famille. Ces moments offrent alors à l'enfant une occasion d'exprimer son point de vue et de défendre ses croyances. Ils contribuent aussi à le préparer à la vie en dehors de la famille.

« … grandir avec votre enfant, cela signifie lui faire confiance et respecter ses décisions dans certains domaines, comme le choix de ses amis. »

DÉSACCORD AVEC UN ENFANT PLUS ÂGÉ

Il vous semblera parfois que la décision prise par votre enfant n'est pas la bonne. S'il est assez grand, choisissez le bon moment pour discuter avec lui de vos points de vue. Donnez-lui la possibilité d'argumenter sa décision et écoutez attentivement ce qu'il a à dire. Exposez-lui dans des termes clairs, qu'il pourra comprendre, les raisons pour lesquelles vous croyez que son choix n'est pas le bon. N'hésitez pas à négocier sur l'issue.

Vers l'âge de 11 ans, l'enfant à qui l'on a donné la possibilité de pratiquer la prise de décision aura confiance dans ses propres capacités. Il saura qui il est et sera prêt pour l'étape suivante : les turbulentes années de l'adolescence.

Si votre enfant s'exprime peu, essayez de l'engager dans une discussion en vous faisant l'avocat du diable.

COMPORTEMENTS ET RITUELS

Les jeunes enfants aiment les rituels car ils leur procurent un sentiment de sécurité. Dès son plus jeune âge, et pendant longtemps, le rituel du coucher peut aider l'enfant à se calmer. Quand les enfants sont plus grands, les rituels facilitent souvent l'exécution des tâches. S'ils savent ce qu'ils ont à faire chaque jour et à quel moment, ils seront plus vite prêts à quitter la maison le matin.

Les enfants ont également besoin d'apprendre à bien se conduire. Sinon, ils auront du mal à s'entendre avec des amis et à coopérer, deux qualités importantes pour l'école. La discipline n'est pas vraiment une affaire de punition. Il s'agit plutôt d'enseigner à l'enfant comment se comporter pour qu'il apprenne à se contrôler. Il existe heureusement quelques principes de base sur lesquels tout le monde s'accorde. La plupart des familles incitent leurs enfants à être honnêtes et polis plutôt que grossiers et agressifs. La meilleure façon de faire respecter les règles de vie essentielles, c'est de s'assurer que l'enfant se sente en sécurité et aimé, et qu'il reçoive beaucoup d'attention lorsqu'il se conduit bien. Surveillez votre propre comportement et veillez à montrer l'exemple. Les enfants apprennent essentiellement de leurs parents.

«… Si les enfants n'ont pas appris à bien se conduire, ils auront beaucoup de mal à se faire des amis et à coopérer avec d'autres. »

Gérer les problèmes de comportement

Fixez des directives claires sur le comportement que vous attendez de votre enfant afin qu'il ait une idée précise de ce qui est acceptable et de ce qui ne l'est pas. Soyez cohérent dans la manière dont vous appliquez ces règles. Si un jour vous les ignorez et que vous les imposez le lendemain, il sera déconcerté. Si une règle est enfreinte, n'hésitez pas à fixer un ultimatum puis à appliquer une sanction brève et claire. Si vous surprenez un enfant en train d'en frapper un autre, dites par exemple : « Pas de coups ! Arrêtez ça tout de suite ! Se battre ne résout pas les problèmes. Dites-moi ce qui ne va pas. » Et essayez d'instaurer un dialogue où chacun peut s'exprimer.

Quand votre enfant se conduit mal, faites-lui comprendre que c'est son comportement que vous désapprouvez et non sa personne. S'il frappe quelqu'un, par exemple, faites-lui comprendre clairement que c'est inacceptable parce qu'il a fait mal à l'autre, et non pas qu'il est méchant.

Il n'est jamais bon de frapper un enfant, car cela signifie que la violence physique est recevable. En outre, d'innombrables études ont montré que cela n'aidait absolument pas les enfants à améliorer leur comportement. D'autres stratégies telles que le priver temporairement d'une chose ou d'une activité sont mieux appropriées.

Cohérence

Il faut être cohérent avec l'autre parent ou toute autre personne qui participe à l'éducation de l'enfant dans la discipline qu'on lui impose. S'il vit entre deux foyers, assurez-vous que tout le monde observe les mêmes règles. Veillez à ce qu'il comprenne ce qu'on attend de lui. Dans certains cas, rares, l'enfant peut avoir un trouble auditif, être hyperactif ou déprimé en raison de problèmes familiaux ou de difficultés scolaires. Un tel comportement, difficile, risque de ne pas faciliter les relations entre vous et votre enfant.

Les loisirs sont importants, alors réservez-vous du temps pour ces moments ensemble, que ce soit une demi-heure au parc ou un moment pour lire un livre ensemble, au coucher. Si vous avez du mal à gérer le comportement de votre enfant, parlez-en à votre médecin.

GRANDIR AVEC SON ENFANT

Grandir avec son enfant, c'est reconnaître ses capacités, et l'inciter à les mettre à l'épreuve à chaque étape de son développement afin de l'aider à améliorer son sens de l'indépendance et sa confiance en lui. Pour les plus jeunes, il peut s'agir d'encourager des compétences, comme s'habiller tout seul ; pour les plus grands, de respecter leurs décisions dans certains domaines, comme le choix de leurs amis.

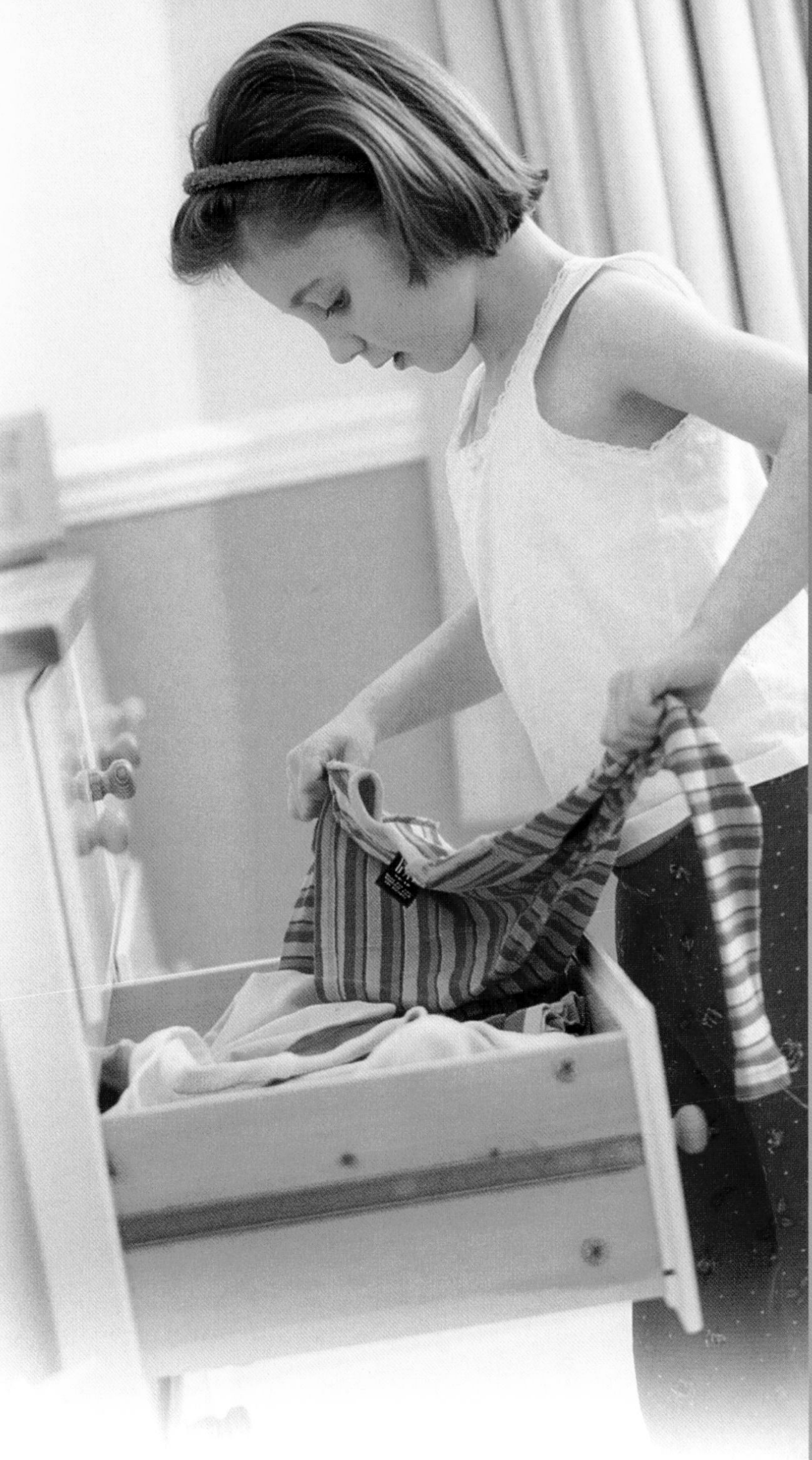

« Encourager la prise de décision, peut aider les enfants à développer leur confiance en soi. »

LE DÉVELOPPEMENT ÉMOTIONNEL

LA CAPACITÉ À EXPRIMER SES ÉMOTIONS DE MANIÈRE CLAIRE ET APPROPRIÉE est une compétence importante. Aider votre enfant à l'acquérir lui sera toujours profitable. Savoir exprimer ses émotions simplement et sans agressivité lui permettra aussi de mieux se connaître, et permettra aux autres de comprendre ce qu'il ressent.

AIDER SON ENFANT À EXPRIMER SES SENTIMENTS

Un enfant ne s'exprime pas toujours facilement et les garçons souvent plus difficilement que les filles. Si votre enfant s'exprime de manière trop agressive et bruyante, il risque de se faire gronder. S'il est trop calme, il risque d'être ignoré. Votre aide lui est précieuse pour apprendre à s'affirmer de manière adéquate.

Le premier pas consiste à mettre un nom sur les différentes émotions. Commencez par nommer ensemble les sentiments positifs et négatifs dans les conversations de tous les jours. On est parfois tenté d'éviter de parler des sentiments de tristesse ou de colère. Pourtant, il est important que l'enfant apprenne à reconnaître et à gérer ces sentiments. Dites-lui, par exemple : « Je vois que tu es en colère parce que Tom a pris ton livre » ou « Tu as l'air content, est-ce parce qu'on va chez grand-mère ? ».

À mesure que le vocabulaire de votre enfant s'enrichit, incitez-le à décrire ses propres émotions. Dites, par exemple : « Tu n'as pas l'air content. Peut-être es-tu fâché ou fatigué ? Comment te sens-tu ? » Le fait de poser des questions ouvertes telles que « Que penses-tu de… ? » ou « Qu'as-tu ressenti quand… ? » pourra l'aider.

Votre enfant aura sans doute besoin de vos conseils pour apprendre à exprimer au mieux ses sentiments. Dites-lui, par exemple : « Être en colère est acceptable, mais frapper quelqu'un parce qu'on est en colère ne l'est pas ». Suggérez-lui d'autres solutions, comme de compter jusqu'à dix avant de dire quelque chose quand il est en colère, ou de s'éloigner de la situation en question jusqu'à ce qu'il ait retrouvé la maîtrise de soi.

GÉRER LA COLÈRE

Un enfant de 2 ans sur cinq fait une ou deux crises de colère par jour. À cet âge, les facultés intellectuelles et cognitives se développent très vite. Les enfants commencent à réaliser qu'ils sont des êtres séparés et deviennent de plus en plus autonomes. Autrement dit, ils commencent à s'affirmer.

Une crise de colère a plus de risque de se produire si l'enfant a faim, s'il est fatigué, s'il s'ennuie ou s'il est trop stimulé. Il arrive qu'il se sente frustré par ses propres limites quand,

par exemple, il n'arrive pas à boutonner un vêtement ou quand il veut vous dire quelque chose sans avoir encore les mots pour cela. Il peut être en colère d'avoir été contrarié.

Quand une colère s'annonce, le mieux est souvent de l'ignorer complètement. Quand votre enfant fait une crise, son seul objectif est d'obtenir ce qu'il veut. Si vous cédez, il saura qu'il peut vous mener par le bout du nez en faisant d'autres crises.

Vos réactions

Il est inutile d'essayer de le raisonner, ou de discuter avec lui. Évitez de rire, même si la raison de cette crise vous semble ridicule : la colère et la frustration qui l'ont déclenchée sont, elles, authentiques. Cessez de l'écouter, et rappelez-vous le motif de cette crise. Par exemple « C'est parce que je lui ai dit non lorsqu'il m'a demandé un gâteau. »

De temps en temps, un enfant peut retenir sa respiration au cours d'une crise. Cela peut effrayer les parents. Surtout, restez calme et ne paniquez pas, sous peine de voir l'enfant en faire autant. S'il retient sa respiration trop longtemps, il perdra connaissance et se remettra à respirer normalement.

Technique de distraction et d'évitement

Il est parfois possible de faire cesser la crise de colère en distrayant l'enfant. Offrez-lui un de ses livres ou jouets favoris ou parlez-lui calmement. L'une des choses que vous direz captera peut-être son attention.

Accordez à nouveau toute votre attention à votre enfant lorsqu'il se

L'ANGOISSE DE LA SÉPARATION

Il est parfaitement normal pour un jeune enfant de pleurer quand vous le laissez au service de garde, à une autre personne que celle qui s'occupe de lui habituellement. Mais, dans la plupart des cas, même si les parents le regrettent parfois un peu, l'enfant se laisse consoler, et sèche ses larmes très vite. Rappelez-vous qu'être confié à une personne de confiance aidera votre enfant à tisser de nouvelles relations et à se socialiser. La préparation est toutefois importante. Si votre enfant commence à aller au service de garde, allez-y ensemble avant pour rencontrer les personnes qui s'occuperont de lui.

En le quittant, embrassez-le, dites-lui que vous repartez et l'heure à laquelle vous reviendrez dans des termes qu'il puisse comprendre. Par exemple, « Je serai de retour avant le goûter », et ne vous laissez pas aller à revenir, ses pleurs ne feraient que redoubler. Il serait bon qu'une personne soit à ses côtés à ce moment-là pour le consoler. La plupart des enfants s'habituent en quelques semaines. Certains enfants pleurent aussi quand on vient les chercher. Jusqu'à l'âge de 3 ou 4 ans, l'enfant est souvent envahi par une émotion débordante chaque fois qu'il retrouve ses parents, émotion qui se traduit par des larmes. Questionnez la personne qui s'est occupée de lui pour savoir si tout s'est bien passé : en montrant à votre enfant que vous faites confiance aux personnes à qui vous le confiez, vous l'aiderez à avoir lui aussi confiance.

À partir de 6 ans, l'angoisse de la séparation est peu fréquente. Si, votre enfant de 7 ans n'aime toujours pas aller à l'école, cela cache peut-être un problème, et vous devriez en parler à son instituteur.

« … prévenir une colère est toujours mieux que de la traiter ; quelques astuces vous y aideront…. Si elles ne fonctionnent pas, mieux vaut ignorer la crise complètement. »

sera calmé. Il est inutile de le gronder. Faites avec lui une chose qu'il aime et qui ne le frustrera pas, comme feuilleter un livre ou jouer à un jeu. Il appréciera sans doute un câlin qui le rassurera sur le fait que vous l'aimez toujours.

Prévenir une crise de colère, est toujours mieux que de la traiter ; quelques astuces vous y aideront. Donnez à votre enfant de nombreuses occasions de se défouler, en courant dans la cour ou dans le parc, ou même en jouant bruyamment dans la maison, s'il pleut. Veillez à ce que les siestes, le bain et le coucher soient réguliers chaque jour. Évitez les longues périodes à jeun en emportant des collations quand vous sortez.

Si vous travaillez, quand vous êtes de retour à la maison, ne vous croyez pas obligé de lui proposer des activités plus passionnantes que celles qu'il a pu vivre au service de ga ou avec la gardienne. Être simplemen ensemble, tranquillement, à feuillete un livre ou à regarder sa vidéo préférée sera préférable.

Notez, si possible, les crises de l'enfant. Cela vous permettra de savoir à quels moments elles ont le plus de risques de se produire et ce qui les provoque. Ensuite, vous pourrez essayer alors d'éviter ces situations.

Quand ils sont plus grands, les enfants ne font plus de crises. Consultez votre médecin si votre enfant fait plus de deux crises de colère par jour et si elles continuent régulièrement au-delà de 4 ans ou si vous sentez que vous n'arrivez pas à les gérer. Vous avez peut-être besoin d'une aide extérieure.

AIDER LES ENFANTS ANGOISSÉS

Les bébés et les jeunes enfants ont très souvent des peurs ; peur de l'eau,

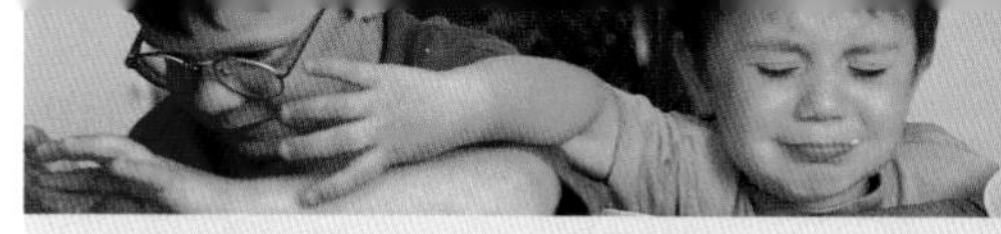

Les chiens, des bruits forts ou des lieux inconnus sont parmi les peurs les plus répandues.

Ces peurs ont un sens. Votre enfant découvre le monde, et la peur est une protection naturelle qui prépare le corps à s'enfuir ou à affronter la chose ou la situation par laquelle il se sent menacé.

Il existe différentes façons de l'aider. Si votre enfant a peur de l'eau, il se sentira peut-être plus en sécurité dans une baignoire de bébé placée dans la grande baignoire. Proposez-lui des jouets et incitez-le à s'éclabousser. S'il y a un bruit fort, vous ne pourrez pas faire grand-chose, sauf être là et l'embrasser pour le rassurer.

Vers l'âge de 3 ou 4 ans, les enfants développent une imagination débordante et ils ont très souvent des peurs qui déconcertent les adultes. Les tigres et les lions dans le jardin, les monstres dans le placard, l'obscurité et même le bruit du vent peuvent les effrayer. Ces peurs représentent parfois un moyen de donner forme à des sentiments d'angoisse à un moment de changement dans la vie de l'enfant, quand il va pour la première fois au service de garde ou à l'école, quand un petit frère ou une petite sœur arrive.

Il importe de ne pas nier les peurs de l'enfant, qui pour lui sont bien réelles. Rassurez-le sur le fait que vous prenez ses peurs au sérieux en lui demandant doucement ce qui l'inquiète. S'il a peur d'un objet en particulier, présentez-le-lui progressivement. Par exemple, s'il n'aime pas l'aspirateur, préparez-le en lui disant que vous allez le passer mais qu'il peut aller dans une autre pièce. N'oubliez pas de le féliciter pour son courage. Si c'est une chose plus abstraite qui l'effraie, telle que l'obscurité, installez une veilleuse dans sa chambre. Rassurez-le en lui disant que vous êtes à côté.

Beaucoup d'enfants travaillent sur leurs peurs de manière instinctive grâce au jeu. Si votre enfant aime dessiner, fournissez-lui des crayons et du papier pour qu'il puisse exprimer ses émotions de cette manière. Ne vous inquiétez pas s'il ne semble rien révéler de significatif à vos yeux.

Plus rarement, les peurs d'un enfant ont une raison médicale. Par exemple, s'il vous semble dérangé par les bruits forts ou qu'il s'enfuit dès qu'il entend un tel bruit, peut-être a-t-il un problème d'audition et devrait-il être vu par un médecin.

Angoisses de la pré-adolescence

Les enfants développent souvent des angoisses très spécifiques, juste avant l'adolescence. Il semblerait qu'il y ait des facteurs génétiques à cela. On peut aussi « apprendre » l'angoisse quand on est entouré de personnes angoissées.

Certains événements de la vie jouent parfois un rôle de déclic. Essayez de repérer si les peurs de votre pré-adolescent se reproduisent, et sous quelle forme. S'il a peur de prendre le bus, en va-t-il de même pour les autres modes de transport ?

GÉRER LES SAUTES D'HUMEUR

Quand les crises de colère des 2 ans sont passées, les enfants restent rarement maussades ou irritables très longtemps. Mais si c'est le cas, c'est qu'il y a une bonne raison.

La faim, la fatigue et la soif peuvent irriter les enfants les plus petits. Assurez-vous que l'enfant a suffisamment mangé et bu, et qu'il n'est pas épuisé. Quand vous sortez, emportez toujours quelque chose de sain à grignoter, tels un fruit, ou une barre de céréales et une bouteille d'eau.

S'il devient grognon, et que la faim ou la fatigue ne semblent pas être en cause, cherchez s'il n'a pas un problème au service de garde, à l'école, ou avec ses amis. Peut-être y a-t-il eu des changements dans la famille ou dans ses habitudes, qu'il n'apprécie pas ? Chez certains, la dépression se manifeste par des sautes d'humeur.

À l'approche de la puberté, l'enfant est exposé à des changements hormonaux qui peuvent le rendre irritable. Bien que l'adolescence commence habituellement vers 11 ans pour les filles et 12 ans pour les garçons, les changements hormonaux responsables du déclenchement de ce processus surviennent quelques années plus tôt. Il se peut que votre enfant ne comprenne pas ce qui lui arrive ou qu'il ne soit pas capable d'expliquer clairement ses sentiments.

Si votre enfant semble si irritable et malheureux que cela affecte sa résistance et sa joie de vivre, il s'agit peut-être d'autre chose. Il est peut-être déprimé. Consultez votre médecin, il pourra mettre en œuvre une prise en charge extérieure si nécessaire.

« ...La timidité est très répandue chez les enfants mais avec beaucoup de soutien, d'encouragements, la plupart parviennent toutefois à la surmonter. »

Existe-t-il une situation où il réussit à se déplacer ? Il serait utile de rechercher si ses peurs ne masquent pas autre chose, par exemple, un problème à l'école, ou des taxages (*voir p. 151*) ?

La plupart des peurs disparaissent avec le temps et, avec vos encouragements, votre enfant s'en sortira très bien. Si vous pensez qu'il a besoin de plus de soutien, un psychologue pourra vous conseiller à l'aider à dépasser ses peurs.

LES ENFANTS TIMIDES

La timidité est très répandue chez les jeunes enfants. Avec beaucoup de soutien et d'encouragements, la plupart d'entre eux parviennent toutefois à la surmonter. L'essentiel est de renforcer leur confiance et leur estime de soi. Choisissez des jeux et des puzzles qu'il pourra réussir, et félicitez-le abondamment quand il y arrive. Faites-le participer à des activités donnant des résultats concrets, comme la cuisine. Expliquez les choses à l'avance. Tous les soirs, évoquez avec lui en détail ce qu'il va faire le lendemain. Si une autre personne s'occupe de lui, donnez-lui une idée claire du moment où vous serez de retour.

Si votre enfant doit aller au service de garde ou à l'école, demandez à l'éducatrice ou à son professeur de vous prévenir s'il ne parle à personne. Il aura peut-être besoin d'une aide extérieure. Il est important qu'il puisse communiquer efficacement, à la fois pour tisser des liens avec les adultes et ses petits camarades, et pour apprendre.

PROBLÈMES DE COMPORTEMENT

Les troubles du comportement débutent souvent tôt dans la vie,

mais ils peuvent toucher des enfants de n'importe quel âge. Les crises de colère, les morsures, les coups de poing ou de pied sont une étape temporaire et normale du développement. Plus grand, l'enfant peut aussi voler ou mentir, refuser de respecter les règles ou prendre part à des bagarres.

Dépistés assez tôt et traités rapidement et de manière appropriée, les troubles du comportement sont en général vite résolus. L'enfant peut avoir une attitude hostile ou provocante, désobéir, mentir ou chaparder sans le moindre signe de remord ou de culpabilité. Le refus de respecter les règles pourrait même le conduire à enfreindre les lois.

Certains facteurs prédisposent aux troubles du comportement. L'enfant au tempérament difficile, déprimé, victime de taxages ou abusé est parfois plus enclin à développer un trouble du comportement. Les enfants hyperactifs ont des difficultés à se maîtriser, à être attentifs et à suivre les règles.

Un enfant rencontrant des difficultés d'apprentissage et de lecture peut avoir du mal à comprendre ses leçons et à participer en classe, ce qui génère ennui et écarts de conduite.

Un enfant intelligent, insuffisamment stimulé par son travail scolaire, risque aussi de mal se conduire par ennui. Il arrive aussi que ses parents, dépassés par les problèmes de comportement de leurs enfants se sentent épuisés ou déprimés et qu'ils aient du mal à faire face.

Comment améliorer la situation ? Le fait d'être attentif à votre enfant, et de le féliciter dès son plus jeune âge quand il se conduit bien, lui fera comprendre clairement quel type de comportement vous appréciez. Faire attention à lui surtout quand il se

conduit mal, même si c'est pour le gronder, lui enverra le message qu'on lui accorde aussi de l'attention quand il enfreint les règles. Être ferme sur les règles, juste et cohérent quant à leur application l'aidera à comprendre qu'elles sont importantes.

Si vous vous inquiétez du comportement de votre enfant, une aide scolaire sera éventuellement nécessaire. Vous aurez peut-être besoin des conseils d'un psychologue scolaire.

Dans le cas où des problèmes graves persisteraient au-delà de trois mois, n'hésitez pas à consulter votre médecin. Si vous avez besoin des conseils d'un spécialiste, il vous orientera éventuellement vers un CLSC enfance familiale psychosociale. Les spécialistes vous aideront à identifier la cause du problème et suggéreront des moyens pour améliorer son comportement.

Les mensonges

On ne parle pas de « mensonge » avant l'âge de 6 ou 7 ans. Mais, souvent, vers 3 ou 4 ans, les enfants ne savent pas distinguer l'imaginaire

« … Dépistés assez tôt et traités rapidement et de manière appropriée, les troubles du comportement sont habituellement vite résolus. »

«... Pour la plupart des enfants, il est beaucoup plus important de gagner que de jouer selon les règles, mais apprendre à votre enfant à jouer loyalement est essentiel. »

de la réalité et croient réellement en une chose qu'ils ont rêvée ou inventée, ce qui, à vos yeux, est un mensonge. À mesure que l'enfant grandit et acquiert la capacité de distinguer l'imaginaire de la réalité, il arrive qu'il mente pour éviter un désagrément, pour obtenir un avantage, impressionner d'autres enfants ou vous faire plaisir.

Faites comprendre à votre enfant qu'il est important de dire la vérité. Racontez-lui, par exemple, l'histoire de Pierre et le loup, ce petit garçon qui criait toujours au loup et qu'on a fini par ne plus croire, même quand il a dit la vérité.

Félicitez votre enfant lorsqu'il dit la vérité. S'il est manifestement en train de fabuler, parlez-lui de ce qui est réel et de ce qui ne l'est pas. Si vous voyez votre enfant faire quelque chose de mal, comme de pincer sa sœur et qu'il le nie, dites-lui que vous l'avez vu faire. Mais si vous n'avez pas réellement vu ce qui s'est passé, et que vous le soupçonnez seulement, vérifiez soigneusement les faits, il se peut qu'il dise la vérité. Il est bien sûr recommandé de montrer l'exemple à l'enfant en évitant de dire des mensonges, même bénins, devant lui.

Tricher

Pour la plupart des enfants, il est plus important de gagner que de jouer selon les règles. Il est essentiel d'apprendre à votre enfant à jouer loyalement. Si vous le laissez tricher, il comprendra qu'il est facile de gagner par des moyens retors plutôt que grâce au mérite.

Veillez à ce que tout le monde connaisse bien les règles à l'avance. Expliquez qu'il est beaucoup plus amusant de s'en tenir aux règles et proposez à l'enfant de réfléchir à ce qu'il ressentirait si quelqu'un trichait en jouant avec lui. Si vous surprenez quelqu'un en train de tricher, interrompez le jeu.

Si un enfant plus âgé triche à l'école, parlez avec lui et avec son professeur. Il a peut-être besoin d'une aide extérieure.

Cruauté

Lorsqu'un petit enfant blesse ou se moque d'une personne ou d'un animal, c'est rarement intentionnel. Il n'a pas encore le niveau de compréhension requis pour pouvoir ressentir de l'empathie. Mais ce type de comportement risque de devenir une habitude si l'enfant constate qu'il peut ainsi attirer l'attention sur lui.

Si votre enfant se met à avoir un comportement cruel, montrez fermement votre désaccord, et éloignez-le de la personne ou de l'animal qu'il a blessé. Ignorez-le pour lui faire comprendre que ce n'est pas le meilleur moyen d'attirer l'attention sur soi.

Pour un enfant plus âgé, agir de manière cruelle est plus grave car il comprend parfaitement ce qu'il fait. Si vous soupçonnez votre enfant de s'être rendu coupable de taxages, vous devez agir tout de suite (*voir p. 151*).

Voler

Un jeune enfant qui chaparde ne réalise probablement pas que c'est mal. Si votre enfant a pris quelque chose à quelqu'un, dites-lui que prendre des choses aux gens leur fait de la peine et allez rendre l'objet ensemble.

Quand un enfant d'âge scolaire commet un vol, il est important d'établir les faits. Restez calme et gardez à l'esprit qu'il est très courant qu'un enfant vole au moins une fois. Voyez avec lui comment remédier à la situation en lui suggérant d'aller rendre l'objet et de s'excuser.

Des vols répétés peuvent cacher un problème plus profond. Essayez de parler avec l'enfant ou proposez-lui de parler avec une autre personne en qui il a confiance, comme un ami de la famille.

AGRESSIVITÉ

Mordre, frapper, pincer et tirer les cheveux sont des actes très courants chez les enfants d'âge préscolaire, et ils sont rarement commis avec une réelle conscience de l'ampleur du mal qu'ils font aux autres. Ces comportements disparaissent en général avec l'âge mais il arrive aussi qu'ils deviennent des habitudes, et mieux vaut donc les arrêter avant.

Si votre enfant vous mord, posez-le si vous étiez en train de le porter ou asseyez-le loin de vous pour lui montrer qu'il vous a fait mal, et dites-lui que son attitude est inacceptable. S'il a mordu un autre enfant, éloignez-le avec fermeté et accordez toute votre attention à l'autre enfant. Il arrive que des enfants d'âge scolaire mordent, mais c'est généralement en connaissance de cause, et dans le cadre d'une bagarre. Il en va de même pour le fait de frapper, de pincer ou de tirer les cheveux.

Lorsqu'un enfant a des crises de colère et qu'il frappe quelqu'un, vous devez intervenir. Il a peut-être besoin d'une soupape pour évacuer des sentiments d'angoisse ou d'agression. Reconnaissez son angoisse, mais délimitez clairement la frontière entre un comportement acceptable et un comportement inacceptable. Suggérez-lui d'autres moyens pour gérer son angoisse. Il a peut-être besoin d'une activité physique, comme jouer au football, danser, chanter ou taper dans un polochon.

Lorsqu'un enfant se montre agressif envers un de ses frères et sœurs, proposez-lui de venir vous parler dès qu'il se sentira en colère au lieu de frapper. Si le problème persiste, il est probable que des soucis à l'école ou avec des camarades est peut-être à l'origine de son agressivité.

LE DÉVELOPPEMENT SOCIAL

AVANT L'ENTRÉE À L'ÉCOLE, VOUS ÊTES POUR VOTRE ENFANT LE PRINCIPAL MODÈLE. Dès qu'il sera scolarisé, les enfants de son âge auront une incidence croissante sur sa pensée. Et, si les interactions avec ses pairs sont importantes pour son développement, leur influence risque de provoquer quelques tensions entre vous.

«… Les amitiés sont très importantes dans la vie d'un enfant, et le groupe de ses pairs devient de plus en plus influent au fur et à mesure qu'il grandit.»

APPRENTISSAGE DU SENS MORAL

La plupart des enfants ont un sens très aigu de ce qui est juste et de ce qui ne l'est pas. Même les jeunes enfants ont un sens moral plus complexe qu'on ne l'imagine. Posez à un petit de 4 ans une question telle que « qu'est-ce qui est pire : frapper quelqu'un ou lui tirer la langue ? » La plupart vous répondront que frapper est pire.

Les parents peuvent faire beaucoup pour aider leur enfant à développer son propre jugement moral. Leur approche en ce domaine influencera considérablement son développement et le genre de personne qu'il deviendra. Exposer sa propre échelle de valeurs familiales est un bon point de départ. Dites clairement ce que vous considérez comme bien et mal, et discutez-en ouvertement en famille.

Le meilleur moyen de transmettre ses valeurs est de montrer l'exemple. Faire exactement ce que vous dites permettra à votre enfant de déterminer clairement vos valeurs. Par exemple, si vous lui répétez sans cesse qu'il doit dire la vérité, veillez à en faire autant. Les pieux mensonges, tels que « dis-lui que je ne suis pas là », sont parfois bien confortables, mais risquent de déconcerter totalement l'enfant.

Soyez toujours ouvert au sujet de vos valeurs afin de lui donner l'occasion de les remettre en question. Certaines familles se retrouvent régulièrement, lors d'un repas, par exemple, pour discuter de leurs problèmes. Mais une approche moins formelle est parfois plus facile.

L'enfant se sentira valorisé s'il voit que ses actes et son comportement vous plaisent. Il est important de lui

faire comprendre clairement ce que vous attendez de lui.

APPRENDRE LA TOLÉRANCE

Le racisme concerne des personnes de toutes origines dans de nombreux pays. En tant que parents, quelle que soit votre origine, il faut être vigilant et s'opposer au racisme, sous toutes ses formes, pour que les enfants puissent grandir dans une société plus saine.

Le racisme n'est pas forcément évident. Le racisme sous-jacent est une attitude d'intolérance plus générale envers des personnes différentes pour des raisons autres que l'origine, par exemple du fait de leur religion, sexe, orientation sexuelle, physique ou même leurs vêtements.

La plupart d'entre nous aimons la diversité et pensons qu'être pareil aux autres est ennuyeux. Nous apprécions différents types de nourriture et de boissons, de vêtements, de plantes et de produits originaires de pays lointains.

Mais certaines personnes ont du mal à accepter les différences, qu'elles considèrent même comme une menace. Pour que les enfants aient confiance et qu'ils respectent les autres, pour qu'ils aient un esprit curieux et apprécient ce que notre monde pluriethnique et multiculturel a à leur offrir, ils doivent y être préparés à la maison.

Exposer votre enfant à différents goûts, images et musiques dès son plus âge l'aideront à se préparer au

« CULTURE AFFECTIVE »

La plupart des enfants doivent apprendre à respecter les sentiments des autres, cela les aidera à comprendre les conséquences de leurs actes.

Très tôt, apprenez à votre enfant à reconnaître les émotions. Dites-lui, par exemple : « Ta sœur pleure parce qu'elle est triste. » Puis commencez à mettre un nom sur des émotions correspondant à des actes. Dites-lui : « Tu m'as fait un joli dessin et j'en suis très content(e). » ou « Tu as pris le jouet de ton frère et il est fâché. S'il te plaît, rends-le-lui et joue avec autre chose. »

Un peu plus grand, l'enfant aura peut-être encore besoin qu'on lui rappelle de temps en temps les sentiments qu'éprouvent les autres. Il est bon de dire à un enfant de 11 ans quand il a causé du chagrin à quelqu'un, pour l'aider à être responsable de ses actes et de ses sentiments.

Apprendre à reconnaître et accepter ses sentiments positivement, est très important. Commencez cet apprentissage dès son plus jeune âge. Si votre enfant de 2 ans rate une marche et se fait mal, par exemple, vous serez peut-être tenté de le soulager en disant : « Vilaine marche ! ». Mais au lieu d'accuser la marche, embrassez votre enfant et rappelez-lui que les marches nous font parfois trébucher et qu'il faut regarder où l'on met les pieds.

Plus grand, il vous accusera peut-être de tout et de n'importe quoi. Par exemple : « C'est toi qui m'obliges à aller à l'école. » Refusez ces accusations. Répondez par exemple : « Tous les enfants doivent aller à l'école, mais tu ne sembles pas en être très content aujourd'hui. Est-ce que quelque chose t'embête ? »

« … Exposer votre enfant à différents goûts, images et musique dès son plus âge l'aideront à se préparer au monde extérieur. »

monde extérieur. Quand il commencera à apprendre les noms des aliments, dites-lui de quels pays ils proviennent (à l'aide d'une carte pour enfants, par exemple).

Faites l'inventaire de ses jouets. Il serait intéressant d'y inclure des poupées noires, brunes et blanches et des figurines de personnages divers qui, plus tard, favoriseront une attitude positive envers les différentes couleurs de peau.

Une approche aussi simple lui apprendra à respecter les différents pays, et les personnes qui en sont originaires. Un autre point très important consiste à permettre à votre enfant de se lier avec des personnes d'autres cultures ou religions. Cela l'aidera à remettre en question sa perception de ce qui est « différent », et lui révélera que, par nature, nous ne sommes pas différents ! Là où il n'y a pas beaucoup d'enfants d'autres origines, il est souhaitable d'éclairer la conscience de votre enfant par d'autres moyens. Il existe aujourd'hui de nombreux livres et programmes pour la jeunesse avec des personnages ou des enfants de différentes origines ethniques.

L'anti-racisme à l'école

Le racisme doit également être abordé à l'école en vérifiant les acquis. Le racisme rapporté de la maison peut surgir en classe, en cour de récréation ou sur le chemin de l'école.

Travailler sur ce sujet à l'école peut être particulièrement bénéfique, car ce que l'enfant apprend tôt, le marque durablement toute sa vie. Une politique anti-raciste à l'école indiquant clairement comment elle gère toute forme de racisme peut participer à l'apprentissage de la tolérance. Si vous pensez que quelque chose peut être instauré, discutez-en avec le chef d'établissement de l'école de votre enfant.

Dès que votre enfant entre à l'école, vous pouvez faire beaucoup pour renforcer le message anti-raciste. Invitez parents et enfants de différents groupes ethniques chez vous et efforcez-vous de prononcer correctement les noms étrangers. Évoquez les origines de la connaissance universelle, des inventions, de la nourriture et des vêtements, et apprenez à votre enfant que le monde entier a contribué à cette connaissance. Faites-lui comprendre aussi que des personnes de toutes origines ont contribué à la prospérité, à l'état sanitaire et à la sécurité de son pays. Rappelez-lui qu' il y a de nombreux couples mixtes et de nombreux enfants issus de ces couples. Surveillez notamment ce qu'il entend et ce qu'il retient, et soyez sensible à son état d'esprit et à celui de ses amis. Méfiez-vous des attitudes et des opinions négatives, et contestez-les. Replacez les émissions de télévision plus anciennes, racistes ou sexistes, dans leur contexte historique.

COMPORTEMENT ANTISOCIAL

Aucun enfant n'est parfait. À un moment ou à un autre, tous les enfants testent diverses formes de comportements provocateurs, qu'il s'agisse d'être grossier, de désobéir, d'être agressif, d'abîmer ou de casser un objet précieux pour quelqu'un d'autre. Selon la manière dont vous réagirez à un comportement provocateur, votre enfant choisira de le reproduire ou pas. Il faut du temps pour qu'un enfant apprenne à se conduire en société, mais avec l'aide des parents et des enseignants, la plupart apprennent vite.

Bon nombre de jeunes enfants réservent les pires comportements à leurs parents ou aux personnes qui s'occupent d'eux, testant ainsi leurs limites dans l'environnement où ils se sentent le plus en sécurité.

À l'école, l'enfant apprend des codes de comportements et des règles auxquels il doit souscrire sous peine d'être sanctionné. Avant que votre enfant entre à l'école, il serait

> « Il faut du temps pour qu'un enfant apprenne à se conduire en société d'une manière acceptable, mais avec l'aide des parents et des enseignants, la plupart apprennent vite. »

LE GROUPE DES PAIRS

L'amitié est très importante dans la vie d'un enfant et, à mesure qu'il grandit, le groupe de ses pairs devient de plus en plus influent.

Le groupe des pairs est important pour les enfants, car il offre un contexte dans lequel ils peuvent commencer à expérimenter différents comportements en société. Ce faisant, ils apprennent à négocier, coopérer, gérer les conflits et être en compétition, sans que des adultes soient là pour les conseiller ou intervenir.

En général, les enfants veulent à tout prix s'intégrer et être exactement comme leurs amis. Il existe différents types d'amitié. Certains enfants ont beaucoup d'amis. D'autres préfèrent n'avoir qu'un ou deux amis proches. Les filles, notamment, tendent à se lier d'amitié avec une personne en particulier. Il est important que votre enfant ait au moins un ou une amie intime. Si vous pensez qu'il n'arrive pas à se faire des amis, vous pouvez intervenir pour favoriser l'émergence d'une amitié.

L'amitié connaît parfois de mauvaises passes, et il se peut que le ou la meilleur(e) ami(e) de votre enfant change régulièrement. C'est normal et il ne convient de s'en inquiéter que si votre enfant semble excessivement soucieux ou triste.

À l'âge de la pré-adolescence, encouragez-le à réfléchir à ses propres opinions et jugements, à les développer et à les exprimer. Vous l'aiderez ainsi à aborder le collège avec une idée claire de qui il est et de sa capacité à affirmer ses opinions, ce qui l'aidera à résister à une trop grande influence extérieure.

bon que vous introduisiez quelques règles concernant son comportement à la maison. Sans le surcharger, quelques règles simples, comme de ne pas prendre les jouets de son frère sans le lui demander, l'aideront à s'habituer à observer les règles, et à l'idée qu'elles peuvent rendre la vie plus facile pour tout le monde.

Veillez à montrer l'exemple et à être cohérent dans votre propre comportement. Il est inutile de demander à votre enfant de ne pas jurer si vous jurez en sa présence.

Il est également recommandé de le faire participer à la définition des règles. Veillez à ce qu'il ait l'impression qu'elles sont justes et qu'il comprenne leurs implications.

Gérer la grossièreté et l'insolence

Si votre enfant est grossier ou insolent, demandez-lui d'arrêter immédiatement, et laissez-lui l'opportunité de modifier son comportement en lui expliquant combien son comportement est stupide et qu'il s'agit d'un bien mauvais choix pour attirer l'attention ; l'agressivité et la grossièreté ayant plutôt tendance à l'éloigner des autres. Une stratégie bien plus cohérente qu'une menace, comme de dire qu'il sera privé d'ordinateur ou d'un certain cadeau à son anniversaire ou à Noël, menace qui sera très certainement oubliée le moment venu.

Toutefois, il peut être nécessaire d'appliquer une sanction si le comportement se renouvelle. Ce n'est pas toujours facile mais les menaces vides ne font que saper votre autorité et risquent même de faire empirer le comportement incriminé pendant un certain temps. Il est souvent difficile de garder son calme quand l'enfant semble faire exprès de mal se comporter. Mais se mettre en colère n'arrange rien. Réagissez rapidement, par exemple en l'envoyant aussitôt dans sa chambre pour quelques minutes, afin d'aider tout le monde à se calmer.

QUAND LE COMPORTEMENT DEVIENT PROBLÉMATIQUE

Certains enfants ont un comportement qui peut durer des semaines ou des mois et qui va au-delà de l'insolence ordinaire. Ils transgressent les règles de la bienséance à la maison, à l'école et dans leur quartier, problèmes souvent difficiles à gérer pour les parents. On parle alors de troubles de la conduite (*voir p. 301*).

Un enfant risque plus de développer un trouble du comportement s'il a un tempérament difficile, s'il a des problèmes de lecture ou d'écriture, s'il a été abusé ou victime de taxage, ou s'il présente une forme d'hyperactivité l'empêchant de se concentrer et de respecter les règles.

Certains enfants ayant un trouble du comportement s'en sortent avec le temps. Mais cela n'arrive malheureusement que dans la moitié des cas environ. Si l'on ne traite pas un tel trouble assez tôt, en grandissant, l'enfant risque d'être impliqué dans des bagarres et de développer une attitude agressive, hostile et méfiante. Il risque de mentir et de voler sans aucun sentiment de culpabilité. Certains adolescents ayant des troubles du comportement sombrent dans la délinquance et ont parfois des démêlés avec la police. Ils compromettent ainsi leur propre santé et leur sécurité, par exemple en roulant dans des voitures volées, en prenant ou en vendant des substances illicites.

Ce genre de comportement met toute la famille à rude épreuve. À l'école, un enfant peut avoir du mal à se faire des amis parce qu'il est

impoli et agressif. Même s'il est intelligent, il peut causer des problèmes en classe et être renvoyé. Un enfant présentant un trouble du comportement peut paraître insupportable et pénible, et au fond de lui se sentir nul et ne pas savoir comment s'améliorer.

Comment l'aider ?

Les parents peuvent contribuer à améliorer la situation, notamment par une discipline claire, juste et cohérente, et par des encouragements ou des récompenses quand l'enfant se conduit bien ou fait des progrès. Les parents n'ont pas à lutter eux-mêmes contre le comportement de leur enfant. Si vous vous inquiétez à ce sujet, n'hésitez pas à en parler à ses professeurs. Une intervention extérieure est peut-être à envisager. Les conseils d'un médecin ou d'un psychologue pourront également vous être utiles.

Si ses problèmes de comportement durent au-delà de trois mois, consultez votre médecin. Si vous avez besoin d'une aide plus spécialisée, il pourra vous orienter vers le centre de santé mentale de l'enfant et de l'adolescent le plus proche. Une équipe de spécialistes s'efforcera d'identifier les causes du problème, vous conseillera sur la manière dont vous pourrez gérer le comportement de votre enfant et suggérera des moyens de l'améliorer.

« … Avec leurs pairs, les enfants commencent à expérimenter différents comportements en société. »

LA MALADIE ET LE HANDICAP

QUAND ON DÉCOUVRE QUE SON ENFANT SOUFFRE D'UNE MALADIE RARE OU CHRONIQUE, ou d'un handicap, il faut un certain temps pour s'adapter. La nouvelle arrive comme un choc. On se sent isolé et extrêmement inquiet de l'avenir, pour soi et pour son enfant. Pourtant, chaque jour au Québec des dizaines d'enfants naissent avec un handicap grave ou une maladie rare.

RÉACTION INITIALE

Parfois une anomalie telle qu'une malformation cardiaque ou une maladie génétique est détectée dans l'utérus. Dans d'autres cas, le problème n'est diagnostiqué qu'après la naissance. Il faut également tenir compte des enfants qui acquièrent leur handicap suite à une blessure ou à une maladie. De nombreux parents disent éprouver un sentiment de deuil quand on leur apprend que leur enfant souffre d'une maladie grave. La torpeur et l'incrédulité peuvent être suivies par la colère, un sentiment de désespoir et finalement, pour la plupart des parents, par l'acceptation. C'est alors qu'ils se sentent plus maître de la situation et peuvent commencer à planifier l'avenir. Quelquefois, si l'enfant a un problème qui a déconcerté les médecins pendant un certain temps, le diagnostic arrive comme un soulagement parce qu'il coïncide avec le début de soins et d'un traitement adapté. Dans certains cas, cependant, on ne peut pas porter de diagnostic. Dans d'autres, le diagnostic est porté mais il n'existe pas encore de traitement spécifique disponible. Cela ne signifie pas que vous ne pourrez pas obtenir de l'aide pour vous et votre enfant.

Certains parents disent éprouver des sentiments mêlés envers leur enfant handicapé au cours des premiers mois. Il n'est pas rare d'éprouver un sentiment, fugitif, d'aversion envers lui parce qu'il va leur demander du temps et de l'attention supplémentaires. Cela est tout à fait normal et ne dure habituellement pas longtemps.

La plupart des familles apprennent à faire face d'une façon remarquable. J'entends souvent des parents dire qu'ils se sont découvert un courage et une force intérieure insoupçonnés. Pour d'autres, cela reste un combat, mais ils ne devraient pas être gênés ou se sentir en situation d'échec parce qu'ils demandent plus d'aide.

Les parents qui semblent le mieux faire face trouvent plus facile de se concentrer sur un problème à la fois plutôt que de se laisser déborder par la situation. Considérez positivement les petites réussites, et soyez prêts à la déception aussi bien qu'au succès.

La plupart des gens que vous rencontrerez n'ont jamais côtoyé un enfant ayant un handicap ou une maladie grave et ils ne savent pas comment réagir. Certains d'entre eux diront inévitablement ce qu'il ne fallait pas dire et cela pourra être pénible. Faites-leur comprendre que, bien que votre enfant ait un handicap ou une maladie grave, il a la même valeur que tout autre être humain. Montrez-leur qu'il a droit à l'amour et à la compréhension et que vous appréciez sa personnalité. Essayez de rester positif. Les autres seront ainsi plus enclins à suivre votre exemple.

LES FRÈRES ET SŒURS

Une étude récente a montré qu'ils étaient confrontés à de nombreuses difficultés telles que moqueries à l'école, jalousie vis-à-vis de l'attention que reçoit leur frère ou sœur, ressentiment parce que les sorties en familles sont rares et limitées, sommeil perturbé et fatigue à l'école, difficultés à faire ses devoirs, gêne vis-à-vis du comportement de leur frère ou sœur en public.

Les frères et sœurs semblent mieux faire face quand les parents et autres adultes de leur entourage sont capables d'accepter les besoins particuliers de l'enfant handicapé, et de l'apprécier comme une personne à part entière. Mais ils ont inévitablement, l'impression que la famille se concentre sur cet enfant et qu'elle n'a plus assez de temps pour leurs propres besoins. Il est parfois difficile pour les parents, de maintenir un équilibre en ce domaine.

Donner aux autres enfants de la famille l'opportunité d'exprimer leurs sentiments les aidera à surmonter leur inquiétude et leurs soucis. Réservez-leur certains moments, le temps d'une histoire à l'heure du coucher par exemple, ou d'une sortie spéciale. Prenez le temps de leur dire comment expliquer la maladie de leur frère ou sœur, et aidez-les à préparer soigneusement leurs réponses à toutes remarques déplaisantes qu'on pourrait leur faire.

N'hésitez pas à demander de l'aide. Les amis et parents peuvent

SANTÉ ET HANDICAP

Votre médecin généraliste ou un spécialiste pourra vous orienter vers :

Une infirmière en pédiatrie vous aidera dans les tâches matérielles à la maison, comme le changement de pansements ou les piqûres.

Une infirmière à domicile vous donnera des idées pratiques pour prendre soin de lui et vous conseillera sur les problèmes courants.

Un ergothérapeute aidera votre enfant à accomplir des tâches quotidiennes, telles que s'habiller ou aller aux toilettes. Il pourra vous conseiller et, dans certains cas, faire débloquer une aide pour adapter votre domicile.

Un kinésithérapeute proposera un traitement pour soulager la douleur et accroître la mobilité de l'enfant. Le cas échéant, il vous conseillera sur la meilleure façon de le lever.

Une infirmière psychiatrique vous conseillera s'il souffre de troubles mentaux, et conseillera éventuellement un traitement adapté.

Un orthophoniste, s'il a des troubles du langage et de la communication.

Un conseiller en incontinence, si votre enfant est concerné, car vous avez peut-être droit à des aides.

Un Centre spécialisé pour évaluer les besoins de votre enfant et mettre éventuellement en place un plan d'aide personnalisée.

Une poussette spéciale ou un fauteuil roulant si votre enfant a une déficience motrice grave.

jouer un rôle important en organisant des sorties avec vos autres enfants, en les emmenant à des activités, ou simplement en passant du temps avec eux. Les groupes d'entraide constituent également un bon moyen d'échanger des idées avec d'autres parents.

SOUTENIR LES GRANDS-PARENTS

Lorsqu'un enfant naît avec un problème de santé, la famille dans son ensemble s'en trouve affectée. Et les grands-parents peuvent aussi ressentir des sentiments de colère, de peine ou de déni, semblables à ceux éprouvés par les parents.

De nos jours, les grands-parents sont souvent plus présents qu'autrefois dans les soins prodigués aux enfants du fait de la pression du travail, et des contraintes financières auxquelles les familles sont soumises. Le rôle des grands-parents est souvent d'autant plus important qu'un de leurs petits-enfants a des besoins particuliers ou un handicap. Les grands-parents tiennent parfois à apporter leur aide, mais ils ne savent pas toujours quel devrait être leur niveau d'engagement.

Au Canada, un groupe de parole pour grands-parents, a montré que beaucoup d'entre eux étaient à une période de leur vie où ils se sentaient à même de consacrer plus de temps, d'attention et d'aide à leur famille. En retour, ils avaient l'impression que le fait d'avoir un enfant avec des besoins particuliers dans la famille les aidait à être plus compréhensifs et qu'ils s'informaient davantage sur le handicap. Ils se plaignaient souvent de se sentir exclus des réseaux habituels d'information et voulaient en savoir plus sur la maladie de leur petit-fils ou petite-fille.

Les grands-parents peuvent aussi jouer un rôle important en consacrant du temps aux autres enfants de la famille, ou en les faisant participer à des activités que ces derniers risqueraient de manquer.

Il existe aujourd'hui des groupes d'entraide pour grands-parents d'enfants handicapés, car ils peuvent, eux aussi, se sentir isolés et avoir besoin d'aide.

OBTENIR L'AIDE DONT VOUS AVEZ BESOIN

Quand on a un enfant ayant un handicap ou une pathologie sérieuse, on est confronté à de multiples défis. Il est parfois difficile pour les deux parents d'aller travailler et de trouver une gardienne. C'est encore plus dur

pour les parents qui élèvent seuls leur enfant. Ici, l'aide de la famille, des amis et des professionnels de santé ou d'associations, s'avère souvent précieuse et nécessaire.

Au Québec certains organismes sont en mesure d'évaluer les besoins d'un enfant atteint d'un handicap, pour offrir du soutien aux parents et pour aider à s'occuper de leurs enfants.

L'évaluation des besoins sera la première étape permettant de déterminer l'aide que les services sociaux pourront vous apporter. Cette évaluation sera effectuée par une équipe pluridisciplinaire. L'évaluation vous concerne vous, votre enfant et toute personne participant aux soins de l'enfant. Elle tient compte des besoins particuliers de votre enfant liés à sa santé et à son développement, à son handicap et à sa scolarité, de même que du niveau de réponse qui leur est actuellement apporté. À son terme, une aide compensatrice est éventuellement mise en œuvre.

On vous renseignera, entre autres, sur les allocations, l'aide matérielle à domicile, les équipements de loisir et d'éducation, l'assistance transport, les adaptations du domicile… (*voir* Adresses utiles, *p. 344*).

La mairie de votre domicile vous proposera peut-être d'autres services, mais entièrement à leur discrétion, comme par exemple des conseils et des orientations, des services de nettoyage et des aides financières particulières pour les circonstances exceptionnelles.

L'hébergement temporaire, qui vous offre, à vous et à votre enfant, un moment de répit, est aussi très appréciable. Sans ces moments où vous êtes éloignés l'un de l'autre, vous risqueriez de vous sentir épuisé ou déprimé. Votre enfant lui aussi profitera d'être éloigné de vous un moment, d'être en contact avec d'autres personnes, et de faire de nouvelles expériences. Vous trouverez dans les ADRESSES UTILES (*p. 344*) des organismes proposant des vacances pour les enfants ayant des besoins particuliers.

ÉDUCATION ET HANDICAP

Faire en sorte que votre enfant reçoive la meilleure éducation possible sera peut-être l'une de vos priorités. S'il a une pathologie sérieuse, parlez-en aussi à ses professeurs. Il y a peut-être un moyen de lui faciliter la tâche en classe. S'il suit un traitement, informez-en ses professeurs et envoyez une confirmation écrite. L'école doit savoir quand et comment il doit prendre ses médicaments. Les écoles n'autorisent généralement pas les professeurs à administrer des médicaments, mais il peut exister des infirmières scolaires. Si votre enfant ne peut pas recevoir son traitement à l'école, demandez à son médecin s'il est possible de modifier sans risques les horaires des prises, pour qu'il puisse les prendre juste après l'école, par exemple.

Si votre enfant a des besoins éducatifs particuliers, une aide extérieure sera peut-être nécessaire pour profiter au mieux du système scolaire. Pour les enfants qui ont des besoins éducatifs particuliers, ne correspondant ni au niveau des petites classes ni aux ressources propres de l'école, la commission scolaire vous informera et instruira votre demande de prise en charge. Une aide d'éducation spéciale pourra alors vous être éventuellement accordée.

ÉQUIPEMENTS DE LOISIRS

Le jeu est primordial pour le développement de tous les enfants, quelles que soient leurs capacités. C'est aussi une manière irremplaçable de se sociabiliser. Pour les enfants handicapés, les occasions de jouer avec des enfants du quartier sont souvent limitées. Cependant, la situation tend à s'améliorer, et de nombreux organismes s'efforcent d'offrir plus de possibilités aux enfants handicapés.

Si votre enfant a une maladie grave ou des besoins particuliers, pensez aux types d'activités qui pourraient l'intéresser. Il aimerait peut-être, par exemple, aller dans une garderie. Les écoles sont souvent une bonne source d'informations sur d'autres activités, telles que les clubs sportifs.

Pour découvrir les équipements de jeu et autres possibilités de loisirs existant près de chez vous, contactez les organismes ci-dessous :

- les services municipaux des loisirs et de l'équipement ;
- la bibliothèque municipale (elle propose souvent des activités à l'année pour les enfants) ;
- les équipements spécifiques de loisirs et de jeux tels que ludothèques (certaines ont un rayon de jouets pour élèves à besoins particuliers), crèches, terrains de jeu, centres de loisirs et piscines ;
- les organisations bénévoles, telles que l'association des parents pour enfants en difficulté (*voir* ADRESSES UTILES, *p. 344*) ;
- les associations travaillant avec les enfants handicapés et leurs familles, tels que la société pour les enfants handicapés du Québec et le centre de réadaptation de votre région.

L'ÉCOLE

Avec l'école, c'est bien plus que la réussite scolaire qui est en jeu, c'est aussi le meilleur moyen pour l'enfant de se sociabiliser, ce qui représente une étape importante sur la voie de l'autonomie et de l'équilibre. L'enfant s'intégrera d'autant mieux qu'il aura préalablement appris quelques compétences de la vie quotidienne et les bases d'un bon comportement.

«... Si vous êtes positif par rapport à l'école, votre enfant aura plus de chances d'être positif lui aussi. »

L'ENTRÉE À L'ÉCOLE

Le meilleur moyen de préparer son enfant à l'école, c'est de commencer tôt. L'acquisition du langage sera le facteur déterminant de sa réussite scolaire. Faites-lui régulièrement la lecture dès son plus jeune âge pour accroître sa faculté de compréhension et son vocabulaire. Réservez un moment particulier à cette activité, par exemple une demi-heure avant le coucher, et faites-en un moment de plaisir partagé.

La fréquentation d'un service de garde ou de la halte-garderie prépare aussi l'enfant à l'école. L'entente avec les autres est un point important et l'enfant devrait y prendre un grand plaisir.

Visiter l'école

Dès que votre enfant aura une place à l'école, commencez à en parler avec lui. Il existe de nombreux livres pour la jeunesse sur ce thème que vous pourrez lui lire. La plupart des écoles proposent, avant la rentrée, des visites qui permettent aux enfants de voir la classe, de rencontrer les enseignants, de voir où se trouvent les toilettes et le vestiaire, etc.

Renseignez-vous sur le déroulement d'une journée à l'école afin de pouvoir lui décrire ce qui se passera et à quel moment. L'école devrait aussi vous permettre de poser n'importe quelle question concernant votre enfant en particulier. S'il a un problème, tel qu'une allergie ou une maladie grave, informez-en son professeur et la direction de l'établissement, et envoyez leur une confirmation par écrit.

Les premiers jours

La veille de la première rentrée scolaire de votre enfant, préparez toutes ses affaires pour qu'il soit prêt. Choisissez ses vêtements et préparez son cartable ensemble, et continuez tous les soirs pendant les premières semaines pour que personne ne soit pris de panique le matin. Ensuite, encouragez-le à préparer seul ses affaires pour le lendemain. Par exemple, si on lui a demandé d'apporter un objet à l'école, incitez-le à le choisir la veille et à le mettre là où il ne l'oubliera pas.

Votre attitude personnelle envers l'école est importante. Soyez enthousiaste et dites à votre enfant que vous savez que tout se passera bien : il se sentira plus confiant. Si vous êtes manifestement triste quand il s'en va, il risque de se sentir découragé et de croire que vous ne le pensez pas capable d'y arriver.

Pendant les premières semaines d'école, observez attentivement son comportement.

Le plus important est qu'il se fasse des amis. Invitez chez vous après l'école un ou deux des enfants qu'il semble apprécier, afin de les aider à se rapprocher.

Lorsque vous allez chercher votre enfant à l'école, ne vous inquiétez pas s'il ne vous raconte pas tout de suite sa journée. Peut-être se mettra-t-il plus tard à parler ou à chanter une chanson qu'il vient d'apprendre. Et même si ce n'est pas le cas, ne vous faites pas de soucis.

LA RÉUSSITE SCOLAIRE

Il peut arriver que vous soyez inquiet des progrès de votre enfant. S'il ne lit pas couramment à 7 ou 8 ans, par exemple, vous aurez sans doute envie d'en parler avec son instituteur.

La plupart des enfants sont dans la moyenne et se situer au-dessus est une exception et non pas la règle. Gardez aussi à l'esprit que les filles ont tendance à être meilleures en classe que les garçons, du moins

ENFANTS AUX BESOINS ÉDUCATIFS PARTICULIERS

Si vous trouvez que votre enfant est toujours à la traîne en classe, ou s'il a des difficultés dans une matière particulière, comme la lecture, n'hésitez pas à consulter un spécialiste. Vérifiez avec votre médecin qu'il n'a pas un trouble visuel ou auditif, par exemple, susceptible de lui compliquer la tâche à l'école. S'il a un retard de langage, vous serez éventuellement orienté vers un spécialiste des troubles de la communication (orthophoniste). Un projet éducatif individualisé pourra être envisagé pour l'aider à s'adapter. La direction de l'établissement vous renseignera sur la procédure et fera éventuellement appel aux intervenants du milieu.

«... Ne comparez pas votre enfant aux autres... Concentrez-vous sur ce qu'il peut et aime faire, félicitez-le et encouragez-le. »

au début. Elles ont en général plus de compétences linguistiques, et elles obtiennent de meilleurs résultats jusqu'à l'entrée au collège. Les garçons semblent se rattraper ensuite.

Les enfants de parents qui étaient très doués à l'école ont parfois une vie scolaire assez difficile. Ils ne se trouvent peut-être pas aussi doués que leurs parents, et pensent qu'ils ne seront jamais à la hauteur. Les enfants, tout comme les adultes, se sentent stressés si on leur demande des résultats au-dessus de leurs capacités.

Pendant les premières années d'école, si votre enfant sait s'exprimer et écouter, et qu'il possède quelques notions de calcul, vous n'aurez sans doute aucune raison de vous inquiéter de ses résultats. Néanmoins, il sera difficile de ne pas le comparer aux autres.

Certains enfants excellent en dessin ou en écriture, d'autres ont de meilleurs résultats en sport. Concentrez-vous sur les choses que votre enfant peut et aime faire, félicitez-le et encouragez-le.

Il importe cependant de maintenir un équilibre entre les félicitations quand il réussit quelque chose et les encouragements dans les domaines où il est plus faible. Si vous pensez que votre enfant ne donne pas toute sa mesure, faites-vous confiance. C'est vous qui le connaissez le mieux. Les jeunes enfants sont rarement paresseux à l'école et le moindre problème cache souvent une bonne raison. Peut-être a-t-il des difficultés d'apprentissage générales ou spécifiques. Parlez-en avec son professeur.

Si vous pensez qu'il pourrait supporter une charge de travail un peu plus grande que ce qu'on lui demande en classe, cherchez ce que vous pourriez faire avec lui à la maison. Des livres légèrement au-dessus de son niveau développeront ses compétences linguistiques. Des jeux de sociétés simples tels que les dominos ou le Mikado renforceront ses notions de calcul et lui apprendront la patience. Certains jeux de cartes (le jeu des 7 familles) sont également très bons pour le calcul. Intégrez les mathématiques dans la vie quotidienne en laissant votre enfant payer dans un magasin, et en le laissant peser les ingrédients, une manière d'apprendre bien plus efficace qu'être assis avec ses manuels.

SI VOTRE ENFANT REFUSE D'ALLER À L'ÉCOLE

Au Québec, l'âge de la scolarisation obligatoire est fixé à six ans. Mais un petit enfant peut avoir besoin de plusieurs mois pour s'intégrer à l'école. Procédez lentement et ne lui en demandez pas trop au début. Il aura bientôt confiance en lui. S'il semble très malheureux d'aller à l'école, parlez-en à son professeur. Il y a très certainement une solution. Un enfant plus âgé pourrait peut-être l'aider à se repérer. Vous pourriez ensuite inviter cet enfant chez vous pour qu'ils fassent mieux connaissance.

Un enfant ne devrait pas mettre plus de six mois pour s'intégrer complètement à l'école. Si ce n'est pas le cas quand il a 6 ans ou 6 ans et demi, c'est qu'il y a probablement une bonne raison et il faut en parler avec son instituteur. Peut-être aurez-vous besoin de l'aide d'un spécialiste.

Les enfants plus âgés

Quand ils sont plus âgés ou plus sûrs d'eux, il arrive que les enfants essayent de trouver une excuse pour ne pas aller à l'école. L'enfant peut se plaindre de maux de tête ou d'un malaise alors que vous pensez qu'il va bien. Si vous acceptez qu'il n'aille pas à l'école ce jour-là, ne prêtez pas trop attention à lui. S'il va bien, il sera content de retourner à l'école.

Si jusqu'ici votre enfant se réjouissait d'aller à l'école et que brusquement il ne veut plus y aller, c'est probablement que quelque chose l'inquiète. Peut-être a-t-il été victime de taxage, ce qui est plus courant qu'on ne voudrait le croire. S'il semble malheureux à l'école, refuse d'y aller ou pleure sur le chemin, prenez cela au sérieux. Il ne faut jamais ignorer des taxages (*voir p. 151*).

Il arrive que le refus d'un enfant d'aller à l'école dure plus longtemps. Parlez-en à son professeur et établissez un plan pour l'aider. Passer sa journée en revue avec lui, en évoquant chaque leçon et tout ce qui est rassurant comme, par exemple, le fait qu'il est assis à côté de quelqu'un qu'il aime bien, l'aideront aussi. Beaucoup d'enfants sont soumis à une grande pression pour réussir à l'école et il est important de réfléchir attentivement à la manière dont vos attentes affectent votre enfant. Veillez à ce qu'il ait assez de temps dans la journée pour des activités ludiques et non compétitives. Si vous ne parvenez pas à le convaincre d'aller à l'école, demandez conseil à votre médecin ou à un psychologue pour enfants.

AIDER LES ENFANTS PRÉCOCES

Si votre enfant a d'excellents résultats scolaires, il aura besoin de se sentir stimulé pour donner le meilleur de lui-même. Les professeurs savent que les enfants très éveillés s'ennuient vite et sont frustrés si le rythme de travail est trop lent pour eux, ce qui peut entraîner un comportement perturbateur. Néanmoins, il n'est pas toujours souhaitable de sauter

une classe. L'enfant ne serait peut-être pas prêt sur le plan socio-affectif à côtoyer des enfants plus âgés. On préférera habituellement lui donner plus de travail dans sa classe actuelle.

Les enfants exceptionnellement doués en sport, en musique ou autres disciplines artistiques peuvent aussi avoir besoin d'aide. Certaines initiatives gouvernementales visent à promouvoir leurs talents. L'équipe pédagogique de l'école où va votre enfant devrait avoir réfléchi à ce sujet. Vous pouvez bien sûr faire certaines choses chez vous. Par exemple, s'il est bon en musique, emmenez-le à des concerts, ou inscrivez-le à l'école de musique.

L'ÉVALUATION DES ÉLÈVES

Les enfants sont aujourd'hui plus évalués que jamais à l'école et cela peut paraître inquiétant, aussi bien pour eux que pour leurs parents. L'enseignant doit porter un jugement sur l'état des connaissances de l'élève (évaluation orale ou écrite par des exercices, leçons, travaux…) et des compétences (recherche dans le dictionnaire, travail en équipe, manières d'aborder un problème, etc.) acquises au cours de l'année. Finalement, il lui attribue une note qui servira à des gens qui, très souvent, ne connaissent pas l'enfant. Au primaire c'est le plus souvent une cote (A, B, C ou 1, 2, 3) ou une note sur 10, ou sur 20.

Cependant, bonnes ou mauvaises, les notes sont censées exprimer la valeur du travail des élèves (leurs savoirs, les progrès qu'ils leur restent à faire) et non la valeur de ces derniers ni la qualité de leurs parents en tant qu'éducateurs.

PROBLÈMES AVEC LES AMIS OU LES PROFESSEURS

La plupart des enfants rencontrent au cours de leur scolarité des problèmes avec au moins un de leurs professeurs. Si cela arrive à votre enfant, il devra apprendre à affronter la situation. Transformez cette expérience en apprentissage. Dites à votre enfant combien il est important de s'entendre avec des gens différents et suggérez-lui quelques stratégies pour y faire face. L'idéal serait de ne pas intervenir directement et de le laisser résoudre le problème tout seul.

De même, il arrivera sans doute que votre enfant se fâche avec ses amis. Mais si vous pensez que votre enfant subit des brimades à l'école, prenez cela très au sérieux (*voir ci-dessous*). S'il s'agit plutôt d'une amitié qui passe par une phase négative, réfléchissez à la meilleure manière de l'aider. Vous pourriez par exemple inviter son ami chez vous, ou inscrire votre enfant à des activités extra-scolaires avec d'autres amis.

L'ENFANT VICTIME DE TAXAGES

La violence entre élèves est malheureusement un phénomène de plus en plus répandu. La plupart des gens s'imaginent qu'il s'agit de coups de pied ou de poing, ou toute autre forme d'agression physique. Mais les violences morales, qui vont des insultes aux menaces en passant par les railleries et les rumeurs diffamatoires, ou la mise à l'écart permanente de l'enfant, sont plus courantes, et bien plus difficiles à supporter et à prouver. Ce type de brimades, si elles se reproduisent régulièrement, peuvent entraîner une dépression, une dévalorisation de soi, de la timidité, des résultats scolaires médiocres, un isolement ou, dans des cas extrêmes, une menace ou tentative de suicide.

Si vous pensez que votre enfant est victime de brimades, prenez cela très au sérieux. Essayez d'établir les faits : demandez-lui franchement ce qui se passe. Parlez-en avec son professeur ou avec la direction de l'établissement. L'école doit avoir une politique d'intervention pour lutter contre ce phénomène. En 1998, une loi a été votée pour lutter contre la violence à l'école et interdire tout acte « humiliant ou dégradant en milieu scolaire ». La même année une campagne contre le racket a été lancée. Notez tous les incidents, écrivez à l'école et faites enregistrer éventuellement une plainte. Si votre enfant est victime de violences physiques, apprenez-lui à crier « non ! », à marcher avec confiance ou à s'enfuir. Si les brimades ont lieu sur le chemin de l'école, allez à la rencontre de votre enfant ou demandez à ce que les auteurs soient gardés à l'école jusqu'à ce que les autres soient rentrés chez eux.

Si votre enfant est victime de violences morales, incitez-le à éviter les enfants qui le persécutent et à en fréquenter d'autres. Apprenez-lui à ignorer les insultes ou les moqueries et expliquez-lui que s'il cesse de réagir aux provocations, ses agresseurs perdront très vite tout intérêt à le persécuter.

SI VOTRE ENFANT EST L'AUTEUR DE TAXAGES

Si vous découvrez que votre enfant en martyrise un autre, essayez de garder votre calme. Parlez-lui et essayez de reconstituer les faits en vous adressant à son professeur ou au chef d'établissement. Expliquez à votre enfant pourquoi il est mal de soumettre un autre enfant à des brimades.

Rassurez-le sur votre amour pour lui, mais soyez clair sur le fait que vous n'aimez pas son comportement. Il pourrait être utile de le récompenser quand il se conduit bien. S'il ne comprend pas en quoi il a mal agi et que son comportement persiste, c'est qu'il a peut-être besoin de voir un psychologue pour enfants.

SIGNAUX D'ALERTE DES TAXAGES

Il a peur d'emprunter le chemin de l'école ou change son itinéraire habituel.

Il refuse de prendre le bus de ramassage scolaire.

Il vous supplie de le conduire en voiture à l'école.

Il n'a pas envie d'aller à l'école.

Il ne se sent pas bien le matin.

Il fait l'école buissonnière.

Il a des résultats médiocres.

Il rentre périodiquement avec des vêtements ou des livres abîmés, ou en ayant « perdu » certains objets.

Il se replie sur lui-même, se met à bégayer, manque de confiance en lui.

Il pleure le soir pour s'endormir, fait des cauchemars.

Il demande de l'argent ou se met à voler (pour payer son agresseur).

Il « perd » continuellement son argent de poche.

Il refuse systématiquement de parler de ce qui ne va pas.

Il a des bleus, des coupures, des égratignures inexpliqués.

Il se met à persécuter d'autres enfants, y compris ses frères et sœurs.

Il devient agressif et déraisonnable.

Il devient stressé et angoissé, perd l'appétit.

LA PUBERTÉ

En repensant à votre adolescence, il est probable que vous n'ayez pas que de bons souvenirs. Les hormones qui déclenchent la puberté marquent aussi souvent le début d'un voyage tumultueux. Au cours de ces années, le développement affectif est plus lent que le développement physique. Pendant quelque temps, votre enfant sera peut-être réticent à vous parler, ce qui peut être déroutant et frustrant.

«...Les œstrogènes et la testostérone sont les principales hormones qui déclenchent les transformations physiques de la puberté.»

LES HORMONES

Les hormones mâles et femelles sont présentes dès la naissance à faibles doses chez les enfants des deux sexes. Mais l'équilibre de ces hormones change du tout au tout au moment de la puberté, quand le niveau des hormones s'élève.

Un an avant l'apparition de toute modification physique, et parfois dès l'âge de 8 ans pour les filles et 10 pour les garçons, la quantité de certaines hormones produites par l'hypothalamus évolue. Chez les filles, ces hormones induisent la production des follicules par les ovaires, qui commencent à produire l'hormone sexuelle féminine, l'œstrogène, puis la progestérone. Chez les garçons, elles entraînent l'augmentation du volume des testicules et déclenchent la production de l'hormone mâle, la testostérone.

Œstrogènes et testostérone sont les principales hormones responsables des changements physiques pubertaires, et les androgènes contribuent à stimuler la croissance prépubertaire de la pilosité (pubienne et axillaire).

CHEZ LES FILLES

Les filles commencent habituellement à produire des hormones sexuelles entre 8 et 11 ans, 11 ans étant l'âge moyen du début de la puberté. Le développement des seins est le premier signe extérieur et le plus visible de l'entrée dans la puberté.

Le développement de la poitrine va de pair en général avec la première phase de croissance de l'adolescence, souvent embarrassante, car les mains et les pieds grandissent très vite au début, les jambes et la colonne vertébrale suivant plus tard. On observe aussi un changement de la silhouette, hanches et poitrine s'arrondissant. Cette redistribution des masses graisseuses et l'élargissement du bassin expliquent que la silhouette de la femme adulte soit plus arrondie que celle de l'homme.

Parallèlement aux changements externes, les organes internes féminins augmentent aussi de volume et de forme. L'utérus et le vagin s'élargissent, la paroi intérieure du vagin s'épaissit et commence à produire des sécrétions claires.

Vers la fin de la puberté (qui chez les deux sexes peut durer jusqu'à cinq ans, entre le premier signe clinique et le développement de la taille adulte), la fille aura pris environ 21 cm, dont 6 cm seulement après le début de ses règles.

Le mot puberté vient du latin *pubes* qui signifie poil. Les poils pubiens commencent généralement à apparaître après la poussée des

seins. On observe parfois dès l'âge de 7 ans une augmentation marquée de la production des androgènes indépendante de la véritable puberté. Cette modification précoce s'observe principalement chez des enfants dont un des parents au moins est d'origine afro-caribbéenne ou méditerranéenne.

L'apparition du système pileux s'accompagne fréquemment d'autres effets dus aux androgènes, tel que de l'acné sur le visage et le dos, une peau et des cheveux gras, et une odeur corporelle marquée. Votre fille aura peut-être envie de se laver les cheveux plus souvent et d'utiliser un déodorant. Les poils sous les aisselles apparaissent à des âges différents mais parfois relativement tard.

Les premières règles

Les premières règles surviennent habituellement vers la fin de la puberté. Elles commencent en général lorsque les seins sont bien développés sans avoir encore leur taille et leur forme « adulte » (ce qui peut prendre jusqu'à quatre ans), et vers la fin de la poussée de croissance de l'adolescence. En moyenne, elles surviennent vers 12 ou 13 ans, mais peuvent apparaître entre l'âge de 10 ans et 15 ans sans qu'il y ait lieu de s'inquiéter.

Au cours de la première année, les règles surviennent souvent sans qu'il y ait ovulation et de ce fait, elles sont souvent irrégulières avant de s'établir à un cycle de 28 à 35 jours environ. Certaines jeunes filles n'ont toujours pas de cycle

PUBERTÉ PRÉCOCE OU TARDIVE

Puberté précoce des filles

Si votre fille se met à avoir de la poitrine et des poils pubiens avant l'âge de huit ans, demandez éventuellement l'avis de votre médecin. La puberté précoce se transmet souvent de mère en fille, mais elle peut aussi être la conséquence d'une production d'hormones pathologique. Il conviendra alors d'effectuer un dosage hormonal grâce à une analyse de sang. Une échographie du bassin pour évaluer la taille de l'utérus et des ovaires peut être aussi nécessaire.

Puberté tardive des filles

La puberté est dite tardive si la petite fille n'a pas de seins ou de poils pubiens à l'âge de 14 ans. On peut aussi se poser des questions si elle n'a toujours pas eu de règles dans les cinq années qui suivent l'apparition des tissus mammaires. Encore une fois, le retard peut-être une caractéristique familiale. De même que pour la puberté précoce, le taux d'hormones sera éventuellement mesuré par une analyse de sang. Dans certains cas, la puberté peut être déclenchée en administrant des hormones supplémentaires au moment opportun.

Puberté précoce des garçons

Si les testicules ou le pénis de votre fils augmentent de volume ou s'il a des poils pubiens avant l'âge de 9 ans, consultez votre médecin. Il aura peut-être besoin de faire un dosage hormonal.

Puberté tardive des garçons

Il est également recommandé de consulter si votre fils ne présente aucun signe pubertaire à 14 ans. Il pourrait s'agir d'une caractéristique familiale, à moins qu'il ne produise pas assez d'hormones.

régulier au bout de cette période, et il est possible d'en rechercher les causes si cela perdure au-delà d'un an.

Aujourd'hui, il semble que les règles soient plus précoces qu'il y a 30 ou 40 ans. Au fil du XXe siècle, l'âge des menstruations, ainsi que le début de la puberté ont eu tendance à avancer en moyenne de deux ou trois mois tous les dix ans ; un phénomène imputable à l'amélioration des conditions de vie, notamment dans les pays industrialisés. Cette tendance semble avoir atteint aujourd'hui un seuil dans la plupart des pays occidentaux.

Cependant, cette tendance se poursuit dans certains pays en développement où la nutrition et les conditions de vie continuent de s'améliorer. Cela explique sans doute que des fillettes de diverses origines ethniques aient leurs premières règles à des âges relativement différents, celles d'origine afro-caribbéenne ou méditerranéenne présentant une maturation plus précoce.

CHEZ LES GARÇONS

Chez les garçons, la puberté commence, en moyenne, six mois plus tard que chez les filles. Le premier signe (l'augmentation du volume des testicules) survient en général vers l'âge de 12 ans, mais peut parfois se produire entre 10 ans et 14 ans, sans qu'il y ait lieu de s'inquiéter. L'apparition des poils pubiens et le développement du pénis commencent généralement dans les six mois qui suivent la croissance testiculaire initiale. La phase de croissance de l'adolescence urvient assez tard, en moyenne ers l'âge de 14 ans. Cela signifie u'au début, la puberté peut passer naperçue chez un garçon.

L'augmentation du volume des esticules se produit de manière ymétrique, en même temps que es autres changements physiques, et oute différence de volume ou toute louleur à ce niveau doivent être ignalées au médecin. Les poils ubiens pigmentés poussent d'abord la base du pénis puis s'étendent rogressivement. Les poils sur le bas le l'abdomen ou la poitrine appa- aissent assez tard ou pas du tout. A mesure que les poils pubiens 'étendent, le pénis se développe ussi, d'abord en longueur puis en argeur, avec l'apparition du gland. a pilosité sous les aisselles et la eau grasse ou l'acné juvénile urviennent plus tardivement. L'âge noyen de l'apparition de la barbe se itue vers 15 ans. La mue de la voix, lue en partie à la croissance du arynx et à l'allongement et à l'épais- sissement des cordes vocales, débute habituellement entre 13 ou 15 ans.

Les garçons commencent en général à avoir des éjaculations nocturnes vers l'âge de 13 ou 14 ans. Cela risque de l'inquiéter, à moins que vous ne le lui ayez expliqué avant, l'éjaculation nocturne traduisant simplement la production séminale. C'est le meilleur moment pour les parents de parler avec leur fils des relations sexuelles. À ce moment-là, le garçon s'intéressera sans doute aussi davantage aux filles, qui, à ce stade, auront elles aussi atteint une certaine maturité physique.

De même que pour les filles, la croissance du squelette chez les garçons est au début disproportionnée. Les mains et les pieds poussent plus rapidement que les bras et les jambes, lesquels s'allongent avant le torse, ce qui donne une impression de maladresse. Cette asymétrie provisoire affecte aussi le visage de l'enfant, car son menton, son nez, ses lèvres et ses oreilles grandissent avant que sa tête n'ait atteint sa taille adulte.

À la fin de la puberté, le garçon a grandi d'environ 28 cm. Il est plus élancé, avec plus de muscles que de graisse et, à un degré variable, son corps a une forme plus masculine avec des épaules relativement larges et des hanches étroites. À ce stade, la pilosité du visage s'est étendue et l'adolescent aura peut-être besoin de se raser régulièrement.

De même que chez les filles, l'afflux des hormones et autres modifications corporelles peuvent provoquer chez le garçon des sautes d'humeur, un repli sur soi ou de l'agressivité. Il est important d'éviter trop de conflits, et de lui permettre de devenir un adulte mature tout en préservant en même temps quelques règles de bases à la maison.

«… au début de la puberté, les garçons s'intéressent davantage aux filles, qui, à ce stade, ont elles aussi atteint une certaine maturité physique. »

L'ÉDUCATION SEXUELLE

PARLER DES CHOSES DE LA VIE AVEC SON ENFANT EST RAREMENT FACILE POUR LES PARENTS. Quelles informations donner à son enfant ? À quel moment ? La manière dont vous aborderez la sexualité dépend de vous et de lui. On ne peut guère épuiser le sujet en une demi-heure, le questionnement est permanent, car votre enfant aura besoin de différentes informations à différents stades.

« …le bon moment pour aborder l'éducation sexuelle, est d'attendre que votre enfant prenne l'initiative. »

QUAND COMMENCER ?

D'après la plupart des experts, le bon moment pour aborder l'éducation sexuelle, est d'attendre que votre enfant en prenne l'initiative et qu'il vous pose une question. « D'où viennent les bébés ? » sera souvent la première. Il est important d'être ouvert et franc dès le départ, et d'éviter de raconter des histoires de cigognes ou de choux. Ce genre d'explications peut sembler facile à un moment donné, mais quand l'enfant sera plus grand et qu'il aura découvert la vérité, il sera moins enclin à vous croire.

Réfléchissez à la manière dont vous pourrez répondre à ses questions. Les réponses devront être adaptées à son âge et à ses capacités de compréhension. Par exemple, un enfant de 5 ans se satisfera sans doute d'entendre qu'un enfant est fait par une maman et un papa et qu'il grandit dans le ventre de la maman. À cet âge, il n'est pas nécessaire d'entrer dans des explications biologiques détaillées ni d'aborder des thèmes sur lesquels il ne vous a pas posé de questions.

Si votre enfant vous pose une question qui vous prend au dépourvu et que vous ne savez pas comment lui répondre, soyez honnête. Dites-lui quelque chose comme : « C'est une question intéressante. Je ne suis pas sûr(e) de la réponse. Laisse-moi y réfléchir et nous en reparlerons plus tard. » Cela vous laissera le temps de préparer votre réponse et lui fera comprendre que vous allez reparler de ce sujet. N'hésitez pas à acheter un livre adapté à son âge avec des schémas simples qui illustreront vos explications.

:ÉDUCATION EXUELLE À L'ÉCOLE

'éducation sexuelle est désormais ıscrite aux programmes scolaires t tous les enfants reçoivent donc uelques cours sur ce sujet. Au ours élémentaire, des notions sur :s caractéristiques et les différentes onctions du monde vivant sont bordées, incluant la reproduction. .u cours moyen, le programme de ciences prévoit la comparaison ntre les divers modes de reproduc-ion animale, et la reproduction umaine. Mais l'éducation sexuelle roprement dite n'est réellement bordée qu'en quatrième et en roisième lors d'un cours d'édu-ation à la sexualité, de deux eures minimum par année colaire. Demandez au professeur uand et comment l'école abordera 'éducation sexuelle pour que vous uissiez vous y préparer et parler vec votre enfant de ce qu'il a ppris, vérifier qu'il a compris orrectement et lui donner l'occa-ion de poser éventuellement 'autres questions.

Le contenu et le ton des cours dépendent surtout de la volonté de chaque établissement et de chaque enseignant. Toutefois le gouvernement a récemment publié des textes officiels concernant l'éducation sexuelle à l'école qui prennent en compte les inquiétudes à propos des maladies sexuellement transmissibles (MST). D'après les statistiques, certains centres de santé spécialisés recevraient en consultation des enfants d'à peine 11 ans !

L'éducation sexuelle à l'école est-elle adaptée ?

En dehors du cadre strictement scolaire, différentes actions de prévention sont menées dans les écoles. En primaire, une prévention, notamment sur les risques d'abus sexuels, est diffusée. De plus, les campagnes nationales de communication (affiches, brochures) auprès des jeunes sur les problèmes de contraception ou concernant les MST sont généralement relayées par les collèges.

ATTITUDES ENVERS LA NUDITÉ

Les petits enfants n'ont aucun sens de l'intimité. Ils préfèrent souvent n'avoir aucun vêtement sur eux et sont très intéressés par le corps nu de leurs parents. Pour certains parents, bien dans leur corps, cela ne pose aucun problème et leurs enfants commencent ainsi à comprendre la différence entre garçons et filles.

Au moment d'entrer à l'école, les enfants prennent souvent plus conscience de leur corps et sont moins enclins à se déshabiller. Quand ces limites commencent à apparaître, respectez-les. N'entrez pas dans la salle de bain sans prévenir quand votre petit de 8 ans est dans le bain, ni dans sa chambre quand la porte est fermée.

Si, au contraire, vous craignez que votre enfant ne montre aucune pudeur, parlez-lui progressivement de l'idée de l'intimité et des limites. Par exemple, vous pourriez fermer la porte de la salle de bain, en lui expliquant gentiment que vous préférez être seul pour faire votre toilette.

Il importe de faire une distinction très claire entre intimité et secret. Découvrir son corps, pour un enfant, ne tient pas du secret mais de l'intimité.

Tant que l'enfant est petit et que cela ne le gêne pas d'être vu nu, il est facile de repérer ce qui ne va pas. Quand il grandit et devient pudique, il faut parfois lui dire qu'il doit faire attention à son corps, et vous signaler tout ce qui est inhabituel.

RÉPONDRE AUX QUESTIONS DE SON ENFANT

Répondez honnêtement à votre enfant lorsqu'il vous pose des questions sur l'origine des bébés. Il n'est pas nécessaire de lui donner des détails qu'il ne comprendrait pas, mais vous pouvez expliquer simplement qu'il vient du ventre de sa maman.

Quand votre enfant sera plus grand, un bon livre, avec des dessins adaptés à son âge, vous aidera à lui expliquer la reproduction.

Ne comptez pas sur l'éducation sexuelle à l'école pour enseigner à votre enfant tout ce qu'il aura besoin de savoir. Il n'aura peut-être pas compris toute la dimension des relations entre un homme et une femme. Il est souhaité que « se développe une authentique démarche éducative, qui passe par l'affirmation que la relation sexuelle engage la personne toute entière et qu'elle doit être replacée dans sa dimension affective, fondée sur les valeurs d'estime de soi et de respect de l'autre. »

Aidez votre enfant à comprendre que seule une petite minorité d'adolescents ont une sexualité active et qu'il est normal de ne pas avoir de relations sexuelles lorsqu'on est adolescent.

Assurez-vous qu'à chaque étape de son développement il sache qu'il peut s'adresser à vous pour toute question ou problème concernant la sexualité. Dites-lui que, quelle que soit sa question ou son problème, vous serez toujours là pour l'écouter.

REMETTRE L'ÉDUCATION SEXUELLE DANS SON CONTEXTE

On imagine souvent à tort qu'en grandissant les enfants apprennent tout ce qu'ils doivent savoir à l'école, et qu'ils ont parfaitement compris ce qui touche à la sexualité et aux relations sexuelles.

De nos jours, les enfants sont plus soumis à l'influence des médias, et ils ont l'habitude des images ayant trait à la sexualité dans les médias (plutôt l'aspect nudité que l'aspect relationnel...).

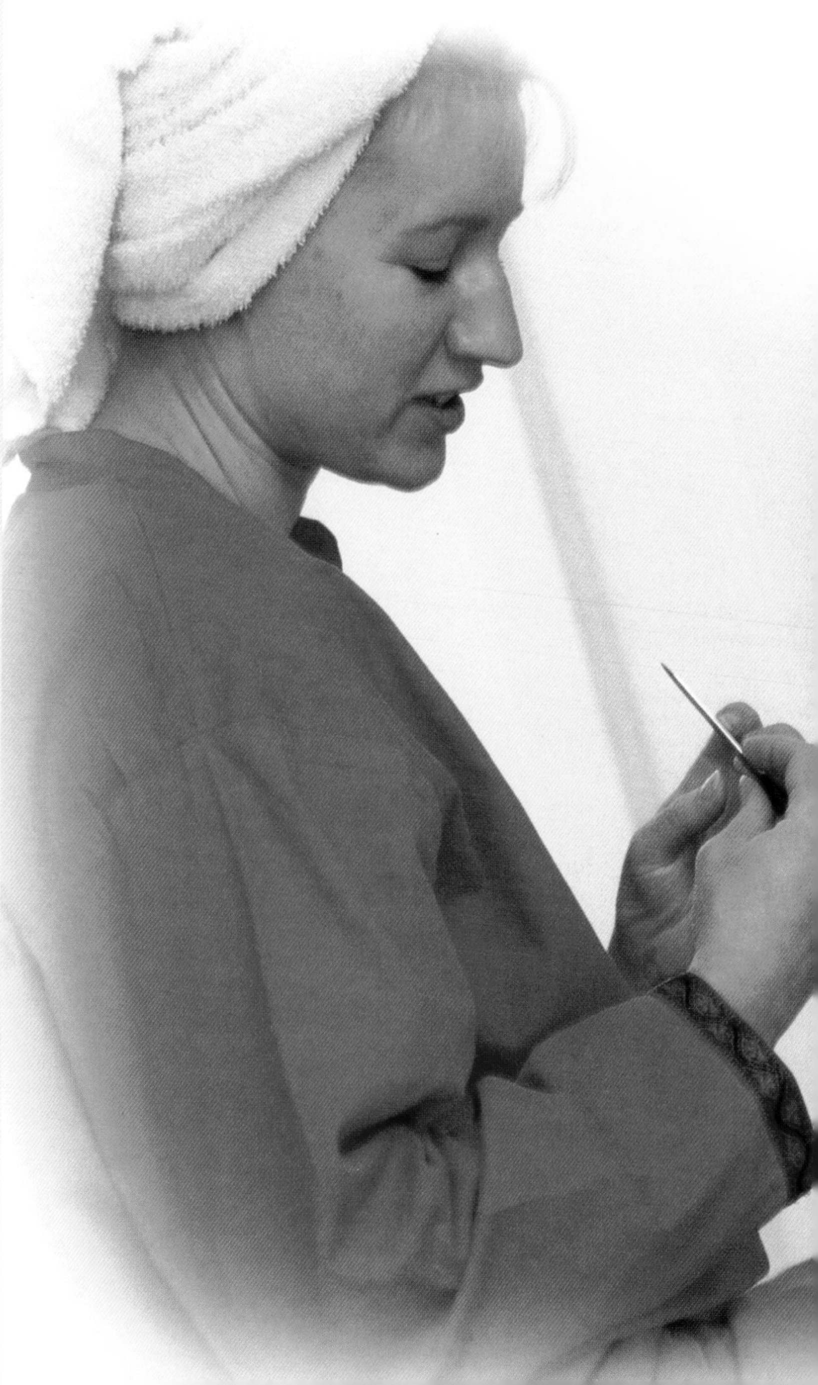

Les filles en savent habituellement plus sur la sexualité que les garçons. Un grand nombre de magazines destinés aux adolescentes contiennent des informations sensées sur le thème de la sexualité. Les garçons ont plus tendance à compter sur l'éducation sexuelle à l'école. Mais les garçons comme les filles peuvent percevoir, dans les films, vidéos et chansons, un message sous-jacent mais inexact, selon lequel tous les jeunes auraient une sexualité active. Une étude a montré que 80 % des adolescents de 14 ans croient que la majorité des gens perdent leur virginité avant 16 ans. En fait, un tiers des filles et un peu moins de garçons ont déjà eu des relations sexuelles à 16 ans.

Sur Internet, il existe un grand nombre de sites consacrés à des thèmes concernant la sexualité et constituant une source d'information de plus en plus importante pour les jeunes. Certains sont très bien faits, mais beaucoup sont trop explicites et inadaptés aux enfants.

La plupart des enfants disent vouloir continuer d'entendre leurs parents aussi bien que l'école leur parler de sexualité. Quoiqu'il en soit, les parents devraient vérifier que leur enfant reçoit des informations exactes, et lui donner des repères. Aidez-le à avoir confiance en lui pour faire les bons choix au bon moment.

Si votre fille aime lire des magazines, pourquoi ne pas relever certaines des informations qu'ils contiennent pour en discuter avec elle. Cela vous donnerait l'occasion d'entendre ce qu'elle en a retenu et de rectifier le tir si cela vous semble inexact. Vous lui donnerez par la même occasion l'opportunité de vous poser toute question qui la préoccupe.

Les garçons sont souvent embarrassés pour parler ouvertement de sexualité. Le fait de mentionner, presque par hasard, certaines choses sur la sexualité, que vous avez lues dans le journal ou vues avec lui à la télévision, pourra lui donner l'occasion de poser des questions, ou au moins d'écouter votre point de vue.

Avec des enfants plus grands

Lorsque les informations de base ont été transmises et que les enfants traversent la période de la puberté, il devient souvent plus difficile de parler de sexualité. L'une des raisons à cet état de fait est que l'adolescent voudrait faire croire qu'il sait tout. Il se peut aussi qu'il pense réellement tout savoir.

En réalité, il connaît souvent certains aspects de la sexualité et de la reproduction, mais ne réalise pas toutes leurs implications. Il se peut aussi qu'il ne comprenne pas toutes les dimensions des relations sexuelles ou qu'il ne sache pas comment résister à la pression de ses pairs (ou de ses partenaires) voulant le pousser à avoir des relations sexuelles avant qu'il n'y soit prêt. Toutes ces données sont parfois difficiles à admettre pour un adolescent.

En tant que parents, il est utile de dire à son enfant qu'il est normal de ne pas comprendre comment gérer les problèmes relationnels ou la pression des pairs. Si vous êtes ouvert, votre enfant sera plus enclin à vous demander conseil et plus à l'aise pour vous écouter.

L'ALCOOL, LE TABAC ET LA DROGUE

AUJOURD'HUI LES PARENTS CRAIGNENT DE PLUS EN PLUS QUE LEURS ENFANTS SE LAISSENT TENTER PAR L'ALCOOL, LE TABAC OU LA DROGUE. Ces produits semblent plus faciles à obtenir qu'avant, et il est impossible d'empêcher ses enfants d'en faire l'expérience s'ils le veulent. Peut-être croyez-vous que cela ne concerne pas les enfants de moins de 11 ans, mais des enquêtes ont montré qu'à cet âge, un tiers des enfants avait déjà essayé de fumer.

« … écoutez le point de vue de votre enfant à ce sujet, et faites-en le point de départ d'une discussion. »

QUE FAIRE EN TANT QUE PARENTS ?

S'il y a peu de risques qu'à l'école primaire votre enfant ait déjà fumé, bu de l'alcool ou pris de la drogue, c'est un âge idéal pour lui donner des informations sur ces sujets, et l'opportunité d'élargir sa compréhension du monde. Il acquerra ainsi les compétences nécessaires pour pouvoir, le moment venu, prendre des décisions éclairées sur le mode de vie qu'il voudrait avoir.

Les établissements scolaires sont aujourd'hui tenus de délivrer un enseignement sur les drogues et les substances psychoactives (dont l'alcool et le tabac).

Les parents peuvent considérablement participer à l'éducation de leurs enfants sur la drogue, l'alcool et le tabac. Écoutez le point de vue de votre enfant à ce sujet et faites-en le point de départ d'une discussion. Mais parler ne suffit pas, le mieux est d'être impliqué dans la vie de son enfant et de connaître ses amis. Il peut être utile d'en parler avec d'autres parents, des amis ou des enseignants.

Pourquoi un enfant aurait-il envie d'essayer certains de ces produits ? Par curiosité, pour le plaisir ou pour faire comme ses amis. La plupart des personnes qui touchent une fois à la drogue, à l'alcool ou au tabac s'arrêtent là, et ne deviennent pas dépendants. Il est intéressant de rappeler qu'il y a beaucoup plus de problèmes de santé et de société liés à l'usage des drogues licites (l'alcool et le tabac) qu'à celui des drogues illicites.

L'ALCOOL

Les parents et l'école aussi ont un rôle majeur à jouer dans la prévention de l'alcoolisme.

Si vous demandez à quel âge un enfant peu goûter à une boisson alcoolisée, sachez que des recherches ont montré que plus une personne commence à boire de l'alcool tôt, plus elle risque d'avoir des problèmes d'alcoolisme. Il n'y a donc pas de « bon » moment pour goûter à l'alcool, et le plus tard sera le mieux.

Mais on n'est jamais sûr que les choses se passent comme on l'a souhaité. En effet, venue de Grande-Bretagne, la mode des alcopops ou premix (alcools forts masqués par du sucre et des arômes) attire de plus en plus de jeunes parce qu'ils ne sentent pas l'alcool que ces boissons contiennent.

LE TABAC

Des enquêtes ont montré que trois enfants de moins de 5 ans sur quatre ont conscience de ce que sont le tabac ou la cigarette, que leurs parents soient fumeurs ou non-fumeurs. À 12 ans, un tiers des enfants ont déjà essayé de fumer.

Les filles fument souvent plus régulièrement que les garçons, et le pourcentage de celles qui fument augmente sensiblement avec l'âge. Si 1 % des enfants de 12 ans fument régulièrement, ils sont 22 % à 15 ans. Les enfants ont plus de risques de fumer si leurs parents sont fumeurs, et l'approbation ou la désapprobation des parents face à cette habitude est un facteur significatif d'incitation.

La plupart des jeunes fumeurs sont aussi influencés par leurs amis et leurs aînés qui fument. Les répercussions sur la santé des enfants sont considérables. Il sont exposés entre deux et six fois plus aux rhumes, à l'asthme et autres problèmes respiratoires. Ils sont en outre plus sensibles que les adultes à la fumée passive.

LA DROGUE ET L'ENFANT

À l'école primaire, la plupart des enfants ont déjà entendu parler de drogues, même si ces substances ne posent pas de problèmes à cet âge.

L'usage des drogues est plus répandu chez les adolescents et les jeunes adultes. Mais, d'après le ministère de la Santé, l'âge de la première consommation de drogues tend à s'abaisser. Les jeunes sont aujourd'hui plus exposés.

Les drogues prises occasionnellement peuvent être difficiles à détecter. Mais si votre enfant en consomme régulièrement, son comportement changera probablement. Les signaux d'alerte sont notamment :

- Sautes d'humeur inexpliquées.
- Comportement inhabituel.
- Perte d'intérêt pour l'école ou les amis.
- Disparition inexpliquée d'argent ou de vêtement.
- Odeurs inhabituelles.

Si vous soupçonnez votre enfant de consommer des drogues, attention aux conclusions hâtives ! Soyez compréhensif, rassurant et cohérent dans votre discours sur les drogues. Votre enfant aura un besoin vital de votre soutien indéfectible.

N'ayez pas peur de demander de l'aide. Parlez-en par exemple à votre généraliste lors d'une consultation, à son professeur ou à l'infirmière de l'école. Des centres d'aide et d'information sur les drogues et l'alcool vous conseilleront et vous soutiendront.

Gardez à l'esprit que des enfants passent parfois par une phase d'expérimentation avec les drogues.

SANTÉ ET SÉCURITÉ

TOUT MONDE SOUHAITE QUE SES ENFANTS SOIENT ET RESTENT EN BONNE SANTÉ. En tant que parents, nous sommes responsables du bien-être quotidien de nos enfants et nos actes quotidiens (comme de veiller à ce qu'ils aient une alimentation saine et assez de sommeil) les aideront à entretenir leur santé.

«... Et il y a bien des moyens de faire en sorte que votre famille vive sainement. »

FAVORISER UN MODE DE VIE SAIN

On insiste beaucoup aujourd'hui sur l'importance de prévenir les maladies et d'inciter les enfants à vivre aussi sainement que possible. Pour les parents, cela peut représenter un travail à plein temps. S'il est important d'aider son enfant à garder la meilleure santé physique possible en lui préparant des repas équilibrés, en veillant à ce qu'il dorme suffisamment et fasse assez d'exercice, sa santé mentale et son bien-être affectif n'en sont pas moins importants. Un enfant élevé dans une famille qui l'aime et le soutient, qui l'aide à avoir confiance en lui et dans sa propre échelle de valeurs aura un bon départ dans la vie.

Ce n'est pourtant pas toujours facile. Il faut parfois prendre des décisions capitales pour la santé de son enfant. Par exemple, il est généralement admis que les vaccinations sont très efficaces pour protéger les enfants de toutes sortes de maladies. Mais de nombreuses inquiétantes controverses (vaccin RRO, ou celui contre l'hépatite B) à ce sujet ont été soulevées.

Que faire ?

Il existe quelques règles simples qui permettent d'aider son enfant à vivre en bonne santé et en toute sécurité. Outre la vaccination, rappelons l'importance de sécuriser la maison autant que possible. Chaque jour, des milliers d'enfants se retrouvent à l'hôpital suite à des accidents domestiques. Vous pouvez aussi protéger votre enfant quand il va au soleil. Mais surtout, donnez-lui les informations et la confiance dont il aura besoin pour rester en bonne santé. Enfin, vérifiez qu'il saurait quoi faire en cas d'urgence.

RENFORCER L'IMMUNITÉ

On est parfois tenté de croire qu'une dose de vitamine C sous forme de supplément va renforcer l'immunité de l'enfant et contribuer à le protéger contre la toux et les rhumes. Malheureusement, il n'existe absolument aucune preuve scientifique établissant qu'un quelconque supplément en vitamine confère un surcroît de protection par rapport à celle qu'assurent un mode de vie sain et une alimentation équilibrée.

Le grand air, l'exercice et un sommeil suffisant, associés à une alimentation riche en vitamine C naturelle (oranges et autres agrumes, kiwi, tomates, poivrons rouges et légumes verts) sont les meilleurs garants de la santé d'un enfant.

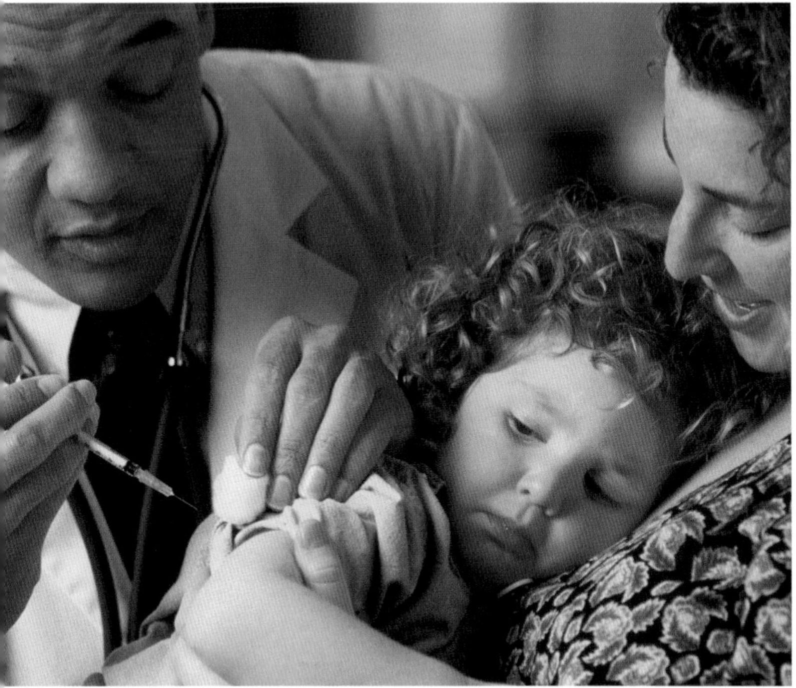

LA VACCINATION

Au Québec la vaccination n'est pas obligatoire. Elle est cependant fortement recommandée car en faisant vacciner votre enfant vous lui offrez une meilleure protection contre les maladies graves.

Le premier vaccin est donné dès l'âge de 2 mois. Plusieurs doses de vaccin sont parfois nécéssaires pour établir une protection et garder des anticorps protecteurs en quantité suffisante.

Votre enfant devrait recevoir: Le vaccin DcaT-Polio-Hib à l'âge de 2 mois, 4 mois, 6 mois et 18 mois; Le vaccin Méningocoque à 12 mois; Le vaccin RRO à 12 mois et à 18 mois; Le vaccin DcaT-Polio entre 4 et 6 ans; Le vaccin de l'hépatite B en 4e année du primaire; Le vaccin d2T5 entre 14 et 16 ans.

Un enfant enrhumé peut être vacciné, mais s'il a une forte fièvre, mieux vaut remettre la vaccination à plus tard. Certains enfants ont une réaction bénigne, ils sont plus irritables que d'habitude ou font une poussée de fièvre. On peut aussi observer une réaction locale. Il est assez courant de voir apparaître un léger gonflement sous la peau au point d'injection, qui peut atteindre le diamètre d'une pièce de 20 centimes. Tout gonflement plus important doit être signalé au médecin.

LE RRO

La publication d'un article scientifique a suggéré un lien entre le RRO, l'autisme et des troubles digestifs graves.

De nombreuses études épidémiologiques ont été effectuées qui n'ont trouvé aucun lien significatif. En outre, toutes les données scientifiques ont été minutieusement examinées par des comités scientifiques indépendants y compris l'Organisation Mondiale de la Santé. Tous ont conclu qu'il y avait suffisamment de données disponibles

« Il existe quelques règles simples qui permettent d'aider son enfant à vivre en bonne santé... »

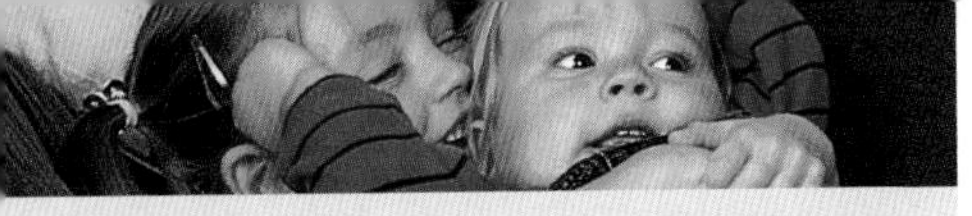

POURQUOI LE RRO ?

Il y a d'excellentes raisons d'affirmer que le vaccin trivalent RRO est un vaccin efficace.

Plusieurs études ont démontré le bon niveau de sécurité qu'offre ce vaccin.

Les vaccins séparés soumettent l'enfant à six injections au lieu de deux.

Recevoir l'équivalent des deux injections de RRO sous forme séparée prend au moins 5 ans. L'enfant est alors inutilement exposé aux maladies pendant une longue période, ce qui peut poser un risque individuel mais aussi collectif. Ceux qui ne peuvent pas être vaccinés, tels que les nourrissons, les femmes enceintes et les immunodéprimés, courent plus de risques de développer ces maladies.

Avec des vaccins séparés, la compatibilité des antigènes serait souvent plus faible, ce qui conduirait inévitablement à une baisse de la couverture vaccinale et à une résurgence de ces trois maladies.

Alors qu'on dispose aujourd'hui d'une vaste gamme de preuves montrant la sécurité du vaccin RRO, on n'a pas de recul quant à l'emploi de trois vaccins isolés ; de fait, leur efficacité et leur innocuité ne peuvent être mis en évidence de façon scientifique. Ces vaccins isolés ne font d'ailleurs l'objet d'aucun programme de santé, dans aucun pays du monde.

permettant de rejeter l'hypothèse d'une association causale entre vaccination RRO et autisme, et que le RRO restait le meilleur vaccin pour protéger les enfants contre la rougeole, les oreillons et la rubéole. Plus de 100 pays à travers le monde continuent d'utiliser cette combinaison vaccinale.

La rougeole est responsable d'encéphalites et les oreillons peuvent provoquer une inflammation des glandes parotides, situées sous la mâchoire. Elle peut aussi entraîner une perte d'audition (en général temporaire), une inflammation du pancréas avec douleurs, nausées et vomissements. Avant l'introduction du RRO, la maladie était la principale cause de méningite virale chez les enfants. Contractée à l'adolescence ou à l'âge adulte, elle peut provoquer une inflammation (orchites) des testicules et, dans de rares cas, diminuer la fertilité chez le petit garçon.

La rubéole est généralement une maladie bénigne qui dure 2 ou 3 jours. Mais chez une femme enceinte en début de grossesse, elle peut causer de graves anomalies ou même provoquer la mort du fœtus.

Pour prévenir les épidémies de rougeole et protéger les enfants qui ne peuvent pas être vaccinés, la couverture vaccinale devrait atteindre 95 % au niveau national.

Les vaccins séparés

Beaucoup de parents se sont demandés s'il ne valait pas mieux donner séparément les trois vaccins du RRO. Ils pensaient que le fait de donner trois vaccins en une seule injection pouvait surcharger le système immunitaire de leur enfant. Mais les composants du RRO prennent effet à différents moments. Le vaccin anti-rougeole prend effet au bout de 7-10 jours alors que ceux contre la rubéole et les oreillons prennent effet plus tard. Par ailleurs, le système immunitaire de l'enfant est habitué à être bombardé par des centaines de virus et autres agents pathogènes de son environnement, et il peut aisément supporter ces vaccins.

Quand la couverture vaccinale est défaillante

On dispose de nombreux exemples de ce qui arrive lorsque la couverture vaccinale est défaillante. Dans les années 1970, en Grande-Bretagne, une controverse sur le vaccin contre la coqueluche évoquait un lien possible avec des lésions cérébrales, ce qui entraîna une chute importante des vaccinations. Trois épidémies de coqueluche s'en suivirent (plus de 300 000 cas rapportés) avec au moins 70 morts, et les recherches ne mirent jamais en évidence de lien entre la coqueluche et des lésions permanentes du cerveau.

La décision de vacciner ou non les enfants appartient naturellement aux parents. Mais s'ils décident de ne pas faire vacciner leurs enfants ces maladies ne seront pas éradiquées. Les enfants non vaccinés courent le risque de les attraper, tout comme les nourrissons et les immunodéprimés (certains ne pourront jamais être vaccinés pour des raisons médicales, comme les enfants atteints de leucémie).

SÉCURITÉ DE L'ENFANT

Un accident est très vite arrivé. Chaque année, au Québec plusieurs enfants de moins de 15 ans décèdent des suites d'accidents domestiques, avec une proportion maximum entre 2 et 4 ans.

Pourtant, de nombreux accidents pourraient être évités, et il est important de prévoir les différents risques encourus par l'enfant à chaque stade de son développement afin de sécuriser au maximum la maison.

Dès les premiers mois et jusqu'à 1 an, les enfants sont souvent victimes de chutes (d'une table à langer ou d'une chaise haute). Veillez à ce que votre bébé ne reste jamais sans surveillance sur une surface surélevée. Installez des barrières de sécurité en haut et en bas de vos escaliers avant que bébé ne sache ramper, et équipez-vous, par exemple, d'entrebâilleurs de fenêtres pour éviter qu'elles ne s'ouvrent de plus de 10 cm.

Il est également vital de surveiller votre enfant à proximité d'un plan d'eau, même peu profond. Ne laissez jamais un bébé ou un petit enfant seul dans son bain et assurez-vous que les piscines et les mares de jardin soient surveillées en permanence.

Pendant la première année, les risques d'étouffements sont également fréquents. Les bébés adorent porter des choses à la bouche et ils peuvent facilement s'étouffer, même avec des boissons. Gardez les petits objets hors de leur portée et ne les laissez pas seuls avec un biberon.

Les cas d'empoisonnements atteignent un pic vers l'âge de 2 ans. Dès l'âge de 18 mois, les petits savent souvent ouvrir une bouteille très vite. Conservez tous les produits ménagers (notamment les nettoyants sous forme de pastilles qui peuvent être pris pour de gros bonbons) hors d'atteinte de votre enfant, et rangez tous les médicaments, alcools et cosmétiques dans une armoire fermée à clé.

« Chaque année, au Québec plusieurs enfants de moins de 15 ans décèdent des suites d'accidents domestiques. »

Avant l'entrée à l'école, les chutes sont également les accidents courants. Il est quasiment impossible d'empêcher les enfants de se déplacer partout dans la maison, alors veillez notamment à ce que les meubles ne soient pas trop près des escaliers ou des fenêtres.

La sécurité et les enfants plus grands

Quand l'enfant commence à aller à l'école, entre 5 et 6 ans, les accidents à l'extérieur de la maison deviennent alors de plus en plus fréquents. Veillez à ce que votre enfant soit toujours surveillé par un adulte quand il est dehors. Établissez la règle selon laquelle il devra traverser la rue aux intersections la rue seul avant 8 ans.

Bien qu'à 6 ans votre enfant ne soit pas encore prêt à faire du vélo dans la rue, vous pouvez l'encourager à en faire dans un endroit sûr, comme un parc. Il devrait porter un casque dès le début. Les enfants de 7 à 11 ans commencent malheureusement à figurer dans les statistiques des accidents de la route. Des accidents de vélo sont recensés. Veillez à ce que votre enfant ait de solides notions de sécurité routière et qu'il soit responsable de l'entretien de son vélo. Il conviendrait aussi que votre enfant porte des vêtements à bandes fluorescentes.

Prévenir les brûlures

Les brûlures sont également fréquentes. Chaque année, au Québec, plusieurs enfants sont victimes de brûlures graves. Les 3/4 concernent des enfants de moins de 5 ans, et près des 2/3 de ces accidents ont lieu dans la cuisine. Si possible, éloignez votre petit enfant de cette pièce quand vous faites la cuisine. Installez éventuellement une barrière de sécurité sur le seuil pour que votre enfant puisse vous voir sans risquer de se blesser.

Les liquides chauds présentent un danger particulier. L'eau peut brûler la peau jusqu'à 30 minutes après avoir bouilli. Gardez les boissons chaudes hors de portée des enfants. Préférez les sets de table aux nappes que votre enfant pourrait tirer. Si possible, bloquez la température de l'eau du robinet entre 38 et 45 °C. Les aliments et les boissons chauffés au micro-ondes peuvent aussi occasionner des brûlures. Remuez ou agitez tout ce qui sort du micro-ondes avant de le donner à votre enfant afin d'éliminer les parties brûlantes.

Les incendies domestiques sont souvent causés par les enfants qui jouent avec des allumettes. Gardez-les hors de vue et de portée des enfants. Équipez-vous de détecteurs de fumée et vérifiez-les souvent.

LE SOLEIL

Veillez à ce que votre enfant soit totalement protégé du soleil. La peau de Bébé est beaucoup plus fine que celle de l'adulte et donc beaucoup plus sujette aux coups de soleil. Elle ne rougit qu'une fois que les dégâts ont été commis, alors prenez vos précautions avant. Laissez les bébés à l'ombre.

Pour les enfants un peu plus grands, qui restent rarement longtemps en place, appliquez une lotion ayant un indice de protection solaire (FPS) de 30 ou plus élevé. Appliquez-la abondamment environ 30 minutes avant l'exposition et tout au long de la journée, surtout après être allé dans l'eau, même si le produit est censé résister à l'eau. Un chapeau à large bord ou avec rabat à l'arrière est indispensable. Évitez aussi de sortir en plein milieu de la journée et en début d'après-midi quand le soleil est au plus fort. En résumé, n'oubliez pas de lui enfiler une chemise, de lui mettre un chapeau et d'appliquer une crème à indice de protection élevé quand votre enfant s'apprête à rester au soleil un certain temps.

Surveillez l'apparition des symptômes du coup de chaleur (maux de tête, vertiges et confusion) si votre enfant joue dehors par temps ensoleillé. L'enfant peut aussi avoir la peau rouge, chaude et sèche.

Si vous remarquez ces symptômes, emmenez votre enfant dans un endroit frais, enlevez-lui ses vêtements puis appelez une ambulance. Si possible, couvrez-le d'une serviette mouillée. Vous pouvez aussi lui tamponner le visage et le corps avec de l'eau fraîche ou l'éventer jusqu'à ce que les secours arrivent.

APPRENDRE LA SÉCURITÉ

Apprenez-lui son nom complet et son adresse dès qu'il aura 3 ou 4 ans. Certains enfants sont même capables de se rappeler leur numéro de téléphone. Parlez avec lui de ce qu'il devrait faire s'il se perdait en allant faire des courses avec vous. Suggérez-lui de rester au même endroit et de vous appeler à plusieurs reprises. S'il ne vous voit pas, dites-lui qu'il peut demander de l'aide à un adulte accompagné d'enfants ou à un employé du magasin qu'il trouvera derrière un comptoir, par exemple.

Parlez avec votre enfant de la sécurité dans la cour de récréation. Par exemple, établissez avec lui la règle selon laquelle il ne marchera jamais devant une balançoire ou autre équipement de jeu en mouvement, et incitez-le à faire particulièrement attention sur les équipements élevés comme les tours à escalader. Lorsque vous allez nager, parlez-lui de la sécurité à la piscine, en lui rappelant de ne jamais courir sur le bord pour éviter de glisser, et de ne jamais plonger dans l'eau s'il n'en connaît pas la profondeur.

Vous pouvez aussi le sensibiliser à d'autres sujets liés à la sécurité, en soulignant, par exemple, les dangers de laisser traîner des jouets dans les escaliers.

Expliquez-lui ce qu'est un numéro d'urgence et apprenez-lui à faire le 911 pour appeler les secours.

Demandez-lui de vous parler de tout incident qui aurait pu l'inquiéter et de vous tenir au courant si une personne qu'il ne connaît pas tente de l'aborder.

MAUX ET REMÈDES

CHAPITRE TROIS

Être parent, c'est aussi s'inquiéter quand son enfant tombe malade, et savoir décider s'il faut ou non demander une aide médicale. Vous trouverez dans les pages suivantes les principaux symptômes que votre enfant peut présenter, leurs causes possibles, et comment réagir face aux différentes situations.

LA FIÈVRE

UNE FIÈVRE (DÈS 38 °C) INDIQUE QUE LE CORPS SE DÉFEND contre une infection bactérienne ou virale, mais il se peut aussi que l'enfant ait tout simplement trop chaud. Voyez aussi Les rougeurs avec fièvre (*p. 186*) et Bébé a de la fièvre (*p. 58*).

SYMPTÔMES	CAUSES POSSIBLES
L'enfant a mal à la gorge ou refuse la nourriture solide.	Amygdalite (Pharyngite et amygdalite, *p. 223*).
L'enfant tousse, a le nez qui coule, et sa respiration est anormalement bruyante.	Croup (*p. 224*), asthme (*p. 226*) ou bronchite (*p. 228*).
L'enfant tousse, a le nez qui coule, et sa respiration est anormalement rapide	Pneumonie (*p. 227*).
L'enfant tousse, a le nez qui coule, et respire normalement.	Rhume (*p. 221*), grippe (*p. 225*) ou rougeole (*p. 264*).
Gonflement derrière l'oreille et sous l'angle du maxillaire, d'un ou deux côtés du visage.	Oreillons (*p. 268*).
L'enfant urine plus souvent que d'habitude, souffre ou a une sensation de brûlure quand il urine.	Infections urinaires (*p. 275*).
L'enfant vomit, avec ou sans diarrhée.	Gastroentérite (*p. 254*).
L'enfant a mal aux oreilles, tire sur une de ses oreilles ou se réveille la nuit en pleurant.	Inflammation de l'oreille moyenne (*p. 240*).
L'enfant est resté plusieurs heures au soleil ou dans une pièce surchauffée.	L'enfant a eu trop chaud.
L'enfant n'a pas l'air bien, il a la nuque raide, il est apathique, ou plus irritable que d'habitude.	Méningite (*p. 294*).

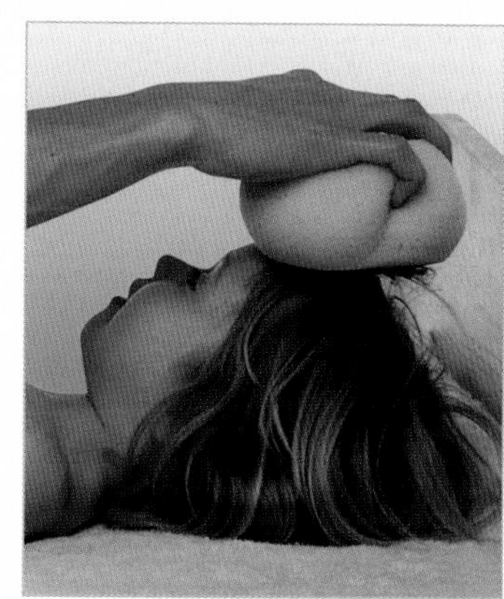

RAFRAÎCHISSEZ L'ENFANT
Appliquez une éponge d'eau tiède sur son front et ne le séchez pas.

COMMENT RÉAGIR ?

Si les symptômes persistent plus de 24 heures, appelez un médecin. Faites baisser la fièvre (*voir ci-contre*) et apaisez le mal de gorge (*p. 198*).

Appelez un médecin. S'il s'agit d'une crise d'asthme, aidez l'enfant à respirer (*p. 195*).

Appelez immédiatement un médecin. Faites baisser la fièvre (*voir ci-contre*).

Si son état ne s'améliore pas dans les 48 heures, s'il empire, ou si d'autres symptômes apparaissent, appelez un médecin. Faites baisser la fièvre et apaisez la toux (*p. 197*).

Faites confirmer le diagnostic par un médecin. Faites baisser la fièvre.

Consultez un médecin dans les 24 heures. Faites baisser la fièvre.

Consultez un médecin dans les 24 heures. Faites-lui boire une solution réhydratante (*p. 172*).

Consultez un médecin dans les 24 heures. Faites baisser la fièvre et apaisez la douleur (*p. 205*).

Si vous n'arrivez pas à faire baisser la fièvre au bout d'une heure, appelez un médecin.

Appelez immédiatement le service Info santé de votre CLSC.

PREMIERS SOINS

Comment faire baisser la fièvre

Si votre enfant a de la fièvre, ne vous inquiétez pas : la fièvre est une réaction normale du corps face à une infection éventuelle. Il faut cependant essayer de faire baisser la température, sinon celle-ci peut monter et, outre que l'enfant ne se sentira pas bien, provoquer ce que l'on appelle des convulsions fébriles.

Les mesures ci-dessous constituent des moyens simples de stabiliser ou de faire baisser la fièvre :

- Prenez sa température (*p. 328*). Utilisez un thermomètre digital (*voir ci-dessous*).
- Donnez-lui de l'acétaminophène en sirop, ou en suppositoire s'il vomit. On peut alterner avec de l'ibuprofène si l'enfant est âgé de 6 mois ou plus.
- S'il est trop couvert, enlevez ses sous-vêtements ou sa couche.
- S'il doit rester couché, découvrez-le en retirant drap et couverture.
- La pièce doit être fraîche (15 °C), et bien aérée mais sans courants d'air.
- Appliquez sur son front une éponge trempée d'eau tiède, ou plongez-le dans un bain tiède et ne l'essuyez pas : laissez l'eau s'évaporer toute seule, ce qui contribuera à le rafraîchir.
- Faites-le boire beaucoup, par petites gorgées, pour éviter qu'il ne vomisse.

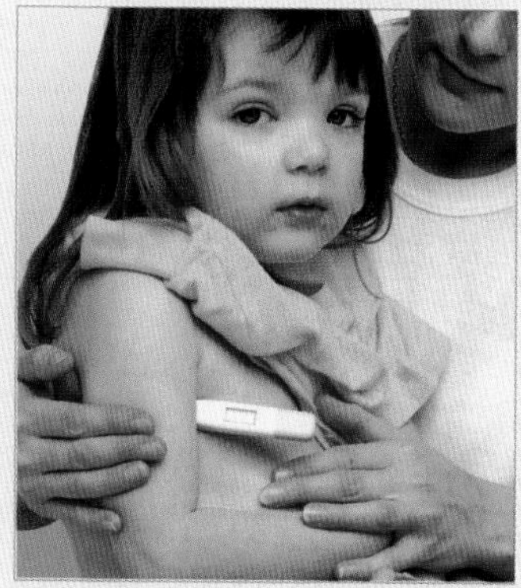

THERMOMÈTRE DIGITAL
Placer le thermomètre dans le creux de l'aisselle et appuyez doucement sur le bras pour qu'il reste contre le corps.

LA DIARRHÉE

UNE DIARRHÉE DURE GÉNÉRALEMENT QUELQUES JOURS AU PLUS. Si elle est récurrente pendant plus d'une semaine ou persiste en continu au-delà de 12 heures, consultez un médecin. Voir aussi Bébé a la diarrhée (*p. 62*).

SYMPTÔMES	CAUSES POSSIBLES	COMMENT RÉAGIR ?
Douleurs abdominales, fièvre ou vomissements consécutifs et diarrhée.	Gastroentérite (*p. 254*).	Appelez un médecin et faites boire à l'enfant une solution réhydratante (*voir ci-dessous*).
Diarrhée apparue juste avant un événement excitant ou stressant.	Réaction à l'excitation ou au stress. La diarrhée ne devrait pas durer.	Si la diarrhée persiste ou déstabilise l'enfant, voyez un médecin.
Diarrhée avec constipation.	Conséquence d'une constipation chronique (*p. 255*).	Consultez un médecin.
L'enfant prend des médicaments.	Effet secondaire du traitement.	Demandez à un médecin/pharmacien si le traitement doit être interrompu.
Restes d'aliments identifiables dans les selles.	Diarrhée de l'enfant de moins de 3 ans (*p. 255*).	Consultez un médecin.
Selles uniformément liquides.	Réaction aux aliments (*p. 252*), ou giardiase (*p. 262*).	Consultez un médecin et faites boire à l'enfant une solution réhydratante.

SYMPTÔMES ALARMANTS

Appelez immédiatement un médecin, dans les cas suivants :

- Douleurs abdominales depuis 3 heures
- Vomissements depuis 12 heures (6 h pour Bébé)
- Refus de boire depuis 6 heures
- Yeux excavés ou somnolence anormale
- Absence d'urine depuis plus de 6 heures

PREMIERS SOINS

Solutions réhydratantes

Le mieux est de faire boire à votre enfant une solution réhydratante, telle que le pédialyte. On peut aussi donner 2 cuillerées à café de sucre dans 20 cl d'eau bouillie refroidie, ou un volume de jus de fruit dilué dans le même volume d'eau. Faites boire l'enfant toutes les 2-3 heures tant que la diarrhée persiste. S'il vomit, faites-le boire par petites gorgées toutes les heures. Évitez le lait.

LE MANQUE D'APPÉTIT

L'APPÉTIT DE L'ENFANT VARIE SELON SES BESOINS EN ÉNERGIE, et s'il est ou non en période de croissance, le manque d'appétit n'est pas inquiétant en l'absence d'autres symptômes. Si la croissance évolue normalement, pour l'enfant de moins d'1 an (*voir* L'alimentation, *p. 61*).

SYMPTÔMES	CAUSES POSSIBLES	COMMENT RÉAGIR ?
Manque d'appétit depuis moins d'une semaine, fièvre, mal à la gorge et rougeurs.	Voir la fièvre (*p. 170*), le mal de gorge (*p.198*), les taches et rougeurs (*p. 184*).	Consultez un médecin.
Manque d'appétit depuis moins d'une semaine, sans autres symptômes.	Il grignote entre les repas ou ne se dépense pas assez. S'il a l'air en forme, ne vous inquiétez pas.	S'il n'est pas bien, appelez un médecin dans les 24 heures. Faites-le manger sainement et stimulez son appétit.
L'enfant ne prend pas le poids qu'il faudrait.	Développement anormal.	Consultez un médecin.
Ganglions dans le cou.	Mononucléose infectieuse (*p. 270*).	Consultez un médecin.
Les selles sont claires et l'urine est foncée.	Hépatite (*p. 261*).	Consultez un médecin.
Urines plus fréquentes que d'habitude ou énurésie (bien que l'enfant soit propre).	Infections urinaires (*p. 275*).	Consultez un médecin dans les 24 heures.

PREMIERS SOINS

Stimuler l'appétit de l'enfant

Un enfant qui manque d'appétit doit être encouragé à reprendre une alimentation équilibrée. Voici quelques astuces qui pourront vous aider :

- Si le manque d'appétit est consécutif à une maladie, ne le forcez pas à manger. Les glaces et yaourts calmeront le mal de gorge et le sustenteront un peu.
- Si l'enfant est très jeune, transformez les repas en occasions de s'amuser. Une pizza en tête de clown est parfois bien tentante !
- N'attendez pas de votre enfant qu'il mange autant que vous aux repas. Son système digestif et encore immature, et son activité métabolique se satisfait de 5-6 petits repas par jour.
- Proposez-lui de petites portions d'aliments variés.

LES VOMISSEMENTS

LES VOMISSEMENTS RÉCURRENTS SONT SOUVENT DUS À UNE INFECTION. Une seule phase de vomissements ne signale sans doute rien de grave mais peut indiquer que l'enfant mange trop, ou bien qu'il est excité. Voir aussi Bébé vomit (*p. 60*).

SYMPTÔMES	CAUSES POSSIBLES
Vomissement jaune verdâtre.	Occlusion intestinale.
Diarrhée.	Gastroentérite (*p. 254*).
Douleurs abdominales depuis 6 heures.	Appendicite (*p. 253*).
Les selles sont claires, l'urine est foncée.	Hépatite (*p. 261*).
L'enfant est anormalement apathique après avoir reçu un coup sur la tête.	Traumatisme crânien (*p. 291*).
Somnolence anormale, mal à la tête, nuque raide, tâches rouges et plates résistant sous la pression.	Méningite (*p. 294*).
Fièvre et/ou urines douloureuses, mal au ventre, énurésie.	Infections urinaires (*p. 275*).
Vomissement après une quinte de toux.	Coqueluche (*p. 269*).
Vomissement avant ou après un événement excitant ou stressant.	Réaction fréquente dans ce genre de situations.
Vomissement pendant un long trajet en voiture, train, bateau ou avion.	Mal des transports.

SYMPTÔMES ALARMANTS

Appelez un médecin si l'enfant présente les symptômes suivants :

- Vomissements depuis 12 heures
- Somnolence inhabituelle
- Refus de boire depuis 6 heures
- Yeux excavés ou langue sèche
- Absence d'urine depuis plus de 6 heures au cours de la même journée

Appelez le 911 si l'enfant présente les symptômes suivants :

- Vomissement d'un liquide jaune verdâtre
- Douleurs abdominales depuis 6 heures
- Taches plates rouges ou violettes ne disparaissant pas sous la pression

COMMENT RÉAGIR ?

Appelez le 911.
L'enfant ne doit ni boire, ni manger.

Consultez un médecin dans les 24 heures.
Donnez une solution réhydratante (*p. 172*).

Appelez le 911.
L'enfant ne doit ni boire, ni manger.

Consultez un médecin.

Appelez le 911.
L'enfant ne doit ni boire, ni manger.

Appelez le 911.

Consultez un médecin dans les 24 heures.
Faites baisser la fièvre (*p. 170*).

Consultez un médecin.
Traitez les vomissements (*encadré ci-contre*) et apaisez la toux (*p. 197*).

S'il continue à vomir, consultez un médecin.

Donnez-lui un médicament antinaupathique, de synthèse ou homéopathique (*p. 321*).
En voiture, ouvrez une fenêtre pour aérer.

PREMIERS SOINS

Que faire quand l'enfant vomit

Pour soulager l'enfant, essayez de suivre les conseils ci-dessous :

- Maintenez la tête de l'enfant relevée. Quand il a fini de vomir, épongez-lui le front et le visage, et faites-lui boire quelques gorgées d'eau pour le débarrasser du goût.
- Parlez-lui pour le rassurer, vomir n'est jamais bien agréable et peut même effrayer l'enfant.
- Incitez-le à boire des petites gorgées d'eau ou de solution réhydratante (30 ml) toutes les heures, pour remplacer les liquides et nutriments (*voir p. 172*) éliminés en vomissant.
- Allongez-le, et posez une cuvette près du lit, au cas où les vomissements persistent, mais aussi pour rassurer l'enfant.

CUVETTE DE SECOURS
Posez une cuvette près du lit de l'enfant pour qu'il n'ait pas à aller aux toilettes s'il a envie de vomir.

LES MAUX DE TÊTE

Une affection sévère avec fièvre peut s'accompagner de maux de tête. Un mal de tête peut apparaître avec ou sans autres symptômes. Voyez un médecin si votre enfant a très mal à la tête, si la douleur persiste ou est récurrente, ou s'il a mal de façon particulière pour la première fois.

SYMPTÔMES	CAUSES POSSIBLES
L'enfant, habituellement en forme, a une raison d'être anxieux.	Névralgie de tension (*voir* Maux de tête récurrents, *p. 291*) éventuellement d'origine anxieuse.
Votre enfant a mal à la tête de temps en temps.	Un mal de tête épisodique est rarement inquiétant.
L'enfant, déjà sujet aux maux de tête fréquents, en a tous les jours.	Les maux de tête fréquents (*voir* Maux de tête récurrents, *p. 291*), surtout la nuit ou au petit matin, peuvent être dus à des tensions croissantes.
L'enfant a mal à la tête après avoir lu, utilisé l'ordinateur ou regardé la télévision.	Les problèmes de vue provoquent parfois des maux de tête (*voir* Troubles de la vision, *p. 245*).
Maux de tête précédés ou accompagnés de douleurs abdominales, nausées, vomissements, flashes ou autres troubles visuels.	Migraine (*voir* Maux de tête récurrents, *p. 291*).
L'enfant a récemment reçu un coup sur la tête.	Commotion (*voir* Traumatisme crânien, *p. 291*).
Votre enfant a eu un rhume récemment.	Sinusite (*p. 221*).
Fièvre depuis peu et vomissements.	Voir la fièvre (*p. 170*) ou les vomissements (*p. 174*).
Très mauvais état général avec apathie, nuque raide, fièvre, vomissements, refus de boire, taches plates et rouges résistant sous la pression.	Méningite (*p. 294*).

COMPRESSE FROIDE
Appliquez sur le front un linge trempé dans l'eau froide et essoré. Attendez 2 à 3 minutes, et renouvelez l'opération plusieurs fois. On peut aussi alterner compresses chaudes et froides sur la nuque.

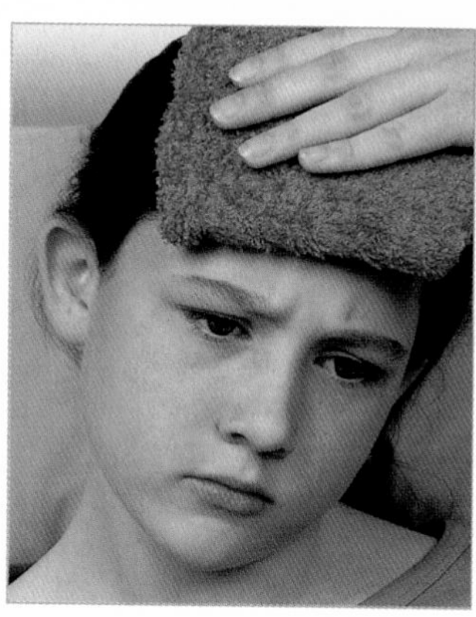

COMMENT RÉAGIR ?

Si les maux de tête sont récurrents et déstabilisent l'enfant, consultez un médecin. Apaisez la douleur (*voir ci-contre*).

Apaisez la douleur (*voir ci-contre*).

Consultez un médecin.

Voyez un médecin ou un ophtalmologue.

Voyez un médecin, qu'il s'agisse d'une première crise sévère ou persistante, ou de crises fréquentes.

Appelez immédiatement le 911 ou emmener l'enfant aux urgences.

Consultez un médecin.

Appelez le 911.

PREMIERS SOINS

Soulager le mal de tête

Si le mal de tête de l'enfant dure plus de quatre heures, s'il survient alors que l'enfant ne se sent pas bien du tout, s'il s'ajoute à d'autres symptômes, ou si vous êtes inquiets, il faut appeler le médecin. Sinon, et comme c'est le cas la plupart du temps, vous pouvez soulager la douleur vous-même en suivant les conseils ci-dessous :

- Donnez-lui de l'acétaminophène en sirop, sans dépasser les doses prescrites.
- Allongez-le au calme, dans une pièce sombre et fraîche et faites-lui fermer les yeux pour qu'il s'endorme.
- La faim donne parfois mal à la tête. Donnez-lui du lait ou quelque chose facile à digérer comme un biscuit sec.
- Le mal de tête est souvent dû à la déshydratation. Si l'enfant a soif, donnez-lui de l'eau, par petites gorgées pour éviter qu'il ne vomisse pas.
- Un petit casse-croûte à forte teneur en fibres (banane ou biscuit à base de farine complète) fait remonter le niveau de sucre dans le sang. Donnez-en aux premiers signes de mal de tête. Si votre enfant souffre de maux de tête à l'école, proposez-lui d'emporter un petit encas.
- Apprenez-lui à bien respirer, à se détendre et à décontracter ses muscles au niveau des épaules et du cou. S'il a mal à la tête parce qu'il est tendu, massez-lui le crâne, le visage, la nuque et les épaules. Vous pouvez aussi l'emmener chez un ostéopathe, un chiropracteur ou un acupuncteur diplômés (*voir p. 324*).
- S'il a mal à la tête parce qu'il ne tolère pas certains aliments, notez ce qu'il mange pour en parler à un diététicien.
- S'il vous semble que le mal de tête récurrent de votre enfant est d'origine alimentaire, prenez note de ce qu'il mange pour, le cas échéant, consulter un nutritionniste. Faites en sorte qu'il cesse de manger ce qu'il paraît mal supporter. Le sucre et les aliments riches en glucides (le pain blanc par exemple), ainsi que les fruits secs, le chocolat, le thé et les fromages à pâte pressée ont tendance à provoquer des maux de tête chez certaines personnes.

LE MAL DE DENTS

LES CARIES SONT À L'ORIGINE DE BON NOMBRE DE DOULEURS DENTAIRES. Toutefois, si votre enfant se plaint d'avoir mal aux dents ou aux gencives, ne tardez pas à consulter un dentiste. Certains remèdes naturels peuvent calmer la douleur, mais le mal de dents signale toujours un problème qui doit être traité par le dentiste.

SYMPTÔMES	CAUSES POSSIBLES
Le mal aux dents est intense, persistant, avec ou sans fièvre.	Présence éventuelle d'un abcès dentaire (*p.* 250).
L'enfant a des accès de douleur lancinante ou brusque, provoquée par de la nourriture ou des boissons chaudes ou froides.	Inflammation causée par une carie (*voir p.* 248), un plombage endommagé ou une dent cassée.
L'enfant souffre d'une vague douleur continue dans la région des molaires supérieures.	Ses dents de sagesse sont peut-être en train de pousser.
Les gencives de l'enfant sont molles juste derrière les deuxièmes molaires.	Sinusite éventuelle (*p.* 221). Cette inflammation de la paroi des sinus peut entraîner une douleur des molaires supérieures.
On a récemment posé un plombage à votre enfant, et il a des douleurs qui vont et viennent sans prévenir.	Un plombage peut être mal posé ou peut dépasser le sommet des autres dents, ce qui provoque une douleur en mâchant dessus.
Votre enfant a eu un plombage récemment et n'a mal que quand il appuie dessus en mâchant.	Une dent récemment plombée est souvent un peu sensible, surtout au froid, et plus particulièrement si le plombage est profond.
Les gencives de l'enfant sont douloureuses, rouges et gonflées pendant que ses dents poussent.	Poussée dentaire (*p.* 56).

SOULAGER LE MAL DE DENTS Une bouillotte d'eau chaude bien enveloppée dans un linge et appliquée contre la joue peut apaiser la douleur.

COMMENT RÉAGIR ?

Consultez un dentiste immédiatement. En attendant, apaisez la douleur (*voir ci-contre*).

Consultez un dentiste dans les 24 heures. En attendant, essayez de calmer la douleur (*voir ci-contre*).

Consultez un dentiste.

Consultez un médecin.

Consultez un dentiste. En attendant, proposez des aliments mous ou liquides à votre enfant et incitez-le à mâcher du côté où il n'a pas mal.

Si la dent est de plus en plus sensible au chaud, ou si la douleur augmente ou dure plus de quelques secondes, prenez rendez-vous chez le dentiste.

Proposez un objet dur à mâcher à votre enfant, un anneau de dentition par exemple. Les gels, gouttes et poudres pour gencives peuvent l'apaiser (*voir ci-contre*).

PREMIERS SOINS

Comment apaiser le mal de dents

Les mesures présentées ici peuvent apaiser le mal de dents chez l'enfant.

- S'il a plus de 3 mois, donnez-lui une dose appropriée de l'acétaminophène. Ne posez pas l'acétaminophène en compresse sur la dent car le contact prolongé sur les gencives peut entraîner une brûlure due aux composants chimiques.
- Adossé contre des oreillers, l'enfant peut se sentir mieux.
- Une bouillotte d'eau chaude, enveloppée, maintenue contre l'endroit douloureux peut apaiser un mal de dents.
- Incitez l'enfant à se rincer la bouche avec de l'eau chaude et salée.

Remèdes naturels contre le mal de dents

Huile essentielle de menthe
Diluez-en une goutte dans une cuillerée à café d'huile d'olive. Trempez un petit bout de coton dans le mélange et appliquez-le sur l'endroit douloureux.

Huile essentielle de clou de girofle
Diluez-en une goutte dans une cuillerée à café d'huile d'olive. Trempez un petit bout de coton dans le mélange et appliquez-le sur l'endroit douloureux.

Huile essentielle de lavande
Diluez-en une goutte dans une cuillerée à café d'huile d'olive. Trempez le bout d'un doigt dans le mélange et frottez la gencive à l'endroit de la douleur.

Inhalations
Une inhalation peut apaiser la douleur d'un enfant souffrant de sinusite. Remplissez un bol d'eau chaude mais non bouillante, et ajoutez-y quelques gouttes d'huile essentielle de lavande ou d'arbre à thé. Penchez le visage de l'enfant au-dessus du bol et couvrez le tout d'une serviette, en demandant à l'enfant d'inspirer la vapeur par le nez, et d'expirer par la bouche. Ne le laissez pas sans surveillance. Répétez l'opération aussi souvent que possible.

Homéopathie
Les traitements homéopathiques (*p. 321*) peuvent apaiser certains types de mal de dents. Faites faire un diagnostic par un homéopathe.

L'ENFANT SOUFFRANT

SI L'ENFANT NE SE SENT PAS BIEN, PRENEZ SA TEMPÉRATURE ET VOYEZ S'IL A DES ROUGEURS. Appelez immédiatement un médecin en cas de somnolence ou d'abattement anormal, de fièvre ou de vomissements depuis plus de 12 heures, ou encore si l'enfant respire vite ou refuse de boire depuis 6 heures.

SYMPTÔMES	CAUSES POSSIBLES	COMMENT RÉAGIR ?
Fièvre et rougeurs.	Les rougeurs avec fièvre (*p. 186*).	
Fièvre sans rougeurs.	Voir Bébé a de la fièvre (*p. 58*) ou la fièvre (*p. 170*).	
Rougeurs.	Les taches et rougeurs (*p. 184*).	
Mal au ventre.	Les douleurs abdominales (*p. 208*).	
Diarrhée et vomissements.	Gastroentérite (*p. 254*).	Consultez un médecin dans les 24 heures. Prévenez la déshydratation (*p. 63 ou p. 172*).
Refus de boire et de manger.	Maladie infantile infectieuse probable, surtout si l'enfant est agité, irritable ou présente d'autres symptômes.	Si l'état ne s'améliore pas dans les 24 heures, ou si d'autres symptômes surviennent, consultez un médecin.
Refus de manger.	Le mal de gorge (*p. 198*).	
Contact avec une personne atteinte d'une maladie infectieuse.	Maladie infantile infectieuse probable, en cours d'incubation.	Sans amélioration sous 24 heures ou si d'autres symptômes surviennent, consultez.
L'enfant semble inquiet ou angoissé.	L'enfant peut ne pas se sentir bien s'il a des problèmes à l'école (*voir* Les angoisses et peurs, *p. 130-131*).	Si cet état dure plus d'une journée ou si l'enfant refuse d'aller en classe, parlez-en à votre médecin.

LES DÉMANGEAISONS

LES DÉMANGEAISONS PEUVENT AVOIR PLUSIEURS CAUSES, qu'il s'agisse d'allergies ou d'infestation de parasites, par exemple ; elles affectent tout ou partie du corps de l'enfant. Lorsqu'elles sont sévères, elles peuvent déstabiliser l'enfant. Consultez un médecin sans tarder pour savoir ce qui les provoque.

SYMPTÔMES	CAUSES POSSIBLES	COMMENT RÉAGIR ?
Taches rouges ou inflammations cutanées localisées qui démangent.	Voir Les taches & rougeurs (*p. 184*) ou les rougeurs avec fièvre (*p. 186*).	
Démangeaisons entre les orteils ou sur la plante des pieds.	Mycose du pied (*voir* Les pieds, *p. 192*.)	Si la rougeur persiste plus d'une semaine ou s'étend aux ongles des pieds, consultez un médecin. On peut appliquer une poudre, une crème ou un aérosol fongicides sur la région affectée.
Démangeaisons au niveau de l'anus.	Oxyurose (*p. 262*).	Consultez un médecin.
Démangeaisons du cuir chevelu.	Voir Les cheveux & le cuir chevelu (*p. 182*).	
Démangeaisons de la région génitale chez la petite fille.	Voir Les problèmes génitaux chez la petite fille (*p. 215*).	
Démangeaisons sur une grande partie du corps.	Peau sensible. L'enfant porte des lainages ou des vêtements en tissu synthétique en contact direct avec la peau.	Laver les vêtements avec un produit pour peaux sensibles. Les vêtements en contact direct avec la peau doivent être de préférence en coton.
Fines lignes grises dans les espaces entre les doigts et/ou les paumes, la face antérieure des poignets et la plante des pieds.	Gale (*p. 232*).	Consultez un médecin.

LES CHEVEUX ET LE CUIR CHEVELU

Les problèmes de cheveux et du cuir chevelu, fréquents chez l'enfant, sont rarement inquiétants. Ils peuvent être liés à une infection, à la sensibilité du cuir chevelu ou à des parasites.

SYMPTÔMES	CAUSES POSSIBLES
Le cuir chevelu de l'enfant est chauve par endroits mais la peau dénudée semble normale.	Forme de calvitie localisée, souvent sans cause apparente.
Calvitie localisée, peau squamée et enflammée.	Teigne (*p.* 236).
Desquamation du cuir chevelu et démangeaisons, mais ces symptômes disparaissent après un shampoing.	Pellicules (*voir* Dermatite séborrhéique, *p.* 230).
Même problème que ci-dessus, mais les symptômes persistent malgré le shampoing.	Poux de tête (*voir ci-contre et p.* 236).
Le bébé de moins d'1 an perd ses cheveux.	Chute normale des cheveux de naissance.
Chute de cheveux après une maladie.	Les cheveux tombent parfois après une maladie. Ils repoussent et retrouvent leur aspect normal.
Chute de cheveux pendant un traitement médicamenteux.	Possible effet secondaire du traitement.
L'enfant tire sur ses cheveux ou les tire-bouchonne.	Possible problème psychologique sous-jacent.
Chute passagère de cheveux.	La racine des cheveux peut être abîmée parce que l'enfant porte une queue de cheval ou des couettes trop tirées.

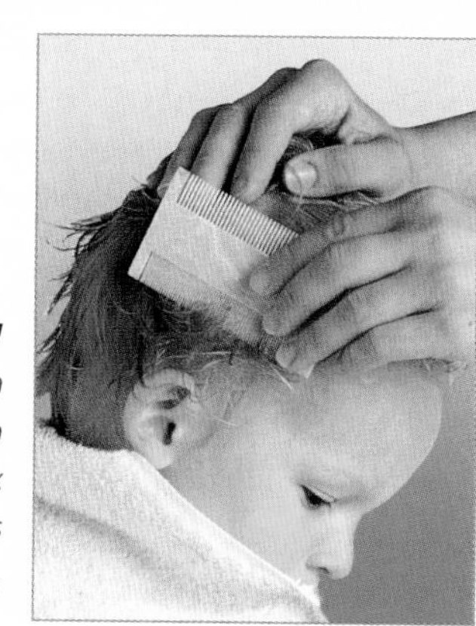

LES POUX, QUELLE PLAIE ! La meilleure façon de s'en débarrasser est de passer un peigne fin dans les cheveux pendant que vous les shampouinez.

COMMENT RÉAGIR ?

Consultez un médecin.

Consultez un médecin.

Lavez les cheveux de l'enfant avec un shampoing antipelliculaire. Si les symptômes durent plus de 2 semaines, consultez un médecin.

Lavez les cheveux avec un produit contre les poux, après accord du médecin si l'enfant a moins de 2 ans.

Couvrez le crâne du bébé pour le protéger du soleil et du froid.

Si vous êtes inquiet, consultez un médecin.

Demandez à votre médecin si le traitement doit être interrompu.

Si l'enfant perd beaucoup de cheveux ou a d'autres problèmes de comportement, consultez un médecin.

Incitez l'enfant à changer de coiffure.

PREMIERS SOINS

Pellicules et poux

Les pellicules

Shampouinez les cheveux avec un produit antipelliculaire et faites-le pénétrer en massant le cuir chevelu. Lavez les cheveux normalement, puis brossez-les pour éliminer les peaux mortes.

Les poux

Si votre enfant a des poux, ne l'envoyez pas à l'école. Lavez et brossez ses cheveux pour éviter la propagation des poux. Le peignage quotidien au peigne fin est la façon la plus efficace de rompre le cycle de vie des lentes (vous trouverez ce type de peigne en pharmacie). Utilisez un shampooing traitant anti-poux et peignez soigneusement les cheveux. Ajoutez une goutte d'huile essentielle d'arbre à thé au shampooing pour désinfecter le cuir chevelu.

Traitement naturel des cheveux

Les petits « trucs » ci-dessous peuvent contribuer à améliorer la santé des cheveux de l'enfant.

- Veillez à une alimentation saine : cinq fruits et légumes par jour et du poisson gras une fois par semaine. Une carence nutritionnelle pouvant aggraver un problème de cheveux, des compléments en vitamines et minéraux pourront être utiles. Si votre enfant n'aime pas le poisson gras, ajoutez un peu d'huile de foie de morue à ses plats de poisson.
- Au soleil, faites-lui porter un chapeau.
- Massez-lui le cuir chevelu pour stimuler la circulation sanguine, et le soulager du stress et des tensions.

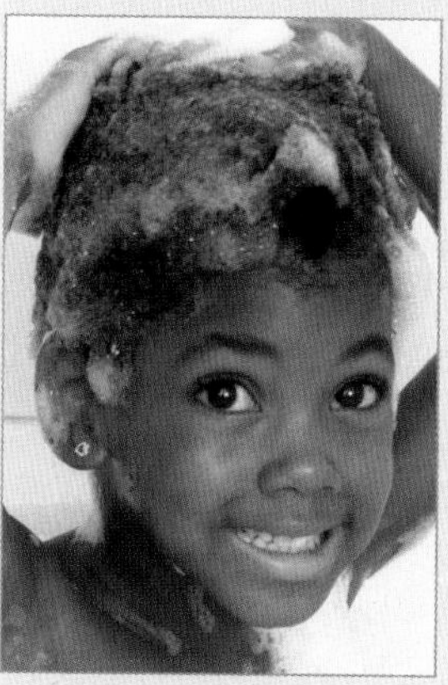

SHAMPOOING NATUREL Lavez les cheveux de l'enfant avec un shampoing doux à base de plantes, séchez-les avec une serviette. Évitez les produits chimiques (chlore des piscines, par exemple), et positionnez le sèche-cheveux sur « doux ».

LES TACHES ET ROUGEURS

LES INFECTIONS ET RÉACTIONS ALLERGIQUES SONT RESPONSABLES DE LA PLUPART DES TACHES ET DES ROUGEURS. Si la peau de votre enfant est irritée ou le démange, ou s'il ne se sent pas bien, consultez un médecin.

SYMPTÔMES	CAUSES POSSIBLES
Petites surélévations groupées, gonflées déprimées au centre, sans démangeaisons.	Molluscum contagiosum (*p. 235*), affection virale sans gravité.
Pustules ou croûtes dorées, souvent sur le visage.	Impétigo (p. 235).
Surélévations cutanées, rugueuses et dures.	Verrues (*p. 231*).
Surélévation rouge et douloureuse, parfois surmontée d'une pointe jaunâtre.	Furoncle (*p. 185 et p. 233*)
Minuscules taches rouges irritantes, ou ampoules.	Inflammation des glandes surrénales.
Rougeur irritante, écaillée ou ayant l'aspect de cloques, surtout au visage et aux articulations.	Eczéma atopique (*p. 234*).
Taches sur le cuir chevelu, le tronc, les membres.	Teigne (*p. 236*).
Rougeur, sur un seul endroit du corps, constituée de petites taches enflammées.	Piqûre d'insecte (moustique ou puce).
Démangeaisons cutanées à des endroits dénués de rougeur.	Gale (*p. 232*).
Rougeur en placards aux contours délimités, très rouges et épais.	Urticaire (*p. 233*).
Rougeur de même aspect que ci-dessus, le visage et la bouche sont enflés.	Choc anaphylactique (*p. 189*).
Alignements de petites taches roses, et ovales, principalement sur les côtes.	Pityriasis rosé (*p. 237*).
L'enfant est sous traitement.	Réaction allergique à certains médicaments.

SYMPTÔMES ALARMANTS

Appelez immédiatement le 911 dans les cas suivants:

- **Visage et bouche enflés**
- **Respiration difficile ou bruyante**
- **Difficulté à déglutir**
- **Somnolence anormale**

COMMENT RÉAGIR ?

Faites confirmer le diagnostic par un médecin.

Consultez un médecin dans les 24 heures.

Consultez un médecin.

Si le furoncle est douloureux ou s'il s'en forme d'autres, consultez un médecin.

Tamponnez avec des compresses d'eau fraîche.

Si la rougeur démange l'enfant, s'étend ou suinte, consultez un médecin.

Consultez un médecin.

Appliquez de la lotion à la calamine ou une crème anti-histaminique. Consultez un médecin.

Si la rougeur persiste au-delà de 4 heures, ou est récurrente, consultez un médecin.

Appelez le 911.

Consultez un médecin. Calmez la démangeaison (p. 66).

Demandez immédiatement à votre médecin s'il faut interrompre le traitement.

PREMIERS SOINS

Le furoncle

Un furoncle peut apparaître sur le visage, ou aux endroits où la peau frotte contre un vêtement. Un follicule pileux s'infecte et au bout de 2 à 3 jours se forme un bourgeon blanc ou jaunâtre qui perce ou disparaît tout seul. Il ne faut pas tenter de le vider par pincement, et l'enfant doit éviter de se gratter.

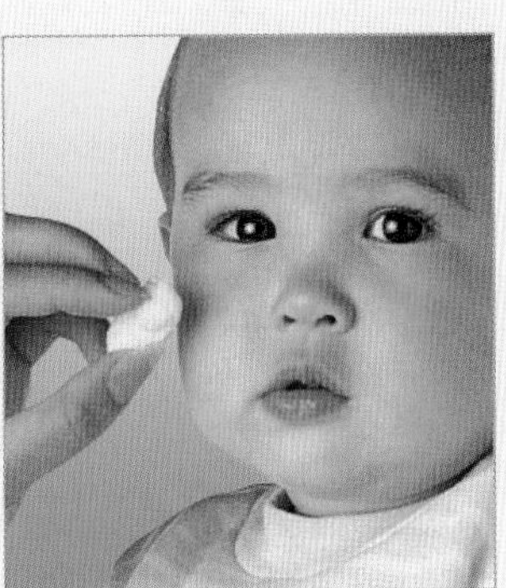

TRAITER UN FURONCLE
Tamponnez-le avec un coton trempé dans une solution d'eau chaude additionnée d'une cuillerée à café de sel, ou dans un produit antiseptique.

Gerçures des lèvres

Quand l'enfant se lèche trop les lèvres ou suce souvent son pouce, une rougeur peut survenir autour de celles-ci. La salive ainsi générée est irritante; elle assèche les lèvres, qui se craquellent puis s'enflamment et se desquament. Certaines crèmes spécifiques vendues en pharmacie peuvent calmer l'affection, mais la meilleure façon de traiter ce problème est d'humidifier les lèvres avec un bâton hydratant et de protéger la peau avec de la vaseline.

Les gerçures disparaissent dès que l'enfant cesse de se lécher les lèvres ou de sucer son pouce. Ces habitudes disparaissent souvent avec l'âge. Contentez-vous de le dissuader dès qu'il s'apprête à le faire.

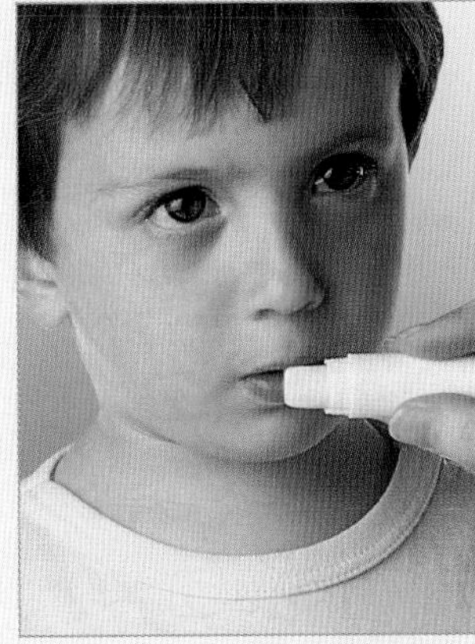

HUMIDIFIEZ LES LÈVRES
Il est difficile d'empêcher un enfant de se lécher les lèvres ou de sucer son pouce. Appliquez un baume hydratant qui atténuera l'irritation due à la salive.

LES ROUGEURS AVEC FIÈVRE

UNE MALADIE INFECTIEUSE D'ORIGINE VIRALE EST SOUVENT LA CAUSE DE ROUGEURS ACCOMPAGNÉES DE FIÈVRE (38 °C ou plus). Un traitement médical n'est pas toujours nécessaire, mais le diagnostic doit être établi par un médecin.

SYMPTÔMES	CAUSES POSSIBLES
La rougeur se présente en taches plates qui ne disparaissent pas sous la pression des doigts.	Méningococcémie, bactérie provoquant la méningite (*p. 294*).
Marbrures ou petites taches rouges blanchissant sous la pression, précédées d'écoulement nasal, accès de toux ou yeux rouges.	Rougeole (*p. 264*) ou syndrome de Kawasaki (rare).
Rougeur précédée d'un mal de gorge ou de vomissements.	Scarlatine (p. 267).
La rougeur est apparue après une prise de médicaments.	Allergie médicamenteuse.
Rougeur sous forme de taches irritantes qui se transforment en papules et se dessèchent en formant des croûtes.	Varicelle (*p. 265*).
Macules roses sur le visage et le tronc 3 ou 4 jours après une fièvre de 38 °C ou plus.	Roséole (*p. 267*).
L'enfant a eu de la fièvre au cours des 3 ou 4 jours précédant l'apparition de la rougeur.	Rubéole (*p. 264*).
Rougeur luisante limitée aux joues.	Mégalérythème épidémique (*p. 266*).

SYMPTÔMES ALARMANTS

Appelez immédiatement un médecin si votre enfant présente, lors d'une maladie infantile, l'un des symptômes suivants, même s'il semblait avoir guéri :

- Apathie ou abattement inhabituels
- Crises convulsives
- 40 °C de fièvre ou plus
- Respiration anormalement rapide
- Respiration difficile ou bruyante
- Mal de tête sévère
- Refus de boire pendant plus de 6 heures

COMMENT RÉAGIR ?

Appelez immédiatement le 911.

Consultez un médecin. En attendant, faites baisser la température (*p.* 59 *et* 171).

Consultez un médecin dans les 24 heures. En attendant, faites baisser la température (*p.* 59 *et* 171) et apaisez le mal de gorge (*p.* 198).

Demandez immédiatement à votre médecin s'il faut interrompre le traitement.

Si les papules s'infectent, consultez un médecin. En attendant, faites baisser la température (*p.* 59 *et* 171).

Si vous êtes inquiets, consultez un médecin. Faites baisser la température (*p.* 59 *et* 171).

Appelez un médecin mais n'emmenez pas l'enfant à son cabinet : il risquerait de contaminer les femmes enceintes. En attendant, faites baisser la température (*p.* 59 *et* 171).

Si vous êtes inquiets, ou si l'enfant est atteint d'anémie, consultez un médecin. En attendant, faites baisser la fièvre (*p.* 59 *et* 171).

PREMIERS SOINS

Rougeurs typiques de certaines maladies infantiles banales

Les photos ci-dessous vous aideront à reconnaître les rougeurs causées par certaines maladies infectieuses infantiles (*p.* 263-272). Tenez compte du fait qu'une rougeur peut varier d'aspect selon que l'enfant est plus ou moins affecté par la maladie, et qu'il a le teint ou la peau colorés. Seul, un médecin est donc en mesure de poser un diagnostic sérieux. Appelez le 911 si la rougeur semble indiquer une méningite.

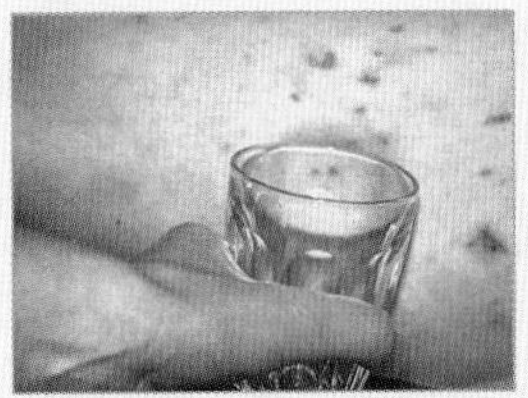

MÉNINGITE
La rougeur associée à la méningite apparaît sur le tronc et ne disparaît pas sous la pression d'un verre.

SCARLATINE
Les pointillés rouges surgissent derrière les oreilles, s'étendent à tout le corps et durent environ 7 jours.

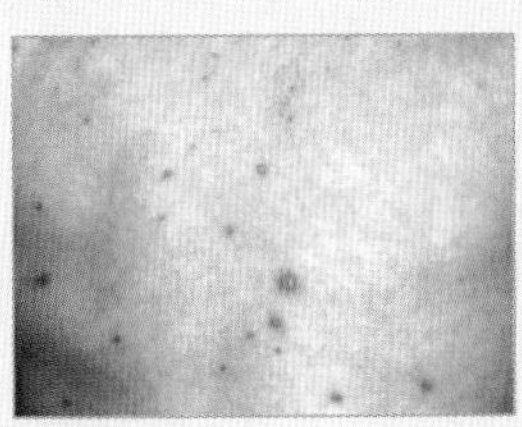

VARICELLE
Les papules apparaissent après 1 ou 2 semaines ; ces boutons peuvent contenir un liquide.

RUBÉOLE
Les macules rose apparaissent d'abord derrière les oreilles puis s'étendent au front, au tronc et aux membres.

ROUGEOLE
Les taches rosées apparaissent sur le front, près des cheveux, puis sur le corps et les jambes.

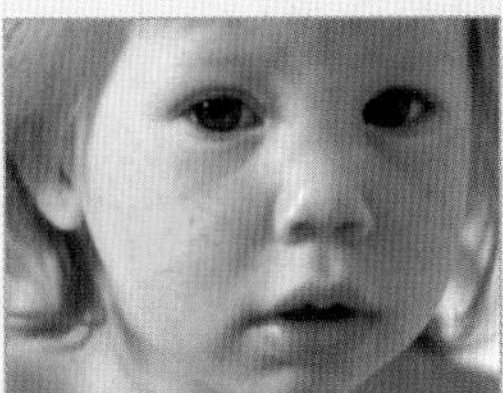

ROSÉOLE
Les petites macules roses apparaissent généralement sur la tête et le tronc.

LES GROSSEURS

LES GROSSEURS OU GONFLEMENTS APPARAISSANT SUR LA PEAU OU SOUS LA SURFACE CUTANÉE PEUVENT ÊTRE D'ORIGINES DIVERSES : les ganglions lymphatiques gonflent pour combattre une infection proche de cette partie du corps, ou l'enfant a tout simplement été piqué par un insecte. Appelez votre médecin si les symptômes persistent.

SYMPTÔMES	CAUSES POSSIBLES
L'enfant présente une grosseur rouge et douloureuse.	Furoncle (*p. 185*) ou abcès.
L'enfant présente une petite papule rouge et luisante.	Probablement une piqûre d'insecte, par exemple de guêpe ou d'abeille.
L'enfant présente une grosseur molle à l'aine ou près du nombril.	Hernie inguinale ou ombilicale (*voir* Hernie, *p. 260*)
L'enfant présente une protubérance molle près d'une coupure/éraflure infectée.	Un ganglion lymphatique proche de l'infection a enflé pour aider à la combattre.
L'enfant a une grosse protubérance molle sur la tête après avoir reçu un coup.	Traumatisme crânien (*p. 291*).
L'enfant a une grosseur dans la nuque ou le dos.	Un eczéma atopique (*p. 234*) ou une infection virale telle que la rubéole (*p. 264*) fait gonfler un ganglion.
Grosseur ou gonflement sur un côté du cou ; l'enfant a mal à la gorge et a des difficultés pour boire et manger.	Amygdalite (*voir* Pharyngite et Amygdalite, *p. 223*).
Grosseur ou gonflement sur un côté du cou ; l'enfant a mal à l'oreille.	Inflammation de l'oreille moyenne (*p. 240*) qui fait gonfler un ganglion lymphatique.
Grosseur ou gonflement sous l'oreille.	Oreillons (*p.268*).
Grosseur ou gonflement sur le cou, à l'aisselle et/ou à l'aine.	Mononucléose infectieuse (*p. 270*).
Votre enfant a une cheville gonflée.	Déchirure musculaire et entorse (*p. 281*).
Gonflement sur le scrotum ou le pénis.	Voir Les problèmes génitaux chez le petit garçon (*p. 214*).

PREMIERS SOINS

Enlever un dard d'insecte

Les piqûres d'insectes sont généralement douloureuses mais ne sont pas dangereuses. Elles génèrent un léger renflement rouge et douloureux. Si vous voyez le dard, redressez-le à l'aide d'un objet plat non tranchant ou de votre ongle, et retirez-le. Appliquez une compresse d'eau froide sur la partie affectée pendant au moins 10 minutes pour atténuer gonflement et douleur.

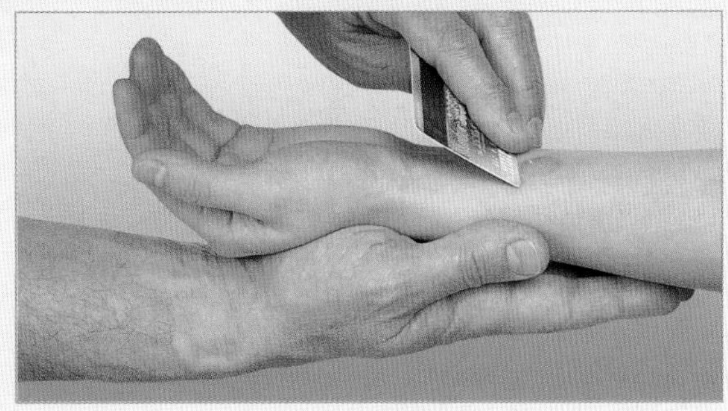

COMMENT RÉAGIR ?

ʖi la grosseur est très douloureuse ou s'il en survient l'autres, consultez un médecin.

ʖi l'enfant est allergique aux piqûres d'insecte, ou s'il présente des symptômes de choc anaphylactique (*voir ci-contre*), appelez le 911. Consultez un médecin.

ʖi la grosseur ou la douleur persiste au-delà de 24 heures, consultez un médecin.

Appelez un médecin. Si l'enfant a mal à la tête, vomit, est apathique, appelez immédiatement le 911.

Consultez un médecin.

ʖi l'enfant ne se sent pas mieux sous 24 heures, consultez un médecin. En attendant, soulagez le mal de gorge (*p. 198*).

Consultez un médecin. En attendant, apaisez la douleur à l'oreille (*p. 205*).

Consultez un médecin.

Consultez un médecin.

Consultez un médecin.

PREMIERS SOINS

Le choc anaphylactique

Les piqûres d'insectes ou les brûlures de méduse provoquent des réactions allergiques impressionnantes. Le visage et le cou enflent de façon soudaine, les voies aériennes se resserrent et la respiration se fait mal. Il s'agit d'un choc anaphylactique, qui exige d'être traité immédiatement. Il peut aussi advenir quand l'enfant a ingéré un aliment (des cacahuètes par exemple) auquel il est particulièrement sensible. Prenez les mesures suivantes :

- Appelez immédiatement le 911.
- Maintenez votre enfant de façon à faciliter sa respiration, et rassurez-le en lui parlant.
- S'il perd connaissance, vérifiez qu'il respire et mettez-le en position latérale de sécurité. Sinon, pratiquez le bouche-à-bouche (*voir* SPS (technique de secourisme et premiers soins), *p. 330-332*).

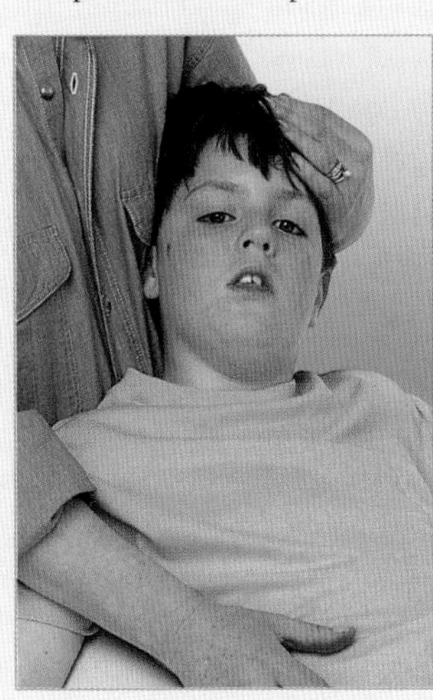

AIDEZ-LE À RESPIRER *Lors d'un choc anaphylactique, l'important est de s'assurer que l'enfant respire. Desserrez ses vêtements autour du cou et de la taille, faites-le asseoir en position inclinée, dos appuyé contre vous, et parlez-lui pour le rassurer.*

LES DOULEURS AUX MEMBRES

LES CHUTES SANS GRAVITÉ PROVOQUENT SOUVENT DES DOULEURS AUX BRAS OU AUX JAMBES, mais la plupart du temps, un médecin n'a pas à intervenir. En revanche, l'enfant a besoin de soins immédiats s'il y a fracture ou luxation d'une articulation.

SYMPTÔMES	CAUSES POSSIBLES	COMMENT RÉAGIR ?
Votre enfant est tombé ou s'est blessé récemment. Il a du mal à bouger, ou un de ses membres semble déformé.	Fracture osseuse ou dislocation d'une articulation (*voir* Fracture et luxation, *p. 283*).	S'il s'agit de la jambe ou du coude, appelez le 911. Pour le bras ou l'épaule, immobilisez la partie douloureuse puis emmenez l'enfant à l'hôpital. Voir Les fractures (*p. 338*).
Un des membres de l'enfant est enflé.	Contusion ou tension musculaire, ou torsion d'un ligament (*voir* Déchirure musculaire et entorse, *p. 281*).	Si l'état de l'enfant ne s'améliore pas sous 24 heures, consultez un médecin. En attendant, traitez la foulure ou l'entorse (*p. 339*).
La douleur est localisée autour d'une ou de plusieurs articulations ou limitée aux pieds.	Voir Les articulations (*p. 191*) ou Les pieds (*p. 192*).	
L'enfant a de la fièvre, mal à la tête, tousse ou a mal à la gorge.	Grippe (*p. 225*).	Si l'état de l'enfant ne s'améliore pas dans les 24 heures, s'il a du mal à respirer ou si une rougeur survient, appelez immédiatement un médecin. En attendant, faites baisser la fièvre (*p.59 et p.171*).
L'enfant a de la fièvre, présente une rougeur ou une sensibilté au niveau d'un os.	Infection de l'os (*voir* Infection des os et des articulations, *p. 288*).	Appelez immédiatement un médecin.
L'enfant a mal à la partie inférieure d'une jambe depuis plusieurs minutes.	Crampe musculaire (*p. 282*).	Massez doucement ou essayez d'étirer la jambe douloureuse.
L'enfant ne présente aucun des symptômes ci-dessus mais continue à avoir mal à un membre.	Contusion, tension musculaire, ou torsion d'un ligament (*voir* Déchirure musculaire et entorse, *p. 281*).	Si la douleur est intense, si l'enfant a très mal, ne peut bouger le membre en question, appelez un médecin.

LES ARTICULATIONS

LES PROBLÈMES D'ARTICULATIONS CHEZ L'ENFANT SONT RAREMENT GRAVES. Il s'agit généralement de foulures ou d'un ligament distendu, proches d'une articulation. Si la douleur persiste ou s'accompagne d'autres symptômes (fièvre par exemple), appelez un médecin.

SYMPTÔMES	CAUSES POSSIBLES	COMMENT RÉAGIR ?
Votre enfant est tombé récemment : il a mal à une articulation, a du mal à la bouger, ou elle est déformée.	Articulation luxée ou fracture d'un os proche d'une articulation (*voir* Fracture et luxation, *p. 283*).	Appelez le 911 si la douleur affecte la jambe ou le coude. S'il s'agit du bras, de l'épaule ou d'un doigt, emmenez l'enfant à l'hôpital (*voir* Les fractures, *p. 338*).
L'articulation est gonflée.	Foulure musculaire ou entorse près d'une articulation (*voir p. 281*).	Si l'enfant a très mal et que la douleur persiste plus de 24 heures, appelez un médecin.
L'articulation est rouge ou gonflée et l'enfant a de la fièvre ou ne se sent pas bien.	Infection articulaire (*voir p. 288*). Si la douleur affecte plusieurs articulations, il peut s'agir d'une arthrite passagère ou chronique (*p. 288*).	Appelez immédiatement un médecin.
L'enfant boite ou a mal à une hanche.	Luxation congénitale de la hanche (*p. 286*). Maladie de Legg-Perthes-Calvé (*p. 286*) ou luxation de l'épiphyse fémorale chez le grand bébé. Infection des os (*p. 288*) ou hanche douloureuse (*p. 281 et 285*).	Consultez un médecin dans les 24 heures.
L'enfant a mal à un genou.	Entorse ou foulure banale (*p. 281*). Possible Infection des os et des articulations (*p. 288*), ramollissement cartilagineux (*voir aussi p. 281*).	Si l'enfant a très mal, si son état ne s'améliore pas dans les 24 heures ou si la douleur resurgit, appelez un médecin. Traitez la foulure ou l'entorse.
La douleur porte sur plusieurs articulations et les membres présentent une rougeur violacée.	Hémorragie cutanée (Purpura rhumatoïde, *p. 307*).	Appelez immédiatement un médecin.

LES PIEDS

LES MAUX DE PIEDS LES PLUS FRÉQUENTS CHEZ L'ENFANT sont souvent consécutifs à des chutes, des troubles cutanés des pieds ou des chaussures peu appropriées. Il est rare que ces problèmes soient graves, mais si votre enfant a les pieds gonflés et douloureux ou s'il a du mal à marcher, consultez un médecin.

SYMPTÔMES	CAUSES POSSIBLES
L'enfant a mal à un pied après être récemment tombé ou s'être blessé et souffre quand il le pose par terre.	Fracture possible d'un os du pied, d'un orteil ou de la cheville (*voir* Fracture et luxation, *p. 283*).
Il a mal au pied mais peut marcher.	Contusion ou entorse musculaire, ou entorse ligamentaire (*voir* Déchirure musculaire et entorse, *p. 281*).
L'enfant n'est pas tombé, n'a pas été blessé et n'a mal aux pieds que quand il est chaussé.	Il se peut que ses chaussures ne lui aillent pas, ou que la doublure intérieure soit abîmée.
Douleur si quelque chose pèse sur le pied ; grosseur aplatie sur la plante du pied.	Verrue plantaire (*p. 193*) et verrues (*p. 231*).
Démangeaisons entre ou sous les orteils, rougeurs desquamées.	Pied d'athlète (*p. 193*).
L'enfant n'est pas tombé, n'a pas été blessé mais a mal tout le temps. Présence d'une rougeur ou d'un gonflement sur le pied ou les orteils.	Une infection, due à une coupure ou à la présence d'un corps étranger (épine, écharde), peut provoquer rougeur ou gonflement.
L'enfant a plus de 3 ans et semble avoir les pieds plats.	Pieds plats (*voir* Malformation bénigne du squelette, *p. 284*).
L'enfant a moins de 3 ans et semble avoir les pieds plats.	L'immaturité des muscles et ligaments de la plante des pieds n'est pas inquiétante chez un enfant de cet âge (*voir* Malformation bénigne du squelette, *p. 284*).
Les orteils de l'enfant semblent tordus ou rentrés.	Les chaussures ou chaussettes trop petites peuvent recroqueviller les orteils de l'enfant.

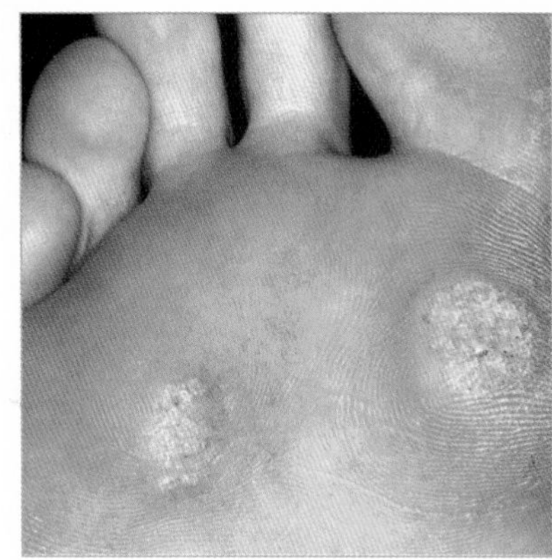

ITEMENT DES VERRUES
ncez la surface de la
e et couvrez tous les
s avec un pansement
bibé d'une solution à
l'acide salicylique.

COMMENT RÉAGIR ?

Emmenez l'enfant aux services des urgences le plus proche. Appelez une ambulance si vous ne pouvez pas déplacer l'enfant.

S'il a très mal ou si l'enflure est importante, consultez un médecin.

Remplacez les chaussures dès qu'elles serrent les pieds ou sont usées. Achetez les chaussures dans les magasins où les vendeurs ont l'habitude de chausser des enfants.

Traitez les verrues (*voir ci-contre*).

Appliquez un produit fongicide (poudre, crème ou aérosol). Assurez-vous que les pieds de l'enfant sont bien secs après le bain. Si la rougeur ne disparaît pas au bout d'une semaine, ou si les ongles des pieds sont affectés, consultez un médecin.

Consultez un médecin dans les 24 heures. En attendant, retirez le corps étranger à l'aide de pinces stérilisées. Couvrez avec un pansement stérile, et posez le pied en surélévation pour le faire dégonfler.

Si l'enfant a mal aux pieds et que vous êtes inquiet, consultez un médecin.

Si les pieds de l'enfant ne se développent pas correctement, consultez un médecin.

Remplacez les chaussures et chaussettes dès qu'elles deviennent trop petites.

PREMIERS SOINS

Les verrues plantaires

Excroissances cornées extrêmement contagieuses sur la plante du pied. Elles sont d'origine virale et sont aplaties par le poids du corps. Elles peuvent être très douloureuses, mais la douleur est généralement de courte durée. Il ne faut ni les gratter ni les creuser car elles peuvent se propager.

- La contagion se propage lors de la marche pieds nus dans les lieux publics comme les piscines. Incitez votre enfant à porter des tongs ou des sandales.
- Passez doucement une pierre ponce sur la verrue puis couvrez avec un pansement imbibé d'une solution à base d'acide salicylique tous les jours jusqu'à disparition de la verrue.
- Votre pharmacien vous conseillera un produit spécifique à ce problème.
- Les traitements homéopathiques sont tout à fait envisageables et donnent de bons résultats.
- Si les verrues douloureuses sont réfractaires à ces traitements, consultez un dermatologue.

Traiter le pied d'athlète

Ce champignon se développe dans la chaleur et l'humidité entre les orteils.

- Faites porter à votre enfant des chaussettes en coton et changez-les tous les jours. Aérez les chaussures. Les pieds de l'enfant doivent être propres et secs.
- Deux fois par jour, saupoudrez la peau entre les orteils de poudre fongicide (ou utilisez une crème).
- L'huile essentielle de l'arbre à thé est un fongicide naturel puissant.
- La calendula apaise l'inflammation, rafraîchit la peau et contribue à la guérison.

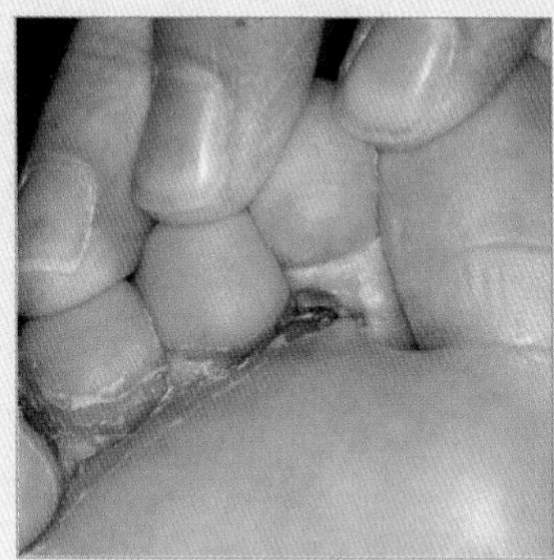

MYCOSE DU PIED
Les pieds de l'enfant doivent toujours être propres et secs. Saupoudrez également ses chaussettes et ses chaussures de poudre fongicide.

LES PROBLÈMES RESPIRATOIRES

Les problèmes de respiration chez l'enfant sont souvent préoccupants. Il peut avoir des difficultés à inspirer, une respiration bruyante ou trop rapide. Accompagnés de symptômes alarmants, ces problèmes doivent être traités immédiatement.

SYMPTÔMES	CAUSES POSSIBLES
L'enfant a du mal à respirer depuis quelques minutes : il a pu s'étouffer avec un petit objet.	Inhalation d'un corps étranger.
Votre enfant, qui suit actuellement un traitement contre l'asthme ou en a suivi un dans le passé, présente un ou plusieurs des symptômes alarmants (*p. 195*).	Crise d'asthme sévère (*p. 226*).
L'enfant présente un ou plusieurs symptômes alarmants (*p. 195*) mais l'asthme ne semble pas être en cause.	Bronchiolite (*p. 228*), pneumonie (*p. 227*), croup (*p. 224*) ou asthme (*p. 226*).
Votre enfant siffle des bronches par phases récurrentes, ou a le souffle court, ou tousse pendant la nuit.	Asthme (*p. 226*).
La respiration de l'enfant est stridente et bruyante depuis la naissance.	Stridence laryngique congénitale, sans danger ; elle s'estompe à mesure que l'enfant grandit.
La respiration de l'enfant est stridente et bruyante depuis la naissance, mais elle s'accélère depuis peu et s'accompagne de fièvre et de toux.	Pneumonie (*p. 227*) ou bronchiolite (*p. 228*).
La respiration de l'enfant s'accélère depuis peu et s'accompagne de fièvre et de toux.	Pneumonie (*p. 227*) ou bronchiolite (*p. 228*).
L'enfant a la voix rauque, respire bruyamment et a une toux sèche.	Croup (*p. 224*).

SYMPTÔMES ALARMANTS

Si les problèmes respiratoires de l'enfant s'accompagnent de l'un des symptômes suivants, appelez immédiatement le 911 :

- Lèvres ou langue bleuies
- Somnolence anormale
- Incapacité de parler ou de produire des sons normalement

COMMENT RÉAGIR ?

Appelez immédiatement le 911. Voir L'étouffement (*p.* 333).

Appelez immédiatement le 911. Administrez à l'enfant le traitement contre l'asthme prescrit, et aider l'enfant à respirer pendant une crise d'asthme (*voir ci-contre et* le bouche-à-bouche, *p.* 331-332).

Appelez immédiatement le 911. Voir le bouche-à-bouche (*p.* 331-332).

Si l'enfant va très mal ou respire de plus en plus difficilement, appelez immédiatement un médecin, et aidez l'enfant à respirer (*voir ci-contre*).

Si l'état de l'enfant ne s'améliore pas à l'âge de 3 ans, consultez un médecin.

Appelez immédiatement un médecin, aidez l'enfant à respirer (*voir ci-contre*) et vérifiez son rythme respiratoire (*voir ci-contre*).

Appelez immédiatement un médecin, aidez l'enfant à respirer (*voir ci-contre*) et vérifiez son rythme respiratoire (*voir ci-contre*).

Appelez immédiatement un médecin.

PREMIERS SOINS

Vérifier le rythme respiratoire

Un enfant dont la respiration est anormalement rapide a peut-être besoin d'être surveillé médicalement. Pour vérifier son rythme respiratoire, allongez-le et comptez le nombre de fois où il inspire et expire en une minute. À mesure qu'il grandit, le rythme décroît : pour un bébé de moins de 2 mois, le rythme est inférieur à 60 respirations par minute. Pour un petit entre 2 et 11 mois, il est inférieur à 50. Pour un enfant entre 1 et 5 ans, il est inférieur à 40. Pour un enfant de plus de 5 ans, il est inférieur à 30.

La respiration naturelle

Techniques de relaxation
Des techniques comme le yoga peuvent aider l'enfant à se décontracter et à respirer calmement à partir du diaphragme. Ceci lui apprendra aussi à gérer tout seul sa respiration en cas de problème.

Adopter une meilleure posture
Bien se tenir peut aider l'enfant à se décontracter et respirer plus facilement.

Remèdes
Trouver le bon remède implique que l'on connaisse la cause du problème. Voir Médecines douces (*p.* 318) et homéopathie (*p.* 321).

Aider l'enfant à respirer pendant une crise d'asthme

- L'enfant étant assis, aidez-le à se tenir droit.
- Administrez sans attendre le traitement prescrit.
- Éloignez l'entourage pour éviter toute agitation.

BIEN SE TENIR POUR BIEN RESPIRER *Aidez l'enfant à se tenir droit en posant ses coudes et bras sur une table ou en s'adossant à une chaise.*

LA TOUX

CHEZ LES GRANDS ENFANTS, LA TOUX EST GÉNÉRALEMENT DUE À UNE PETITE INFECTION RESPIRATOIRE TELLE QUE LE RHUME. Chez les tout-petits, elle est plus inhabituelle et peut être le signe d'une infection pulmonaire préoccupante. Ne restez pas sans rien faire si votre enfant, habituellement en bonne santé, se met à tousser : il peut s'agir d'une obstruction des voies respiratoires.

SYMPTÔMES	CAUSES POSSIBLES
Votre enfant a moins d'1 an et tousse.	Rhume (*p.* 221), bronchiolite (rarement) (*p.* 228) ou pneumonie (*p.* 227).
L'enfant a de la fièvre et tousse continuellement.	Rhume (*p.* 221) ou grippe (*p.* 225).
L'enfant a de la fièvre, tousse et présente des rougeurs.	Rougeole (*p.* 264).
L'enfant tousse surtout la nuit, avec ou sans fièvre.	Coqueluche (*p.* 269) ou asthme (*p.* 226).
L'enfant est pris de quintes de toux qui se terminent par un sifflement, et il vomit.	Coqueluche (*p.* 269) ou autres infections.
L'enfant tousse depuis moins de 24 heures. La toux a commencé soudainement.	Inhalation d'un corps étranger.
L'enfant tousse depuis moins de 24 heures et a le nez bouché ou qui coule.	Rhume (*p.* 221).
L'enfant tousse depuis 24 heures ou plus et l'écoulement nasal est permanent.	Allergie ou rhume récurrent (*voir* Rhume, *p.* 221).
L'enfant tousse depuis 24 heures ou plus, l'écoulement nasal est permanent ; il a de fréquentes infections des oreilles et parle du nez.	Hypertrophie des végétations (*p.* 222).
L'enfant tousse depuis 24 heures ou plus sans écoulement nasal. Il a récemment souffert de coqueluche ou d'une infection virale.	Toux persistante consécutive à une coqueluche (*p.* 269) ou une infection virale.

SYMPTÔMES ALARMANTS

Appelez immédiatement le 911 si l'enfant présente les symptômes suivants :

- Lèvres ou langue bleuies
- Somnolence anormale
- Incapacité de parler ou produire des sons normalement

Appelez tout de suite un médecin si :

- Les espaces intercostaux de l'enfant semblent se creuser quand il inspire

COMMENT RÉAGIR ?

Si l'enfant ne va pas bien ou respire de plus en plus difficilement, appelez immédiatement un médecin. Apaisez la toux (*voir ci-contre*).

Si l'enfant respire de plus en plus difficilement, appelez un médecin. Si une rougeur survient, consultez un médecin dans les 24 heures. Apaisez la toux (*voir ci-contre*) et faites baisser la fièvre (*p. 59 et 171*).

Demandez l'avis du médecin dans les 24 heures et faites baisser la fièvre (*p. 59 et 171*).

Consultez un médecin dans les 24 heures et apaisez la toux (*voir ci-contre*).

Consultez un médecin dans les 24 heures et apaisez la toux (*voir ci-contre*).

Appelez immédiatement un médecin. Voir L'étouffement (*p. 333*).

Si l'enfant est en état de détresse respiratoire, consultez un médecin. Apaisez la toux (*voir ci-contre*).

Si l'état général de l'enfant n'est pas bon ou si la toux l'énerve, consultez un médecin.

Consultez un médecin. Si les infections de l'oreille sont douloureuses, voyez Comment soulager les maux d'oreille (*p. 205*).

Si l'enfant est en état de détresse respiratoire ou ne se sent pas bien, ou si la toux persiste plus d'1 mois, consultez un médecin. Apaisez la toux (*voir ci-contre*).

PREMIERS SOINS

Comment soulager un rhume

- Faites boire à l'enfant des boissons apaisantes telles que de l'eau chaude avec un peu de miel. Ne donnez cependant pas de miel à un bébé de moins d'1 an car il y a risque d'intolérance alimentaire. Renseignez-vous sur les sirops antitussifs en vente libre auprès de votre pharmacien.
- La vapeur est un bon remède simple pour calmer le croup : suspendez une serviette mouillée devant un radiateur pour humidifier l'air.
- Évitez de surchauffer la chambre de l'enfant : l'air asséché fait augmenter la toux.

COMMENT CALMER UNE QUINTE DE TOUX *Asseyez l'enfant sur vos genoux, dos vers vous, en le penchant légèrement en avant, et tapotez-lui doucement le dos pour faire descendre les glaires éventuelles.*

Remèdes contre la toux

Remèdes à base de plantes
L'échinacée dans de l'eau chaude contribue à renforcer les défenses immunitaires.
Une infusion à base de baie de sureau aide à combattre de nombreuses toux. Une infusion au thym, à la guimauve et à l'hysope fait remonter le mucus et dégage les bronches. Demandez conseil à votre pharmacien.

Aromathérapie
Quelques gouttes d'huile essentielle d'eucalyptus ou de menthe en inhalation peuvent aider à calmer la toux. Couvrez la tête de l'enfant et le bol d'une serviette (assurez-vous qu'il ne se brûle pas le visage) et restez près de lui pendant qu'il aspire la vapeur quelques minutes.

LE MAL DE GORGE

LES INFECTIONS VIRALES MINEURES SONT SOUVENT À L'ORIGINE DES MAUX DE GORGE DE L'ENFANT, elles disparaissent généralement très vite. Parfois, un mal de gorge peut aussi signaler une infection bactérienne qu'il convient de traiter aux antibiotiques.

SYMPTÔMES	CAUSES POSSIBLES	COMMENT RÉAGIR ?
L'enfant a de la fièvre, vomit, présentes des rougeurs et a la langue et la gorge très rouges.	Scarlatine (*p.* 267).	Appelez immédiatement un médecin. En attendant, faites baisser la fièvre (*p.* 59 *et* 171).
L'enfant a de la fièvre et a mal quand il avale, ou il refuse de manger des aliments solides.	Amygdalite (*voir* Pharyngite et amygdalite, *p.* 223).	Si l'état de l'enfant ne s'améliore pas sous 24 heures, consultez un médecin. En attendant, faites baisser la fièvre (*p.* 59 *et* 171).
L'enfant éternue, il a le nez qui coule et il tousse.	Rhume (*p.* 221) ou Rhinite allergique (*p.* 224).	Si les symptômes durent plus d'une semaine, consultez un médecin. En attendant, apaisez la toux (*p.* 197).
L'enfant n'a pas d'autre symptôme que le mal de gorge.	Inflammation de la gorge due à une petite infection ou une irritation.	Si le mal de gorge dure plus de 24 heures, consultez un médecin.

PREMIERS SOINS

Apaiser le mal de gorge

- Faites boire à l'enfant (avec une paille) autant de liquides froids non-acides qu'il en demande. Donnez-lui aussi de la crème glacée et des gelées de fruits.
- Donnez-lui régulièrement de l'acétaminophène en respectant les doses prescrites.
- S'il a plus de 8 ans, faites-le se gargariser avec une dilution antiseptique.
- Les comprimés pour la gorge conviennent si l'enfant est en âge de les sucer et non de les croquer.

VÉRIFIER LES GANGLIONS *Si l'enfant a mal à la gorge et se plaint quand il avale, faites-le asseoir et tâtez-le sous la mâchoire, en partant des oreilles et en descendant le long du menton. Si les ganglions sont gonflés, consultez un médecin.*

LA SOMNOLENCE

UNE INFECTION, UNE MALADIE OU SIMPLEMENT LE MANQUE DE SOMMEIL PEUVENT RENDRE UN ENFANT SOMNOLENT. Emmenez-le à l'hôpital si sa respiration est irrégulière, s'il perd connaissance, s'il ne réagit pas quand vous le réveillez, s'il a des difficultés à sortir du sommeil, ou encore s'il saigne du nez ou des oreilles.

SYMPTÔMES	CAUSES POSSIBLES	COMMENT RÉAGIR ?
L'enfant a récemment reçu un coup sur la tête.	Traumatisme crânien (*p. 291*).	Appelez immédiatement le 911. En attendant, ne lui donnez rien à boire ou à manger.
L'enfant a avalé un produit toxique.	Avaler un produit toxique peut faire perdre connaissance.	Appelez immédiatement le 911.
L'enfant a de la fièvre.	Une forte fièvre, surtout si elle est supérieure à 39 °C, à la suite d'une infection, peut provoquer une confusion mentale.	Appelez immédiatement un médecin. En attendant, faites baisser la fièvre (*p. 59 et 171*).
L'enfant a la diarrhée, accompagnée ou non de vomissements.	Déshydratation causée par une gastroentérite (*p. 254*).	Appelez immédiatement un médecin. En attendant, donnez-lui à boire une solution réhydratante (*p. 63 et 172*).
Nuque raide, mal à la tête, vomissement ou taches plates résistant sous la pression.	Méningite (*p. 294*).	Appelez immédiatement le 911.
L'enfant a très soif et urine beaucoup, ou il perd du poids depuis peu et est très fatigué.	Diabète insulino-dépendant (*p. 309*).	Appelez immédiatement un médecin.
Yeux rouges, sautes d'humeur, léthargie ou agressivité, manque d'appétit.	L'alcool, le tabac et la drogue (*p. 160-161*).	Consultez un médecin.
L'enfant est sous traitement médicamenteux.	Certains médicaments, comme les antihistaminiques, peuvent provoquer une confusion mentale ou avoir un effet sédatif.	Demandez à votre médecin s'il convient d'interrompre le traitement.

LES VERTIGES

LA SENSATION DE VERTIGE peut s'accompagner d'une impression d'hébétude ou d'une perte de connaissance. Ce dernier symptôme est dû à une chute de la pression sanguine. La perte de connaissance pendant une crise convulsive est due à une anomalie de l'activité électrique cérébrale.

SYMPTÔMES	CAUSES POSSIBLES
L'enfant de 5 ans ou moins, a la tête qui tourne et n'a pas de fièvre.	Crise épileptique (*voir* Épilepsie, *p.* 293).
L'enfant s'est évanoui, il est pâle et transpire, mais l'évanouissement ne s'accompagne d'aucun autre symptôme.	La perte de conscience est probablement due à une syncope, baisse de la pression sanguine provoquée par le stress, l'anxiété, la faim prolongée ou le fait de se trouver dans une atmosphère étouffante depuis trop longtemps.
L'enfant s'est évanoui ; son visage et ses membres sursautent, il a uriné ou s'est mordu la langue.	Épilepsie (*p.* 293).
L'enfant a l'impression que tout tourne autour de lui.	Labyrinthite (*p.* 242).
L'enfant semble ne plus savoir où il est pendant quelques instants.	Absence (*voir* Épilepsie, *p.* 293).
L'enfant, sous traitement contre le diabète, se sent mou ou déséquilibré.	L'hypoglycémie provoquée par le diabète insulino-dépendant (*p.* 309) peut provoquer chez l'enfant une perte de conscience et, dans certains cas, une crise.
L'enfant de moins de 5 ans, non traité contre le diabète sucré, a de la fièvre.	Convulsions fébriles (*p.* 292).
L'enfant se sent mou ou a l'impression de perdre l'équilibre.	Hypoglycémie due au diabète insulino-dépendant (*p.* 309). Baisse de la pression sanguine lors du passage de la position couchée à la position debout due à une hypotension orthostatique.

SYMPTÔMES ALARMANTS

Appelez immédiatement le 911 si l'enfant a perdu connaissance et présente les symptômes suivants :

- Il ne revient pas à lui au bout de 3 minutes
- Sa respiration ralentit
- Sa respiration est irrégulière ou bruyante

COMMENT RÉAGIR ?

Appelez un médecin si la crise dure 5 minutes ou plus. Consultez un médecin si la crise a duré moins de 10 minutes et si elle est récurrente.

Si votre enfant s'évanouit de façon récurrente, consultez un médecin (*voir ci-contre*).

Appelez immédiatement un médecin. Ne forcez pas l'enfant à ouvrir la bouche.

Consultez un médecin.

Consultez un médecin. En attendant, faites asseoir l'enfant et attendez qu'il ait recouvré ses esprits.

S'il s'agit d'une crise, appelez le 911. En attendant, et si le diagnostic de diabète a été posé, faites-lui une injection de glucagon. Dès qu'il se sent sur le point de s'évanouir, donnez-lui une boisson ou un aliment sucré.

Appelez immédiatement un médecin et faites baisser la fièvre (*p. 59 et 171*).

Consultez un médecin si l'enfant est sujet aux vertiges. Dès qu'il se sent sur le point de s'évanouir, donnez-lui une boisson ou un aliment sucré (*voir ci-contre*).

PREMIERS SOINS

Que faire en cas de vertige et d'évanouissement

Si votre enfant a la tête qui tourne, allongez-le, les jambes surélevées sur des coussins, et procédez comme suit :

- Desserrez éventuellement ses vêtements et aérez la pièce.
- Rassurez-le en lui parlant doucement.
- S'il a complètement repris connaissance, proposez-lui une boisson ou un aliment sucré pour faire remonter le taux de sucre dans le sang.
- S'il perd connaissance, gérez la situation comme indiqué pages 330-332. Placez-le en position latérale de sécurité (*p. 330*). Appelez le 911 s'il ne reprend pas connaissance.

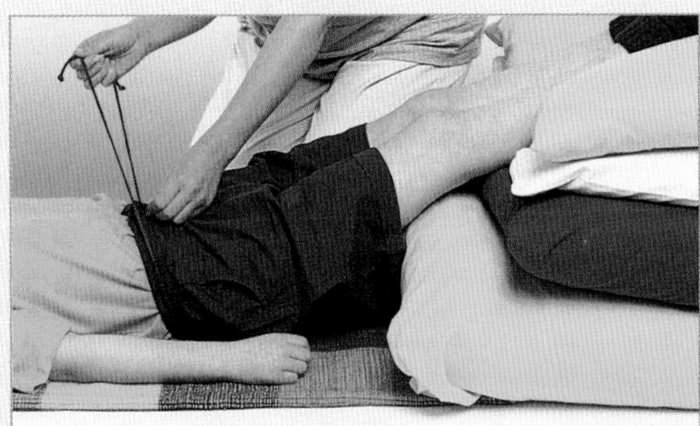

UN ENFANT ÉVANOUI – Étendez ses jambes en hauteur à l'aide de coussins pour faire remonter le sang et desserrez ses vêtements.

Que faire en cas de crise convulsive

Les enfants de 6 mois à 5 ans peuvent être pris de convulsions quand leur température augmente brusquement. L'enfant transpire, son front est chaud et ses yeux sont fixes, louchent ou se révulsent. Ses poings sont crispés, son dos se cambre et son corps se raidit. Aidez-le en attendant l'arrivée du médecin :

- Allongez-le en l'entourant de serviettes et d'oreillers pour lui éviter de se blesser.
- Déshabillez-le et aérez bien la pièce.
- Une fois qu'il sera rafraîchi, la crise s'estompera. Placez-le en position latérale de sécurité (*p. 330*), enveloppé dans une couverture légère.

LES YEUX

CAUSÉS PAR DES INFECTIONS OU DES IRRITATIONS, les problèmes tels que démangeaisons, rougeurs, larmoiements, sécrétions, sont rarement graves et l'on parvient la plupart du temps à soulager soi-même l'enfant. Quand ce n'est pas le cas, il convient de consulter un médecin ou le service des urgences.

SYMPTÔMES	CAUSES POSSIBLES	COMMENT RÉAGIR ?
L'enfant s'est de toute évidence fait mal à un œil.	Blessure à l'œil	Emmenez immédiatement l'enfant au service des urgences de l'hôpital le plus proche.
Un corps étranger (poussière, etc.) est visible dans l'œil de l'enfant.	Un corps étranger provoque souvent rougeur et larmoiement.	Si vous n'arrivez pas à extraire le corps étranger ou si l'enfant souffre, appelez immédiatement un médecin (*voir p. 341*).
Une des paupières de l'enfant est légèrement enflée et rouge.	Orgelet (*p. 243*).	Si l'œil est rouge et douloureux, et si l'orgelet ne disparaît pas au bout de quelques jours, ou s'il réapparaît, consultez.
Les yeux de l'enfant larmoient même quand il ne pleure pas.	Si l'enfant a moins d'un an : obstruction du canal lacrymal.	Consultez un médecin.
Le blanc d'un des yeux est rouge.	Les yeux peuvent être irrités par des produits chimiques, vapeurs d'essence, etc. Il peut aussi s'agir d'une conjonctivite (*p. 244*), d'iritis (*p. 244*), ou d'une lésion peut-être plus préoccupante.	Si l'enfant souffre, appelez immédiatement un médecin. S'il ne souffre pas mais que l'œil reste rouge plus de 24 heures, consultez un médecin (*voir également p. 341*).
L'œil rouge s'accompagne d'une sécrétion gluante.	Conjonctivite sévère (*p. 244*).	Prenez l'avis du médecin dans les 24 heures.
Les paupières de l'enfant sont rouges et le démangent.	Blépharite (*p. 243*) ou conjonctivite (*p. 244*).	Consultez un médecin.
Les yeux de l'enfant le démangent.	Allergie, telle que rhume des foins (*voir aussi* Rhinite allergique, *p. 224*).	Consultez un médecin.

LA VISION

LES PROBLÈMES DE VUE CHEZ L'ENFANT sont généralement détectés lors des tests visuels pratiqués lors des visites médicales. Si vous remarquez que votre enfant voit mal, ou si l'enseignant à l'école vous alerte, faites-le examiner rapidement.

SYMPTÔMES	CAUSES POSSIBLES	COMMENT RÉAGIR ?
L'enfant voit double ou voit trouble, sans autre symptôme.	Troubles de la vision (*p.* 245) ou strabisme (*p.* 245).	Consultez un ophtalmologiste.
La vision double fait suite à une récente blessure à la tête.	Hémorragie cérébrale (*voir p.* 291).	Appelez immédiatement le 911.
La vision double/trouble s'accompagne de maux de tête.	Migraine (*voir* Maux de tête récurrents, *p.* 291).	S'il s'agit d'une première crise, ou si les attaques sont fréquentes, consultez un médecin.
L'enfant a partiellement ou complètement perdu la vue.	Éventuelle blessure à l'œil ou lésion partielle du cerveau.	Emmenez immédiatement l'enfant à l'hôpital.
L'enfant voit mal de près ou de loin.	Troubles de la vision (*p.* 245).	Consultez un ophtalmologiste.
Ses yeux semblent souvent ne pas regarder droit.	Strabisme (*p.* 245).	Si l'enfant a plus de 4 mois, consultez un ophtalmologiste.
Il voit régulièrement des éclairs ou des taches flottantes et a ensuite très mal à la tête.	Migraine (*voir* Maux de tête récurrents, *p.* 291).	S'il s'agit d'une première crise, ou si les crises sont fréquentes, consultez un médecin.
L'un des yeux (ou les deux) est rouge ou douloureux.	Iritis (*p.* 244).	Consultez un médecin immédiatement.
L'enfant est sous traitement médicamenteux.	Certains médicaments peuvent induire des troubles de la vision.	Demandez à votre médecin s'il faut interrompre le traitement.
Votre enfant peut avoir ingéré des médicaments qui n'étaient pas pour lui.	Les médicaments, tels que les antidépresseurs, peuvent provoquer des troubles de la vision.	Appelez immédiatement un médecin.

L'OREILLE

LES INFECTIONS SONT SOUVENT RESPONSABLES DES DOULEURS À L'OREILLE. L'infection de l'oreille moyenne est fréquente chez le jeune enfant car les trompes d'Eustache qui relient les oreilles à la gorge sont courtes et facilement obstruées. Quant aux troubles du canal externe de l'oreille, ils peuvent provoquer des démangeaisons ou des sécrétions.

SYMPTÔMES	CAUSES POSSIBLES
L'enfant souffre légèrement d'une oreille.	Présence d'un corps étranger dans l'oreille (insecte ou petit objet).
Il y a un écoulement de l'oreille, et le fait de tirer doucement sur le lobe accroît la douleur.	Eczéma atopique (*p.* 234) ou inflammation de l'oreille externe (*p.* 240).
Une des oreilles démange l'enfant.	Eczéma atopique (*p.* 234) ou inflammation de l'oreille externe (*p.* 240).
La douleur est advenue lors d'une journée au grand air ou peu après.	Barotraumatisme (*p.* 242).
Il y a un écoulement d'une oreille, mais l'enfant ne réagit pas quand on tire sur le lobe.	Inflammation de l'oreille moyenne (*p.* 240).
L'enfant a mal à l'oreille avec ou sans autre symptôme, ou il entend mal.	Inflammation de l'oreille moyenne (*p.* 240).
Il a très mal, a de la fièvre, un rhume ou ne va pas bien dans l'ensemble.	Inflammation de l'oreille moyenne (*p.* 240).
Vous apercevez un bouton rouge à l'intérieur de l'oreille de l'enfant.	Furoncle (*p.* 233) dans le conduit auditif.
L'enfant a très mal à l'oreille mais semble aller bien, et n'a pas de bouton dans l'oreille.	Inflammation de l'oreille externe (*p.* 240).

COMMENT POSER UN PREMIER DIAGNOSTIC

Les problèmes d'audition

Les parents sont les premiers à déceler un problème d'audition chez leur enfant. Chez le bébé, le premier signe de surdité est le fait qu'il ne réagit pas aux bruits. L'enfant plus grand commence à avoir de mauvaises notes à l'école. Les exemples suivants signalent d'éventuels problèmes d'audition. Dans chacun des cas, consultez un médecin.

- Les trompes reliant les oreilles et la gorge peuvent être bouchées, suite à un éternuement ou à un rhume. Voir Rhume (*p. 221*) et Rhinite allergique, (*p. 224*).
- Certains problèmes surviennent pendant une journée en plein air ou peu après, du fait des variations de pression (*voir* Barotraumatisme, *p. 242*).
- Les problèmes qui accompagnent ou suivent le mal d'oreille peuvent être dus à une inflammation de l'oreille moyenne (*p. 240*). S'ils lui font suite, ils peuvent être dus à une otite moyenne séreuse (*p. 241*).
- Si le problème n'est lié à aucun autre symptôme, il se peut qu'un bouchon de cérumen bloque le conduit auditif.
- Une maladie infectieuse (oreillons, rougeole et méningite) peut avoir un effet durable sur l'audition.

COMMENT RÉAGIR ?

Prenez un avis médical dans les 12 heures. Si l'objet que vous apercevez n'est pas collé au conduit auditif, essayez de l'enlever (*voir p. 341*). Si vous n'êtes pas sûr de vous, consultez. S'il s'agit d'un insecte coincé dans l'oreille, on peut l'en enlever en le faisant flotter : versez un peu d'eau tiède dans l'oreille (*voir p. 341*).

Demandez un avis médical dans les 12 heures et apaisez la douleur (*voir ci-contre*).

Demandez un avis médical dans les 12 heures et apaisez la douleur (*voir ci-contre*).

Si la douleur persiste, consultez un médecin et apaisez la douleur (*voir ci-contre*).

Demandez un avis médical dans les 12 heures et apaisez la douleur (*voir ci-contre*).

Demandez un avis médical dans les 12 heures et apaisez la douleur (*voir ci-contre*).

Demandez un avis médical dans les 12 heures, apaisez la douleur (*voir ci-contre*). Faites baisser la fièvre (*p. 59 et 171*).

Demandez un avis médical dans les 12 heures et apaisez la douleur (*voir ci-contre*).

Demandez un avis médical dans les 12 heures et apaisez la douleur (*voir ci-contre*).

PREMIERS SOINS

Comment soulager les maux d'oreilles

- Donnez à l'enfant de l'acétaminophène, en respectant les doses prescrites.
- Enveloppez une bouillotte d'eau chaude dans une serviette et maintenez-la contre l'oreille douloureuse. Pour un bébé, utilisez un linge chaud.
- Allongez l'enfant, ou faites-le asseoir, la tête appuyée contre des oreillers.
- Ne mettez pas de gouttes ou d'huile dans l'oreille douloureuse.

Les maux d'oreilles récurrents

Si l'enfant a régulièrement mal aux oreilles :

- Assurez-vous qu'il ne souffre pas de déficience immunitaire (*p. 163*).
- Donnez-lui des aliments sains et évitez ceux qu'il digère mal. La sensibilité à certains aliments peut le rendre plus sensible aux douleurs et infections de l'oreille.
- Envisagez de l'emmener chez un ostéopathe ou un chiropraticien (*p. 323*).
- Quand il rentre de la piscine, séchez-lui l'intérieur des oreilles avec un séchoir à cheveux positionné sur « Doux ».
- Faites régulièrement vérifier son audition.

LA BOUCHE

LA LANGUE, LES GENCIVES, LES LÈVRES ET L'INTÉRIEUR DE LA BOUCHE sont rarement le siège de problèmes graves. Avoir mal dans la bouche peut énerver l'enfant simplement parce qu'il souffre quand il mange ou boit. Concernant un bébé, il s'agit souvent d'une poussée dentaire.

SYMPTÔMES	CAUSES POSSIBLES
L'enfant a de minuscules cloques sur les lèvres ou autour des lèvres.	Boutons de fièvre (*p. 231*).
Le pourtour de la bouche est rouge et la commissure des lèvres est craquelée.	Gerçures des lèvres (*p. 185*).
L'enfant présente des croûtes dorées sur les lèvres ou autour de celles-ci.	Impétigo (*p. 235*).
L'enfant a seulement mal à la langue.	Irritation de la langue due au frottement contre une dent rugueuse ou cassée.
Les gencives de l'enfant lui font mal, ou elles sont rouges et gonflées.	Gingivite (*p. 249*).
Certaines parties à l'intérieur de la bouche ou sur la langue sont décolorées et douloureuses.	Aphtes (*p. 247*).
L'enfant ne se sent pas bien, a de la fièvre et des plaques douloureuses décolorées, tachetées de jaune pâle dans la bouche ou sur la langue.	Stomatite (*p. 247*).
L'enfant a des plaques jaune pâle et douloureuses dans la bouche ou sur la langue, de même que sur les mains et les pieds.	Syndrome pied-main-bouche (*p. 266*).
Des petites plaques blanc crémeux dans la bouche ou sur la langue sont douloureuses, et disparaissent dès qu'on les gratte.	Muguet (*p. 248*).

PREMIERS SOINS

Apaiser les douleurs

- Rincez la bouche de l'enfant toutes les heures avec 1/4 de cuillerée à café de bicarbonate de soude dissout dans 10 cl d'eau chaude.
- Donnez-lui de l'acétaminophène en respectant les doses.
- Tant que la douleur persiste, donnez-lui des aliments mous (soupe, glace, etc.) et évitez les boissons acides.

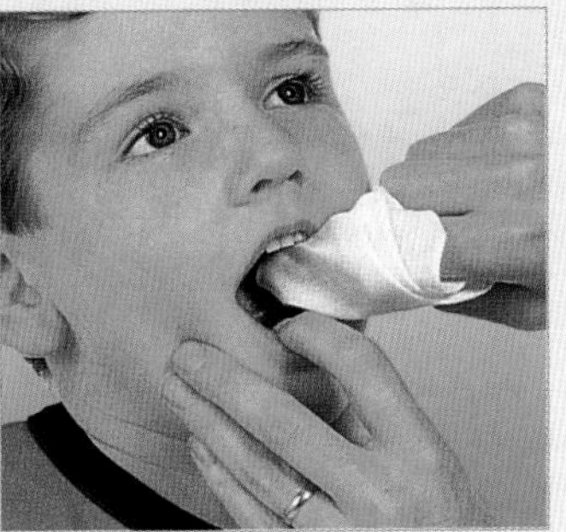

LES ULCÈRES BUCCAUX *Certains ulcères buccaux ressemblent aux coagulations du lait caillé. Enlevez-les avec votre index entouré d'un mouchoir propre et rincez la bouche avec une solution de bicarbonate de soude.*

COMMENT RÉAGIR ?

Si les ulcères sont impressionnants, durent plus de 2 semaines ou gênent l'enfant, consultez un médecin. En attendant, appliquez un gel adapté plusieurs fois par jour jusqu'à disparition.

Appliquez de la vaseline sur la région affectée plusieurs fois par jour. Humidifiez et protégez les lèvres avec un bâton à lèvres.

Consultez un médecin dans les 24 heures.

Consultez un dentiste.

Consultez un dentiste. En attendant, l'enfant doit continuer à se brosser les dents. Des bains de bouche désinfectants peuvent calmer l'inflammation (*voir p.* 249).

Si les ulcères persistent, consultez. En attendant, apaisez la douleur (*ci-dessus*).

Consultez un médecin. En attendant, apaisez la douleur (*ci-dessus*) et faites baisser la fièvre (*p.* 59 *et* 171).

Consultez un médecin et apaisez la douleur (*ci-dessus*).

Consultez un médecin.

PREMIERS SOINS

Les boutons de fièvre

Provoqués par une souche du virus *Herpes simplex*, les boutons de fièvre apparaissent sur les lèvres, ou autour, pendant une infection, si l'enfant a été exposé à un courant d'air froid ou au soleil, ou s'il est stressé. On ne peut qu'apaiser la gêne de l'enfant et prendre soin de ces boutons de fièvre.

- Une boisson froide peut atténuer la gêne.
- Des crèmes vendues en pharmacie peuvent soulager, surtout si elles sont appliquées dès que l'enfant éprouve la sensation d'agacement qui précède ces boutons.
- La crème au calendula est un remède qui peut contribuer à soigner un bouton de fièvre écorché.

Traiter la gingivite

Quand un enfant a les gencives rouges, tuméfiées et molles, c'est probablement qu'il ne se brosse pas les dents correctement – et quand il les brosse, ses gencives saignent. Le brossage régulier des dents et des gencives pour éliminer la plaque bactérienne est le meilleur moyen de traiter ces gingivites.
Un bain de bouche désinfectant contribue à raffermir les gencives.

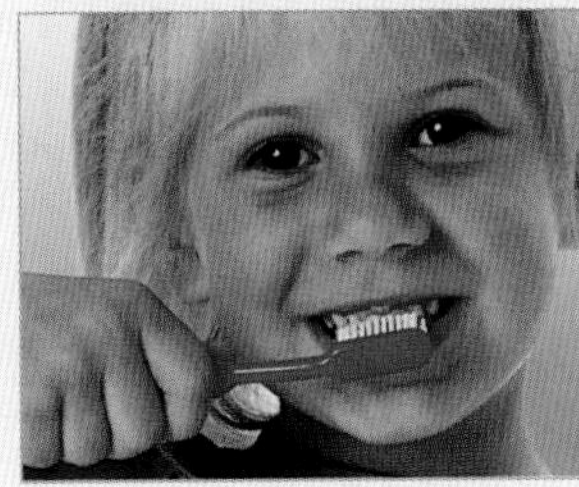

SE BROSSER LES DENTS *Encouragez l'enfant à se laver les dents et les gencives avec une brosse souple et un peu de dentifrice après le petit déjeuner et avant le coucher.*

LES DOULEURS ABDOMINALES

LES ENFANTS ONT SOUVENT MAL AU VENTRE, CERTAINS RÉGULIÈREMENT. La cause en est rarement grave et la douleur disparaît vite. Mais il peut arriver que la douleur signale un problème qui doit être pris en compte sans tarder.

SYMPTÔMES	CAUSES POSSIBLES
L'enfant présente un gonflement douloureux à l'aine ou au scrotum.	Hernie inguinale étranglée (*voir p. 260*) ou torsion du testicule (*voir p. 277-278*).
La douleur s'accentue quand on lui appuie doucement sur le ventre.	Appendicite (*p. 253*).
L'enfant se plaint de douleur continue depuis 6 heures.	Appendicite (*p. 253*).
L'enfant vomit et a mal depuis 3 heures.	Appendicite (*p. 253*).
L'enfant vomit une matière jaune verdâtre.	Occlusion intestinale (*p. 256*).
La douleur s'atténue quand il défèque ou vomit. Il a aussi la diarrhée, avec ou sans vomissement.	Gastroentérite (*p. 254*).
Les selles du bébé contiennent une matière rouge.	Invagination intestinale (*voir* Occlusion intestinale, *p. 256*).
L'enfant a mal à la gorge, tousse et a le nez qui coule.	Infection des voies respiratoires supérieures, telle que rhume (*p. 221*), provoquant le gonflement d'un ganglion lymphatique dans l'abdomen.
L'enfant présente un ou plusieurs des symptômes suivants : fièvre, urines douloureuses, énurésie (alors qu'il est propre la nuit).	Infections urinaires (*p. 275*).
Votre enfant a souvent mal au ventre sans avoir l'air d'aller mal.	Anxiété (*voir p. 131-132*) ou indigestion (*voir* Réactions aux aliments, *p. 252*). Mais souvent, la cause de ces symptômes est indécelable.

SYMPTÔMES ALARMANTS

Si l'enfant présente les symptômes suivants, appelez immédiatement le 911 :

- Douleurs abdominales depuis 6 heures
- Douleur ou gonflement à l'aine ou aux testicules
- Vomissement jaune verdâtre
- Matière rouge dans les selles

COMMENT RÉAGIR ?

Appelez le 911. En attendant, ne donnez ni à boire, ni à manger à l'enfant.

Si la douleur persiste plus de 3 heures, appelez immédiatement un médecin. Apaisez la douleur abdominale (*voir ci-contre*).

Appelez immédiatement un médecin. En attendant, l'enfant ne doit ni boire, ni manger.

Appelez immédiatement un médecin. Soulagez la douleur abdominale (*voir ci-contre*).

Appelez le 911. En attendant, ne donnez ni à boire, ni à manger à l'enfant.

Consultez un médecin dans les 12 heures. S'il s'agit d'un bébé, prévenez la déshydratation (*p. 63*).

Appelez le 911. En attendant, ne donnez ni à boire, ni à manger à l'enfant.

Si l'enfant ne va vraiment pas bien, consultez un médecin. Apaisez la toux (*p. 197*), le mal de gorge (*p. 198*) et la douleur abdominale (*ci-contre*).

Consultez un médecin dans les 24 heures. Si l'enfant a de la fièvre (*voir p. 59 et 171*).

Consultez. En attendant, rassurez l'enfant. Si vous pensez que les symptômes sont d'origine alimentaire, essayez de savoir quels sont les aliments en cause, et ne lui en redonnez plus (*voir ci-contre*).

PREMIERS SOINS

Comment apaiser la douleur abdominale

Les conseils suivants pourront vous aider à soulager votre enfant :

- Allongez ou asseyez l'enfant, et faites-lui serrer un sac de glace enveloppé dans une serviette, contre son ventre.
- Lorsqu'il a mal au ventre, l'enfant ne doit rien manger et ne doit boire que de l'eau.
- Si vous pensez que votre enfant souffre d'une appendicite ou d'une autre affection nécessitant une intervention, ne lui donnez ni à boire, ni à manger avant d'avoir parlé à votre médecin.

Comment calmer l'anxiété

Parlez avec l'enfant de ce qui lui fait mal et essayez d'entrevoir si la douleur peut être liée à une inquiétude.

- Quand ils sont anxieux, les enfants disent souvent qu'ils ont mal ; s'ils peuvent en parler, ils atténuent à la fois l'inquiétude et la douleur.
- Si la douleur est récurrente et qu'à vos yeux, elle est liée à de l'anxiété, songez aux massages relaxants (*p. 325*). Les techniques manuelles, ostéopathie ou chiropractie (*p. 323*), peuvent également être d'un grand secours dans ce genre de situation.
- Envisagez de consulter un homéopathe (*p. 321*), il pourra prescrire un traitement de fond contre l'anxiété.

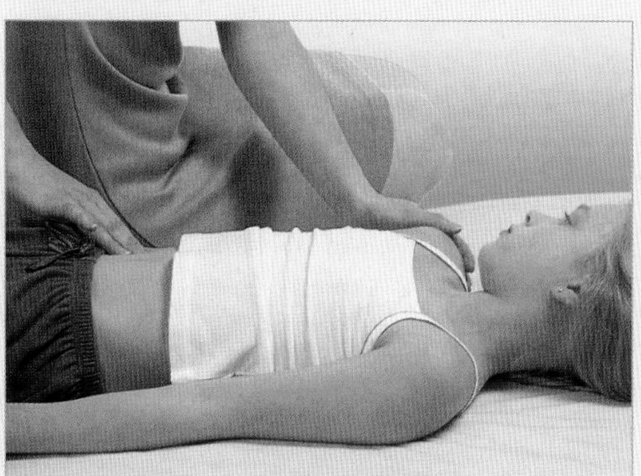

LOCALISER LA DOULEUR Appuyez fermement mais doucement du bout des doigts sur le ventre de l'enfant.

LA CONSTIPATION

LES ENFANTS PEUVENT ALLER À LA SELLE DE FAÇON IRRÉGULIÈRE – parfois quatre fois par jour. Un changement dans leurs habitudes, une maladie ou le stress peuvent momentanément les affecter. Si les selles sont dures, ou si l'enfant a mal quand il élimine, il s'agit alors de constipation.

SYMPTÔMES	CAUSES POSSIBLES
L'enfant a éliminé des selles dans les dernières 24 heures, de façon douloureuse et les selles contenaient un peu de sang.	Fissure anale (*voir* Constipation, *p.* 255).
L'enfant a éliminé des selles sous forme de petites boules dures.	L'enfant ne mange peut-être pas assez de fibres ou ne boit peut-être pas suffisamment.
L'enfant a mal au ventre.	Voir Les douleurs abdominales (*p.* 208).
L'enfant, qui va normalement à la selle, est constipé à la suite d'une fièvre ou d'un vomissement.	Après avoir eu de la fièvre ou avoir vomi, l'enfant s'est déshydraté, ce qui peut affecter ses selles. Les choses rentreront dans l'ordre dès qu'il aura guéri.
L'enfant va habituellement à la selle moins d'une fois tous les quatre jours.	Constipation (*p.* 255).
L'enfant constipé est en train d'apprendre à utiliser le pot ou commence à le faire depuis peu.	Il a peut-être peur de se servir du pot et se retient.
L'enfant constipé ne sait pas encore utiliser le pot ou sait le faire depuis quelque temps, mais vous avez changé son régime alimentaire.	L'enfant ne mange peut-être pas assez de fibres ou ne boit pas suffisamment.

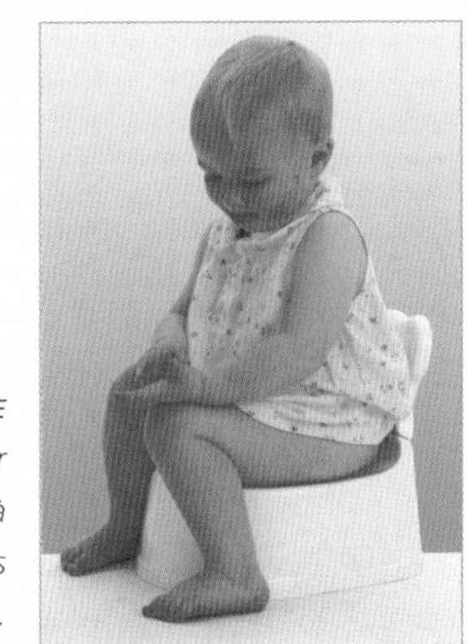

FAIRE DU POT UNE HABITUDE
Apprenez à l'enfant à aller sur le pot ou aux toilettes à la même heure tous les jours, mais ne l'y forcez pas.

COMMENT RÉAGIR ?

Consultez un médecin. En attendant, prévenez la constipation (*voir ci-contre*).

Prévenez la constipation (*voir ci-contre*).

Incitez l'enfant à boire beaucoup (*voir p. 63, 171, et 172*).

Consultez un médecin. En attendant, prévenez la constipation (*voir ci-contre*).

Si votre enfant n'élimine pas de selles pendant plus de 4 jours, consultez un médecin. Peut-être l'enfant sent-il que vous êtes inquiet quant à la façon dont il apprend à se servir du pot. Essayez de vous décontracter à ce sujet.

Prévenez la constipation (*voir ci-contre*).

PREMIERS SOINS

Comment prévenir la constipation

- Assurez-vous que les repas de votre enfant sont variés et suffisamment nourrissants. Sinon, ajoutez-y plus de fruits, de légumes et d'autres aliments riches en fibres (pain et céréales de farine complète, haricots, carottes, bananes et abricots secs). Équilibrez avec des aliments énergétiques tels que les pâtes, les œufs et le fromage.
- Tout en augmentant son apport en fibres, faites-le boire plus de jus de fruit dilués dans autant d'eau gazeuse naturelle. Il faut qu'il boive moins de lait, qui peut constiper, mais continuez à lui en donner dans ses céréales et vos préparations culinaires.
- Pour le bon fonctionnement du système digestif, pratiquer un sport régulièrement est conseillé. Incitez votre enfant à choisir une activité.
- Incitez (sans forcer) le petit enfant à s'asseoir sur le pot ou sur les toilettes à la même heure tous les jours, c'est la meilleure façon de lui apprendre à prendre l'habitude d'éliminer. Assurez-vous que ses genoux sont plus hauts que ses hanches et incitez-le à se balancer d'avant en arrière. Ne vous inquiétez pas s'il n'élimine rien. Cet apprentissage ne doit pas être source d'angoisse pour l'enfant.
- Ne donnez jamais de laxatif à un enfant avant que votre médecin ne l'ait prescrit. En revanche, les laxatifs naturels (pruneaux ou sirop de figues) peuvent faire passer une constipation passagère.

ALIMENTS RICHES EN FIBRES
L'enfant doit manger au moins un aliment riche en fibres à chaque repas : pain complet, salade verte ou fruit.

LES SELLES

UN CHANGEMENT ALIMENTAIRE EST PRESQUE TOUJOURS LA CAUSE de selles d'aspect inhabituel. Ces changements (couleur, odeur, consistance et contenu) ne durent généralement que quelques jours. Si vous remarquez d'autres symptômes ou si les selles anormales persistent, consultez un médecin.

SYMPTÔMES	CAUSES POSSIBLES	COMMENT RÉAGIR ?
Les selles du bébé nourri au sein et au biberon sont verdâtres ou liquides.	Certains types de laits maternisés peuvent éclaircir les selles. Il se peut aussi que l'enfant souffre de gastroentérite (*voir p. 254*).	Consultez un médecin sous 12 heures si vous pensez à une gastroentérite. Prévenez la déshydratation (*p. 63*). Essayez un autre lait maternisé.
Les selles du bébé nourri au sein sont verdâtres et liquides.	Phénomène normal.	S'il présente d'autres symptômes, consultez.
Le bébé ou l'enfant suit un traitement médical.	L'aspect des selles peut changer sous l'effet de nombreux médicaments.	Demandez à votre médecin s'il faut interrompre le traitement.
L'enfant d'1 an ou plus, dont les selles sont très claires, sort d'une crise de diarrhée ou de vomissements.	La gastroentérite (*p. 254*) éclaircit parfois les selles pendant plusieurs jours.	Si l'enfant n'a pas l'air en forme, ou si les selles ne reprennent pas leur aspect normal sous quelques jours, consultez.
L'enfant a des selles claires, une urine foncée, une peau et le blanc des yeux jaunâtres.	Hépatite (*p. 261*), qui peut provoquer une jaunisse.	Consultez un médecin dans les 12 heures.
Les selles de l'enfant sont très claires, légères et elles sentent mauvais.	Le syndrome de malabsorption (*p. 258*) est souvent la cause de problèmes sous-jacents (*p. 252*).	Consultez un médecin.
Les selles de l'enfant contiennent du sang.	Gastroentérite (*p. 254*) ou Maladie inflammatoire du tube digestif (*p. 259*).	Consultez un médecin dans les 12 heures.
Les selles sont liquides.	*Voir* La diarrhée (*p. 62 et 172*).	
L'enfant âgé de moins d'1 an a des selles rouges et d'aspect gélatineux.	Invagination intestinale (*voir* Occlusion intestinale, *p. 256*).	Appelez immédiatement le 911. En attendant, l'enfant ne doit ni boire ni manger.

LES PROBLÈMES URINAIRES

UNE PETITE INFECTION peut provoquer chez l'enfant des problèmes urinaires. Le fait qu'il urine plus souvent, ou que l'urine change de couleur, ne signale pas obligatoirement un problème. En revanche, s'il a mal quand il urine, consultez.

SYMPTÔMES	CAUSES POSSIBLES	COMMENT RÉAGIR ?
L'enfant urine souvent, n'est pas en forme ou a de la fièvre.	Infections urinaires (*p. 275*).	Appelez un médecin. En attendant, faites baisser la fièvre (*p. 59 et 171*).
L'enfant urine souvent, et a pris des médicaments récemment.	Certains médicaments peuvent donner envie d'uriner souvent.	Demandez à votre médecin s'il faut interrompre le traitement.
L'enfant a des problèmes en classe, ou votre famille subit des changements.	L'anxiété (*p. 130*), le stress peuvent donner à l'enfant l'envie d'uriner plus souvent.	Si ce problème ne disparaît pas sous quelques jours, consultez un médecin.
L'enfant a mal quand il urine.	Infections urinaires (*p. 275*).	Appelez un médecin.
L'urine de l'enfant est rose, ou rouge, ou « fume ».	Glomérulonéphrite (*p. 276*) ou Infections urinaires (*p. 275*).	Appelez un médecin immédiatement.
L'urine de l'enfant est uniformément marron foncé et ses selles sont claires.	Hépatite (*p. 261*).	Appelez un médecin.
L'urine de l'enfant est soit jaune foncé ou orange, soit uniformément marron foncé, et ses selles sont claires.	Le fait de boire peu, de vomir, la fièvre ou la diarrhée concentrent l'urine, dont la couleur devient plus foncée.	Faites boire l'enfant beaucoup, et l'urine redeviendra normale. Si l'enfant a de la fièvre, la diarrhée, ou s'il vomit, donnez-lui une solution réhydratante (*p. 172*).
L'urine de l'enfant est verte ou bleue.	Aliments, boissons ou médicaments artificiellement colorés.	Ces colorations de l'urine seront vite éliminées.
L'enfant urine souvent et de plus en plus, en même temps qu'il maigrit ou est anormalement fatigué.	Diabète insulino-dépendant (*p. 309*).	Appelez un médecin.

LES PROBLÈMES GÉNITAUX CHEZ LE PETIT GARÇON

LES GARÇONS DE TOUS ÂGES PEUVENT ÉPROUVER DES DOULEURS au pénis ou aux testicules. Ils peuvent aussi avoir mal en urinant ou présenter des sécrétions anormales. Les blessures aux parties génitales surviennent souvent chez les garçons en âge d'aller à l'école.

SYMPTÔMES	CAUSES POSSIBLES	COMMENT RÉAGIR ?
Votre fils présente un gonflement non douloureux à l'aine ou au scrotum.	Hernie inguinale (*voir p.* 260) ou hydrocèle (Maladies du pénis et des testicules, *p.* 277).	Consultez un médecin dans les 12 heures.
Votre fils, récemment blessé aux parties génitales, présente un gonflement douloureux à l'aine ou au scrotum.	Une douleur persistante consécutive à une blessure peut signaler une lésion des testicules.	Appelez un médecin immédiatement.
Votre fils a eu les oreillons il y a 2 semaines et présente un gonflement douloureux à l'aine ou au scrotum.	Orchite (Maladies du pénis et des testicules, *p.* 277).	Consultez un médecin dans les 12 heures.
Votre fils n'a pas été blessé et n'a pas eu les oreillons, mais présente un gonflement douloureux à l'aine ou au scrotum.	Torsion testiculaire (Maladies du pénis et des testicules, *p.* 277), ou hernie inguinale étranglée (Hernie, *p.* 260).	Appelez le 911. En attendant, l'enfant ne doit ni boire ni manger.
Quand il urine, votre fils a mal et a une sensation de brûlure.	Infections urinaires (*p.* 275).	Consultez un médecin dans les 12 heures.
L'extrémité du pénis de votre fils est gonflée ou son prépuce sécrète du liquide.	Balanite (Maladies du pénis et des testicules, *p.* 277).	Consultez un médecin dans les 12 heures.
Un liquide jaune verdâtre s'écoule du pénis de votre fils.	Présence d'un corps étranger dans l'urètre.	Consultez un médecin.

LES PROBLÈMES GÉNITAUX CHEZ LA PETITE FILLE

IRRITATIONS ET INFLAMMATIONS SONT LES PROBLÈMES GÉNITAUX LES PLUS COMMUNS chez la fillette. Elles peuvent être douloureuses ou provoquer des écoulements vaginaux anormaux. Ces symptômes peuvent être dus à une infection fongique ou bactérienne, ou même à l'utilisation de produits de toilettes.

SYMPTÔMES	CAUSES POSSIBLES	COMMENT RÉAGIR ?
La région génitale démange ou est douloureuse, avec un écoulement vaginal gris-jaunâtre ou verdâtre.	Infection vaginale (*voir ci-dessous et* Vulvovaginite, *p.* 279).	Consultez un médecin dans les 12 heures.
La région génitale démange ou est douloureuse, avec un écoulement vaginal épais et blanc.	Muguet vaginal (*voir ci-dessous et* Vulvovaginite, *p.* 279).	Consultez un médecin dans les 12 heures.
La région génitale est douloureuse, ou la démange mais il n'y a pas d'écoulement.	Manque d'hygiène, vulvovaginite (*voir ci-dessous et* Vulvovaginite, *p.* 279), ou Oxyurose (*p.* 262).	Consultez. Changez ses sous-vêtements tous les jours, nettoyez doucement la région vaginale, sans produits irritants.
Écoulement vaginal d'une matière fluide et blanche chez la fillette de plus de 10 ans.	Augmentation de la production des hormones sexuelles, normale en période de pré-puberté.	Si les pertes s'accompagnent d'une irritation, consultez un médecin.

PREMIERS SOINS

Comment soulager une vulvovaginite

Si la démangeaison persiste ou s'il y a écoulement vaginal, il peut s'agir de muguet vaginal ou d'une infection bactérienne : emmenez votre fille chez un médecin.

- On peut appliquer directement une crème probiotique contenant de l'acidophilus qui calmera la démangeaison et l'inflammation (muguet vaginal) causées par une infection fongique comme le *Candida albicans*. Les probiotiques sont particulièrement efficaces quand l'infection est liée à la prise d'antibiotiques.
- Si votre fille est sujette aux infections fongiques comme le *Candida*, l'échinacée (*p.* 322) pourra renforcer ses défenses immunitaires. Voir aussi Renforcer l'immunité (*p.* 163).

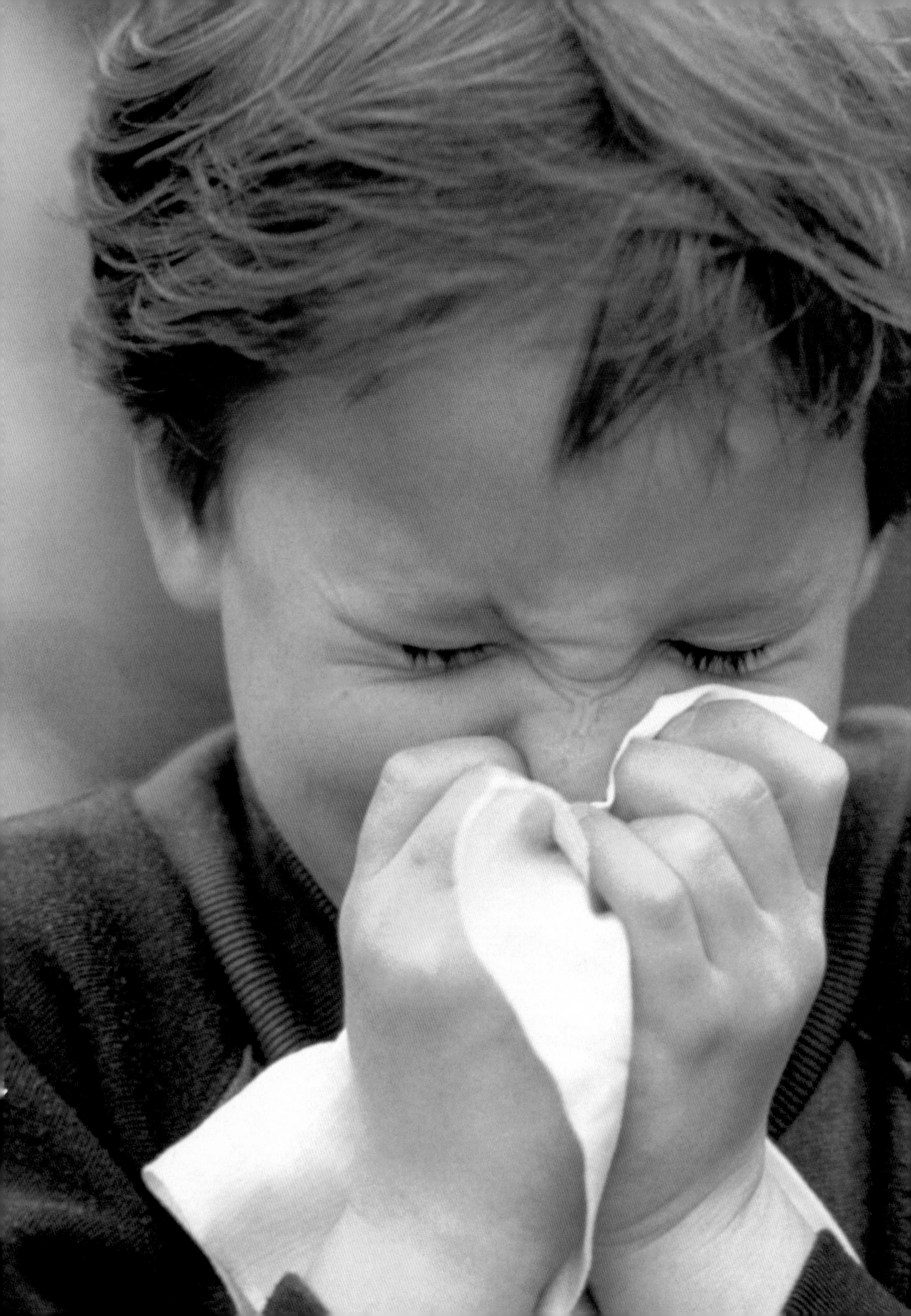

LES MALADIES

CHAPITRE QUATRE

Même avec la meilleure prévention possible, votre enfant tombera malade un jour ou l'autre. Ce chapitre vous donne des informations sur les maladies qui affectent particulièrement les enfants, leurs symptômes et les mesures à prendre chez soi.

CHEZ LE MÉDECIN OU À L'HÔPITAL

LORSQUE VOTRE ENFANT EST MALADE, impliquez-vous auprès du personnel médical, car un acteur passif et inquiet n'apporte rien à personne, surtout pas à l'enfant. Dans l'intérêt de votre enfant, obtenez du médecin qu'il fasse son maximum. Si l'on prépare son enfant à un séjour à l'hôpital, c'est un premier pas sur le chemin de la guérison.

« Nous avons consulté de nombreux médecins, et avons constaté que tout se passe mieux lorsque les relations sont amicales. »

OBTENIR LE MAXIMUM DE SON MÉDECIN

Avant de prendre rendez-vous, commencez par rechercher un médecin qui s'intéresse aux enfants ou adressez-vous à un pédiatre. Demandez conseil à votre pharmacien ou à des voisins. Renseignez-vous aussi sur les horaires du cabinet et les consultations à domicile.

Lorsque vous aurez fait votre choix, il faudra tirer parti au maximum de la consultation en allant droit au but. En général, les médecins savent avec précision obtenir de leurs patients tous les renseignements nécessaires. Mais, de votre côté, soyez clair et précis.

Apportez une liste des faits (date à laquelle les problèmes sont apparus, évolution des symptômes, changement de l'appétit ou du comportement). Notez tout ce que vous souhaitez demander.

Dans la mesure du possible, faites-vous accompagner afin de pouvoir en discuter après, ce qui vous aidera à vous souvenir plus clairement de ce qui aura été dit.

Accordez-vous beaucoup de temps pour la consultation et n'oubliez pas d'apporter de quoi distraire votre enfant en salle d'attente. Prenez note des points importants pendant la consultation, et n'hésitez pas à demander des éclaircissements si vous ne comprenez pas le jargon du médecin. Ainsi aurez-vous une idée claire de ce qui ne va pas.

Si le traitement prescrit ne vous convient pas, demandez-en un autre, et n'oubliez pas que si un diagnostic ou un conseil vous laisse perplexe, vous pouvez toujours demander un second avis.

Si des médicaments sont prescrits, renseignez-vous bien sur leur posologie et sur le moment où il faudra les administrer ainsi que sur

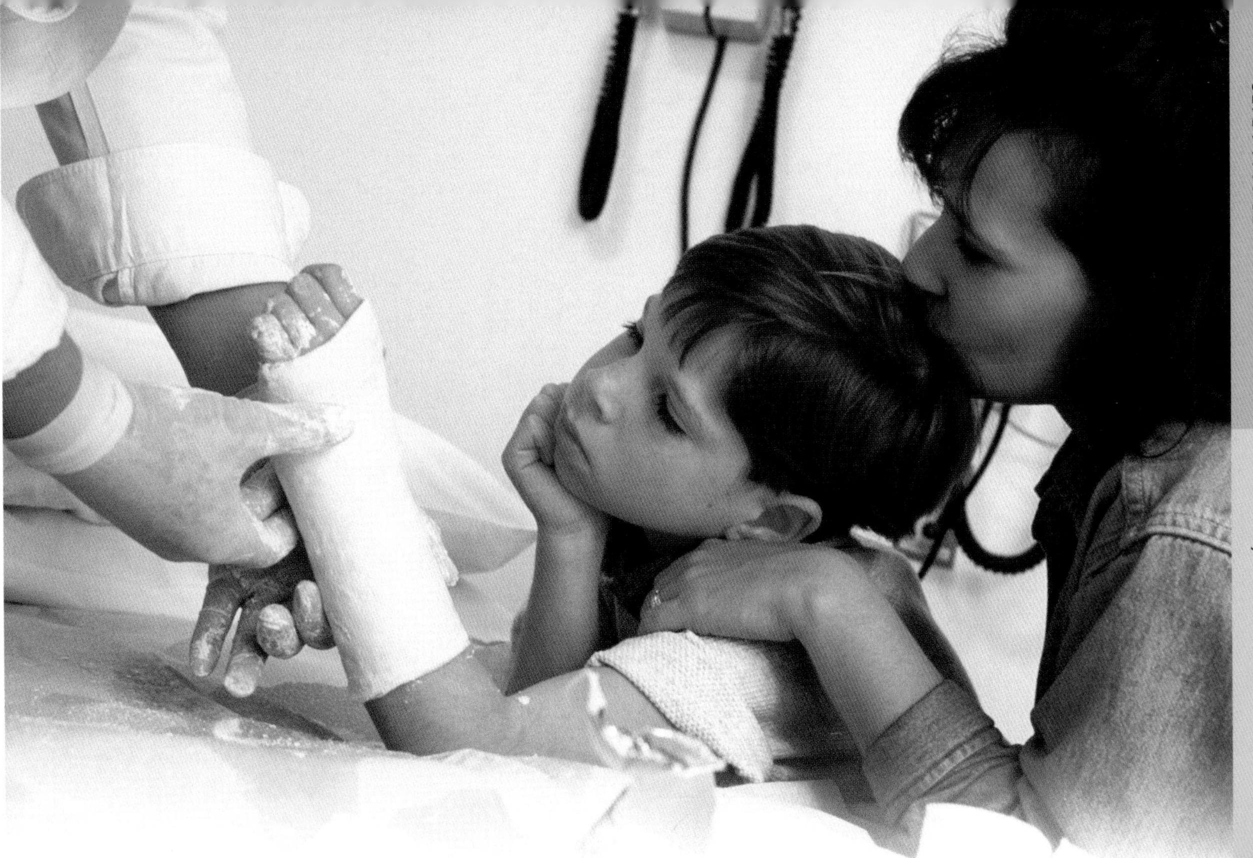

les éventuels effets secondaires. Vous pourrez demander davantage d'informations à votre pharmacien.

Si, après la consultation, vous vous apercevez que vous avez oublié de demander quelque chose, attendez la consultation suivante ou envoyez un mot ou un e-mail à votre médecin plutôt que de le déranger par téléphone.

PRÉPAREZ VOTRE ENFANT À UNE HOSPITALISATION

Des études ont montré que les enfants préparés à une hospitalisation sont moins anxieux, font mieux face à la maladie, ont besoin de moins de médicaments et s'adaptent plus rapidement à leur retour à la maison que ceux qui ne savent pas ce qui les attend.

Si votre enfant doit subir des examens ou une opération, prenez vos dispositions. Il est préférable de préparer les enfants d'âge préscolaire car ils sont susceptibles de se méprendre sur la cause de leur hospitalisation, comme penser qu'ils sont malades parce qu'ils n'ont pas été sages.

Réfléchissez à la manière de présenter la chose. Les enfants étant très influencés par les réactions de leurs parents, si vous avez un *a priori* négatif sur les hôpitaux, il le sentira et aura peur. Il est souvent préférable de distiller les informations sur quelques jours plutôt que de les donner en une seule fois, afin que votre enfant puisse les « digérer » plus facilement.

Réfléchissez aussi à votre calendrier : plus l'enfant est jeune, moins il faut qu'il s'écoule de temps entre l'annonce de son hospitalisation et la date de celle-ci.

De plus en plus d'hôpitaux éditent des brochures ; ils proposent même parfois des visites de pré-admission qui vous permettront, ainsi qu'à votre enfant, de poser des questions et de rencontrer le personnel. Si l'anesthésie et le réveil effraient votre enfant, demandez à rencontrer l'anesthésiste et à visiter la salle d'anesthésie.

Soyez franc et honnête avec votre enfant lorsque vous lui décrirez, en termes simples, ce qu'il va lui arriver. On peut réconforter les plus jeunes en leur parlant avec l'aide de leur nounours favori, ou investir dans une trousse de docteur pour enfant afin de leur montrer ce qu'est un stéthoscope ou un tensiomètre. Des ouvrages adaptés préparent les enfants à une hospitalisation ; consultez votre libraire ou la bibliothèque du quartier.

Les situations d'urgence sont plus délicates. Chaque jour, plusieurs milliers d'enfants sont conduits aux urgences. Restez avec votre enfant pour le rassurer et le réconforter, et renseignez-vous sur ce qui va se passer afin de pouvoir le préparer à la suite des événements.

De retour chez vous, encouragez-le à « jouer » cette situation, avec un jouet dans le rôle du malade. Le dessin peut l'aider à exprimer ses sentiments. Pour les plus âgés, discutez de la visite et essayez de détecter les inquiétudes éventuelles.

MALADIES RESPIRATOIRES

Les infections virales sont les causes les plus fréquentes d'infections respiratoires chez les enfants.

CONTENU DU CHAPITRE

LES ENFANTS EN BAS ÂGE SONT PARTICULIÈREMENT susceptibles d'attraper des rhumes et autres maladies, car leur système immunitaire n'est pas encore suffisamment développé. Les maladies allergiques (asthme et rhinite allergique ou rhume des foins) sont d'autres troubles respiratoires principaux. La meilleure protection contre les problèmes respiratoires est la prévention : un bon régime alimentaire, beaucoup d'exercice et de l'air frais tonifient le système immunitaire de votre enfant et l'aident à résister aux infections.

ANATOMIE DE L'APPAREIL RESPIRATOIRE

▸ *COMMENT FONCTIONNE L'APPAREIL RESPIRATOIRE*

L'appareil respiratoire est composé des poumons, du nez, de la trachée, et de muscles respiratoires, dont le diaphragme. Les voies aériennes se ramifient en de nombreuses bronchioles qui se terminent en alvéoles où le sang se charge d'oxygène en échange de dioxyde de carbone et d'eau.

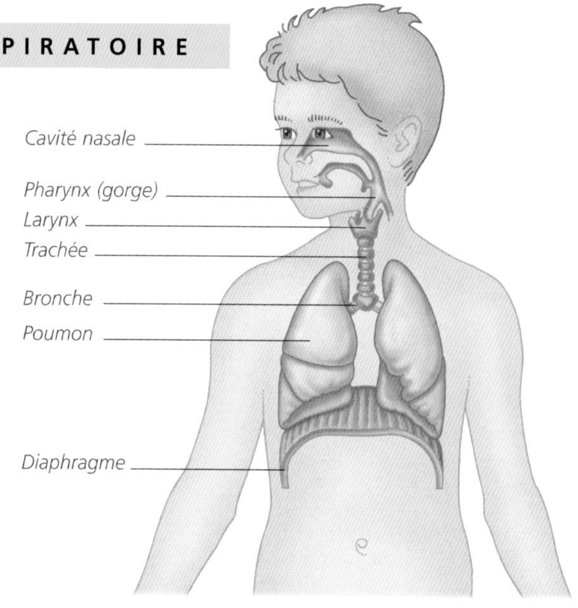

RHUME

Infection virale du nez et de la gorge. L'une des maladies les plus fréquentes chez les enfants. Ils peuvent en avoir six par an, et plus dès qu'ils fréquentent crèche ou terrains de jeux. Des enfants, par ailleurs en bonne santé, peuvent en avoir jusqu'à dix par an.

Causes

Un rhume peut être provoqué par différents virus ; aussi l'immunité acquise lors d'une infection à une certaine souche ne protège pas l'enfant contre une autre ; un rhume succédera à un autre, s'il a une origine différente.

Les écoliers sont plus sujets au rhume car ils sont exposés à de nombreux virus contre lesquels ils n'ont pas encore développé d'immunité. Les virus du rhume se transmettent par les postillons d'éternuements ou de toux ; ils peuvent aussi se propager par contact direct avec une personne ou un objet infecté.

Traitement

Emmenez votre enfant chez un médecin si la toux persiste après 5 jours, s'il a d'autres symptômes pendant plus de 10 jours ou si de nouveaux symptômes apparaissent. Emmenez votre bébé chez un médecin dans les 24 heures s'il refuse de s'alimenter, si sa température est supérieure à 39 °C ou si son état général est altéré. Pour un bébé de moins de 2 mois, il faut consulter dans les heures qui suivent.

Conduite à tenir

La plupart des rhumes disparaissent d'eux-mêmes en une semaine. Entre-temps, les conseils suivants peuvent soulager votre enfant.

Sa chambre doit être bien chauffée, mais pas trop, et l'air humidifié avec un vaporisateur ou une serviette humide placée devant un radiateur. Faites-le boire beaucoup. Un bébé doit téter à intervalles plus fréquents que d'habitude. Donnez-lui de l'acétaminophène en solution buvable, à la dose adaptée à son âge et à son poids, pour soulager ses maux de gorge ou toute autre douleur associée.

SYMPTÔMES

Ils commencent 1-3 jours après l'infection
- Chatouillements et picotements.
- Écoulement nasal.
- Éternuements.
- Nez bouché ; il peut être difficile de nourrir un bébé.
- Toux et mal de gorge.
- Yeux larmoyants.
- Courbatures.
- Fièvre possible.

Complications possibles

Le rhume peut descendre dans les bronches et les bronchioles et provoquer une bronchiolite (*voir p. 228*), une bronchite (*voir p. 228*), ou une pneumonie (*voir p. 227*). Ces maladies peuvent être compliquées par une infection bactérienne secondaire.

L'infection virale peut aussi se propager aux trompes d'Eustache et affecter les oreilles, provoquant une inflammation de l'oreille moyenne (*voir p. 240*), ou aux sinus, provoquant une sinusite (*voir ci-dessous*). Chez les enfants asthmatiques (*voir p. 226*) un rhume peut déclencher une crise.

SINUSITE

Inflammation des parois des sinus (cavités remplies d'air situées dans les os, principalement autour du nez). Les premiers signes d'une sinusite peuvent être ceux d'un rhume (nez qui coule et toux), mais durant plus longtemps que d'habitude.

Causes

La plupart du temps, la sinusite est provoquée par une infection bactérienne à la suite d'un rhume, si le mucus produit dans les sinus retient les bactéries.

Les cils qui tapissent les parois des sinus entraînent normalement le mucus par des passages étroits jusqu'au nez et à la gorge, mais si une infection virale (rhume) provoque l'inflammation des tissus, ces passages sont obstrués et le mucus stagne alors dans les sinus, ce qui les bouche et permet aux bactéries de se multiplier.

SYMPTÔMES

- Écoulement nasal persistant et sécrétions.
- Impression que les pommettes sont pleines ou douleur dans celles-ci, parfois au front.
- Toux.
- Mal de tête.
- Possible douleur intense dans les molaires supérieures.
- Perte de l'odorat.
- Parfois fièvre.

INHALATION L'un des moyens de soulager l'enfant est de poser une serviette sur sa tête et de lui demander d'inhaler la vapeur s'échappant d'un récipient d'eau chaude.

Traitement
Emmenez l'enfant chez un médecin dans les 24 heures suivant l'apparition des symptômes. Ce dernier l'examinera, et s'il diagnostique une sinusite, il prescrira des antibiotiques et/ou des décongestifs. Sous traitement, les symptômes de la sinusite disparaissent généralement en 7 jours.

Conduite à tenir
Si les sinus de l'enfant sont douloureux, donnez-lui de l'acétaminophène, à la dose adaptée à son âge et sa taille. Faites-le boire beaucoup. Une inhalation peut déboucher rapidement son nez. Le meilleur moyen est de former une tente avec une serviette au-dessus de sa tête. Mettez le récipient sur une table et surveillez votre enfant afin qu'il ne se penche pas trop près de l'eau. Faites-lui une inhalation 3 fois par jour. On peut ajouter une goutte d'huile essentielle d'eucalyptus à l'eau chaude.

Vous pouvez aussi emmener l'enfant dans la salle de bain et ouvrir les robinets d'eau chaude afin d'humidifier l'air et le faire inhaler. Faites en sorte que l'air de la maison soit humide. Marcher en plein air peut être utile.

HYPERTROPHIE DES VÉGÉTATIONS

Les végétations sont constituées de tissu lymphatique, riche en globules blancs qui combattent les infections. Chez certains enfants, elles s'hypertrophient après des infections à répétition et gênent la respiration ou obstruent le drainage de l'oreille moyenne.

SYMPTÔMES

- Ronflements.
- Réveils nocturnes par détresse respiratoire, provoquant de la fatigue.
- Voie nasillarde.

Si les trompes d'Eustache sont obstruées, il est possible que votre enfant souffre d'une infection auriculaire (voir *Inflammation de l'oreille moyenne,* p. 240) *ce qui peut entraîner une otite moyenne séreuse* (voir p. 241) *et la perte d'audition.*

Traitement
Un enfant avec des symptômes légers n'a généralement pas besoin de traitement, car les végétations régressent spontanément avec l'âge. Mais si votre enfant ronfle intensément, si sa voix devient nasillarde, ou s'il est sujet aux otites, consultez.

Un médecin pourra le diriger vers un oto-rhino-laryngologiste, qui évaluera la taille des végétations en lui faisant passer une radio et qui conseillera éventuellement une ablation chirurgicale des végétations. L'opération (adénoïdectomie) se fait sous anesthésie générale. L'enfant opéré respirera plus facilement par le nez et ne ronflera plus.

Conduite à tenir
Pour soulager la sécheresse buccale que la respiration par la bouche provoque, humidifiez l'air de sa chambre avec un vaporisateur ou en plaçant une serviette humide devant un radiateur. Incitez-le à dormir sur le côté ou sur le ventre pour réduire ses ronflements.

Suites éventuelles
Chez les enfants qui n'ont pas subi l'ablation des végétations, les symptômes s'améliorent généralement vers l'âge de 7 ans, âge auquel elles régressent spontanément. Lorsque votre enfant aura atteint l'adolescence, elles auront probablement totalement disparu.

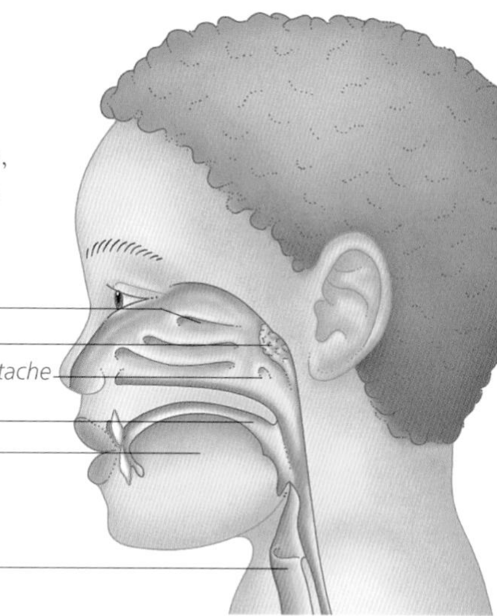

LOCALISATION DES VÉGÉTATIONS Les végétations sont des tampons de tissu lymphatique situés à l'arrière de la cavité nasale, à côté de l'entrée des trompes d'Eustache et au-dessus des amygdales.

PHARYNGITE ET AMYGDALITE

Accompagnant souvent un rhume banal, la pharyngite est une inflammation de la gorge et la cause la plus fréquente des maux de gorge. L'amygdalite (inflammation des amygdales) a souvent lieu en même temps que la pharyngite chez les enfants jusqu'à 8 ans.

Causes

Les deux maladies peuvent être provoquées par des virus, des streptocoques ou autres bactéries. Elles ont les mêmes symptômes, mais ceux de l'amygdalite sont généralement plus graves.

Traitement

Si les symptômes persistent plus de 24 heures ou qu'ils empirent, appelez un médecin. Il examinera l'enfant, et si nécessaire, prescrira des antibiotiques. Pour confirmer le diagnostic, on fera un prélèvement dans la gorge pour analyse. Les rares cas d'amygdalite purulente ou d'abcès sur les amygdales peuvent nécessiter une intervention chirurgicale.

Conduite à tenir

Donnez à l'enfant de l'acétaminophène en solution buvable et beaucoup de liquide. Il est contagieux pendant les 3 jours qui suivent le début des maux de gorge.

Suites éventuelles

Il arrive qu'on recommande l'ablation des amygdales chez les enfants qui ont plus de trois amygdalites dues à des infections aux streptocoques par an.

SYMPTÔMES

- Gorge douloureuse et enflammée.
- Fièvre.
- Difficultés de déglutition.
- Ganglions du cou gonflés et douloureux.
- Otalgie.
- Dans l'amygdalite, amygdales rouges et gonflées.

Les symptômes disparaissent généralement en 3 jours. Il arrive rarement qu'un abcès se forme autour d'une amygdale, ce qui provoque une forte fièvre et accroît les difficultés de déglutition.

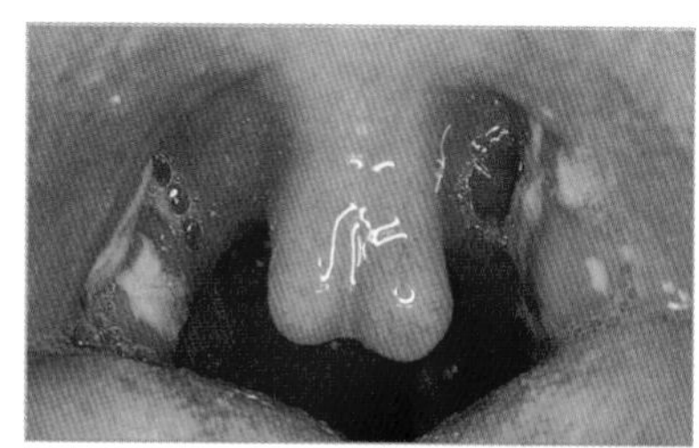

AMYGDALES ENFLÉES *Lors d'une amygdalite, les amygdales sont enflées, très rouges, parfois tachetées de pus jaune ou blanc, et peuvent obstruer l'arrivée d'air.*

ÉPIGLOTTITE

Inflammation de l'épiglotte, clapet de cartilage qui obstrue la trachée lorsque le sujet déglutit, affectant principalement des enfants entre 2 et 6 ans. Elle est potentiellement mortelle, mais, grâce à la vaccination, elle est de plus en plus rare.

Causes

L'épiglottite est provoquée par la bactérie *Haemophilus influenzae* qui fait tant enfler l'épiglotte que l'arrivée d'air est obstruée.

Action immédiate

Si votre enfant a des difficultés à avaler et à respirer, ses voies respiratoires sont peut-être obstruées ; il faut donc appeler immédiatement le 911 ou l'emmener aux urgences. N'essayez pas de regarder si quelque chose lui obstrue la gorge, cela pourrait le faire pleurer et augmenterait la production de sécrétions, ce qui obstruerait totalement des voies déjà rétrécies.

Traitement

Après l'examen, on donnera à votre enfant des antibiotiques par voie intraveineuse. Dans certains cas, une anesthésie sera pratiquée afin de lui passer un tube par le nez jusque dans la trachée.

Si les enfants sont traités rapidement, ils se rétablissent généralement en moins d'une semaine.

SYMPTÔMES

- Difficultés et douleurs à la déglutition.
- Bave car l'enfant ne peut pas avaler sa salive.
- Fièvre.
- Respiration bruyante qui s'apaise avec l'aggravation de la maladie.
- Détresse respiratoire grandissante.
- Coloration bleuâtre de la langue et parfois de la peau.

PRÉVENTION

La vaccination contre *Haemophilus influenzae* réduit considérablement le risque d'épiglottite. Un enfant infecté développe sa propre immunité.

CROUP

Inflammation et constriction de la voie respiratoire vers les poumons, généralement provoquée par une infection virale. Fréquente chez les enfants entre 6 mois et 3 ans. Bien que cette maladie soit bénigne, elle peut provoquer une détresse respiratoire, demandant un traitement d'urgence. Elle commence comme un rhume, et les autres symptômes se déclarent un jour ou deux plus tard.

SYMPTÔMES

- Respiration bruyante.
- Toux aboyante, persistante.
- Voix rauque.
- Respiration difficile ou anormalement rapide.
- Langue, parfois aussi peau, bleuâtres.

Le croup tend à se déclarer tôt le matin et à durer quelques heures.

Action immédiate

Si votre enfant souffre d'une attaque de croup avec une toux alarmante, accompagnée parfois d'une respiration sifflante et d'un souffle court, appelez immédiatement un médecin. Si les symptômes s'aggravent, ou si d'autres symptômes inquiétants apparaissent (particulièrement langue et lèvres bleuâtres), appelez le 911 ou emmenez votre enfant aux urgences les plus proches.

Traitement

Après avoir constaté la gravité de l'attaque, et envisagé d'autres causes pour les symptômes, le médecin traitera un croup modéré avec des stéroïdes en cachets ou auto-administrés avec un inhalateur. Les mesures ci-dessous peuvent soulager les symptômes.

Les enfants gravement atteints sont généralement hospitalisés. On leur donnera de l'oxygène et des inhalations médicamenteuses afin de faciliter leur respiration. Si leurs voies respiratoires sont sévèrement obstruées, on leur insérera un tube dans le nez ou la gorge jusque dans la trachée (intubation), et dans ce cas, il leur faudra en général plusieurs jours pour se remettre.

Conduite à tenir

En attendant le médecin, donnez à votre enfant la dose appropriée de l'acétaminophène en solution buvable, ainsi que de fréquentes boissons chaudes. L'air de sa chambre doit être humide. Pour soulager une attaque aiguë, emmenez-le dans la salle de bains et ouvrez les robinets d'eau chaude pour humidifier rapidement l'air.

Suites éventuelles

Si la plupart des enfants n'ont jamais de récidive, certains sont malgré tout sujets à la maladie, les asthmatiques par exemple (*voir p.* 226), et dans ce cas, les médecins recommandent un traitement avec des médicaments contre l'asthme ou prescrivent des corticoïdes, à inhaler dès les premiers signes de croup.

RHINITE ALLERGIQUE

Inflammation des parois nasales due à une réaction allergique. Deux formes : saisonnière ou rhume des foins, qui affecte les individus au printemps et en été ; et pérenne qui perdure toute l'année. Les rhinites allergiques sont souvent héréditaires et surtout fréquentes chez les enfants souffrant d'autres allergies. Les symptômes des deux formes sont similaires.

SYMPTÔMES

- Picotements dans les yeux, le nez et la gorge.
- Nez bouché et écoulement nasal.
- Éternuements.
- Yeux rouges, larmoyants et douloureux.
- Parfois peau sèche.

Causes

La rhinite allergique se déclenche lorsqu'un enfant inhale un allergène (substance qui provoque une réaction allergique) et que son système immunitaire réagit comme si l'allergène était une bactérie ou un virus. Les allergènes les plus communs sont le pollen des plantes et des arbres. La forme pérenne est le plus souvent provoquée par les acariens, les squames ou poils d'animaux ou les spores de moisissure.

Traitement

Emmenez votre enfant chez un médecin si les symptômes ne s'améliorent pas avec les soins que vous lui prodiguez. Le médecin prescrira un vaporisateur nasal contenant un corticoïde ou un cromoglycate disodique. Chez de nombreux enfants, la rhinite devient de moins en moins grave avec l'âge, puis disparaît totalement.

Conduite à tenir

Si vous savez ce qui provoque la crise, essayez de réduire ou d'éliminer l'exposition. Un enfant atteint de rhume des foins devrait sortir le moins possible pendant la saison du pollen. Laissez les fenêtres fermées, surtout par temps chaud, sec et venteux.

Si votre enfant est allergique aux squames et poils d'animaux, éloignez-le des animaux. Si les acariens sont la cause du problème, éliminez au maximum la poussière. Époussetez les surfaces avec un chiffon humide et traitez les tapis et moquettes à l'insecticide. Enfermez son matelas dans une housse en plastique et évitez la literie en duvet.

Si votre enfant est allergique aux spores de moisissure, assurez-vous que sa chambre est bien aérée, sans moisissure ni poussière. Des antihistaminiques oraux peuvent s'avérer utiles si le rhume des foins est fort ou si l'enfant doit absolument sortir. Les antihistaminiques ont peu ou pas d'effet sur les rhinites allergiques pérennes.

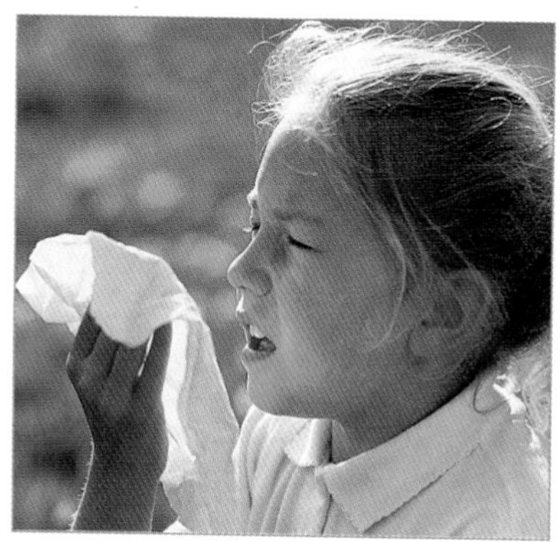

RHINITE ALLERGIQUE Les délicates membranes des yeux semblent souffrir le plus lors d'une crise. Les yeux deviennent rouges, douloureux et larmoyants.

GRIPPE

Infection virale des voies respiratoires supérieures pouvant affecter les enfants de tout âge. Son virus se propage par la toux, les éternuements et par contact direct. Il y a de petites épidémies tous les ans.

Traitement

Si votre enfant a la grippe et a moins de 2 ans, ou a de forts risques de complication, appelez un médecin immédiatement, ainsi que si l'un des symptômes suivants apparaît : température supérieure à 39 °C ; respiration anormalement rapide ; somnolence ou refus de s'alimenter. En cas d'infection bactérienne secondaire, le médecin prescrira probablement des antibiotiques. Si les symptômes sont graves ou si l'enfant risque des complications (par exemple à cause d'une maladie chronique), il sera hospitalisé.

Conduite à tenir

En général, c'est pendant les 2 à 5 premiers jours que l'enfant est le plus mal. Généralement, la grippe disparaît totalement en 10 jours. Gardez-le au lit dans une chambre chaude, bien aérée et humidifiée, jusqu'à ce que la fièvre soit retombée. Donnez-lui de l'acétaminophène en solution buvable, selon son âge et sa taille et faites-le boire beaucoup de boissons chaudes.

Complications possibles

Le virus peut se propager aux poumons et provoquer une pneumonie (*voir p. 227*) ou une bronchite (*voir p. 228*), souvent compliquées par une infection bactérienne secondaire. Cette infection peut aussi affecter les sinus (*voir* Sinusite, *p. 221*) ou les oreilles (*voir* Inflammation de l'oreille moyenne, *p. 240*). Les maladies à haut risque pour les enfants incluent les maladies chroniques du cœur, des poumons ou des reins, le diabète insulino-dépendant (*voir p. 309*) ; la mucoviscidose (*voir p. 315*) ou un système immunitaire déficient. Les convulsions fébriles (*voir p. 292*) sont des complications possibles chez les bébés.

SYMPTÔMES

Les symptômes se développent généralement 1-3 jours après l'infection, et peuvent progresser rapidement.

- Fièvre, généralement supérieure à 39 °C.
- Toux sèche.
- Douleurs musculaires.
- Nez bouché.
- Fatigue et faiblesse.
- Maux de tête.
- Généralement mal de gorge.

PRÉVENTION

Le virus de la grippe est d'une grande variabilité antigénique, ce qui signifie qu'un enfant qui a déjà eu une grippe n'est pas immunisé contre les autres souches.

Il est souhaitable que l'enfant atteint d'une maladie chronique (maladie pulmonaire ou déficience immunitaire) soit vacciné annuellement contre la grippe.

Renforcez son système immunitaire avec une alimentation riche en fruits et en légumes afin qu'il puisse mieux combattre le virus.

ASTHME

Maladie provoquant des crises fréquentes de respiration sifflante et de détresse respiratoire. C'est la plus commune des maladies pulmonaires chroniques chez les enfants, et elle est en augmentation constante. La plupart des enfants asthmatiques ont eu leur première crise dès l'âge de 4 ou 5 ans. Sans traitement, l'asthme peut ralentir la croissance et est potentiellement mortel. Chez l'enfant en bas âge, le premier signe est souvent une toux récurrente, surtout avec un rhume ou après un exercice. Parfois, le premier signe est une toux se déclenchant seulement la nuit.

SYMPTÔMES

- Respiration sifflante.
- Souffle court.
- Sensation d'étouffement.

Pendant une crise grave, les symptômes peuvent comprendre :

- Respiration difficile et sifflante.
- Difficulté d'élocution.
- Somnolence.
- Sommeil agité.
- Cyanose des lèvres et de la langue.
- Refus de nourriture et de boisson.

Causes

Beaucoup d'enfants asthmatiques ont d'autres troubles allergiques, (Rhinite allergique, *voir p. 224*, ou Eczéma atopique, *voir p. 234*), maladies parfois héréditaires. En général, les crises isolées sont déclenchées par une infection virale ou un allergène (acariens, ou plus rarement par un aliment particulier). L'exercice physique, surtout à l'air frais, peut aussi entraîner une crise. Chez certains sujets, l'anxiété déclenche les crises ou les aggrave.

Les symptômes sont provoqués par la constriction des voies respiratoires en direction des poumons (trachée, bronches et bronchioles) due à l'inflammation et à l'enflure des parois et des muscles de ces voies respiratoires qui, en se contractant, sécrètent encore plus de mucus.

Traitement

Si vous soupçonnez que votre enfant a une crise d'asthme, emmenez-le chez un médecin dans les 24 heures. Si ses symptômes sont graves, appelez immédiatement le 911, ou emmenez-le aux urgences les plus proches. Le médecin vous demandera s'il a été exposé à des allergènes et quels facteurs auraient pu provoquer son anxiété (problèmes familiaux ou difficultés scolaires).

Pour diagnostiquer la gravité de l'état de votre enfant, le médecin utilisera un débitmètre de pointe, qui mesurera son débit expiratoire. Une radio de son appareil respiratoire pourra rechercher s'il n'y a pas d'autre infection.

Si l'asthme de l'enfant est modéré, le médecin prescrira un broncho-dilatateur, pour dilater bronches et bronchioles pendant les crises.

Si la crise est plus grave, le médecin prescrira du cromoglycate disodique et/ou un corticoïde. Ces médicaments doivent être inhalés régulièrement afin de prévenir les crises. Certains enfants ont besoin de corticoïdes oraux ou d'un traitement régulier avec un broncho-dilatateur inhalé à action prolongée.

Les plus âgés peuvent prendre des médicaments avec un aérosol-doseur (*voir à gauche*). Pour les nourrissons et les enfants en bas âge, on peut utiliser une chambre à air (*voir ci-contre*) pour inhaler le médicament (nébuliseur avec pompe qui disperse le médicament en un fin brouillard dans un masque facial).

MÉDICAMENT À INHALER *Les enfants de plus de 8 ans peuvent utiliser un aérosol-doseur pour respirer le médicament qui soulagera leur manque de souffle. Il suffit de presser le vaporisateur pendant l'inspiration.*

CHAMBRE À AIR *Pratique pour les jeunes enfants. On pulvérise le médicament, généralement donné sous forme d'aérosol, dans une chambre d'inhalation. Surveillez l'enfant pendant l'utilisation.*

Conduite à tenir
Pour un enfant âgé de 6 ans ou plus, le médecin suggérera peut-être l'utilisation d'un débitmètre de pointe pour contrôler l'asthme et vous alerter en cas de crise imminente. Tenez un journal quotidien de l'asthme en notant les symptômes et les chiffres du débitmètre de pointe. Ces informations aideront le médecin à adapter le traitement aux variations de l'asthme de votre enfant (crises et périodes de rémission).

Ayez toujours un dilatateur de secours. En cas de panne et si cela ne suffisait pas à soulager l'enfant, appelez immédiatement un médecin ou emmenez-le aux urgences.

Suites éventuelles
Au moins la moitié des enfants qui ont des problèmes d'asthme avant l'âge de 5 ans n'aura plus de crises à l'âge adulte, mais si la maladie dure jusqu'à 14 ans, il est alors fort probable qu'elle persistera à vie.

PRÉVENTION

On ne peut empêcher l'asthme, mais on peut en réduire la gravité en aidant son enfant à éviter, ou du moins à réduire, ses expositions aux allergènes connus.

Réconfortez votre enfant lors de ces situations stressantes en le calmant s'il est anxieux. Certains enfants utilisent leur broncho-dilatateur une demi-heure avant un exercice violent afin de prévenir une crise.

PNEUMONIE

Inflammation des poumons, généralement provoquée par une infection virale ou bactérienne. Elle est le plus souvent secondaire à une infection des voies respiratoires supérieures (rhume) ou à une maladie infectieuse (varicelle). Les enfants atteints de mucoviscidose (*voir p. 315*) y sont particulièrement sujets. La pneumonie peut se déclarer avec les symptômes d'un rhume banal (éternuements et écoulement nasal).

SYMPTÔMES

- Toux produisant des glaires jaunâtres, verdâtres ou avec des traces de sang chez les enfants plus âgés.
- Respiration rapide, détresse respiratoire.
- Fièvre.
- Maux de tête.
- Dans les cas graves, somnolence, cyanose des lèvres et de la langue, refus de s'alimenter et de boire.

Action immédiate
Appelez immédiatement un médecin si votre enfant respire vite alors qu'il est alité ; si sa toux et sa fièvre durent plus de quelques jours ou s'il semble plus malade qu'avec un rhume. Appelez le 911 s'il est somnolent, refuse de s'alimenter ou de boire, ou si ses lèvres et sa langue sont bleues.

Traitement
Le médecin auscultera l'enfant et demandera éventuellement qu'on lui fasse un prélèvement dans la gorge ou une prise de sang afin d'identifier la cause de l'infection. Il pourra aussi prescrire des antibiotiques. Si son état est grave, il faudra l'hospitaliser. Une radio des poumons confirmera le diagnostic et des antibiotiques lui seront administrés. Il recevra peut-être aussi de l'oxygène ; il arrive (rarement) qu'une ventilation mécanique soit nécessaire. Il devrait pouvoir rentrer à la maison après environ 4 jours. Sa toux peut persister encore 2 semaines après son rétablissement. La pneumonie ne provoque pas de lésions permanentes aux poumons.

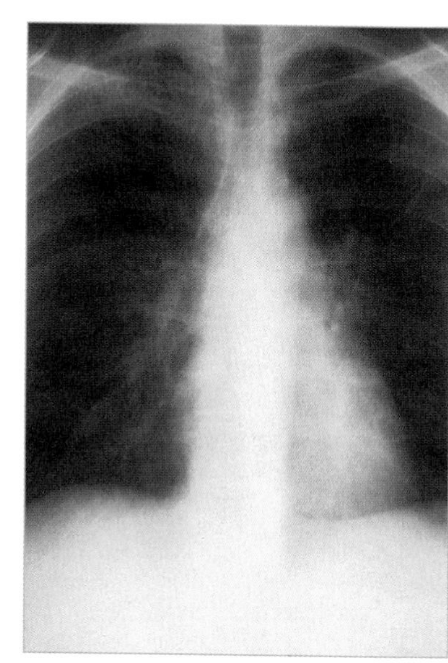

RADIO DES POUMONS MONTRANT UNE PNEUMONIE Certaines alvéoles pulmonaires sont remplies de liquide. La partie touchée laisse voir une ombre foncée.

Conduite à tenir
Assurez-vous que l'enfant boit suffisamment de boissons chaudes. L'acétaminophène en solution buvable fera descendre sa fièvre et soulagera ses maux de tête. La plupart des enfants se rétablissent en une semaine. À son retour de l'hôpital, il ne fera pas d'exercice violent pendant environ une semaine. Une sortie ne lui fera pas de mal s'il ne fait ni humide ni trop froid.

BRONCHITE

Inflammation des bronches (principales voies respiratoires vers les poumons) ; généralement secondaire à une infection virale (rhume banal ou grippe), mais aussi parfois provoquée par une infection bactérienne.

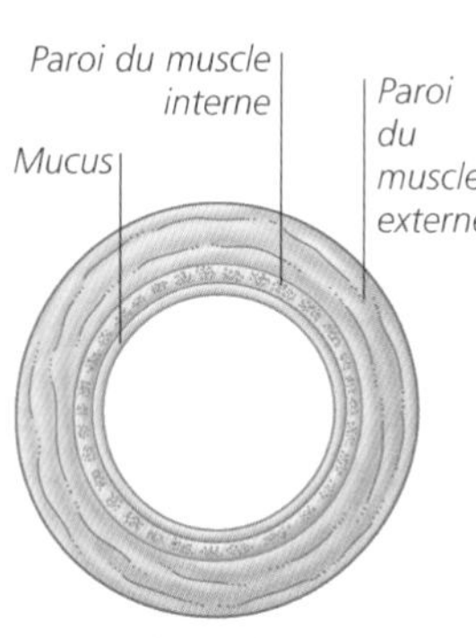

BRONCHE NORMALE

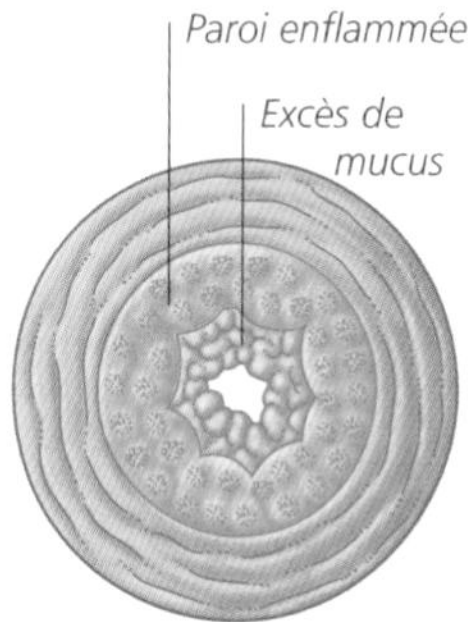

AFFECTÉE PAR UNE BRONCHITE

EFFETS SUR LES VOIES RESPIRATOIRES *Lors d'une bronchite, les parois des bronches sont enflammées et recouvertes d'un excès de mucus. Le canal central d'arrivée d'air étant ainsi rétréci, la respiration est difficile.*

Traitement
Le médecin examinera votre enfant pour écarter une maladie plus grave (pneumonie ou bronchiolite). Il prescrira des antibiotiques s'il soupçonne une infection bactérienne, et un médicament broncho-dilatateur en cas de toux sifflante. Les enfants souffrant de crises récurrentes ont des chances de ne plus en avoir vers l'âge de 5 ans.

SYMPTÔMES

- Écoulement nasal.
- Toux persistante, généralement sèche d'abord, puis produisant ensuite des glaires jaune-vert en cas d'infection bactérienne.
- Respiration sifflante et souffle court.
- Parfois fièvre.

Conduite à tenir
Humidifiez la chambre de l'enfant. Des inhalations peuvent décongestionner ses voies respiratoires. Donnez-lui des boissons chaudes pour soulager sa toux et de l'acétaminophène en solution buvable pour faire tomber sa fièvre. Si l'état ne s'améliore pas après 24 heures appelez un médecin, mais appelez-le immédiatement si sa respiration devient anormalement rapide ou si sa température dépasse 39 °C. Appelez le 911 s'il est somnolent ou refuse de boire.

BRONCHIOLITE

Infection virale provoquant l'inflammation des bronchioles, affectant principalement les bébés de moins d'un an. Elle peut être plus grave chez les prématurés. Elle peut commencer comme un rhume, les autres symptômes ne se développant que 2 ou 3 jours plus tard.

Action immédiate
Si votre bébé a moins d'un an, s'il tousse et/ou que sa respiration est sifflante, appelez immédiatement un médecin. Appelez le 911 s'il respire avec difficulté, si ses lèvres et sa langue sont cyanosées ou s'il devient somnolent.

Traitement
En cas de bronchiolite modérée, le médecin prescrira un broncho-dilatateur et vous conseillera de garder l'enfant à la maison. Donnez-lui beaucoup à boire et de petits repas fréquents. L'acétaminophène en solution buvable peut faire tomber la fièvre. Le mucus épais dans les poumons peut être expulsé en tapotant l'enfant dans le dos. Les bronchiolites modérées s'améliorent généralement en une semaine. Si l'enfant doit être hospitalisé, il recevra de l'oxygène à l'aide d'un tube dans le nez. On pourra également le nourrir de cette façon, ou par voie intraveineuse. Dans les cas graves, une ventilation assistée sera nécessaire. L'enfant rentrera à la maison quand il s'alimentera normalement, généralement dans les 7 jours. La toux pourra cependant persister pendant 6 semaines.

SYMPTÔMES

- Toux sèche, caverneuse.
- Respiration sifflante et/ou rapide, détresse respiratoire. Chez certains enfants en bas âge, longues pauses (plus de 10 secondes) entre chaque inspiration.
- Répulsion devant les aliments.
- Cyanose des lèvres et de la langue.
- Somnolence anormale.

Suites éventuelles
Les poumons ne subissent aucune lésion permanente, mais les années suivantes, lors d'un rhume, beaucoup respirent bruyamment.

MALADIES DE PEAU

Les enfants ont la peau fragile dès leur naissance, aussi les problèmes cutanés sont-ils fréquents.

CONTENU DU CHAPITRE

DE PETITS BOUTONS JAUNE-BLANC APPARAISSENT SOUVENT SUR LE VISAGE des nouveau-nés et des nourrissons, mais ils disparaissent rapidement. Dans les premiers jours de leur vie, de nombreux nouveau-nés développent sur le visage, la poitrine et le dos une éruption rouge marbrée, appelée érythème toxique, qui disparaît également rapidement. Les années suivantes, jusqu'à ce que leur peau soit moins sensible, les enfants sont sujets aux problèmes cutanés. Une réaction cutanée peut être provoquée par une maladie (comme la rougeole) ou par une irritation due aux détergents ou autres substances. Les infections (*voir aussi* Maladies infectieuses *p. 263-272*) et les allergies peuvent également provoquer des réactions cutanées. La plupart de ces problèmes ne sont pas trop graves et disparaissent rapidement. Ce chapitre peut vous aider à découvrir la cause du problème – les tableaux des diagnostics des pages 180 et 187 pourront aussi vous être utiles. Si vous avez le moindre doute, consultez votre médecin.

DERMATITE SÉBORRHÉIQUE

Inflammation fréquente dont la cause est inconnue, qui peut affecter le corps, le visage et/ou le cuir chevelu, et apparaître dans les premiers mois de la vie. La gravité des symptômes varie au cours des mois, mais ceux-ci disparaissent souvent vers l'âge de 2 ans.

Traitement
Consultez un médecin si l'éruption est étendue ou semble infectée ; si le cuir chevelu est enflammé ; si d'autres symptômes apparaissent ou si l'état ne s'améliore pas en quelques semaines. Il prescrira une crème douce aux corticoïdes.

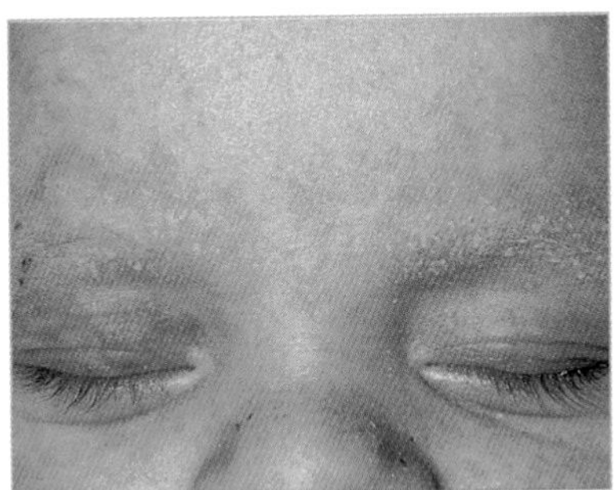

ÉRUPTION SUR LE VISAGE D'UN BÉBÉ La dermatite séborrhéique peut affecter n'importe quelle partie de la peau de la tête, dont le cuir chevelu, ainsi que les paupières.

Conduite à tenir
Dès que les symptômes apparaissent, nettoyez les régions affectées avec une pommade émulsifiante – pas de savon. Appliquez ensuite une crème corticoïde douce. Essayez d'empêcher l'enfant de se gratter, ce qui pourrait provoquer une infection bactérienne (Impétigo, *voir p.* 235).

Les croûtes de lait disparaissent spontanément en quelques semaines. Vous pouvez enlever les squames disgracieuses en massant doucement le cuir chevelu avec de l'huile pour Bébé. Le lendemain, peignez votre bébé pour déloger les squames ramollies.

Si vous utilisez régulièrement un shampoing spécifique ou si vous peignez les cheveux de votre bébé quotidiennement vous préviendrez la formation des squames. Utilisez aussi du shampoing antipelliculaire pour enrayer l'apparition des pellicules.

Certains enfants souffrant de dermatite séborrhéique développent un eczéma ; la maladie est susceptible de réapparaître à la puberté.

SYMPTÔMES

Nouveau-nés
- Éruption squameuse et marbrée, généralement dans les plis de la peau de la zone fessière, mais aussi parfois ailleurs sur le corps.
- Parfois démangeaisons légères.
- Squames épaisses et jaunâtres sur le cuir chevelu (croûtes de lait) et parfois zones squameuses sur le front, derrière les oreilles et dans les sourcils.

Puberté
- Une éruption squameuse et marbrée apparaît sur le visage, derrière les oreilles, sur le cou, la poitrine et le dos, dans les aisselles et l'aine.
- Parfois démangeaisons.
- Pellicules, si le cuir chevelu est affecté. Des squames blanches de peau morte sont visibles dans les cheveux.

DERMATITE DE CONTACT

Inflammation de la peau provoquée par le contact avec des substances irritantes (bijou en nickel, caoutchouc, teinture des tissus, pansement adhésif, plante, détergent, crème médicinale ou produit cosmétique). Rare chez les enfants de moins de 12 ans.

DERMATITE DE CONTACT Les symptômes ne peuvent apparaître que plusieurs jours après le contact.

Traitement
Une éruption provoquée par un bijou est généralement limitée à une zone du corps, mais des produits tels les savons parfumés peuvent entraîner une éruption plus étendue.

Si vous connaissez la cause, évincez-la ou incitez votre enfant à en éviter le contact. Appliquez une crème à base de corticoïdes ou une lotion à la calamine sur l'éruption afin de soulager les symptômes. Si vous ne pouvez identifier la cause, consultez un médecin qui pourra pratiquer des tests (petites quantité de produits appliquées sur la peau afin d'en étudier la réaction).

SYMPTÔMES
- Éruption enflammée et squameuse.
- Démangeaisons intenses.
- Parfois, vésicules et suintements (souvent provoqués par contact avec des plantes).

BOUTONS DE FIÈVRE

Les boutons de fièvre sont de petites vésicules qui se développent isolément ou en amas sur et autour des lèvres de l'enfant. Ils sont dus à une infection aiguë, l'anxiété, un stress émotionnel ou une exposition au soleil ou à un vent froid.

▢ SYMPTÔMES

- Un picotement autour de la bouche, commençant quelques heures avant l'apparition des vésicules.
- De petites vésicules, qui peuvent démanger ou être douloureuses, et entourées d'une zone légèrement enflammée.

Causes

Les boutons de fièvre sont provoqués par une souche du virus *Herpes simplex*. Après une primo-infection, qui peut passer inaperçue, le virus reste à l'état latent dans les cellules nerveuses jusqu'à sa récidive.

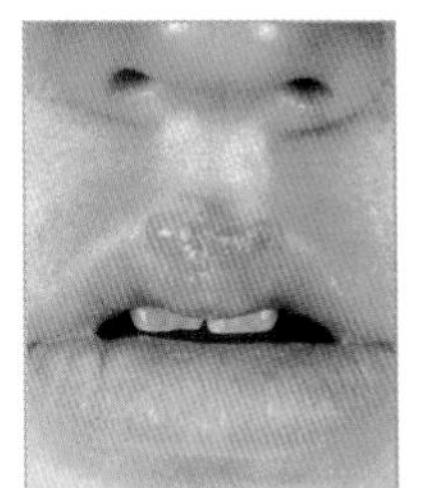

BOUTONS DE FIÈVRE EN AMAS *Les vésicules sont limpides au début, puis deviennent troubles et forment enfin des croûtes.*

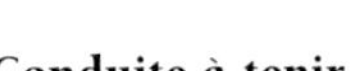

Conduite à tenir

Les vésicules éclatent en quelques jours et forment des croûtes qui se cicatrisent en 15 jours. Si les boutons de fièvre sont gênants, une compresse froide ou un glaçon.

Si votre enfant est sujet aux boutons de fièvre, ou si ces derniers sont importants et gênants, essayez une crème contenant l'antiviral acyclovir. Cette crème réduit la gravité et la durée d'une crise. Elle est particulièrement efficace quand elle est appliquée dès les premiers picotements. Vous pouvez aussi appliquer du gel d'aloe vera sur la zone affectée, afin d'atténuer la gêne.

En identifiant le facteur déclenchant, vous pourrez éventuellement éviter les boutons ; s'ils apparaissent après une exposition au soleil, appliquez un écran solaire sur les lèvres de l'enfant avant ses sorties en plein air.

Pour réduire les risques de propagation du virus, expliquez à votre enfant qu'il ne doit pas toucher les vésicules ni se sucer les doigts, et qu'il doit se laver les mains souvent.

Suites éventuelles

Sans traitement, votre enfant aura vraisemblablement des récidives tout au long de sa vie, mais en général les éruptions seront de moins en moins fréquentes avec le temps.

VERRUES

Excroissances cutanées bénignes contagieuses provoquées par un virus ; généralement sur les mains et les pieds. La plupart disparaissent spontanément en quelques mois, mais sans traitement, certaines durent plusieurs années.

▢ TYPES

Il y a plusieurs types de verrues, pouvant apparaître isolément ou en amas. Les plus communes chez les enfants sont les suivantes :

- Verrues vulgaires. Excroissances fermes et saillantes, généralement à surface dure et rugueuse. Sur les mains, les pieds, les genoux et le visage.
- Verrues planes. Excroissances lisses et plates ou à peine saillantes. Sur les mains ou le visage. Peuvent démanger.
- Verrues plantaires. Verrues dures, calleuses, sur la plante des pieds et aplaties par le poids du corps. Elles sont souvent douloureuses car elles se développent en profondeur.

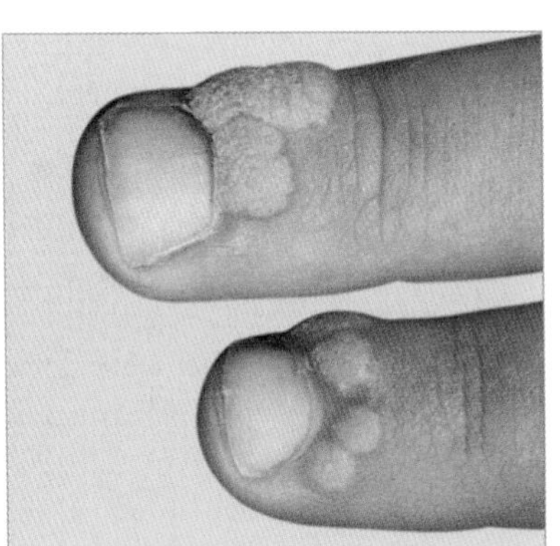

VERRUE VULGAIRE *Ces excroissances dures et rugueuses à la surface de la peau sont généralement brûlées par le dermatologue.*

Traitement

Consultez un médecin si le traitement ne marche pas, ou si la verrue est sur le visage ou sur la bouche et gêne l'enfant (physiquement ou psychiquement). Le médecin le dirigera éventuellement chez un dermatologue afin qu'il traite la verrue par cryothérapie (brûlure par le froid). Les verrues plantaires (*voir p. 193*) peuvent être grattées par curetage.

Conduite à tenir

Dites à votre enfant de ne pas toucher à ses verrues, car les gratter pourrait favoriser leur dissémination. Si vous souhaitez les faire disparaître, vous pouvez traiter celles des mains et des pieds vous-même, mais n'essayez jamais d'enlever celles qui sont situées sur la bouche ou sur le visage.

La façon la plus simple de traiter une verrue plane est de la recouvrir d'un pansement à l'acide salicylique que l'on change tous les jours.

Si la verrue ne disparaît pas dans les 3 semaines, essayez une lotion en vente libre et suivez les indications. Il faudra protéger la peau saine autour de la verrue en la recouvrant de vaseline avant d'appliquer le produit.

Si votre enfant a une verrue plantaire, frottez-en la surface à la pierre ponce afin d'enlever un maximum de la couche de peau. Coupez un morceau de pansement à l'acide salicylique de la taille exacte de la verrue et tenez-le en place avec un pansement adhésif. Remplacez-le quotidiennement jusqu'à disparition de la verrue, ce qui peut prendre jusqu'à 3 mois. Demandez à votre pharmacien un remède en vente libre à appliquer sur la verrue (dont l'aloe vera et l'huile essentielle d'arbre à thé, aux qualités antiseptiques puissantes). Echinacea (*voir p. 322*) peut être appliqué directement sur la verrue ou pris oralement, afin de tonifier le système immunitaire de l'enfant.

Complications possibles

La plupart des verrues disparaissent spontanément, mais il arrive qu'elles réapparaissent sans raison apparente, même après avoir été traitées. Les verrues tenaces peuvent nécessiter plusieurs traitements avant leur éradication définitive.

GALE

Infestation de la peau par des parasites. N'importe qui peut l'attraper, elle ne signifie pas un manque d'hygiène. La gale démange énormément, elle est très contagieuse et se transmet d'un individu à l'autre par contact rapproché et, dans une moindre mesure, lorsqu'on partage des draps, des serviettes ou des vêtements infectés.

SYMPTÔMES

- Démangeaisons intenses, surtout la nuit.
- Fines lignes grises (galeries) entre les doigts, sur les poignets, les aisselles, entre les fesses ou autour des parties génitales. Chez les enfants en bas âge, les paumes et les plantes des pieds peuvent être affectées.
- Plaies, vésicules et croûtes.
- Bosses enflammées sur le corps.

GALERIES DE GALE *De fines lignes grises sur la peau indiquent des galeries. Elles peuvent être obscurcies par des plaies et des croûtes provoquées par le grattage.*

Causes

La gale est provoquée par le parasite *Sarcoptes scabiei*. La femelle creuse une galerie sous la peau afin d'y déposer ses œufs, ce qui provoque des démangeaisons intenses. Les œufs éclosent en 3 ou 4 jours et les parasites atteignent l'âge adulte en 2 semaines, puis ils se reproduisent à leur tour et le cycle recommence. Les symptômes de la gale peuvent mettre jusqu'à 6 semaines pour apparaître.

Traitement

Si votre enfant se gratte intensément ou qu'il montre des signes de gale, emmenez-le chez un médecin dans les 24 heures, car la gale ne disparaît pas sans traitement, et les grattements peuvent provoquer un impétigo (*voir p. 235*). Le médecin prescrira une lotion au benzyle benzoate à appliquer sur tout le corps, sauf la tête et le cou, après le bain et au moins une fois par jour pendant 2 ou 3 jours. Rincez-la au bout de 24 heures. Traitez aussi tous les membres de la famille, même s'ils ne portent aucun signe visible de la maladie. Après le traitement, lavez et repassez tous les vêtements et la literie. En général, ces parasites disparaissent dans les 3 jours, mais la démangeaison peut durer jusqu'à 2 semaines. Le docteur prescrira une pommade pour soulager la démangeaison. Prévenez les personnes ayant été en contact avec votre enfant afin qu'elles se fassent examiner et traiter si nécessaire.

FURONCLE

Enflures douloureuses remplies de pus, qui se développent lorsque des bactéries entrées par le nez infectent un follicule pileux. La plupart éclatent en libérant leur pus. En général, les furoncles disparaissent en 2 semaines.

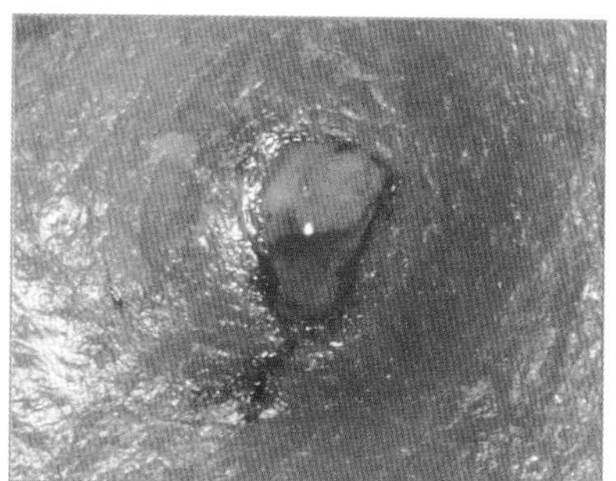

FURONCLE *La bosse couverte de squames blanches de peau morte est un furoncle. Le pus s'est échappé et a formé une croûte verdâtre en son centre. La peau avoisinante est rouge car l'infection s'est propagée.*

Traitement

Emmenez l'enfant chez un médecin si le furoncle dure plus de 2 semaines, ou s'il est très gros ou douloureux. Le médecin prescrira un antibiotique oral pour enrayer l'infection et pratiquera une petite incision pour faire sortir le pus.

Si votre enfant est sujet aux furoncles, le médecin lui prescrira une crème antibiotique à appliquer dans le nez. Il vous conseillera peut-être aussi de le laver au savon antiseptique et d'ajouter quelques gouttes d'antiseptique dans l'eau de son bain.

SYMPTÔMES

- Petite bosse rouge qui grandit au fur et à mesure qu'elle se remplit de pus.
- Douleur et sensibilité autour du furoncle.
- Tête blanche ou jaune de pus au centre du furoncle.

Conduite à tenir

Pour aider un furoncle à mûrir plus rapidement, appliquez des compresses d'eau chaude sur le furoncle, puis couvrez-le avec un pansement adhésif. Quand il aura éclaté, essuyez le pus avec un coton imbibé de solution antiseptique, puis couvrez avec un pansement. Attention, ne percez ni ne pressez un furoncle, au risque de répandre l'infection (*voir* Le furoncle *p. 185*).

URTICAIRE

Éruption en plaques rouges avec gonflement, qui démange intensément. Il en existe deux formes : l'urticaire aiguë qui dure entre 30 minutes et plusieurs jours, et l'urticaire chronique, qui peut durer jusqu'à plusieurs mois ; les deux peuvent être récurrentes.

Causes

Dans de nombreux cas, la cause est inconnue. L'urticaire est parfois due à une réaction allergique, provoquée par un aliment, une piqûre d'insecte, un médicament (comme la pénicilline) ou une plante. L'éruption peut affecter une petite zone ou être très étendue.

Il arrive parfois que l'urticaire apparaisse lors d'un choc anaphylactique (*voir p. 189*). Appelez le 911 ou emmenez l'enfant aux urgences si son visage ou sa bouche sont enflés ; en cas de détresse respiratoire ou de respiration bruyante ; de difficultés à avaler et d'apathie anormale.

Traitement

Si votre enfant est sujet aux crises d'urticaire, essayez d'en identifier la cause afin de pouvoir l'éviter. Un antihistaminique oral en vente libre peut soulager les symptômes. Continuez le traitement plusieurs semaines après leur disparition.

Si les antihistaminiques sont sans effet, emmenez l'enfant chez un médecin, qui prescrira un corticoïde oral et/ou l'enverra chez un dermatologue pour faire des tests afin de découvrir la cause des crises. En grandissant, les crises deviendront probablement de moins en moins fréquentes.

SYMPTÔMES

- Plaques blanches ou jaunes entourées par une zone enflammée.
- Démangeaisons extrêmes.

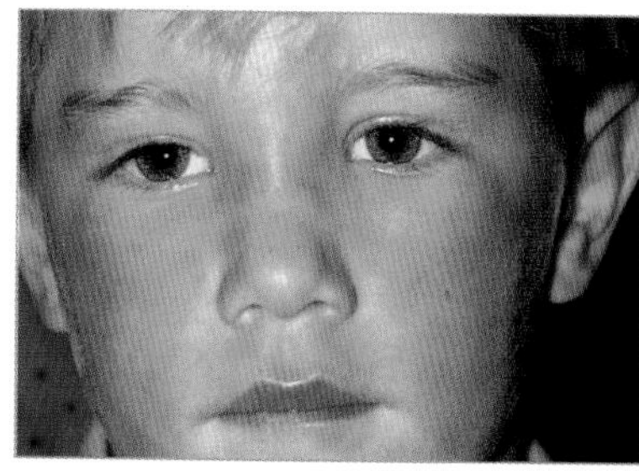

CRISE D'URTICAIRE *Les plaques de peau affectée par l'urticaire varient en taille et en forme. Elles font saillie, sont pâles avec des bords rouges, ce qui permet de les distinguer de la peau normale avoisinante.*

ECZÉMA ATOPIQUE

Environ 1 enfant sur 20 développe un eczéma atopique. Cette éruption qui provoque des démangeaisons apparaît souvent avant 18 mois, et peut réapparaître pendant quelques années. Sa cause est inconnue mais la plupart des enfants concernés ont un membre de leur famille affecté par l'eczéma ou un trouble allergique. L'intolérance à certains aliments peut aussi en être responsable.

SYMPTÔMES

Enfants de moins de 4 ans

- Peau enflammée, qui démange et peut suinter légèrement.
- Pire sur le cuir chevelu, les joues, les avant-bras, le devant des jambes et le tronc, mais il peut apparaître n'importe où.

Enfants de 4 à 10 ans

- Plaques sèches et squameuses, qui démangent, et peau craquelée.
- Pire sur le visage, le cou, l'intérieur des coudes, les poignets, l'arrière des genoux et les chevilles.
- La peau des zones affectées peut s'épaissir avec le temps.

Traitement

Si votre enfant présente cette éruption pour la première fois, emmenez-le chez un médecin dans les 24 heures. Si l'eczéma a déjà été diagnostiqué et qu'il ne réagit pas au traitement ou qu'il empire, appelez un médecin car l'éruption pourrait être infectée.

Le médecin pourra prescrire une crème corticoïde pour réduire l'inflammation et la démangeaison, traitement qu'il sera important d'arrêter lorsque la peau ira mieux.

Si une légère inflammation vous indique une poussée, appliquez la crème prescrite sur les zones affectées afin d'enrayer l'éruption.

Si les démangeaisons perturbent le sommeil de l'enfant, on peut lui donner un antihistaminique. Des crèmes émollientes et des substituts de savons pour hydrater la peau peuvent aussi être prescrits. Si l'eczéma est grave ou étendu, le médecin conseillera peut-être à votre enfant d'éviter certains aliments.

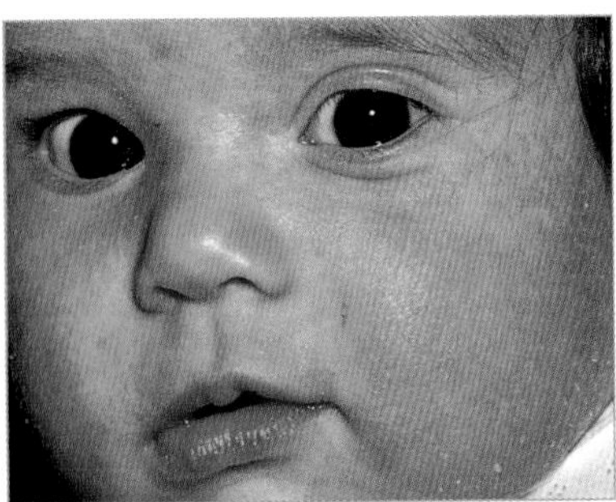

ECZÉMA *L'éruption ci-dessus est typique de l'eczéma atopique chez les enfants de moins de 4 ans : la peau enflammée suinte parfois légèrement. L'eczéma se développe de préférence sur les joues.*

Conduite à tenir

Utilisez des crèmes prescrites par votre médecin, et suivez les conseils suivants pour éviter que la peau de l'enfant ne devienne trop sèche.

Dans le bain, utilisez une solution aqueuse douce et ajoutez une l'huile de bain spécifique pour l'eczéma. Pour que la peau reste bien hydratée appliquez régulièrement une crème hydratante, et tout particulièrement après la toilette.

Chez certains enfants, l'eczéma s'aggrave avec le froid, tandis que chez d'autres, c'est la chaleur qui provoque les poussées. Des vêtements de corps en coton permettent de réduire l'irritation.

Éloignez l'enfant des personnes atteintes de boutons de fièvre, ne lui donnez pas de cacahuètes et ne le laissez pas utiliser des produits de bains à base d'huile d'arachide.

Complications possibles

Si votre enfant égratigne l'éruption, la peau peut s'infecter, ce qui donnera des vésicules suintantes. Le médecin prescrira alors un antibiotique oral, une crème/pommade contenant un corticoïde et un antibiotique ou un antiseptique.

L'eczéma herpétiforme est une complication rare, mais plus grave, qui se développe si l'eczéma de l'enfant est infecté par le virus *Herpes simplex* (*voir* Boutons de fièvre *p. 231*). Cette maladie provoque une éruption étendue de vésicules et de plaies ouvertes, parfois accompagnée d'une forte fièvre (40-41 °C). Les ganglions lymphatiques peuvent enfler. Il est alors possible que votre enfant soit hospitalisé afin de recevoir le médicament antiviral acyclovir par voie intraveineuse.

Suites éventuelles

Chez les enfants en bas âge, l'éruption disparaît souvent avant l'âge de 4 ans pour ne jamais réapparaître. Chez d'autres, l'eczéma peut revenir (ou se déclarer pour la première fois) entre 4 et 10 ans. En grandissant, les éruptions seront vraisemblablement moins étendues et auront disparu à l'adolescence. Toutefois, jusqu'à 50 % des enfants affectés par l'eczéma développent d'autres maladies allergiques comme l'asthme.

MOLLUSCUM CONTAGIOSUM

Infection virale modérée se traduisant par de petits boutons brillants ; fréquente chez les enfants âgés de 2 à 5 ans, et très contagieuse par contact direct, ou indirect (en touchant des vêtements ou des serviettes infectés).

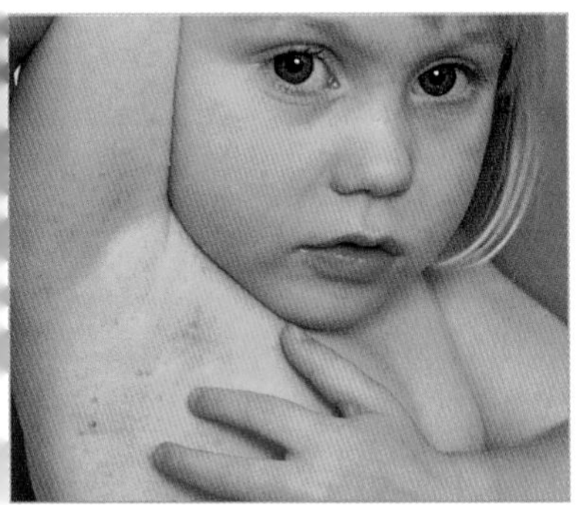

MOLLUSCUM CONTAGOSIUM *Les boutons apparaissent généralement sur la peau en petits groupes, mais ils sont parfois uniques.*

Traitement

Cette infection virale caractéristique devra être confirmée par un médecin. Cette maladie disparaît sans traitement et en ne laissant aucune cicatrice, après quelques semaines à un an. La plupart des enfants ont environ 25 boutons qui, s'ils sont percés, laissent le virus se disséminer sur d'autres parties du corps.

Si votre enfant suit un traitement qui affecte son système immunitaire, les boutons peuvent être se répandre et durer plus longtemps. Si son immunité est affaiblie, ou qu'il a des boutons disgracieux sur le visage, le docteur vous dirigera peut-être chez un dermatologue pour qu'il les fasse disparaître.

Après avoir appliqué une crème anesthésiante, le dermatologue percera les boutons avec un instrument trempé dans de la résine de podophylline, ou les brûlera par cryothérapie (par le froid).

SYMPTÔMES

Des boutons apparaissent 2 à 7 semaines après l'infection, sur le tronc, le visage, les mains et (rarement) sur les paumes ou la plante des pieds ; ils sont :

- en forme de dôme avec une dépression centrale ;
- blanc perle ou couleur chair.

IMPÉTIGO

Infection bactérienne cutanée très contagieuse qui affecte surtout les enfants en bas âge, particulièrement les bébés. Elle peut apparaître n'importe où sur le corps, mais de préférence sur la bouche et le nez chez les enfants, et la région fessière chez les bébés.

Causes

Les bactéries entrent dans la peau et l'infectent s'il y a déjà une coupure, une piqûre d'insecte ou une maladie de peau, (*voir* Eczéma atopique *p. 234*, *ou voir* Gale *p.* 232).

Traitement

Consultez dans les 24 heures si vous soupçonnez l'impétigo. Le médecin prescrira une crème antibiotique à mettre sur les lésions plusieurs fois par jour, et peut-être un antibiotique oral.

Conduite à tenir

Avant d'appliquer la crème, tamponnez doucement les croûtes avec de la gaze trempée dans une solution salée, puis séchez la zone. L'impétigo s'améliore généralement au bout de 5 jours.

Dites à votre enfant de ne pas gratter ses plaies, afin d'éviter la propagation. Séparez son linge, ses serviettes et sa literie, et éloignez-le des autres enfants jusqu'à la fin de l'infection. Faites-lui prendre un bain quotidiennement. Coupez-lui les ongles pour qu'ils soient courts et propres afin que l'infection ne se propage pas s'il se gratte. S'il a un rhume ou le nez qui coule, appliquez-lui un peu de vaseline sur le nez et la lèvre supérieure pour éviter l'irritation de la peau.

SYMPTÔMES

- La peau rougit, de nombreuses petites vésicules apparaissent.
- Les vésicules éclatent, faisant place à des plaies à vif qui s'élargissent.
- Des croûtes couleur paille se forment à la surface des plaies en voie de cicatrisation.

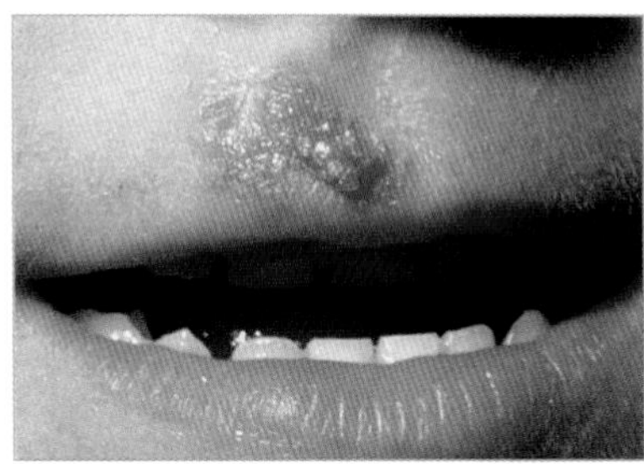

IMPÉTIGO *Les plaies d'impétigo ne sont pas douloureuses, bien qu'elles puissent démanger. Sans traitement, la maladie peut durer des semaines, voire des mois.*

POUX DE TÊTE

Petits insectes plats, rampants, qui vivent sur le cuir chevelu et sucent le sang, sans aucun rapport avec l'hygiène ; ils préfèrent d'ailleurs les cheveux et les peaux propres. Les écoliers en attrapent par contact direct ou s'ils se prêtent chapeaux ou peignes.

SYMPTÔMES

- Intenses démangeaisons du cuir chevelu
- Petits points rouges (piqûres) sur le cuir chevelu.
- Petites bosses blanches à la racine du cheveu.

Épouillage

Si votre enfant a des poux, examinez sa tête. Les œufs (lentes) se voient plus facilement que les adultes, petits et presque transparents. Après l'éclosion, les coquilles vides, petites bosses blanches, sont repérables à la racine des cheveux. Si vous peignez la chevelure mouillée de l'enfant avec un peigne à fines dents au-dessus d'une feuille, vous les verrez. Si votre enfant est infesté, examinez le restant de la famille et prévenez son école.

POUX ET LENTES Les petits ovales blancs sont les œufs de poux (lentes). Ils s'accrochent fermement à la tige du cheveu. On peut aussi voir plusieurs poux sur les cheveux.

Conduite à tenir

Vous pouvez traiter les poux sans l'aide d'un médecin, mais si l'enfant a moins de 2 ans ou souffre d'allergies ou d'asthme, demandez-lui conseil avant d'utiliser des préparations anti-poux.

Lavez-lui les cheveux avec un shampoing ou une lotion anti-poux acheté en pharmacie (*voir p. 183*). Certains s'appliquent une seule fois et d'autres, quotidiennement pendant plusieurs jours. Tous les membres de la famille doivent être traités en même temps (même s'ils n'ont aucun symptôme) afin de se débarrasser complètement des poux. Lavez tous les peignes et brosses à l'eau bouillante afin de tuer les lentes qui pourraient y être accrochées.

Pour éviter les poux

Pour réduire les risques de poux, découragez votre enfant d'utiliser les chapeaux, les peignes et les brosses des autres membres de la famille ou de ses camarades. Si une épidémie se déclenche à l'école, achetez un produit anti-poux pour éviter à votre enfant d'en être victime.

TEIGNE

Infection fongique affectant le cuir chevelu ou la peau du corps et du visage. Les enfants peuvent l'attraper par contact avec d'autres individus, un animal ou de la terre, ou indirectement par les couvre-chefs, les peignes, les vêtements ou les tapis et moquettes.

SYMPTÔMES

Sur le corps et le visage

- Plaques ovales ou circulaires, écailleuses, aux bords surélevés légèrement enflammés.
- Démangeaisons.

Sur le cuir chevelu

- Squames ressemblant à des pellicules.
- Chute des cheveux.
- Parfois, une zone enflammée remplie de pus (kérion) peut se développer.
- En général, démangeaisons.

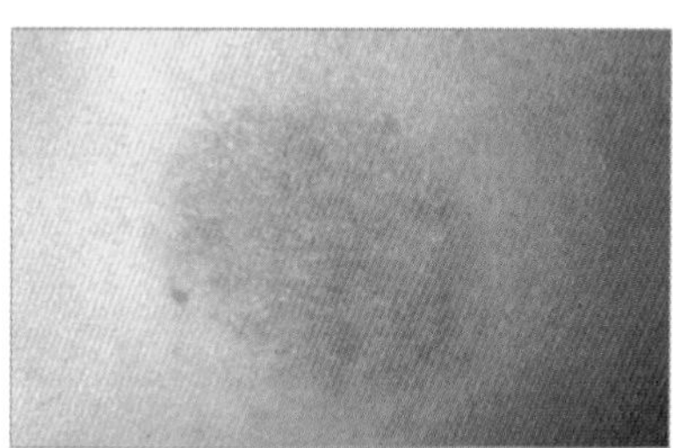

TEIGNE Ce champignon peut infecter n'importe quelle partie du corps, mais il préfère les zones chaudes et humides.

Traitement

Emmenez l'enfant chez un médecin si vous pensez qu'il a la teigne. En cas d'infection du corps ou du visage, le médecin recommandera une lotion ou une crème antifongique. Si l'infection est très disséminée, ou si son cuir chevelu est affecté, il prescrira un médicament antifongique.

Pour éviter que votre enfant attrape la teigne, éloignez-le des personnes ou des animaux infestés, et découragez-le de partager des objets personnels tels que les peignes.

ACNÉ

Provoque des boutons enflammés sur le visage et d'autres parties du corps. Particulièrement fréquente chez les adolescents, elle tend à apparaître avec la puberté. Souvent héréditaire, elle est généralement plus fréquente et plus grave chez les garçons.

SYMPTÔMES

- Papules rouges, saillantes.
- Points noirs.
- Comédons (tête blanche).
- Kystes (enflures remplies de liquide).
- Marques pourpres laissées après cicatrisation mais qui disparaîtront progressivement.

Causes

À la puberté, la peau sécrète plus de sébum, et l'acné se développe quand l'excès de sébum – et parfois, des cellules cutanées mortes – obstrue un follicule pileux. Les bactéries emprisonnées se multiplient, provoquant une inflammation autour du follicule. Des substances grasses, comme les produits cosmétiques ou les huiles pour cheveux peuvent aggraver le problème.

Conduite à tenir

Il ne faut pas que l'enfant perce, presse ou frotte les boutons pour éviter la propagation des bactéries. Incitez-le à se laver le visage deux fois par jour au savon et à l'eau, puis à appliquer une crème/lotion. Ces préparations étant de différentes intensités, il faut commencer par la plus douce et bien suivre les indications.

S'il n'y a aucune amélioration après 2-3 mois, emmenez l'enfant chez un médecin, qui prescrira peut-être des antibiotiques oraux pendant 3 à 6 mois. Si les antibiotiques ne font pas non plus d'effet, le médecin prescrira un rétinoïde, mais attention aux effets secondaires (lèvres, yeux et nez secs).

Les chercheurs pensent que les victimes manquent de zinc. Les bonnes sources de zinc sont les fruits de mer, les fruits à coque, la viande maigre et le poulet sans peau.

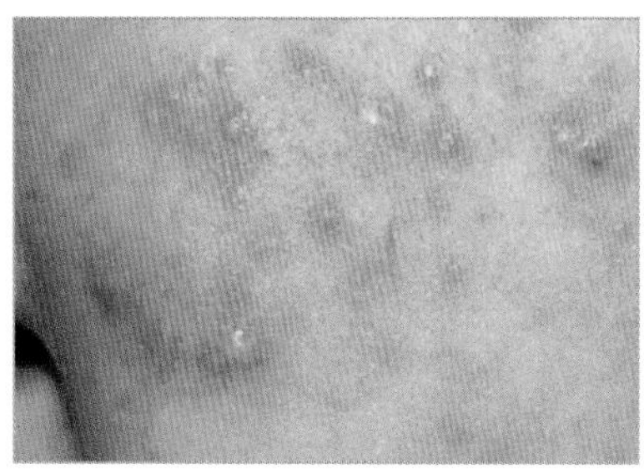

ACNÉ DU VISAGE Ces boutons sont typiques de l'acné. Les marques de couleur pourpre sur la peau sont les cicatrices de boutons guéris.

PITYRIASIS ROSÉ DE GILBERT

Éruption de boutons squameux plats, affectant généralement le tronc et les jambes, très répandue chez les adolescents. Bien qu'aucun virus spécifique n'ait été isolé, on pense qu'elle est provoquée par une infection virale.

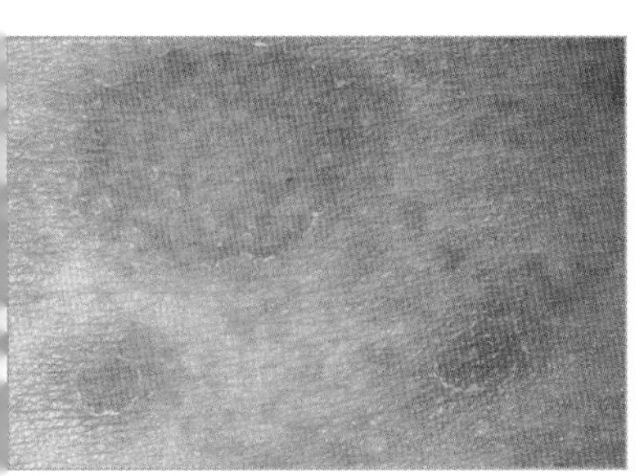

PITYRIASIS ROSÉ DE GILBERT L'éruption apparaît d'abord sur le tronc, en suivant les côtes, et peut se propager sur le cou, et le long des bras et des jambes.

Traitement

Bien que ce ne soit pas une éruption grave, et qu'elle se soigne sans traitement, emmenez l'enfant chez un médecin, pour vous assurer que ce n'est pas plus grave. Une crème aux corticoïdes pourra apaiser les démangeaisons, mais si l'éruption est importante, le médecin prescrira un antihistaminique oral.

Le pityriasis rosé disparaît en 3 à 8 semaines. Un enfant qui a été atteint n'a guère de risque de récidive.

SYMPTÔMES

- La lésion initiale est ovale ou ronde, plate et squameuse.
- Des plaques plates, ovales, cuivrées ou rose foncé apparaissent 3-10 jours après la plaque initiale. Après une semaine, chaque plaque forme des squames.
- Parfois démangeaisons.

Conduite à tenir

L'éruption diminue généralement sous les coudes et les genoux et elle touche rarement le visage. Rafraîchissez aussi souvent que possible la peau de l'enfant et vaporisez les zones affectées. Le soleil peut aussi améliorer son état plus rapidement.

PSORIASIS

Maladie cutanée chronique affectant rarement les enfants de moins de 10 ans. L'éruption ne démange généralement pas, mais elle peut gêner, et son aspect inesthétique peut complexer l'enfant. Son intensité variable s'aggrave en cas de maladie ou de stress.

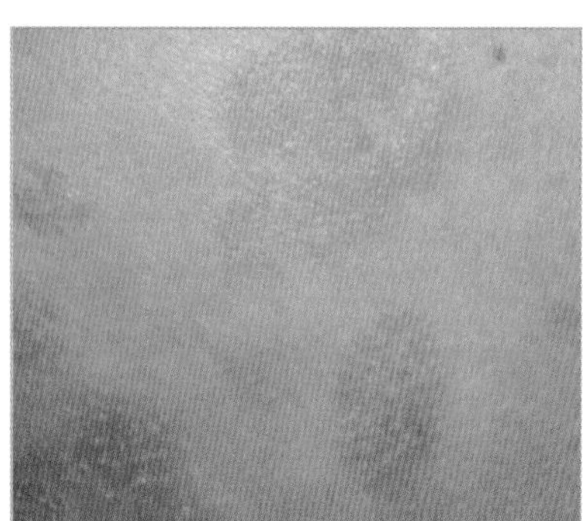

ÉRUPTION DE PSORIASIS Cette éruption est caractéristique du psoriasis. La région affectée forme une plaque rouge, un peu saillante et couverte de squames blanc argenté de lambeaux de peau morte. Une plaque comme celle-ci peut apparaître sur les coudes ou les genoux de l'enfant.

Traitement

Il n'y a pas de traitement contre le psoriasis et il est susceptible de réapparaître, mais les attaques isolées peuvent être maîtrisées avec un traitement rapide. Si l'éruption est intense, répandue ou qu'elle complexe l'enfant, consultez un médecin.

Pour un psoriasis limité à quelques petites zones, comme le cuir chevelu, les genoux ou les coudes, le médecin prescrira une crème/pommade contenant du goudron de houille, de l'acide salicylique ou un corticoïde, et s'il est largement répandu, une pommade au dithranol.

D'autres traitements (bains dans de l'eau contenant un goudron de houille et exposition modérée aux ultraviolets) peuvent aussi être utiles.

SYMPTÔMES

- Plaques de peau rouges, épaisses, couvertes de squames argentées, généralement sur les coudes, les genoux ou le cuir chevelu.
- Nombreuses petites plaques rouges, légèrement écailleuses éparpillées sur le tronc et le visage.
- Ongles épaissis avec des petites marques.
- Douleur ou gêne si la peau se craquelle.

Conduite à tenir

Si votre enfant est modérément atteint, vous pourrez peut-être enrayer la maladie en faisant en sorte que sa peau soit bien hydratée avec une crème émolliente. L'exposition au soleil des zones affectées aide parfois à faire disparaître une éruption.

PITYRIASIS VERSICOLOR

Multiplication excessive d'une levure présente à l'état normal sur la peau, probablement déclenchée par une exposition au soleil ou un environnement chaud et humide, provoquant des plaques dépigmentées. Rare avant la puberté.

Traitement

Emmenez votre enfant chez un médecin s'il présente les symptômes du pityriasis versicolor, car bien qu'il ne soit ni grave, ni contagieux, il peut persister indéfiniment s'il n'est pas traité.

Le docteur prescrira une crème/lotion antifongique à appliquer quotidiennement sur les régions affectées. Ce traitement ramènera la levure à un taux normal, en une semaine environ, mais il faudra le poursuivre au moins pendant 3 semaines afin de réduire les risques de récidive. Incitez votre enfant à aérer autant qu'il le pourra les zones affectées, cela pouvant éviter les rechutes. Sa peau mettra toutefois plusieurs semaines, voire plusieurs mois, avant de retrouver son aspect normal.

SYMPTÔMES

- Sur une peau pâle, les plaques sont plus foncées que la peau environnante ; sur une peau brune elles sont généralement plus claires.
- Légère desquamation.
- Bords bien nets.
- Parfois, légère démangeaison.

PITYRIASIS VERSICOLOR Les zones de peau foncée ou brune affectées par pityriasis versicolor sont des plaques rondes, plates et pâles, aux bords bien nets.

MALADIES DES OREILLES ET DES YEUX

Les enfants attrapent des infections aux yeux et aux oreilles aussi facilement qu'un rhume.

CONTENU DU CHAPITRE

LES INFECTIONS DES OREILLES ET DES YEUX sont fréquentes chez les jeunes enfants, mais vers 7 ou 8 ans, la plupart d'entre eux seront immunisés contre les virus les plus répandus, et les infections deviendront moins pénibles. Elles peuvent provoquer des maladies graves, il ne faut donc jamais les ignorer. Des infections persistantes des oreilles peuvent entraîner des problèmes auditifs, susceptibles de retarder élocution et apprentissage scolaire. Quant aux troubles de la vision, ils doivent être dépistés tôt afin que la vue puisse se développer normalement.

ANATOMIE DE L'ŒIL ET DE L'OREILLE

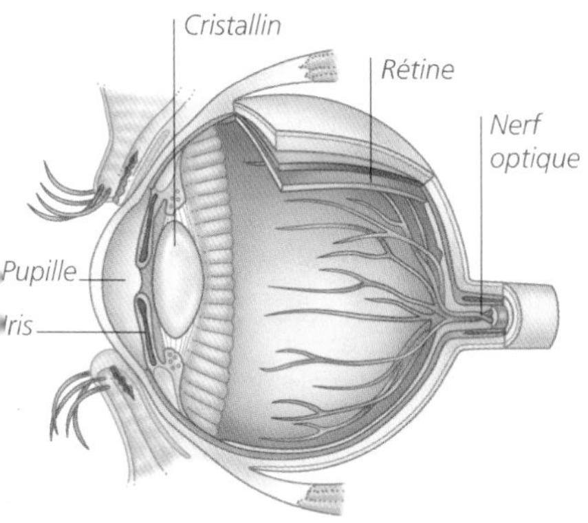

FONCTIONNEMENT DE L'ŒIL
La vue est le sens le plus complexe. Les rayons de lumière entrent par la pupille et s'impriment sur la rétine, où ils sont transformés en influx nerveux envoyés au cerveau.

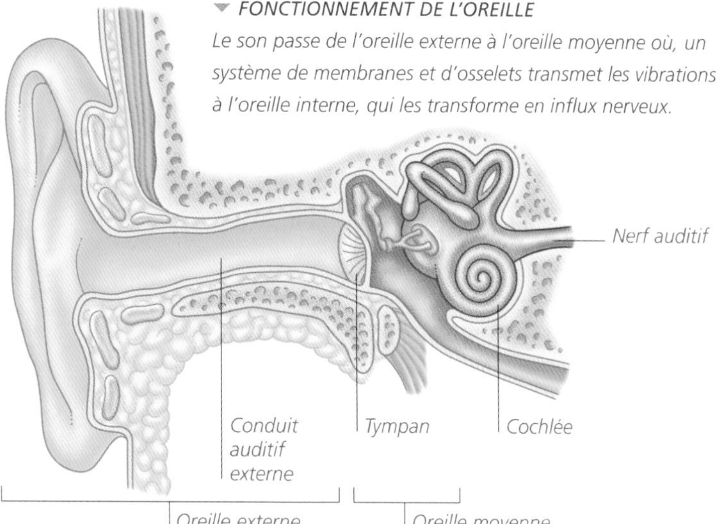

FONCTIONNEMENT DE L'OREILLE
Le son passe de l'oreille externe à l'oreille moyenne où, un système de membranes et d'osselets transmet les vibrations à l'oreille interne, qui les transforme en influx nerveux.

INFLAMMATION DE L'OREILLE EXTERNE

Peut être provoquée par des bactéries, une dermatite séborrhéique et un eczéma atopique, et peut se déclarer d'autant plus facilement si le conduit auditif est exposé trop longtemps à l'eau, s'il est égratigné ou irrité par un corps étranger ou par un bouchon de cérumen.

SYMPTÔMES

- Démangeaisons, généralement suivies par une douleur.
- Écoulement du conduit, qui peut être épais et blanc ou jaunâtre.
- Surdité partielle, si un bouchon de cérumen ou du pus obstrue le conduit
- Vésicules suintantes formant des croûtes.
- Pavillon externe sensible au toucher.

Traitement
Emmenez l'enfant chez un médecin dans les 24 heures s'il a mal aux oreilles, s'il a du mal à entendre, ou si le conduit externe suinte. Le médecin examinera l'oreille avec son otoscope, et s'il y a écoulement de pus, il enverra un prélèvement pour analyse. S'il trouve un corps étranger ou un bouchon de cérumen, il essaiera de l'enlever, puis nettoiera et séchera le conduit, ce qui se fait parfois sous anesthésie par un oto-rhino-laryngologiste. Des gouttes d'antibiotiques pourront être prescrites.

Si la cause est une dermatite séborrhéique ou un eczéma atopique, le médecin prescrira un corticoïde en gouttes pour soulager les démangeaisons et la sensibilité. Sous traitement, l'inflammation de l'oreille externe disparaît en 7-10 jours.

CONDUIT AUDITIF INFECTÉ
Si le conduit auditif coule, n'essayez pas de l'essuyer. Laissez-le ainsi afin qu'un médecin puisse envoyer un échantillon au laboratoire, pour en déterminer la cause.

Conduite à tenir
L'acétaminophène peut soulager la douleur ainsi qu'une bouillotte (tiède) ou un gant de toilette chaud tenu contre l'oreille de l'enfant. Si des gouttes ont été prescrites, faites allonger l'enfant sur le côté, l'oreille affectée en haut, et tenez-lui la tête pendant que vous mettez les gouttes, puis pendant encore une minute.

L'enfant ne doit pas nager ni mouiller son oreille jusqu'à la guérison de l'inflammation. Couvrez-lui l'oreille avec un bonnet de douche pendant la toilette et épongez-lui les cheveux plutôt que de les laver.

INFLAMMATION DE L'OREILLE MOYENNE

Également appelée otite moyenne, c'est souvent une complication douloureuse d'une infection des voies respiratoires supérieures (rhume) ou d'une infection de la gorge (pharyngite ou amygdalite). C'est une cause fréquente de maux d'oreilles chez les enfants de moins de 8 ans.

SYMPTÔMES

- Maux d'oreille.
- Fièvre et vomissements.
- Somnambulisme.
- Élancements dans une oreille, l'enfant se frotte l'oreille.
- Surdité partielle et irritabilité.
- Écoulement de l'oreille.

Causes
L'oreille moyenne est reliée à l'arrière de la gorge par les trompes d'Eustache qui, chez les enfants en bas âge, sont étroites et donc facilement obstruées.

Lorsqu'une infection virale ou bactérienne s'étend aux trompes d'Eustache, les muqueuses sensibles tapissant l'oreille moyenne sont enflammées et sécrètent du liquide, parfois du pus, qui ne peut s'écouler du fait que les trompes sont obstruées par l'inflammation ou par une hypertrophie des végétations (*voir p.222*). Les sécrétions continuent à s'accumuler, ce qui provoque une douleur car elles appuient sur le tympan, au risque de le perforer.

Traitement
Si vous pensez que votre enfant souffre d'une inflammation de l'oreille moyenne, emmenez-le chez un médecin dans les 24 heures. S'il est en bas âge, ou si la douleur est intense, téléphonez immédiatement au médecin, qui examinera l'oreille affectée avec un otoscope pour essayer de déterminer la cause du problème. S'il y a un écoulement, le médecin en

prélèvera un échantillon pour le faire analyser et pour identifier l'infection. Il prescrira un traitement antibiotique, censé venir à bout de l'infection, et qui fera baisser la fièvre et soulagera la douleur.

Si l'otalgie et la fièvre ne montrent aucun signe de rémission après 3 jours, le médecin prescrira un autre type d'antibiotique, lequel ne sera efficace que si l'infection est provoquée par une bactérie, et non par un virus.

Le liquide peut rester parfois dans l'oreille moyenne jusqu'à 3 mois après l'infection, ce qui implique que l'enfant restera partiellement sourd.

Conduite à tenir

Donnez à votre enfant de l'acétaminophène en solution buvable afin de combattre l'inflammation et soulager la douleur en attendant un médecin. Une bouillotte d'eau légèrement chaude dans une serviette peut aussi l'apaiser. Encouragez-le à dormir sur le côté, l'oreille affectée dessous, afin que l'écoulement soit drainé. Si le tympan est perforé, la guérison prendra environ une semaine.

Le médecin fera probablement passer un examen auditif à votre enfant environ 3 mois après l'otite. Si son ouïe est toujours affaiblie, il est peut-être atteint d'une otite moyenne séreuse (*voir ci-dessous*).

Suites éventuelles

En grandissant, les trompes d'Eustaches s'élargissent laissant les sécrétions s'échapper plus facilement, et l'oreille moyenne devient de moins en moins vulnérable. Il est peu probable que l'enfant contracte une otite moyenne après l'âge de 8 ans.

SOULAGER LES MAUX D'OREILLES *Glissez sous la tête de l'enfant un oreiller et une bouillotte d'eau légèrement chaude sur laquelle il reposera son oreille douloureuse.*

OTITE MOYENNE SÉREUSE

Se développe lorsque l'oreille moyenne est remplie d'un mucus épais comme de la colle. En général, l'ouïe de l'enfant est affectée car les vibrations sonores ne sont plus transmises aux organes de l'oreille interne. Certains enfants y sont plus sujets que d'autres.

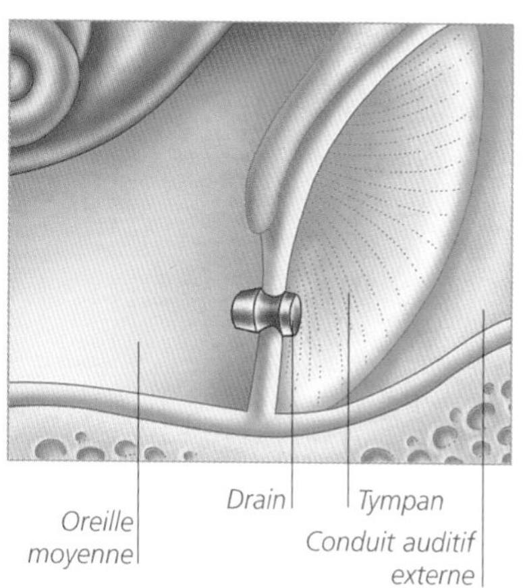

DRAIN SUR LE TYMPAN *Tube minuscule inséré dans le tympan afin de laisser circuler l'air et d'assécher l'oreille moyenne. Il tombera au bout de deux mois à deux ans et le tympan cicatrisera.*

Causes

Lorsque l'oreille moyenne sécrète un excès de mucus, celui-ci s'accumule, surtout si les trompes d'Eustache sont obstruées. Si une inflammation de l'oreille moyenne (*voir ci-contre*) n'est pas soignée ou mal soignée, une otite moyenne séreuse peut se déclarer.

Traitement

Emmenez votre enfant chez un médecin, qui l'enverra peut-être chez un oto-rhino-laryngologiste pour lui faire passer des tests auditifs et mesurer les mouvements du tympan. Si les résultats sont anormaux, ils seront répétés 3 mois plus tard. Si l'état de l'enfant ne s'améliore pas, le spécialiste prélèvera du liquide de l'oreille moyenne sous anesthésie générale. On peut aussi faire une petite incision dans le tympan et y insérer un drain (*voir à gauche*), qui asséchera l'oreille moyenne.

Suites éventuelles

En grandissant, les trompes d'Eustache de votre enfant s'élargiront et les liquides s'écouleront beaucoup plus facilement de l'oreille moyenne. L'otite moyenne séreuse est moins fréquente chez les enfants de plus de 8 ans.

SYMPTÔMES

- L'enfant peut se plaindre de surdité partielle, état pouvant s'aggraver par moments.
- Il peut sembler inattentif et parler et/ou apprendre avec lenteur. La douleur étant rarement un symptôme de l'otite moyenne séreuse, votre enfant est peut-être affecté depuis longtemps.

LABYRINTHITE

L'oreille interne, appelée labyrinthe, contient des chambres remplies de liquides, indispensables à l'équilibre et à l'ouïe. La labyrinthite, ou inflammation du labyrinthe, peut être secondaire à une infection virale ; elle provoque des vertiges et des nausées.

Causes
Secondaire à une infection virale de la gorge (pharyngite ou angine) ou bactérienne, la labyrinthite est rare, mais extrêmement pénible. Les virus/ bactéries atteignent l'oreille interne via les trompes d'Eustache. Une infection du liquide qui se trouve dans l'oreille interne, provoque des accès de labyrinthite lors desquels l'enfant perd l'équilibre et ne tient pas sur ses jambes ; il peut aussi se sentir nauséeux comme s'il avait le mal de mer.

Traitement
Si les vertiges de votre enfant vous font suspecter une labyrinthite, emmenez-le chez un médecin dans les 24 heures après l'apparition des symptômes.

Le médecin l'examinera et vous demandera s'il a eu récemment des maladies infectieuses. Il prescrira un alitement d'une semaine environ ainsi qu'un sirop antihistaminique afin de soulager les vomissements et les vertiges. Aucun autre traitement ne sera nécessaire.

SYMPTÔMES

Les symptômes de la labyrinthite ont lieu par accès durant 5 à 15 minutes. Il peut y en avoir plusieurs par jour.

- Vertiges. L'enfant a l'impression que tout tourne autour de lui.
- Perte d'équilibre et chutes. Il doit se retenir à quelque chose pour ne pas tomber.
- Nausées et vomissements.

Suites éventuelles
La labyrinthite disparaît généralement en 1 à 3 semaines, mais peut aussi persister plusieurs mois. Elle n'entraîne pas d'infirmité permanente.

BAROTRAUMATISME

Blocage temporaire des trompes d'Eustache (passage reliant l'oreille moyenne et la gorge) provoqué par l'un des tympans ou les deux. Généralement dû à un changement brutal de pression atmosphérique.

MANŒUVRE DE VALSALVA *Lorsque l'avion entame sa descente, dites à votre enfant de se pincer le nez en gardant la bouche fermée, et de souffler par le nez jusqu'à ce qu'il entende un « pop » dans ses oreilles.*

Causes
Les voyages en avion sont la cause habituelle du barotraumatisme. L'air qui passe dans les trompes d'Eustache équilibre normalement la pression. Lorsque l'avion décolle, la pression de la cabine diminue, ainsi que celle de l'oreille moyenne. Lorsque l'avion descend, la pression à l'extérieur de l'oreille moyenne augmente, provoquant la fermeture des trompes et poussant le tympan vers l'intérieur. Une infection des voies respiratoires supérieures (Rhume, *voir p. 221*, rhume des foins, *voir* Rhinite allergique *p. 224* ou infection de l'oreille, *voir* Inflammation de l'oreille moyenne *p. 240*) peut provoquer un barotraumatisme.

SYMPTÔMES

- Douleur lorsque le tympan fait saillie.
- Perte partielle de l'ouïe.
- Bourdonnements d'oreille.

Les symptômes du barotraumatisme disparaissent généralement dans les 3-5 jours sans provoquer de dommages.

Conduite à tenir
Lorsque l'avion amorce sa descente, il faut sucer un bonbon, avaler sa salive, mâcher un chewing-gum ou effectuer la manœuvre de Valsalva (*voir ci-contre*). En cas de douleur, de l' acétaminophène en solution buvable peut soulager. On peut éviter le barotraumatisme chez les bébés en leur donnant le biberon ou le sein pendant la descente. Ces mesures sont particulièrement importantes pour les enfants souffrant d'un rhume, d'un rhume des foins ou d'une infection de l'oreille.

BLÉPHARITE

Inflammation du bord libre de la paupière, souvent associée aux pellicules. Fréquente chez les enfants atteints de dermatite séborrhéique, elle peut aussi être provoquée par des infections virales ou bactériennes.

Causes
Il y a deux sortes de blépharites : infectieuse et séborrhéique. La première est provoquée par des bactéries ou, plus rarement, par un virus, et peut être accompagnée d'une conjonctivite (*voir p. 244*). La seconde est généralement provoquée par l'accumulation de pellicules dans les cils. Elle est aussi parfois due à une allergie au maquillage (mascara).

Traitement
Emmenez votre enfant chez un médecin. Ce dernier vous montrera comment enlever les squames accrochées sur les bords de la paupière avec une boule de coton imbibée d'eau tiède. Il fera un prélèvement sur la paupière pour une analyse, s'il soupçonne une blépharite infectieuse. Si le résultat est positif, il prescrira une pommade antibiotique à appliquer après avoir retiré toutes les squames.

La blépharite infectieuse disparaît généralement en 2 semaines, mais il est recommandé d'appliquer la pommade pendant encore 2 semaines minimum afin d'éviter toute récidive.

La blépharite séborrhéique tend à être persistante. Une fois que vous aurez enlevé les squames, attaquez-vous à la cause des pellicules, ou maîtrisez-les afin d'éviter les récidives.

SYMPTÔMES

- Sensation de brûlure, rougeur et démangeaison sur le bord de la paupière.
- Squames à la base des cils. Dans le cas d'une blépharite séborrhéique, les squames sont jaunes et grasses.
- Parfois, les cils poussent dans la mauvaise direction ou tombent.

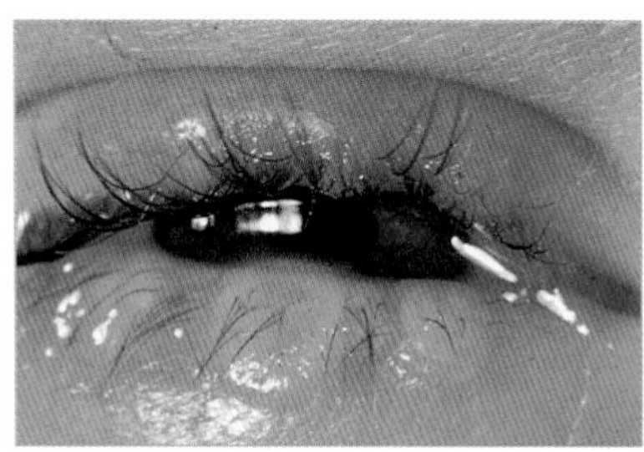

BLÉPHARITE INFECTIEUSE Les paupières sont rouges, enflées, avec des croûtes. Le blanc de l'œil est rouge, ce qui indique également la présence d'une conjonctivite.

ORGELET

Bouton rempli de pus à la base d'un cil. Très fréquent chez les enfants, surtout s'ils sont fatigués. Comme les autres problèmes de paupières (blépharite), les orgelets (ou compères-loriots) sont gênants et douloureux, mais sans gravité.

Causes
Lorsqu'une glande sébacée proche d'un cil est obstruée et enflammée, une enflure non douloureuse apparaît, qui, si elle s'infecte, forme un orgelet autour de la base du cil. L'orgelet peut aussi être secondaire à une blépharite (*voir ci-dessus*).

Traitement
Si votre enfant est sujet aux orgelets, emmenez-le chez un médecin, qui lui prescrira une pommade antibiotique à appliquer 3 ou 4 fois par jour sur l'orgelet afin de prévenir la récidive. En général, la cicatrisation se fait en quelques jours.

Conduite à tenir
Ne pressez pas l'orgelet pour faire sortir le pus. Appliquez un tissu tiède sur la zone infectée pendant 20 minutes toutes les heures. Ceci aidera le pus à sortir et accélérera la guérison. Pour éviter la dissémination de l'infection, assurez-vous que l'enfant ne touche pas son orgelet et qu'il ne partage pas son linge de toilette.

SYMPTÔMES

- Tête jaune de pus sur la paupière, à la base d'un cil.
- Peau de la paupière enflée et enflammée autour de la tête remplie de pus.
- Douleur ou sensibilité au toucher.

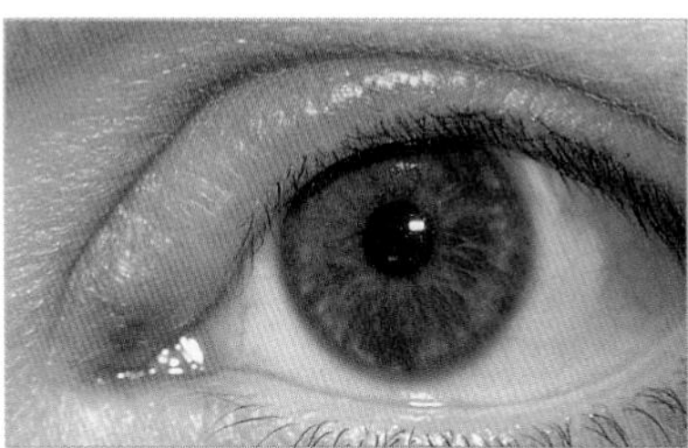

ORGELET SUR UNE PAUPIÈRE Un orgelet se développe sur une paupière lorsqu'une glande sébacée à la base d'un cil est infectée, enflammée et douloureuse.

CONJONCTIVITE

Inflammation de la fine membrane transparente (conjonctive) qui couvre le blanc des yeux et tapisse la face interne des paupières. Un œil ou les deux peuvent être affectés. La conjonctivite est parfois symptomatique du rhume des foins.

SYMPTÔMES

- Yeux et intérieur des paupières injectés de sang.
- Démangeaisons et irritation de l'œil.
- Dans une conjonctivite bactérienne, pus jaune, collant, au coin de l'œil et sur les cils. Il est difficile d'ouvrir l'œil le matin.
- Dans une conjonctivite allergique, paupières enflées et sécrétion claire (non collante) de l'œil et démangeaison.

Causes

La cause habituelle chez un enfant est une infection virale. Chez le nouveau-né, c'est parfois une infection bactérienne. L'infection est rarement transmise par une mère atteinte de gonorrhée, d'herpès génital ou d'une infection aux chlamydias. Si le traitement est rapide, un bébé infecté durant l'accouchement devrait se remettre.

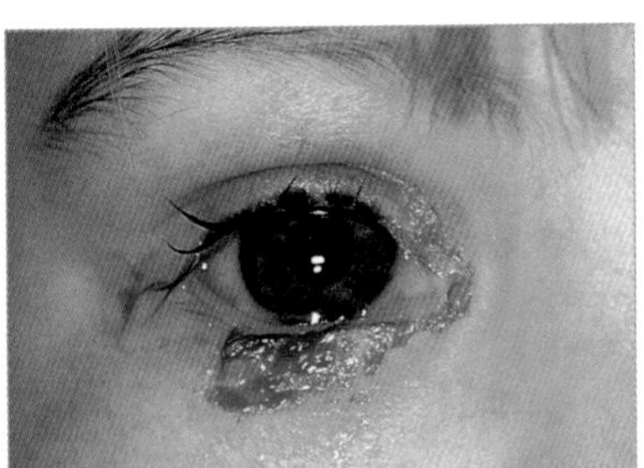

CONJONCTIVITE BACTÉRIENNE Le blanc des yeux est injecté de sang, et les cils sont collés par du pus jaune, qui s'est aussi glissé au coin des yeux.

Traitement

Chez un bébé, la conjonctivite sera traitée à l'hôpital, juste après sa naissance, mais si les symptômes se déclarent plus tard, emmenez-le immédiatement chez un médecin. Bien que chez les enfants plus âgés la conjonctivite virale soit bénigne, consultez afin d'écarter une maladie plus grave. La conjonctivite virale est contagieuse, mais sans traitement, elle disparaît en une semaine.

Pour les infections bactériennes, le médecin prescrira une pommade ou un collyre antibiotique. En cas d'infection grave, il faudra des antibiotiques et attendre la guérison. Les collyres anti-inflammatoires peuvent soulager la gêne due à une conjonctivite allergique.

Conduite à tenir

Imbibez un coton d'eau tiède ayant bouilli, essorez-le et tamponnez-le doucement sur le pus collant incrusté sur les cils aussi souvent que nécessaire. Pour éviter la propagation de l'infection, lavez-vous bien les mains, et ne laissez pas l'enfant partager son linge de toilette.

IRITIS

Inflammation de l'iris et de l'anneau musculaire qui l'entoure, qui peut affecter un œil ou les deux. Les accès graves sont rares chez les enfants, mais ceux qui sont atteints d'arthrite juvénile chronique peuvent souffrir d'une forme persistante ou récurrente d'iritis.

SYMPTÔMES

- Douleur faible à forte dans l'œil affecté.
- Blanc de l'œil injecté de sang, surtout autour de l'iris.
- Sensibilité aiguë à la lumière.
- Vision floue.
- Iris enflé, ayant perdu sa couleur normale, terne.
- Pupille de forme irrégulière, plus petite que celle de l'autre œil (si un seul œil est affecté).
- L'œil affecté est larmoyant.

Traitement

Appelez immédiatement un médecin si vous pensez que votre enfant est atteint d'iritis. Pour réduire l'inflammation, le médecin prescrira vraisemblablement un collyre/pommade contenant un corticoïde.

Traitée rapidement, l'iritis disparaît généralement en 1-2 semaines, sans effet à long terme, ni soucis quant à la vision de l'enfant. Toutefois, si elle n'est pas traitée, si elle persiste ou est récurrente, l'enfant risque des séquelles permanentes.

Conduite à tenir

Poser une boule de coton imbibée d'eau bouillie tiède sur l'œil affecté peut aider à soulager les symptômes. L'eau doit avoir bouilli.

STRABISME

Défaut dans l'axe visuel de l'un des yeux. La plupart des bébés louchent occasionnellement jusqu'à l'âge de 2-4 mois, mais cela ne doit plus arriver après 4 mois ; de même qu'un strabisme persistant, quel que soit l'âge, est toujours anormal.

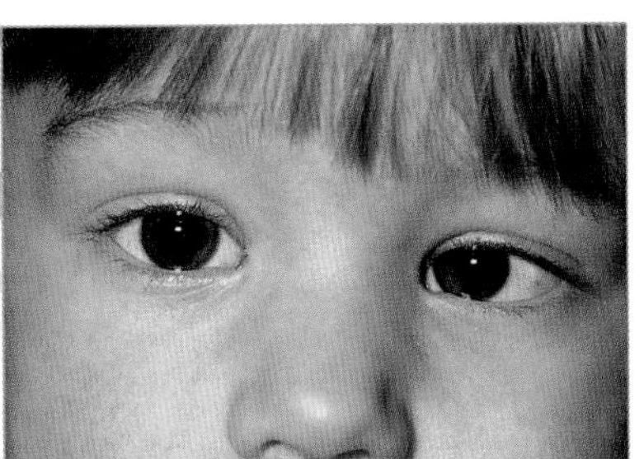

STRABISME CONVERGENT Cet enfant est atteint d'un strabisme convergent à l'œil gauche.

Causes

Un bébé louche parce que le mécanisme qui coordonne ses yeux n'est pas totalement développé. Chez les enfants plus grands, le strabisme peut être dû à une hypermétropie (*voir ci-dessous*) qui oblige les yeux à s'ajuster trop fortement pour la focalisation proche, ce qui dévie un œil vers l'intérieur.

Si le strabisme est dû à une réfraction inégale, les yeux produisent des images discordantes, le plus faible est mal contrôlé et l'image est supprimée. Pour éviter la double vision, le cerveau ne tient pas compte de l'image produite par l'œil le plus faible, et celui-ci n'étant plus utilisé, sa vision peut se détériorer définitivement.

Traitement

Si votre enfant louche après l'âge de 4 mois, consultez un médecin. Il est important de traiter ce problème aussi tôt que possible, tant que sa vision se développe. Le médecin enverra peut-être l'enfant chez un ophtalmologue afin qu'il évalue sa vision et lui prescrive des lunettes (*voir ci-dessous*).

Le traitement peut aussi consister à couvrir l'œil normal avec un cache afin de forcer l'enfant à utiliser l'œil affecté. Dans certains cas, la position de l'œil dévié peut être corrigée par une opération suivie d'exercices orthoptiques. Si le traitement est entrepris quelques semaines seulement après l'apparition du strabisme, la vision de l'enfant devrait se développer normalement.

SYMPTÔMES

- Un œil trop dévié vers l'intérieur ou vers l'extérieur (strabisme convergent ou divergent), ou vers le haut ou le bas (strabisme vertical) lorsque l'enfant regarde un objet directement.
- Vision faible de l'œil affecté.
- Vision double ou trouble, à laquelle l'enfant tente de remédier en fermant ou couvrant l'œil affecté.

TROUBLES DE LA VISION

La myopie, l'hypermétropie et l'astigmatisme sont des problèmes de focalisation, souvent héréditaires, rendant la vision trouble. L'astigmatisme et l'hypermétropie sont souvent présents à la naissance, mais la myopie commence à se développer quelques années avant l'adolescence.

Traitement

Si vous pensez que votre enfant a un trouble de la vision, emmenez-le chez un ophtalmologue qui testera son acuité visuelle et lui fera une ophtalmoscopie, technique qui consiste à observer le mouvement d'une lumière braquée sur l'œil et réfléchie par la rétine à l'arrière de celui-ci. Les mesures ainsi obtenues lui permettront de déterminer si l'enfant a besoin de lunettes, et si oui, de quel type.

Suites éventuelles

Dans la plupart des cas, les troubles de la vision ne s'aggravent pas une fois la croissance terminée, mais le pouvoir de focalisation du cristallin décroissant avec l'âge, une hypermétropie qui n'a provoqué aucun symptôme pendant l'enfance se déclarera à la quarantaine.

SYMPTÔMES

Si votre enfant est myope ou astigmate, il ne s'en apercevra probablement pas. Vous pouvez le remarquer s'il :

- S'assied trop près de la télévision.
- Travaille mal à l'école, ne s'y intéresse pas parce qu'il ne peut pas voir ce qui est écrit sur le tableau.
- Se plaint que les objets éloignés sont flous.

Si votre enfant est hypermétrope, il peut :

- Développer un strabisme (*voir ci-dessus*).
- Se plaindre que les objets rapprochés sont flous.

PROBLÈMES BUCCAUX

Les dents, les gencives, la langue et les parois de la bouche sont sujettes aux lésions et aux infections.

CONTENU DU CHAPITRE

Une grande partie du corps est protégée par une peau résistante, mais pas la bouche, plus vulnérable : la langue et les parois buccales sont facilement endommagées lors de la mastication d'aliments rugueux ou d'objets irritants et sont exposées à une multitude d'infections potentiellement préjudiciables ainsi qu'à des aliments ou des boissons beaucoup trop chauds. Les dents définitives commencent à remplacer les dents de lait vers l'âge de 6 ans. Prendre soin des unes et des autres permet d'éviter les caries et les problèmes de gencives, comme les gingivites et les stomatites.

ANATOMIE DES DENTS ET DE LA LANGUE

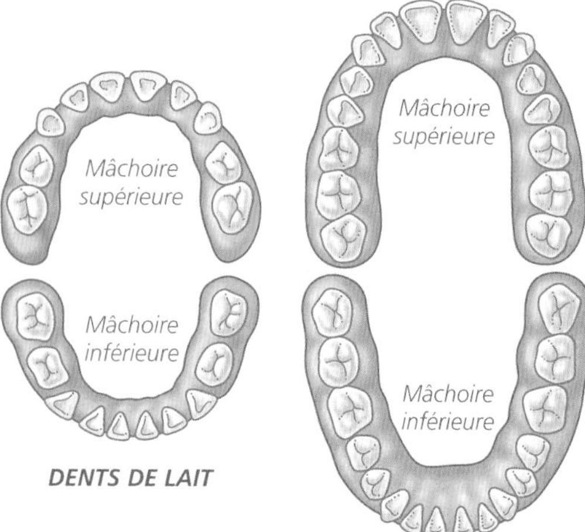

DÉVELOPPEMENT DES DENTS À la naissance, les dents de lait sont déjà en train de se développer dans les mâchoires. Les premières sortent à environ 6 mois. À 3 ans, les 20 dents de lait ont percé et en même temps, la seconde série de 32 dents s'est développée dans les mâchoires pour apparaître entre les âges de 6 et 16 ans. Leur percée provoque le déplacement des dents de lait, qui tombent. Les dents de sagesse sortent généralement à partir de 16 ans ou bien plus tard, et parfois jamais.

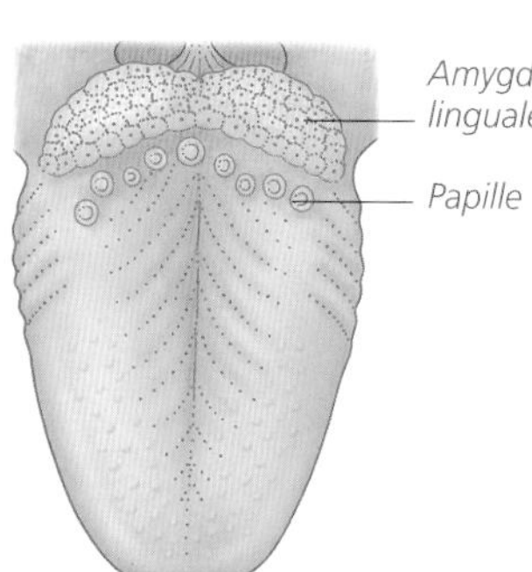

SURFACE SUPÉRIEURE DE LA LANGUE Les papilles gustatives sont situées principalement sur la langue ; elles sont de différents types et peuvent détecter les quatre goûts principaux : sucré, salé, amer et acide.

APHTES

Ulcérations sur les parois de la bouche ou le bord de la langue se développant généralement sans raison et récidivantes. Les aphtes rendent la bouche très douloureuse, mais ne sont pas graves et disparaissent généralement spontanément. Ils passent avec le temps chez les enfants qui y étaient sujets. Ils sont parfois dus à des lésions mineures, ou, rarement, à un trouble sous-jacent.

SYMPTÔMES

- Un aphte isolé ou en amas dans les joues, sur les lèvres ou sur les bords de la langue (milieu gris et bord blanc pâle ou jaune).
- Douleur et sensibilité dans la bouche, ce qui peut empêcher l'enfant de manger ou de se brosser les dents.
- Avant l'apparition des aphtes, possibilité d'une sensation de brûlure sur les parois de la bouche ou l'intérieur des lèvres.

Traitement

Si votre enfant souffre, si les aphtes ne disparaissent pas dans les 10 jours, ou s'ils récidivent souvent, consultez un médecin. Si un aphte réapparaît toujours au même endroit, une dent pointue peut en être la cause.

En cas d'aphtose récurrente, le médecin prescrira des pastilles d'hydrocortisone à laisser fondre sur l'aphte. Elles sont plus efficaces si elles sont utilisées dès les premiers signes d'apparition.

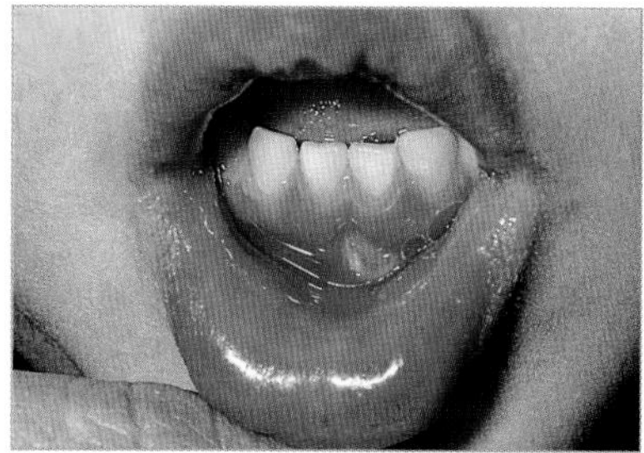

APHTES *Ces ulcérations à la base de la gencive sont grises et creuses au milieu et plus pâles sur leur bordure surélevée. La zone autour de l'aphte est enflammée.*

Si plusieurs aphtes apparaissent pour la première fois, ils sont peut-être dus à une attaque d'*Herpes simplex* (*voir* stomatite *ci-dessous*). De l'acyclovir oral peut raccourcir la durée de l'attaque si l'enfant en prend dans les 36 heures suivant leur apparition.

Si le médecin pense que les aphtes sont provoqués par une maladie sous-jacente, il faudra peut-être faire passer divers examens à l'enfant pour découvrir si autre chose ne va pas.

Conduite à tenir

La plupart des aphtes guérissent spontanément dans les 4 à 10 jours. Ceux de moins de 2 mm de diamètre cicatrisent rapidement, mais les plus grands demandent un peu plus de temps. Rincer la bouche de l'enfant avec une solution de bicarbonate de soude (mélanger 1/4 de cuillerée à café de bicarbonate de soude dans 10 cl d'eau tiède) pourra soulager la douleur ou la sensibilité. Une pommade-gel peut apaiser les aphtes ; l'acétaminophène en solution buvable soulage la douleur.

Les aliments et les boissons acides, épicés, chauds ou salés peuvent irriter les aphtes. Si la mastication est très douloureuse, donnez à l'enfant des aliments hachés ou dilués. Boire avec une paille empêche le liquide de baigner les aphtes.

STOMATITE

Très fréquente chez les enfants entre 6 mois et 4 ans ; provoque des lésions très douloureuses dans la bouche. Elle résulte d'une primo-infection par le virus de l'*Herpes simplex*, qui donne également les boutons de fièvre.

SYMPTÔMES

- Fièvre et bouche douloureuse sont généralement les premiers signes, puis les symptômes suivants se développent.
- Ulcères douloureux peu profonds sur les gencives, la langue et le palais.
- Gencives rouges, enflées, saignant facilement.
- Ganglions du cou enflés.

Traitement

Emmenez l'enfant chez un médecin dans les 24 heures si vous pensez qu'il souffre d'une stomatite. Le médecin prescrira un traitement antiviral à l'acyclovir. Un enfant très malade ou qui refuse les boissons sera hospitalisé afin que de l'acyclovir et des liquides lui soient administrés par voie intraveineuse.

MUGUET

Infection fongique très fréquente chez les bébés de moins d'1 an, apparaissant lorsqu'une levure, *Candida albicans*, vivant dans la bouche, se développe rapidement, les bactéries qui la régulaient ne tenant plus leur rôle (exemple : traitement antibiotique).

SYMPTÔMES

- Bouche douloureuse ; le bébé refuse la nourriture.
- Dépôts jaune crème ou blancs sur la langue et les parois buccales.

Traitement

Si vous pensez que votre enfant est atteint du muguet, consultez un médecin. Il l'examinera et fera éventuellement un prélèvement dans sa bouche pour analyse.

Il prescrira un gel antifongique ou des gouttes à lui appliquer dans la bouche, et si le muguet s'est aussi développé sur la région fessière, il faudra traiter également cet endroit.

Pour éviter une réinfection, soyez très attentif lorsque vous stérilisez les biberons et les tétines. Les mamans allaitantes devront peut-être utiliser une crème antifongique pour traiter leurs tétons.

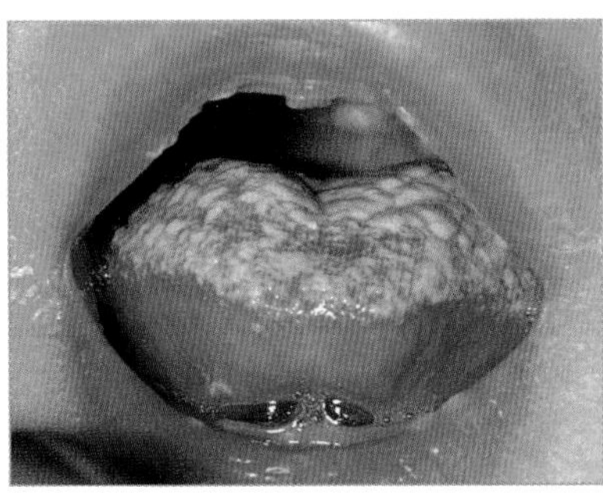

MUGUET *Boutons blancs saillants apparaissant dans la bouche, sur les gencives et le voile du palais. Ils forment sur la langue une espèce de mousse qu'on ne peut essuyer.*

CARIE DENTAIRE

La carie fut jadis la plus fréquente des maladies infantiles, mais elle est en nette régression, principalement grâce aux dentifrices fluorés. Certains enfants en souffrent encore, vraisemblablement à cause d'une surconsommation d'aliments et de boissons sucrés.

SYMPTÔMES

Une carie précoce ne provoque généralement pas de symptômes. Les symptômes de carie sont les suivants :

- Sensibilité de la dent au froid et à la chaleur et/ou aux aliments ou liquides sucrés.
- Dans les caries très avancées, la dent peut noircir, avoir des trous visibles sur son émail et être également très douloureuse.

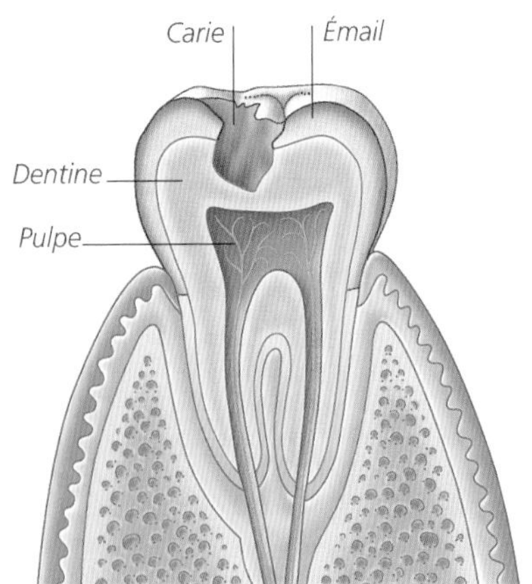

CARIE DENTAIRE *Une cavité se forme lorsque des acides produits par la dégradation bactérienne des aliments érodent l'émail de la dent. La couche de dentine sous-jacente est alors exposée, et quand elle aussi est érodée, la cavité s'élargit graduellement.*

Causes

La carie dentaire est provoquée par les bactéries qui vivent dans la plaque dentaire, revêtement collant de salive et de débris alimentaires, qui se forme à la surface des dents. Les bactéries utilisent des composants des aliments et des boissons (principalement des sucres) pour produire leur énergie et elles sécrètent des acides en les décomposant. Ces acides, en contact étroit avec la dent par la plaque, provoquent la déminéralisation de l'émail de la dent (perte du calcium et du phosphate).

Si ce processus n'est pas enrayé, l'émail, puis la dentine sous-jacente, sont détruits. Si à ce stade, le problème n'est toujours pas traité, la pulpe au centre de la dent peut s'infecter, ce qui occasionnera une lésion permanente des nerfs et des vaisseaux sanguins qu'elle contient.

Traitement

Emmenez régulièrement l'enfant chez un dentiste afin que les caries soient détectées au plus tôt. Si des symptômes de carie se développent entre deux rendez-vous, il faut consulter les jours suivant leur découverte.

Une radio peut aussi être prise pour détecter une carie cachée dans la dent. Si le dentiste découvre des signes de carie, il nettoiera les dents et les détartrera afin d'enlever la plaque dentaire. Ce traitement permet à la surface de la dent d'entrer en contact avec la salive, qui a la capacité naturelle de reminéraliser l'émail. Un gel fluoré pourra aussi être appliqué.

Pour soigner une carie plus avancée, le dentiste creusera la dent à la roulette pour enlever la partie abîmée et y insérer ensuite un plombage. Si le nerf a été endommagé de manière irréversible ou détruit par une infection bactérienne, il faudra vraisemblablement l'enlever, ce qui implique que votre enfant sera anesthésié. Et la dent tout entière sera arrachée si la carie est très avancée.

Conduite à tenir

L'une des mesures les plus importantes à prendre est de limiter la consommation d'aliments et de boissons sucrés de votre enfant. Dissuadez-le de grignoter et de boire des produits sucrés entre les repas. Faites en sorte que sa consommation d'aliments et de boissons acides, dont les jus de fruits et toutes les boissons pétillantes (normales et light), soit minimale. L'idéal serait que votre enfant ne boive de boissons aux fruits ou pétillantes que pendant les repas. Le jus de fruit doit être dilué à 50 % avec de l'eau, et bu de préférence à la paille (idem pour les boissons pétillantes).

Ne donnez pas de boissons sucrées au biberon à un bébé, car le liquide baignera ses dents, ce qui entraînera rapidement des caries. Demandez au dentiste si l'eau de votre quartier est traitée au fluor et si un traitement au fluor est recommandé à votre enfant.

Apprenez à votre enfant à se brosser les dents deux fois par jour avec un dentifrice fluoré (le meilleur moment étant après les repas, particulièrement le petit-déjeuner et le souper). Vous devriez lui brosser vous-même les dents ou le surveiller de près jusqu'à ce qu'il atteigne l'âge de 7 ans. Avant cet âge, les enfants n'ont pas la dextérité nécessaire pour se brosser les dents correctement. Vous pouvez commencer par lui demander de se les brosser tout seul, puis terminer pour lui.

S'il lui est impossible de se brosser les dents après un repas, donnez-lui du chewing-gum sans sucre, ce qui stimulera la sécrétion de salive, qui neutralisera l'acide. À partir de 2 ou 3 ans, votre enfant devrait consulter un dentiste tous les six mois.

PRÉVENTION

- Donnez à votre enfant un minimum de produits sucrés.
- Apprenez-lui les principes d'une bonne hygiène buccale.
- Emmenez-le régulièrement chez un dentiste.
- Assurez-vous qu'il mange beaucoup des minéraux nécessaires à former l'émail des dents : calcium (lait), fluor (ajouté dans la plupart des dentifrices), phosphore (viande, poisson, œufs) et magnésium (épinards, bananes, pain complet). La vitamine A joue un rôle dans la croissance des dents et des os. Le bêta carotène (abricots, carottes, légumes à feuilles vert foncé) est transformé en vitamine A par le corps.

GINGIVITE

Cette inflammation des gencives se développe si l'enfant ne se brosse pas les dents et les gencives correctement. Elle est provoquée par l'effet irritant des bactéries de la plaque dentaire, couche collante de débris alimentaires et de salive, sur les dents et sur les gencives.

SYMPTÔMES

- Gencives rouges, enflées et sensibles.
- Les gencives saignent facilement au brossage.

Conduite à tenir

Emmenez votre enfant chez un dentiste dans les 2 jours si vous soupçonnez une gingivite. Si celle-ci est modérée, le dentiste se contentera d'inciter l'enfant à prendre soin correctement de ses dents (*voir ci-dessus* pour des conseils sur l'hygiène buccale). Si elle est plus avancée, il lui recommandera de faire un gargarisme antibactérien pour soulager l'inflammation et la sensibilité.

Lorsque les gencives seront moins sensibles, il pratiquera peut-être un détartrage afin de déloger la plaque dentaire. Bien que la gingivite soit un problème mineur facile à traiter, non soignée, elle peut provoquer des infections plus graves, susceptibles d'entraîner la perte des dents.

Suites éventuelles

Si vous et votre enfant surveillez étroitement et régulièrement ses dents, ses gencives devraient guérir en quelques mois. Une bonne hygiène buccale, combinée avec des visites régulières chez le dentiste pour un examen et un détartrage, permettra d'éviter les récidives.

ABCÈS DENTAIRE

Lors d'un abcès dentaire, il se forme du pus autour de la racine d'une dent. L'abcès survient lorsque la pulpe sensible dans la dent est envahie et détruite par des bactéries qui s'y sont introduites alors que la dent était gravement endommagée ou cariée.

SYMPTÔMES

- Mal de dents persistant avec élancements.
- Douleur intense dans la dent lors de la mastication, ou de la consommation d'aliments et de boissons chauds.
- Sensibilité, rougeur et enflure de la gencive autour de la dent affectée.
- Parfois, suppuration infecte passant par une brèche de la gencive, la douleur tendant à disparaître ensuite.
- La dent affectée bouge un peu.

Si l'infection se répand aux tissus environnants, le visage et les ganglions lymphatiques du cou peuvent enfler. Il arrive aussi que l'enfant développe les symptômes d'une infection généralisée, comme une fièvre et une migraine.

Traitement

Emmenez l'enfant chez un dentiste dans les heures qui suivent l'apparition des premiers symptômes. Il prescrira des antibiotiques et attendra que l'infection soit calmée avant d'essayer de sauver la dent. Il la creusera à la roulette pour faire sortir le pus et soulager la pression. La pulpe morte et mourante sera enlevée et la cavité ainsi produite sera nettoyée, séchée puis bouchée – procédé appelé traitement du canal des racines. Le dentiste devra extraire la dent si elle est gravement affectée ou si c'est une dent de lait. Un traitement antibiotique sera prescrit pour faire disparaître tout signe d'infection.

À la suite du traitement, la dent fonctionne aussi bien qu'une dent saine. Si une dent a été arrachée, il arrive souvent que les autres viennent remplir l'espace vacant.

Conduite à tenir

Pour soulager la douleur avant la visite chez le dentiste, donnez à l'enfant de l'acétaminophène en solution liquide selon son âge et sa taille. Une bouillotte remplie d'eau chaude non bouillante, enroulée dans une serviette et tenue contre la partie du visage affectée peut aussi soulager.

Apprenez à votre enfant les règles de l'hygiène buccale (*voir* Carie dentaire *p. 248*), incitez-le à éviter aliments et boissons sucrés et emmenez-le chez un dentiste tous les 6 mois.

MALOCCLUSION (OCCLUSION DÉFECTUEUSE)

Mauvaise implantation des dents supérieures par rapport aux inférieures, gênant la mastication. Traitement nécessaire uniquement si les dents sont mal implantées ou difficiles à nettoyer, ce qui pourrait augmenter les risques de caries ou de problèmes de gencives.

Causes

La cause la plus fréquente est le trop grand nombre de dents, problème qui touche 2 enfants sur 3 à l'âge de 12 ans. Ce problème, généralement héréditaire, apparaît lorsque les mâchoires et les dents de l'enfant se développent. Il peut aussi être provoqué lorsque les dents de lait ont été précocement retirées à cause de caries ou de lésions. Les dents qui restent ont tendance à se déplacer dans l'espace laissé vacant, ne laissant ainsi plus assez de place pour les dents définitives. Les dents surnuméraires peuvent se développer de travers, se chevaucher ou être trop saillantes. Une cause héréditaire moins fréquente de malocclusion est un mauvais alignement des mâchoires.

Traitement

Un traitement orthodontique est généralement nécessaire entre 11 et 13 ans. Si les dents sont trop nombreuses, certaines seront arrachées et l'enfant portera un appareil orthodontique fixe ou amovible, exerçant une pression sur les dents afin qu'elles se mettent dans la bonne position. Un autre traitement consiste en un appareil dans lequel l'enfant mord afin de guider la croissance de ses mâchoires. Le traitement orthodontique peut durer jusqu'à 2 ans. Un mauvais alignement des mâchoires peut être corrigé par la chirurgie.

Conduite à tenir

Emmenez l'enfant chez un dentiste à intervalles réguliers afin que la croissance de ses mâchoires et de ses dents soit surveillée attentivement. Si la dentition de votre enfant vous inquiète, ou si ce dernier est complexé, demandez conseil au dentiste qui pourra recommander d'attendre que la malocclusion se corrige d'elle-même avec la croissance des mâchoires, ou vous orienter vers un orthodontiste.

TROUBLES DE L'APPAREIL DIGESTIF

Les maladies de l'estomac ou de l'intestin sont fréquentes chez les bébés et les jeunes enfants.

CONTENU DU CHAPITRE

LES INFECTIONS DU SYSTÈME DIGESTIF qui provoquent des diarrhées et/ou des vomissements sont fréquentes chez les enfants. Bien qu'une diarrhée ou des vomissements soient pénibles pour les parents et l'enfant, ils durent rarement assez longtemps pour représenter une menace pour la santé. De plus en plus d'enfants développent des réactions aux aliments (protéines du lait de vache, poisson, fruits à coques et œufs), mais la plupart d'entre eux n'ont plus de problème en grandissant. Certaines des maladies digestives peuvent provoquer une maladie chronique susceptible d'affecter la croissance, si elles ne sont pas traitées.

ANATOMIE DE L'APPAREIL DIGESTIF

APPAREIL DIGESTIF *L'appareil digestif est constitué d'un long tube qui part de la bouche et finit à l'anus. Lorsque les aliments passent dans ce tube, ils sont concassés en minuscules molécules assimilées dans le flux sanguin. Des organes associés sécrètent des substances chimiques facilitant le processus de digestion.*

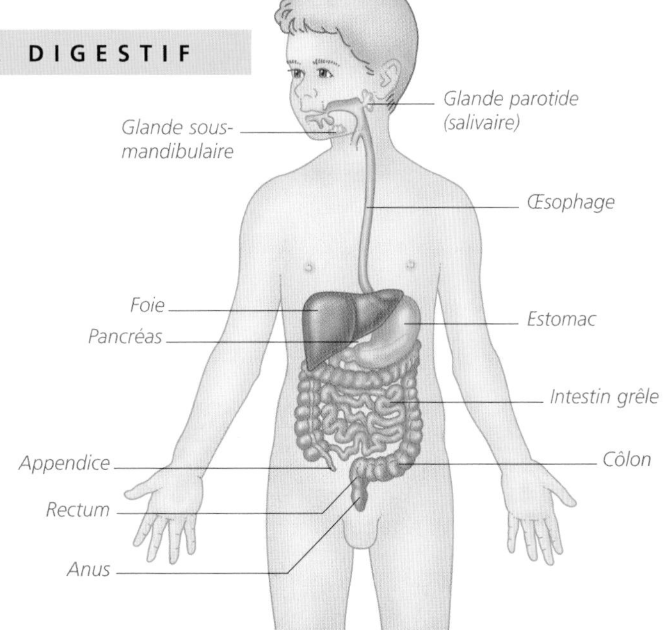

RÉACTIONS AUX ALIMENTS

Certains enfants ont des réactions anormales à certains aliments. Une allergie alimentaire est une réaction à un aliment particulier, provoquée par la réponse inappropriée du système immunitaire. L'intolérance ou la sensibilité aux aliments provoque des symptômes similaires pour une raison différente. Si votre enfant présente une intolérance à certains aliments, consultez un médecin.

ALLERGIE À LA PROTÉINE DU LAIT DE VACHE

La protéine du lait de vache est la cause la plus fréquente de réaction aux aliments, mais sa cause reste inconnue. Le problème débute généralement durant la première année du nourrisson, quand il commence à boire du lait de vache, puis disparaît habituellement vers l'âge de 3 ans.

Traitement

Si vous soupçonnez une allergie au lait de vache, emmenez l'enfant chez un médecin. Si la réaction a été modérée, le médecin vous recommandera d'exclure pendant 2 semaines tous les produits au lait de vache de son alimentation. Si les symptômes disparaissent, on essaiera de lui donner une petite quantité de lait de vache, et s'ils réapparaissent le diagnostic sera confirmé.

Si les premiers symptômes ont été plus graves, la réintroduction du lait de vache sera faite sous la surveillance d'un pédiatre.

Conduite à tenir

Un diététicien vous aidera à établir un nouveau régime alimentaire pour l'enfant. Le test au lait de vache sera répété tous les 3 mois, jusqu'à ce que l'enfant n'ait plus de réaction. La quantité de lait donnée pourra ainsi être augmentée graduellement. Le diététicien s'assurera que l'enfant absorbe suffisamment de calcium pour sa croissance.

INTOLÉRANCE AU LACTOSE ET AU SACCHAROSE

Les enfants peuvent développer une intolérance à deux types de sucres : le lactose, trouvé dans le lait, ou le saccharose, présents entre autres dans de nombreux fruits.

Ces intolérances sont dues à une déficience de l'enzyme responsable de la décomposition du lactose et du saccharose dans l'intestin grêle. Les deux types d'intolérances sont généralement temporaires et peuvent être secondaires à une infection (*voir* Gastroentérite *p. 254*) ou à une autre maladie intestinale, comme la maladie cœliaque (*voir p. 256*). Certains enfants allergiques au lait de vache ne supportent pas non plus le lactose.

Une intolérance permanente au lactose, d'origine génétique, est fréquente chez les individus d'origine africaine ou asiatique. Jusqu'à l'âge de 2 ou 3 ans, les enfants supportent le lait, mais en grandissant, ils souffrent de diarrhée dès qu'ils en boivent. Une intolérance permanente au saccharose peut aussi être héréditaire et se produire occasionnellement.

Traitement

Le médecin confirmera le diagnostic après avoir donné à l'enfant une dose test de lactose ou de saccharose dans de l'eau et avoir pratiqué une analyse des selles afin de détecter si elles contiennent une quantité excessive de sucre non assimilé.

SYMPTÔMES

L'allergie à la protéine du lait de vache *provoque des symptômes qui comprennent :*
- Diarrhée.
- Vomissements.
- Rarement, choc anaphylactique (*voir p. 189*).

L'intolérance au lactose et au saccharose *provoque des symptômes dans les 6 heures après ingestion de lait ou d'aliments contenant du lactose ou du saccharose :*
- Diarrhée et douleur abdominale.
- Vomissements.

Les allergies alimentaires *spécifiques provoquent des symptômes comprenant :*
- Éruptions, dont l'urticaire (*voir p. 233*).
- Enflure des lèvres et de la bouche.
- Diarrhée et douleur abdominale.
- Vomissements.

Si un enfant est allergique au lactose, le diététicien lui prescrira un régime sans lait, mais il est possible que des produits laitiers fermentés (comme le yaourt) soient supportés. Une intolérance au saccharose doit être traitée avec un régime sans saccharose.

ALLERGIES ALIMENTAIRES SPÉCIFIQUES

Les autres aliments provoquant fréquemment des allergies chez les enfants sont le poisson, les œufs et les fruits à coque (noix, etc.). La raison de ces allergies est inconnue, et on ne trouve pas de cause aux symptômes de nombreux enfants. Toutefois, le problème disparaît souvent au cours d'un régime avec peu d'aliments, et chez d'autres, l'exclusion d'un à trois aliments élimine ces symptômes. En grandissant, la plupart des enfants n'ont plus d'allergies aux aliments.

Traitement
Si vous soupçonnez une allergie alimentaire, emmenez l'enfant chez un médecin. Ce dernier l'examinera et fera des tests. Il le mettra éventuellement au régime sans lait pour tester une allergie aux protéines du lait de vache ou au lactose. Si les symptômes persistent, l'une des deux méthodes suivantes pourra être tentée pour découvrir si l'enfant réagit à un aliment particulier. La première consiste à comparer les symptômes de l'enfant quand l'aliment soupçonné est inclus ou exclus de son alimentation. La seconde consiste à lui donner uniquement des aliments réputés ne provoquer aucun symptôme. Les symptômes disparaissent habituellement quelques semaines après la mise en place de ce régime. On introduit alors un nouvel aliment tous les 3 jours jusqu'à la réapparition de symptômes ou que l'alimentation soit redevenue normale.

ALLERGÈNES

Les enfants sont le plus souvent allergiques aux aliments suivants, mais ils peuvent supporter un aliment cuit, mais pas cru.
- Poissons et crustacés.
- Œufs.
- Fruits à coque, surtout les cacahuètes.
- Gluten du blé.
- Chocolat.
- Produits au soja.

APPENDICITE

Petit tube vermiforme qui bifurque à l'entrée du côlon et dont la fonction est encore inconnue, l'appendice peut s'infecter et s'enflammer, ce qui provoque une appendicite, déclenchant une douleur abdominale nécessitant une intervention chirurgicale.

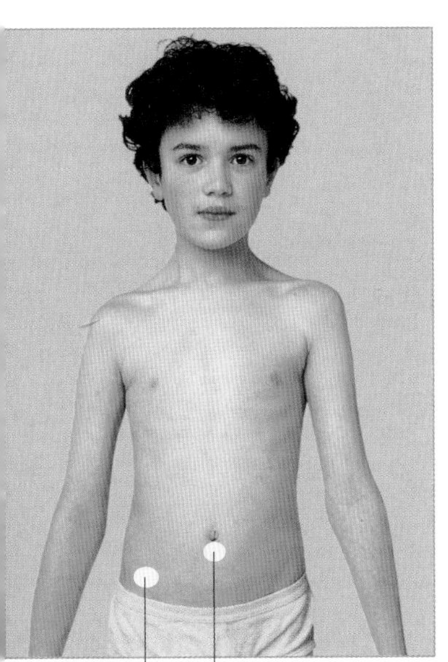

Endroit habituel de la douleur après quelques heures

Endroit initial habituel de la douleur

LOCALISATION DE LA DOULEUR La douleur débute autour du nombril, empire graduellement et migre vers la partie inférieure droite de l'abdomen. Chez certains enfants, elle se situe ici dès le début.

Action immédiate
Si la douleur abdominale est si intense que l'enfant pleure, ou si elle persiste durant 3 heures, appelez immédiatement un médecin. Appelez le 911 ou emmenez l'enfant aux urgences si la douleur dure plus de 6 heures.

Si une appendicite n'est pas traitée rapidement, l'appendice peut éclater ou se perforer. La douleur est continuelle et du pus se propage dans la cavité abdominale, provoquant une infection généralisée susceptible d'aboutir à une maladie potentiellement mortelle (péritonite).

Traitement
Si on soupçonne une appendicite, l'enfant sera admis à l'hôpital et si le diagnostic est confirmé, on procédera immédiatement à l'ablation de l'appendice. Il recevra des analgésiques pendant environ 24 heures après l'opération. Si son appendice n'a pas été perforé, il rentrera dans les 3-4 jours ; dans le cas contraire, on lui donnera des antibiotiques et il restera à l'hôpital jusqu'à la disparition de l'infection, ce qui peut prendre 7 jours. À son retour à la maison, il pourra manger normalement, mais évitera le sport et les activités physiques vigoureuses pendant environ 1 mois.

SYMPTÔMES

- Douleur sourde au bas de l'abdomen (*voir illustration à gauche*). Toute pression sur la zone douloureuse, tout mouvement ou inspiration profonde augmente la douleur, ainsi un enfant souffrant d'une appendicite reste souvent allongé sans bouger.
- Nausées et parfois vomissements.
- Fièvre.
- Constipation ou diarrhée.

Conduite à tenir
Si votre enfant se plaint de douleur abdominale, il est difficile de savoir au premier abord si son état est grave. Une bouillotte chaude dans une serviette posée à l'endroit de la douleur peut l'apaiser. Évitez de lui donner de l'acétaminophène ou des analgésiques : ils pourraient rendre le diagnostic plus difficile. L'enfant ne doit ni manger ni boire avant l'opération.

GASTROENTÉRITE

La plupart des enfants attrapent des gastroentérites (inflammation de l'estomac et des intestins). La principale cause est un virus transmis par voie aérienne ou par contact avec des matières fécales infectées. Les bactéries des aliments ou des boissons peuvent aussi les provoquer. Les attaques intenses peuvent être graves, surtout chez les enfants en bas âge, car ils risquent de se déshydrater.

Traitement

Si un accès de gastroentérite ne s'est pas amélioré dans les 24 heures, appelez un médecin, même si les symptômes sont légers. Si votre bébé a moins de 2 mois et que vous soupçonnez une gastroentérite, appelez immédiatement un médecin ; faites-le également si votre bébé ou enfant en bas âge montre des signes de déshydratation (*voir p. 63 et p. 172*).

Après examen, le médecin décidera s'il faut hospitaliser l'enfant ou s'il peut rester à la maison. Dans le second cas, il vous expliquera ce qu'il faut faire.

Si l'enfant doit être hospitalisé, on lui fera une analyse sanguine pour déterminer la gravité de la déshydratation, on lui donnera une solution réhydratante par voie intraveineuse, et il ne sera pas autorisé à s'alimenter ni à boire pendant 24 heures. Ensuite, il recevra une solution réhydratante orale, suivie de la réintroduction progressive des aliments ordinaires.

Conduite à tenir

Donnez beaucoup de liquides à votre enfant. Achetez en pharmacie une solution réhydratante. Donnez-lui des aliments assez doux (bananes, riz blanc) et évitez les agrumes, le lait et les aliments riches en fibres pendant quelques jours. Soyez très pointilleux quant à l'hygiène lorsque vous le changez ou après son passage à la selle. Assurez-vous qu'il se lave les mains à l'eau tiède et au savon.

Si vous allaitez votre bébé atteint d'une gastroentérite, donnez-lui une solution réhydratante orale avant le sein. Si les symptômes disparaissent, réduisez peu à peu la quantité de solution sur une période de 5 jours environ (*voir ci-dessous*).

Traitement pour les bébés nourris au biberon

- **Jour 1** Pendant les premières 24 heures ne lui donnez pas de lait, remplacez-le par une solution réhydratante orale à intervalles réguliers répartis sur la journée.
- **Jour 2** À chaque biberon donnez-lui un mélange moitié solution réhydratante, moitié lait pour bébé.
- **Jour 3** Votre bébé devrait être complètement rétabli et reprendre sa nourriture habituelle.

Traitement pour les enfants sevrés

Suivez les conseils ci-dessus, mais ne lui donnez aucun aliment solide le jour 1. Du jour 2 au jour 4, donnez-lui du riz et de la purée de légumes ou de fruits en augmentant progressivement la quantité, puis un régime léger. L'enfant devrait pouvoir se nourrir normalement dès le cinquième jour.

Traitement pour les enfants plus âgés

- **Jour 1** Remplacez le lait par une solution réhydratante.
- **Jour 2** Ajoutez du riz, de la purée de légumes et de fruits (non sucrée).
- **Jour 3** Ajoutez du poulet et/ou des soupes et réintroduisez le lait.
- **Jour 4** Ajoutez du pain, des biscuits, des œufs et de la viande et/ou du poisson.
- **Jour 5** Maintenant votre enfant devrait être complètement rétabli et capable de s'alimenter normalement.

SYMPTÔMES

- Diarrhée.
- Vomissements.
- Perte d'appétit.
- Douleur abdominale.
- Manque d'énergie.
- Fièvre.

N'importe lequel de ces symptômes peut apparaître jusqu'à 5 jours après l'infection.

PRÉVENTION

Après une infection virale provoquant une gastroentérite, l'enfant sera immunisé contre ce virus. On peut protéger un bébé en le nourrissant au sein. La propagation de la gastroentérite due à des infections virales peut être évitée en prenant des précautions.

- Stérilisez bien la tétine du biberon ainsi que les ustensiles avant utilisation.
- Lavez-vous les mains au savon et à l'eau chaude avant de préparer les aliments et après avoir touché de la viande crue.
- Si les assiettes et autres ustensiles ont été utilisés pour de la viande crue, lavez-les avant de les utiliser.
- Les aliments surgelés doivent être correctement décongelés avant cuisson.
- Faites mariner les viandes au réfrigérateur, pas à l'extérieur.
- Placez les restes immédiatement au réfrigérateur.

DIARRHÉE DU JEUNE ENFANT

La diarrhée de l'enfant en bas âge affecte les enfants de 1 à 3 ans. Un enfant par ailleurs en bonne santé présente des selles liquides contenant souvent des morceaux reconnaissables d'aliments, (raisins secs, carottes, petits pois ou haricots).

Traitement

La diarrhée de l'enfant en bas âge n'est pas grave, mais il est préférable d'emmener l'enfant chez un médecin pour vous assurer qu'elle n'est pas provoquée par une infection ou une autre maladie. Le médecin vérifiera que la croissance de l'enfant est normale. La diarrhée n'affectant pas la croissance, un problème à ce niveau peut indiquer un autre trouble. Par mesure de précaution, le médecin peut envoyer un échantillon de selles au laboratoire pour analyse.

SYMPTÔMES

- Selles liquides contenant des morceaux d'aliments.
- L'enfant se sent bien, mais il est susceptible d'avoir une éruption constante sur la région fessière.

Conduite à tenir

Hachez ou diluez-lui les aliments qu'il a du mal à mastiquer ou à digérer. Le problème disparaîtra vers 3 ans, sans effets à long terme.

CONSTIPATION

Un enfant dont les selles sont dures et peut fréquentes, peut être constipé. Aller rarement à la selle n'est pas un signe de constipation, la fréquence normale pouvant varier de 4 fois par jour à 1 fois tous les 4 jours.

Causes

Une constipation temporaire peut être due à une déshydratation provoquée par une maladie incluant des vomissements et de la fièvre. Vers 1-2 ans, le changement d'alimentation d'un enfant peut déclencher une constipation. Chez les enfants plus âgés, le manque d'aliments riches en fibres peut en être la raison. Une constipation chronique peut être due à une fissure anale (*voir à droite*). Elle peut aussi avoir lieu quand un enfant retient ses selles lorsqu'on lui enseigne la propreté ou s'il a des problèmes émotionnels.

Traitement

Consultez un médecin si la constipation dure plus d'une semaine, si aller à la selle est douloureux ou si vous soupçonnez une constipation chronique.

En cas de constipation chronique, on lui donnera un produit pour ramollir les selles et des laxatifs stimulants, ainsi que des conseils diététiques, et on lui conseillera de se rendre aux toilettes tous les jours à la même heure afin de restaurer un mouvement intestinal régulier. Après 2 mois, lorsqu'une habitude aura été reprise, la dose médicamenteuse sera réduite. Les selles ramollies produites par les laxatifs permettent généralement à une fissure anale de cicatriser en 6 semaines.

Si le traitement reste sans effet, le médecin pourra diriger l'enfant vers un pédiatre ou un pédopsychiatre pour rechercher des causes émotionnelles.

Conduite à tenir

Donnez beaucoup de liquides à votre enfant afin de soulager et prévenir la constipation. Si l'enfant a plus de 6 mois, donnez-lui davantage de fibres (légumes, fruits, céréales complètes). Si la constipation est un problème, ne lui donnez pas plus de 50 cl de lait par jour (lait écrémé ou semi-écrémé).

SYMPTÔMES

- Défécation rare.
- Douleur en allant à la selle.
- Selles dures et sèches.

Constipation chronique

Les symptômes sont :

- Selles liquides s'écoulant lentement de l'anus, souillant la lingerie.
- Douleur en allant à la selle.
- Perte d'appétit.
- Sang dans les selles.

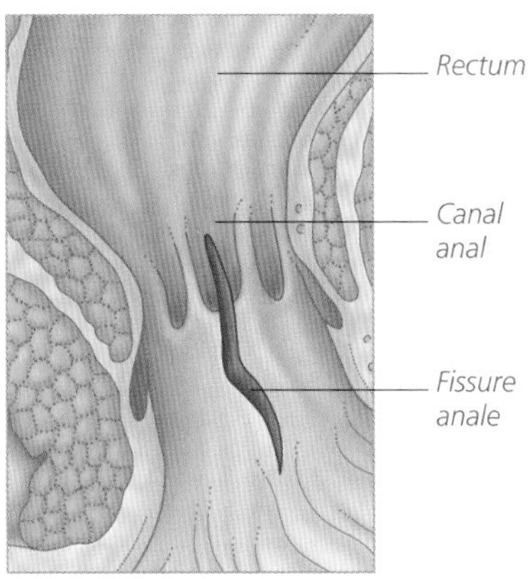

FISSURE ANALE *Une déchirure peut apparaître lorsque l'enfant fait un effort pour faire des selles grosses et dures ; il peut aussi retenir ses selles délibérément.*

MALADIE CŒLIAQUE (INTOLÉRANCE AU GLUTEN)

Maladie grave, mais rare, provoquée par la sensibilité de l'intestin grêle au gluten, protéine du blé, de l'orge, du seigle et de l'avoine. En conséquence, la nourriture n'est pas assimilée correctement, état appelé malabsorption.

SYMPTÔMES

Les symptômes apparaissent graduellement chez le bébé quelques mois après le passage aux aliments solides. En général provoqués par des aliments contenant du blé, ils comprennent :

- Perte de poids, ou impossibilité de prendre du poids.
- Selles très claires, flottantes, nauséabondes.
- Peau pâle, souffle court et asthénie due à l'anémie.

Traitement

Si votre enfant présente l'un des symptômes, consultez un médecin qui le pèsera et fera pratiquer une analyse sanguine à la recherche d'une anémie et d'anticorps. Si la maladie cœliaque est diagnostiquée, l'enfant devra subir une biopsie de l'intestin grêle à l'hôpital. Si celle-ci indique des changements dans la paroi intestinale (*voir ci-contre*) le diagnostic sera confirmé.

LÉSIONS INTESTINALES *Les minuscules projections en forme de doigt sur les parois de l'intestin grêle s'aplatissent, empêchant l'assimilation correcte des nutriments.*

Conduite à tenir

Un enfant atteint de la maladie cœliaque doit suivre un régime sans gluten. De nombreux aliments de substitution sont sur le marché, parmi lesquels du pain, des biscuits, de la farine et des pâtes sans gluten. Les autres aliments comme les produits laitiers, les œufs, la viande, le poisson, les légumes, les fruits, le riz et le maïs peuvent être mangés normalement.

Lorsque votre enfant grandira et prendra peu à peu son indépendance, assurez-vous qu'il est conscient de l'importance de son régime. Les réactions à une exposition renouvelée au gluten sont variables, et vous apprendrez rapidement à connaître la quantité de gluten susceptible de provoquer une réaction, et la gravité de celle-ci.

Suites éventuelles

Les symptômes de la maladie cœliaque disparaîtront quelques semaines après le début d'un régime sans gluten et l'enfant reprendra du poids, restera en bonne santé et grandira normalement, mais il lui faudra suivre un régime sans gluten durant toute sa vie.

OCCLUSION INTESTINALE

Obstruction partielle ou totale de l'intestin grêle ou du côlon. Le passage du bol alimentaire est obstrué, ce qui provoque des crampes abdominales douloureuses. Un traitement est nécessaire car une occlusion intestinale complète non soignée peut être mortelle.

SYMPTÔMES

- Accès intermittents de douleur intense dans l'abdomen.
- Vomissements, produisant parfois un liquide jaune verdâtre à des intervalles de plus en plus fréquents.
- Gaz et impossibilité de défécation. Si l'occlusion est partielle, l'émission de gaz et la défécation apportent un soulagement temporaire de la douleur.
- Présence de mucus ressemblant à de la gelée avec trace de sang dans les selles, en cas d'invagination intestinale.
- Fièvre et gonflement du ventre si le traitement tarde.

Causes

Chez les enfants de moins de 2 ans, le problème est généralement provoqué par un trouble appelé invagination intestinale lors duquel l'intestin se replie sur lui-même (*voir page suivante*). Il est parfois provoqué par une hernie étranglée (*voir p. 260*) ou une malformation congénitale de l'intestin.

Chez les enfants de tout âge, l'occlusion intestinale peut être provoquée par la maladie de Crohn (*voir* Maladies inflammatoires *p. 259*) et le volvulus intestinal (intestin entortillé). La partie obstruée risque de se rompre, entraînant une péritonite inflammation de la paroi de la cavité abdominale.

La partie obstruée peut également se détériorer et se gangrener, ce qui est potentiellement mortel. La déshydratation est une autre complication grave qui peut résulter de vomissements fréquents, symptomatiques de la maladie (*voir p. 63 et p. 172* pour les signes de déshydratation).

Traitement
Appelez le 911 ou emmenez votre enfant aux urgences les plus proches si vous pensez qu'il est victime d'une occlusion intestinale. On l'examinera et on lui donnera des liquides par voie intraveineuse pour prévenir une déshydratation. Pour confirmer le diagnostic et découvrir la cause de l'occlusion on lui fera passer une radio.

Si on soupçonne une invagination intestinale, on effectuera une radio et un lavement au baryum. On lui fera prendre un laxatif afin de lui dégager les intestins. La poire à lavement est fixée dans l'anus puis immédiatement après on prend une radio. L'examen s'effectue en une demi-heure environ, période pendant laquelle l'enfant risque d'avoir des spasmes musculaires. La pression exercée par le lavement force souvent le tissu intestinal déplacé à se remettre dans la bonne position.

Si le lavement ne corrige pas le problème, une opération sera pratiquée. D'autres types d'occlusions intestinales requièrent une intervention chirurgicale, ce qui implique parfois l'ablation de la partie obstruée de l'intestin.

Suites éventuelles
Votre enfant devrait grandir et se développer normalement une fois l'occlusion traitée, ou si une courte partie de son intestin a été enlevée. Toutefois, si cette occlusion était due à une maladie sous-jacente (maladie de Crohn) le blocage pourrait être récurrent tant que la maladie qui le provoque n'est pas soignée.

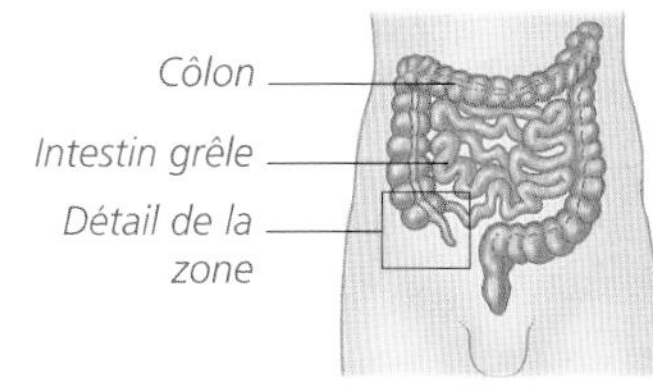

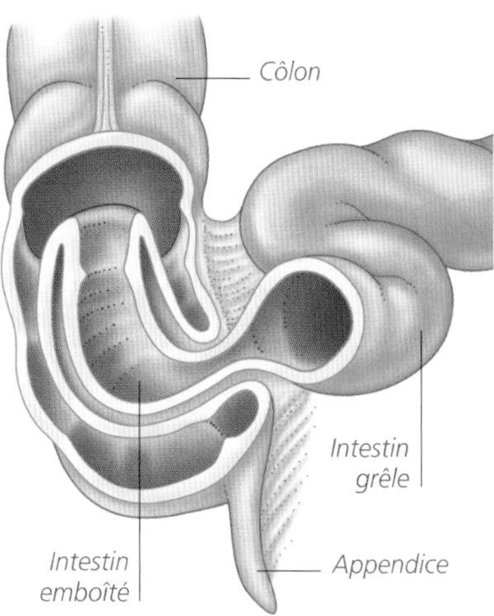

INVAGINATION INTESTINALE État au cours duquel une partie de l'intestin rentre en lui-même, généralement dans la zone entre le côlon et l'intestin grêle.

SYNDROME DU CÔLON IRRITABLE (COLOPATHIE FONCTIONNELLE)

Trouble de la paroi du côlon provoquant des accès de douleur abdominale, parfois accompagnés de diarrhée ou de constipation, ou les deux.

Causes
Lors d'une colopathie fonctionnelle, les muscles des parois du côlon se comportent anormalement, entraînant des problèmes de digestion. Elle pourrait être due, dans certains cas, à une quantité anormalement élevée ou faible d'acide dans l'estomac ou à des problèmes d'enzymes de la digestion. Le stress et l'anxiété déclenchent et aggravent les symptômes. L'intolérance (ou la sensibilité) à certains aliments, particulièrement le blé, le maïs, la protéine du lait de vache, les fruits à coque et les œufs, peut provoquer des crampes abdominales accompagnées de spasmes musculaires. Ce syndrome est rare chez les enfants, mais c'est un trouble persistant, et dont les symptômes peuvent réapparaître périodiquement au cours de la vie.

Traitement
Emmenez l'enfant chez un médecin. Le diagnostic est posé sur la base des symptômes et de l'examen physique. Parfois l'enfant aura besoin d'examen à l'hôpital pour exclure d'autres maladies comme la giardiase (*voir p. 262*), des réactions aux aliments (*voir p. 252*) ou les maladies inflammatoires du tube digestif (*voir p. 259*).

SYMPTÔMES

- Douleur abdominale soulagée par un mouvement des intestins ou la production de vents.
- Impression persistante de réplétion et d'intestins distendus.
- Gaz et diarrhée ou constipation et accès de diarrhée alternant avec des périodes de constipation.
- Nausées, maux de tête et asthénie générale.

Conduite à tenir
Certains aliments pouvant aggraver les symptômes de votre enfant, il est recommandé de tenir un journal de son alimentation, afin de pouvoir identifier les aliments à éviter.

Le stress et les contrariétés peuvent parfois augmenter la gravité des symptômes. Tentez d'identifier les situations qui rendent votre enfant anxieux, et si elles ne peuvent être évitées, donnez-lui encore plus de soins et d'affection.

Assurez-vous que l'enfant mange beaucoup de fruits frais et secs, de légumes à feuilles vert foncé et du son d'avoine, bonnes sources de fibres hydrosolubles. Incitez-le à boire beaucoup d'eau et à faire régulièrement de l'exercice afin de faciliter sa digestion. Un régime riche en fibres est indiqué dans de nombreux cas de syndromes du côlon irritable surtout lorsque le symptôme principal est la constipation.

Il arrive qu'une crise soit déclenchée par un accès de gastroentérite ou par une prolifération de bactéries présentent à l'état normal dans les intestins. Des probiotiques peuvent aider à restaurer l'équilibre optimum des bactéries. Ce sont des cultures de bactéries « amies » comme l'*Acidophilus lactobacillus*, qui vivent en temps normal dans l'intestin : on pense qu'elles aident à digérer et empêchent la prolifération non contrôlée des bactéries nocives.

Les remèdes aux plantes incluent gélules ou infusions de menthe poivrée ainsi que la camomille, la valériane, le romarin et la mélisse. Les traitements homéopathiques comme Nux vomica peuvent être utiles, mais en général il faudra emmener l'enfant chez un homéopathe pour le traitement (*voir p. 321*).

Pour les enfants plus grands, la relaxation et une respiration correcte peuvent permettre de surmonter le stress et réduire l'anxiété. Les individus atteints de colopathie fonctionnelle sont susceptibles d'avoir plus de difficultés d'adaptation et d'être plus stressés. L'ostéopathie et la thérapie cranio-sacrée peuvent être envisagées (*voir p. 323 et 324*).

SYNDROME DE MALABSORPTION

Due à l'impossibilité de l'intestin grêle d'assimiler les nutriments adéquats (vitamines, minéraux, lipides et acides aminés) des aliments. Toujours associé à une maladie sous-jacente.

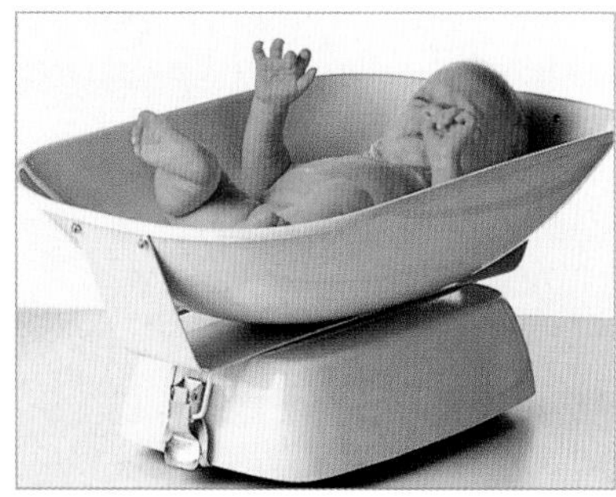

PESÉE Le syndrome de malabsorption est l'une des raisons pour lesquelles un enfant ne prend pas de poids normalement.

Causes
Parfois provoqué par une lésion de la paroi de l'intestin grêle, l'empêchant d'assimiler les nutriments présents dans les aliments. Il peut aussi être dû à une déficience des enzymes de la digestion, qui empêche la décomposition des aliments en particules suffisamment petites pour être assimilées.

Il est toujours associé à une maladie sous-jacente comme la maladie de Crohn (*voir* Maladies inflammatoires *p. 259*), la mucoviscidose (*voir p. 315*), la maladie cœliaque (*voir p. 256*) et des allergies aux aliments comme la protéine du lait de vache ou le lactose (*voir p. 252*).

Traitement
Emmenez l'enfant chez un médecin s'il a l'un des syndromes de malabsorption. On le pèsera pour voir si son poids est normal pour son âge. On le dirigera probablement vers un spécialiste qui lui fera passer des examens pour trouver la cause sous-jacente au problème, ou vers un diététicien pour vérifier si son alimentation est adaptée à ses besoins. La cause sera traitée et son alimentation modifiée ou supplémentée, en surveillant sa croissance et sa prise de poids. Il est toutefois possible qu'il doive être astreint à un régime particulier sa vie durant.

SYMPTÔMES

- Selles très claires, flottantes, nauséabondes (contenant des graisses non digérées).
- Diarrhée.
- Perte de poids et impossibilité d'en prendre.
- Apathie.

Dans les cas graves, la malabsorption entraîne des déficiences en vitamines et minéraux comme le calcium, qui peuvent, à leur tour, entraîner malnutrition et anémie (voir p. 305).

MALADIES INFLAMMATOIRES

La maladie de Crohn et la rectocolite hémorragique produisent une inflammation de l'intestin ; elles sont rares chez les enfants de moins de 7 ans, mais plus fréquentes chez les adolescents. De causes inconnues, mais les facteurs génétiques jouent un rôle.

MALADIE DE CROHN

Jadis maladie rare, la maladie de Crohn est de plus en plus fréquente. Elle provoque en général l'inflammation de la dernière partie de l'intestin grêle (iléon). En conséquence, la paroi intestinale s'épaissit à l'extrême, et des ulcères peuvent s'y former.

La maladie de Crohn réduit la capacité de l'intestin grêle à assimiler les nutriments des aliments (*voir* Syndrome de malabsorption, *ci-contre*). L'épaississement de la paroi intestinale peut également rétrécir l'intérieur de l'intestin, de telle manière que celui-ci finit par s'obstruer (*voir* Occlusion intestinale *p. 256*). Les complications dans d'autres parties du corps peuvent comprendre l'arthrite et une inflammation des yeux.

Traitement

Emmenez votre enfant chez un médecin si l'un des symptômes persiste plus de quelques jours. La maladie de Crohn risque moins d'être la cause des symptômes que d'autres troubles, comme une infection intestinale. Si le médecin suspecte cette maladie, votre enfant devra subir des examens à l'hôpital (radio au baryum et endoscopie des intestins) afin de rechercher des preuves de la maladie.

Si ce diagnostic est confirmé, on pourra lui prescrire des anti-inflammatoires, tout comme une alimentation liquide contenant des protéines réduites en poudre afin d'en faciliter l'assimilation. Dans les cas graves, et s'il souffre de malnutrition, on lui donnera des médicaments et des nutriments par voie intraveineuse. Une transfusion sanguine pourra être requise. Si son état ne s'améliore pas, ou en cas de complications, les parties endommagées de l'intestin devront être retirées chirurgicalement.

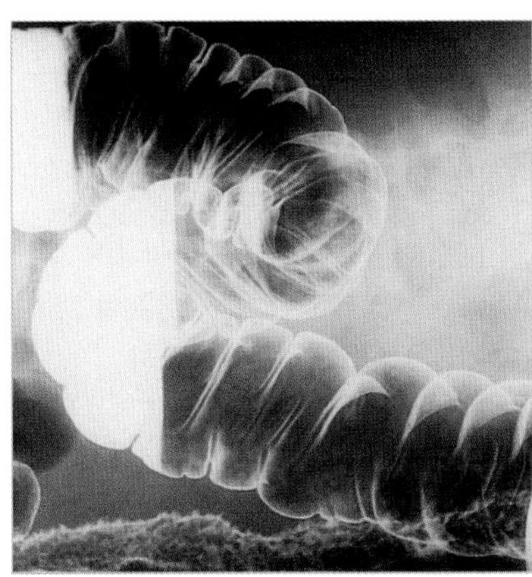

MALADIE DE CROHN Cette radio au baryum montre le rétrécissement de la dernière partie de l'intestin grêle dû à la maladie.

Suites éventuelles

Certains enfants souffrent de cette maladie pendant des années. Les symptômes peuvent réapparaître à quelques mois ou années d'intervalle, ou disparaîtront après un ou deux accès.

RECTOCOLITE HÉMORRAGIQUE

Inflammation et ulcération du côlon et du rectum. La première attaque est souvent la pire, puis les symptômes vont et viennent sur une longue période. Une diarrhée sanguinolente est le symptôme principal ; une perte de sang répétée peut provoquer une anémie (*voir p. 305*).

SYMPTÔMES

Symptômes de la maladie de Crohn *se développent souvent graduellement ; ils comprennent :*

- Diarrhée. Parfois sang, pus ou mucus dans les selles, si le côlon est affecté.
- Spasmes abdominaux.
- Fièvre.
- Nausée.
- Croissance et/ou puberté retardée.
- Perte de poids et manque d'appétit.
- Parfois, ulcération de l'anus.

Symptômes de la rectocolite hémorragique *comprennent souvent :*

- Diarrhée sanguinolente.
- Douleur et sensibilité abdominales.
- Impression d'intestin plein.
- Fièvre.
- Nausée.
- Perte d'appétit.
- Croissance faible.
- Perte de poids.

Traitement

Si votre enfant souffre d'une diarrhée sanguinolente et d'une douleur abdominale, emmenez-le chez un médecin dans les 24 heures. Une infection bactérienne est la cause la plus fréquente de ces symptômes, mais si l'on soupçonne une rectocolite hémorragique il devra subir des examens semblables à ceux que l'on pratique pour la maladie de Crohn.

Si la rectocolite hémorragique est diagnostiquée, il devra prendre des médicaments anti-inflammatoires à vie. Si les médicaments ne maîtrisent pas les symptômes ou si le côlon est gravement endommagé, la partie affectée sera retirée chirurgicalement. S'il s'agit d'une large portion, votre enfant subira une iléostomie (ouverture dans la paroi abdominale pour le passage des matières fécales = anus artificiel).

STÉNOSE DU PYLORE

Maladie rare touchant les bébés de moins de 2 mois, la sténose du pylore est le rétrécissement du muscle (pylore) qui sépare l'estomac de l'intestin grêle. S'il est gravement rétréci, seule une petite quantité d'aliments parvient dans l'intestin, le reste étant vomi.

Traitement

Appelez immédiatement un médecin si votre bébé présente des symptômes de sténose du pylore, ou si vous pensez qu'il est déshydraté (*voir p. 63 et p. 172*). En attendant son arrivée, donnez fréquemment au bébé de petites quantités de nourriture afin qu'il ne reste pas trop d'aliments non digérés dans son estomac.

Le médecin auscultera le bébé pendant qu'il sera nourri, afin de rechercher un gonflement dans la zone du pylore. Si une sténose semble probable, il sera hospitalisé afin de subir un autre examen médical ainsi qu'une échographie pour confirmer le diagnostic.

Des liquides lui seront donnés par voie intraveineuse s'il est déshydraté. L'obstruction est levée par une opération chirurgicale mineure. Le bébé pourra vraisemblablement quitter l'hôpital dès le lendemain. Puis, le nombre de tétées devra être graduellement augmenté jusqu'à ce qu'il se nourrisse normalement (en général dans les 48-72 heures).

Suites éventuelles

Après traitement, il n'y aura ni récidives ni lésions permanentes.

SYMPTÔMES

Les principaux symptômes de la sténose du pylore apparaissent généralement entre 2 et 6 semaines après la naissance :

- Vomissements persistants, projetés loin et avec force.
- Le vomi contient généralement du lait caillé, mais pas de bile.
- Déshydratation provoquée par les vomissements persistants.
- Faim constante ; le bébé accepte souvent une nouvelle tétée immédiatement après avoir vomi.
- Selles rares.
- Perte de poids et apathie si les symptômes durent depuis plusieurs jours.
- Le bébé semble « soucieux ».

HERNIE

Saillie d'une partie de l'intestin au travers de la paroi abdominale. Les hernies ombilicales et inguinales sont les plus fréquentes chez les enfants. Dans la hernie ombilicale, l'intestin fait une bosse au travers de la paroi musculaire ou au-dessus du nombril (ombilic).

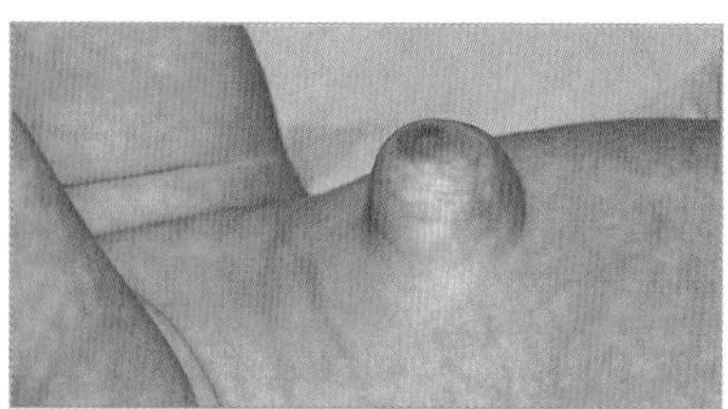

HERNIE OMBILICALE *Généralement située au nombril (ombilic), parfois juste au-dessus.*

HERNIE OMBILICALE

Ce type de hernie résulte d'un espace entre les muscles de la paroi abdominale, et se développe généralement quelques semaines après la naissance. Elle est plus fréquente chez les bébés noirs. Dans la plupart des cas, elle disparaît spontanément avant les 2 ans de l'enfant, mais il arrive qu'elle persiste jusqu'à l'âge de 5 ans.

Traitement

Consultez votre médecin si la hernie est particulièrement grosse ou si elle n'a pas disparu lorsque l'enfant atteint ses 5 ans. Dans ce cas, il faudra pratiquer une opération mineure pour replacer l'intestin dans la cavité abdominale et suturer l'espace entre les muscles de la paroi abdominale.

Les hernies situées au-dessus du nombril requièrent plus souvent une intervention. Une hernie ombilicale ne récidive pas.

SYMPTÔMES

Hernie ombilicale

- Masse molle, généralement au nombril.
- Souvent absente le matin, puis réapparaissant dans la journée.
- Susceptible de grossir si l'enfant pleure ou contracte son abdomen.
- Pas douloureuse.

Hernie inguinale

- Masse molle juste au-dessus du pli de l'aine ou dans le scrotum.
- Souvent absente le matin, puis réapparaissant dans la journée.
- Susceptible de grossir si l'enfant pleure

HERNIE INGUINALE

Les hernies inguinales sont particulièrement fréquentes chez les garçons de moins d'1 an. Elles ont lieu lorsque le canal inguinal – qui se ferme normalement peu de temps après la naissance, une fois les testicules descendus – reste ouvert. Un espace se forme alors par lequel une boucle de l'intestin peut passer, soit dans l'aine, soit dans le scrotum.

Traitement

Si vous détectez une grosseur dans l'aine ou le scrotum de votre fils et pensez qu'il s'agit d'une hernie inguinale, contactez votre médecin. Si le diagnostic est confirmé, il devra subir une opération, car une hernie inguinale ne disparaît pas spontanément.

Si la hernie est douloureuse ou sensible, l'enfant sera admis aux urgences. L'opération consiste à replacer l'intestin dans la cavité abdominale et à suturer le canal inguinal. Une hernie inguinale n'est pas récurrente après une opération.

Complications éventuelles

Une hernie étranglée apparaît lorsqu'une une boucle de l'intestin est coincée dans le canal inguinal, ce qui réduit son alimentation en sang ou la sectionne. L'enflure dans l'aine ou dans le scrotum durcira, sera sensible ou douloureuse, décolorée, et il est possible que l'enfant vomisse.

Si la grosseur n'est pas douloureuse, emmenez l'enfant chez un médecin dans les 24 heures. Si elle est douloureuse, appelez le 911 ou emmenez-le aux urgences.

HÉPATITE

Inflammation du foie, provoquée le plus fréquemment par des virus. Les enfants sont très souvent affectés par le virus de l'hépatite A. Celui de l'hépatite B touche parfois les nouveau-nés lorsque leur mère est porteuse du virus.

Causes

Le virus de l'hépatite A se transmet en général par de l'eau ou des aliments souillés par des matières fécales. L'hépatite A provoque rarement des lésions permanentes au foie, et après une première attaque, l'enfant est normalement immunisé. Une vaccination est recommandée si votre famille prévoit de visiter l'un des pays où cette maladie est endémique.

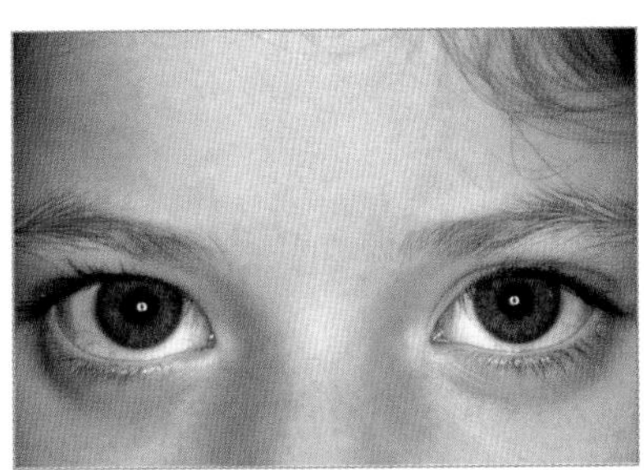

JAUNISSE *Lors d'une hépatite, une accumulation de bilirubine dans le sang peut provoquer une jaunisse, jaunissement du blanc des yeux et de la peau.*

Traitement

Consultez un médecin dans les 24 heures si votre enfant a l'un des symptômes de l'hépatite A. Celle-ci ne peut être traitée avec des médicaments, mais le médecin vous dira comment soigner l'enfant à la maison. Il arrive rarement, qu'une attaque soit suffisamment grave pour que l'enfant soit hospitalisé. Le médecin recommandera que tous les membres de la famille soient vaccinés afin d'éviter la propagation de la maladie. Un enfant atteint est contagieux 2 semaines avant et 1 semaine après la déclaration de sa jaunisse.

Conduite à tenir

L'enfant peut rester alité si tel est son désir. S'il vomit ou n'a plus d'appétit, donnez-lui toutes les heures au cours de la journée de petites quantités de liquide réhydratant (*voir p. 63 et p. 172*) mélangé à du jus de fruit. Avec le déclin de la jaunisse, l'enfant recouvrera l'appétit et il pourra recommencer à s'alimenter normalement.

Évitez la propagation du virus aux membres de la famille en vous lavant les mains avec beaucoup de soin et en faisant bouillir les ustensiles de cuisine. Votre enfant devrait se sentir suffisamment bien pour reprendre l'école entre 2 et 6 semaines après le début des symptômes.

SYMPTÔMES

Chez les enfants d'âge préscolaire, la plupart des hépatites A sont bénignes et sans symptômes. Les enfants plus âgés ont en général des symptômes, rarement graves, parmi lesquels :

- Symptômes de la grippe : fièvre, maux de tête et faiblesse.
- Manque d'appétit.
- Nausées et vomissements.
- Sensibilité dans la partie supérieure droite de l'abdomen (au niveau du foie).

Environ une semaine après, l'enfant peut développer une jaunisse (voir photo ci-contre) souvent accompagnée d'urines foncées et de selles pâles, et parfois d'une diarrhée. Une jaunisse peut durer jusqu'à 2 semaines.

GIARDIASE

Infection de l'intestin grêle provoquée par le parasite *Giardia lamblia*. Jadis maladie uniquement tropicale, la giardiase survient de nos jours dans les pays tempérés où elle affecte principalement les enfants en âge préscolaire.

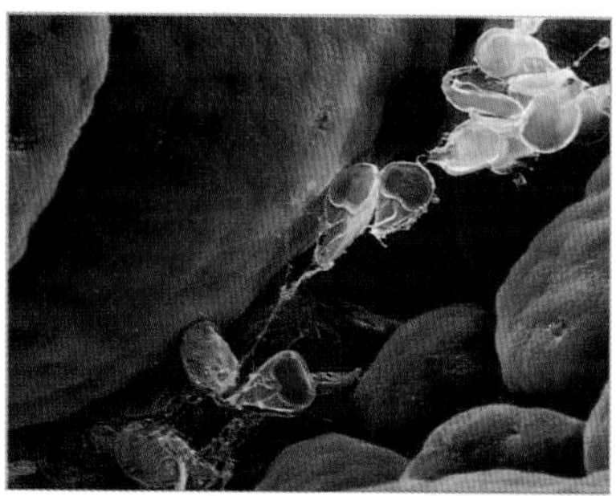

CAUSE DE LA GARDIASE Gardia lamblia *s'accroche aux plis des parois intestinales et absorbe les nutriments contenus dans les liquides de l'intestin.*

Traitement

Les enfants peuvent attraper la giardiase en avalant des aliments ou de l'eau contaminés par le parasite, un protozoaire, qui interfère avec l'assimilation des lipides de l'intestin grêle. La plupart des cas de giardiase sont bénins et ils disparaissent spontanément en 2 semaines. Toutefois, si votre enfant souffre de diarrhées depuis plus de 48 heures, emmenez-le chez un médecin qui fera pratiquer une analyse parasitologique de ses selles. Si les parasites unicellulaires, *Giardia lamblia*, sont présents, on lui prescrira un traitement antiparasitaire d'une semaine.

Conduite à tenir

Assurez-vous que l'enfant boit beaucoup de liquide pour remplacer celui perdu par la diarrhée et pour lui éviter une déshydratation.

Soyez très scrupuleux en matière d'hygiène : pensez au lavage des mains après chaque passage aux toilettes et avant de préparer la cuisine ou de se mettre à table. Ces quelques précautions vous aideront à empêcher la propagation de la maladie aux autres membres de votre famille.

SYMPTÔMES

Environ les deux tiers des enfants atteints n'ont aucun symptôme, mais s'ils se déclarent, ces symptômes commencent habituellement entre 1-3 jours après l'infestation du corps par le parasite.

- Violentes attaques de diarrhée accompagnées de gaz.
- Selles très pâles, flottantes et nauséabondes. Ce symptôme peut être dû à une malabsorption (*voir p. 258*).
- Gêne et crampes abdominales.
- Ballonnements et nausées.

OXYUROSE

Parasites les plus fréquents des pays tempérés, ces vers vivant dans les intestins ressemblent à de petits fils. Les enfants qui sucent des objets ou qui mangent des aliments contaminés par les œufs de ces vers sont les plus affectés.

Causes

Les moins nuisibles des vers parasites, les oxyures (*Enterobius vermicularis*) vivent dans la partie inférieure de l'intestin. La nuit, les femelles émergent du rectum pour pondre jusqu'à 10 000 œufs autour de l'anus, ce qui provoque une irritation intense.

Traitement

Si vous pensez que votre enfant a des oxyures, emmenez-le chez un médecin qui vous demandera de récupérer quelques œufs pour un examen au microscope (*voir illustration*). Le reste de la famille devra être traité avec un médicament antiparasitaire approprié. Le traitement devrait guérir l'enfant, mais pour éviter toute réinfection, il est important que la famille soit traitée une nouvelle fois après 2 semaines.

SYMPTÔMES

- Démangeaisons dans la région anale, surtout la nuit lorsque les oxyures pondent leurs œufs.
- Vulve qui démange chez les filles.
- Inflammation de l'anus à cause du grattage constant.
- Parfois les petits vers se tortillent dans les selles.

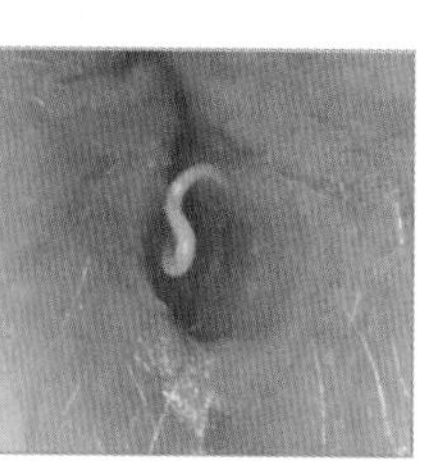

ŒUFS DE VERS *Le matin, avant que l'enfant se lave ou aille aux toilettes, récupérez les œufs pour examen au microscope en appliquant un morceau de ruban adhésif dans sa région anale.*

MALADIES INFECTIEUSES

La plupart sont bénignes, mais certaines peuvent être graves et nécessiter des soins attentifs.

CONTENU DU CHAPITRE

Les enfants sont généralement plus sujets aux différentes maladies infectieuses que les adultes parce qu'il faut du temps à leur système immunitaire pour développer une résistance aux bactéries, virus, champignons et parasites fréquemment trouvés dans l'environnement – dans l'air que l'on respire, dans l'eau que l'on boit et dans les aliments que l'on mange. Les défenses naturelles du corps contre les maladies infectieuses vont des sécrétions lacrymales qui nettoient les yeux, aux globules blancs sophistiqués qui chassent et tuent les germes envahisseurs. Les antibiotiques peuvent généralement soigner rapidement et complètement les infections bactériennes, tandis que, grâce aux vaccinations, les principales maladies virales graves, comme la rougeole, les oreillons et la rubéole sont beaucoup moins fréquentes que par le passé.

ROUGEOLE

La rougeole est une maladie infantile très contagieuse. La vaccination généralisée des enfants dans la plupart des pays développés a cependant raréfié les cas. Cette infection virale, en général sans gravité, provoque de la fièvre et une éruption.

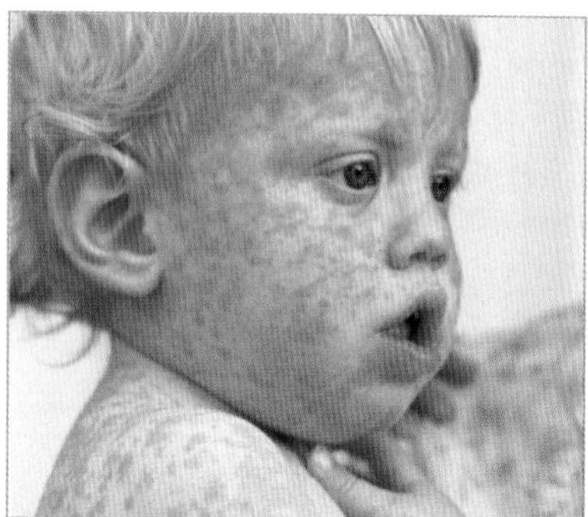

ÉRUPTION DE LA ROUGEOLE *Au départ, la peau présente des taches séparées qui finissent par se rejoindre et donner un aspect marbré.*

Traitement

Si vous pensez que votre enfant est atteint de rougeole, consultez un médecin dans les 24 heures. S'il a mal aux oreilles, respire anormalement vite, somnole, souffre de convulsions, a très mal à la tête ou vomit, consultez immédiatement.

Conduite à tenir

Ne forcez pas votre enfant à s'aliter s'il souhaite se lever. Il se peut qu'il se sente vraiment mal. Donnez-lui de l'acétaminophène pour faire baisser sa fièvre et assurez-vous qu'il boit beaucoup. Il est contagieux durant les 2 jours précédant l'éruption et 5 jours après. Il convient donc de l'isoler des autres. La plupart des enfants se rétablissent en une dizaine de jours. Contracter la rougeole immunise normalement l'enfant à vie contre cette maladie.

Complications possibles

Les complications sont rares. Certains enfants développent une otite moyenne aiguë (*voir p. 240*) ou une pneumonie (*voir p. 227*), ce qui amène le médecin à prescrire des antibiotiques.

Des complications plus graves sont possibles, en particulier chez les enfants souffrant de troubles cardiaques ou pulmonaires chroniques ou chez les enfants immunodéprimés. Environ 1 enfant sur 1000 ayant contracté la rougeole développe une encéphalite. Cette maladie grave est due à l'extension de l'infection jusqu'au cerveau ou à une réponse immunitaire anormale au virus.

SYMPTÔMES

Incubation : 10 à 14 jours

- Fièvre.
- Yeux rouges larmoyants.
- Écoulement nasal.
- Toux sèche.

Puis :

- Parfois, environ 2 jours après les premiers symptômes : petits points blancs avec une base rouge sur la face interne des joues (signe de Koplik).
- Éruption marbrée de taches rouges, (*voir p. 187*), 3 à 4 jours après le début de la maladie, sur le visage et derrière les oreilles, puis sur tout le corps. L'éruption se dissipe en quelques jours, la fièvre tombe et l'enfant se sent mieux. Dans la plupart des cas, elle ne dure pas plus d'1 semaine.

RUBÉOLE

La rubéole est une infection virale bénigne rare du fait de la vaccination de la plupart des enfants. Elle peut provoquer éruption et gonflement des ganglions lymphatiques, mais dans 25 % des cas, aucune éruption cutanée n'a lieu et la maladie passe inaperçue.

Traitement

Faites venir un médecin pour éviter tout contact avec des femmes enceintes au cabinet. En effet, lorsqu'on l'attrape en début de grossesse, la rubéole devient une maladie grave puisqu'elle peut empêcher le développement normal du fœtus.

Téléphonez immédiatement à votre médecin si votre enfant présente l'un des symptômes suivants : éruption de taches rouge foncé qui ne s'estompent pas lorsque l'on appuie dessus, maux de tête sévères, vomissements, manque d'énergie, somnolence inhabituelle. Ces symptômes peuvent en effet

SYMPTÔMES

Incubation : 2 à 3 semaines

- Fièvre modérée.
- Ganglions lymphatiques gonflés dans le bas du cou et derrière les oreilles. Certains enfants peuvent en présenter dans d'autres parties de leur corps comme les aisselles et l'aine.
- L'éruption qui ne démange pas (*voir p. 187*) peut se développer après 2-3 jours, et disparaît en général en 3 jours.
- Certains enfants se plaignent de douleurs articulaires.

indiquer une maladie plus grave. Il n'existe pas de traitement particulier contre la rubéole. Le médecin examinera votre enfant, voire demandera une analyse de sang pour confirmer son diagnostic.

Conduite à tenir

Faites baisser la fièvre de votre enfant avec du paracétamol et encouragez-le à boire beaucoup. Isolez-le des femmes enceintes. La rubéole est contagieuse pendant une semaine avant l'apparition de l'éruption puis pendant 4 jours après sa disparition. L'enfant commence en général à se sentir mieux une dizaine de jours après l'apparition des premiers symptômes. Après guérison, il sera immunisé à vie contre cette maladie.

Complications possibles

Les complications sont rares, mais il peut se produire une inflammation du cerveau (encéphalite) ou une thrombocytopénie (*voir p. 307*), maladie liée à une baisse anormale du nombre des plaquettes sanguines.

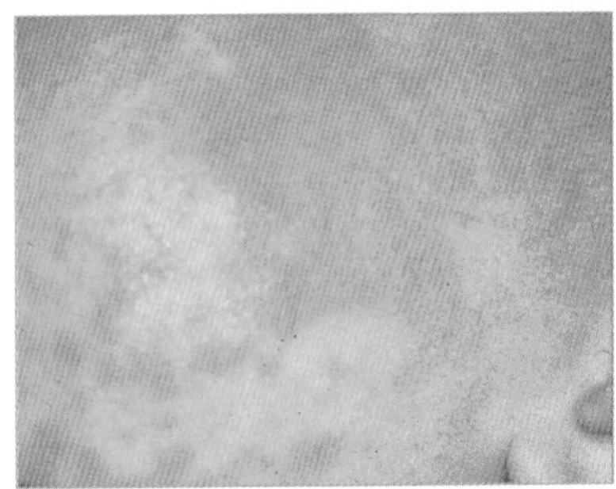

ÉRUPTION DE LA RUBÉOLE *De minuscules taches apparaissent sur le visage puis sur le torse, les bras et les jambes. Elles fusionnent entre elles et se propagent.*

VARICELLE

La varicelle est une maladie très courante qui touche en général les enfants de moins de 10 ans, à la fin de l'hiver et au printemps. Elle est due à un virus et le symptôme principal est une éruption de boutons irritants associée à des démangeaisons.

Traitement

La plupart du temps, on pourrait presque se passer de consulter. Toutefois, appelez rapidement un médecin si l'enfant atteint est un bébé ou si l'enfant souffre de déficience immunitaire ou d'eczéma ; mais aussi s'il commence à tousser, a des convulsions, respire trop rapidement, somnole de façon anormale, souffre d'une fièvre persistante ou récurrente ou semble perdre son équilibre en marchant. Consultez si du pus sort des vésicules ou si la peau qui les entoure est rouge.

Le médecin prescrira éventuellement des antibiotiques pour prévenir l'apparition d'une infection secondaire. Les enfants souffrant d'eczéma se verront prescrire un antiviral tel l'aciclovir oral. Si le risque de complications est élevé, une hospitalisation est nécessaire pour administration d'aciclovir en intraveineuse pendant 5 jours. Un vaccin contre la varicelle est disponible.

Conduite à tenir

Calmez les démangeaisons à l'aide d'une lotion à la calamine. Vous pouvez aussi utiliser des antihistaminiques oraux vendus sans ordonnance ou faire prendre à votre enfant un bain chaud dans lequel vous aurez dissous une poignée de bicarbonate de soude. Donnez-lui de l'acétaminophène pour calmer sa fièvre et faites-le boire beaucoup. Coupez-lui les ongles et empêchez-le de se gratter.

La varicelle est contagieuse depuis le jour précédant l'éruption et jusqu'à ce que les vésicules forment des croûtes. Isolez votre enfant de toute personne présentant de hauts risques de complications pendant cette période.

Complications possibles

La plus courante est une infection secondaire par le streptocoque que l'enfant provoque en se grattant. Les enfants souffrant d'eczéma (*voir p. 234*) y sont particulièrement sujets.

SYMPTÔMES

Incubation : 2 à 3 semaines

- Fièvre légère ou mal de tête qui commence quelques heures avant l'apparition des boutons.
- Éruption de taches, touchant d'abord le tronc, qui se transforment en vésicules et causent de fortes démangeaisons (*voir p. 187*). Les vésicules sèchent en quelques jours et des croûtes se forment. L'éruption se développe par poussées.
- Les boutons apparaissent dans la bouche et se transforment en aphtes.
- Parfois, une toux sévère.

Mais les enfants qu'il faut surveiller le plus sont les enfants immunodéprimés et les nouveau-nés qui peuvent développer une varicelle si la mère en a contracté une à la fin de sa grossesse.

Suites éventuelles

Normalement, votre enfant se sentira mieux dans les 7 à 10 jours suivant l'apparition des premiers symptômes. Il sera ensuite immunisé à vie. Mais le virus restera en dormance dans ses cellules nerveuses et pourra réapparaître sous forme de zona à l'âge adulte.

MÉGALÉRYTHÈME ÉPIDÉMIQUE

Le mégalérythème épidémique, aussi appelé « cinquième maladie », est une maladie virale relativement contagieuse qui provoque une éruption rouge sur les deux joues de l'enfant. Elle est très répandue au printemps chez les enfants de plus de 2 ans.

Traitement
Aucun traitement spécifique n'est recommandé. Vous pouvez appeler un médecin en cas d'inquiétude ou si votre enfant souffre d'une maladie sanguine car des complications sont alors possibles. Évitez la salle d'attente pour ne pas contaminer d'autres personnes. Le médecin pourra demander une analyse de sang pour confirmer son diagnostic.

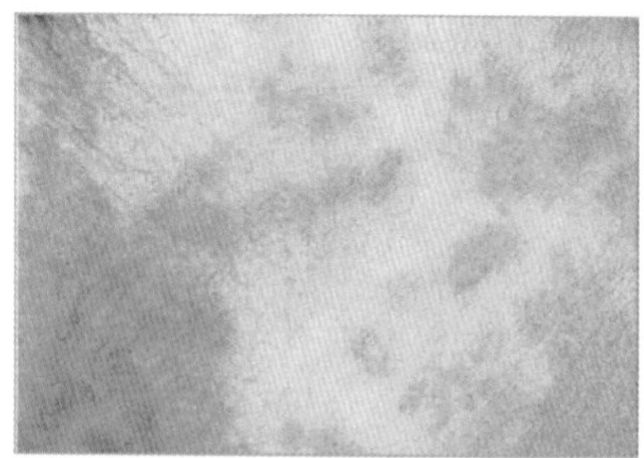

SIGNE CARACTÉRISTIQUE *Un érythème rouge vif sur les joues, comme si l'enfant avait reçu une gifle.*

Conduite à tenir
Donnez à votre enfant de l'acétaminophène pour faire baisser sa fièvre et encouragez-le à boire beaucoup. Normalement, il n'est plus contagieux après l'apparition de l'éruption, mais mieux vaut l'isoler des femmes enceintes. Contractée pendant la grossesse, la maladie peut provoquer une fausse couche. L'éruption peut réapparaître plusieurs fois pendant quelques semaines ou mois. Mais après guérison, il n'y a normalement plus de récidive.

SYMPTÔMES

Incubation : de 4 à 14 jours
- Joues rouge vif comme si l'enfant avait reçu une gifle.
- Pourtour de la bouche pâle.
- Fièvre.
- Une éruption apparaît 1 à 4 jours après la rougeur des joues et dure de 7 à 10 jours. Elle est située en général sur les bras et les jambes et parfois sur le tronc. Marbrée ou en guirlande – notamment sur les membres – elle varie en fonction de la température et peut ainsi être aggravée par la prise d'un bain chaud ou une exposition prolongée au soleil.
- Rares douleurs articulaires.

SYNDROME PIED-MAIN-BOUCHE

Maladie fréquente chez les jeunes enfants de moins de 5 ans, elle apparaît par épidémies en été et au début de l'automne. C'est une infection bénigne qui provoque l'apparition de vésicules dans la bouche, sur la paume des mains et la plante des pieds.

Conduite à tenir
Il n'existe pas de traitement spécifique, mais vous pouvez essayer de soulager votre enfant.

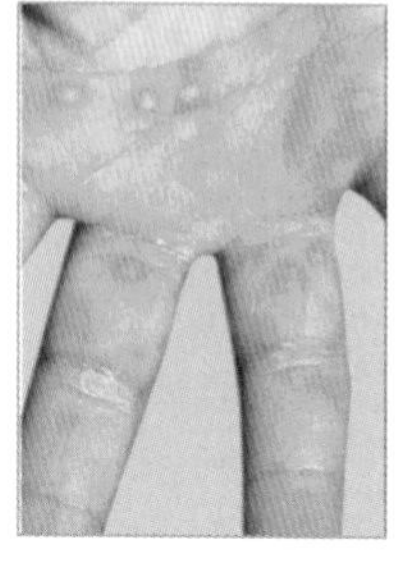

VÉSICULES SUR LES DOIGTS *Dans le syndrome pied-main-bouche, des vésicules apparaissent sur les doigts, le dos des mains et les pieds.*

S'il souffre d'aphtes douloureux, donnez-lui de l'acétaminophène en sirop à la dose appropriée et proposez-lui des bains de bouche à l'eau salée pour soulager la douleur (*voir p. 207*). Assurez-vous qu'il boive beaucoup, de préférence de l'eau ou du lait ; les jus de fruit étant acides, ils ne sont pas recommandés car ils aviveraient la douleur. Si votre enfant refuse toute alimentation solide, ne le forcez pas.

Les vésicules des pieds et des mains disparaissent en général au bout de 3 à 4 jours, il en est de même pour la fièvre. Les aphtes, pour leur part, peuvent tout de même persister pendant 4 semaines.

Attraper la maladie une fois confère ensuite une immunité à vie.

SYMPTÔMES

Incubation : 3 à 5 jours
- Fièvre modérée.
- Vésicules à l'intérieur de la bouche qui évoluent en aphtes douloureux mais peu profonds.
- Perte d'appétit et refus de manger
- Vésicules sur les mains et les pieds qui apparaissent en général 1 à 2 jours après celles de la bouche. Pas de démangeaisons ni de douleurs particulières.

ROSÉOLE

La plupart des enfants attrapent la roséole avant 2 ans. Cette infection virale provoque une forte fièvre qui apparaît brusquement et dure environ 4 jours. Elle est suivie par une éruption de minuscules taches roses.

Traitement

Il n'y a pas de traitement spécifique. Si votre enfant soufre de convulsions fébriles (*voir p.* 292), est somnolent ou très irritable, appelez immédiatement un médecin. En attendant le médecin, faites baisser la température de votre enfant en l'épongeant avec un linge mouillé à l'eau tiède ou donnez-lui de l'acétaminophène en sirop à la dose appropriée.

Le médecin demandera peut-être des analyses de sang ou d'urine pour confirmer son diagnostic et vérifier l'absence d'infections bactériennes, comme la méningite, qui produisent des symptômes similaires. Votre enfant se sentira mieux dès que l'éruption aura disparu. Les complications sont rares, sauf chez les enfants immunodéprimés qui peuvent développer une hépatite (*voir p.* 261) ou une pneumonie (*voir p.* 227).

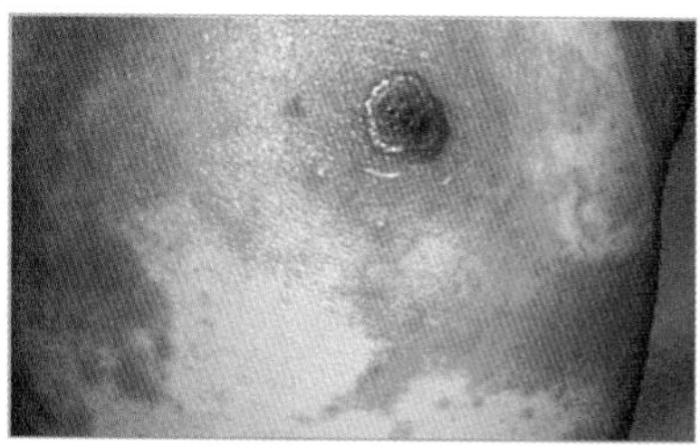

ÉRUPTION DE LA ROSÉOLE *Dans la seconde phase, de minuscules taches roses apparaissent sur la peau, pendant environ 4 jours.*

SYMPTÔMES

Incubation : entre 5 et 15 jours

- Forte fièvre (39-40 °C) alors que l'enfant semble en bonne forme par ailleurs.
- Parfois une ou plusieurs convulsions fébriles (*voir p. 292*).
- Certains enfants souffrent de diarrhées légères, toussent, ont mal aux oreilles et présentent des ganglions lymphatiques enflés.

Environ 4 jours après le début de la fièvre, la maladie entre dans sa seconde phase :

- Température corporelle normale.
- Éruption de minuscules taches roses (*voir p. 187*) en général sur le visage et le tronc. Elle dure environ 4 jours.

SCARLATINE

La scarlatine est due à une bactérie : le streptocoque. Autrefois commune, elle s'est raréfiée dans les pays développés depuis l'introduction des antibiotiques. La maladie se caractérise par une éruption rouge.

Traitement

Appelez un médecin dans les 24 heures suivant les premiers symptômes. Il examinera votre enfant et réalisera une recherche de streptocoque sur un prélèvement dans sa gorge. En général, on prescrit un traitement antibiotique sur 10 jours. Contactez un médecin en urgence si l'urine de votre enfant est rouge, rose ou trouble.

Conduite à tenir

De l'acétaminophène en sirop permettra de faire baisser la fièvre et de soulager sa douleur.

Veillez à l'isoler des autres enfants jusqu'à la fin du traitement. Il devrait se sentir mieux une semaine environ après les premiers symptômes. S'il ne se rétablit pas, consultez de nouveau pour vérifier qu'il ne souffre pas de rhumatisme articulaire aigu, une complication possible qui peut provoquer des dommages cardiaques et causer une glomérulonéphrite (*voir p.* 276).

Grâce au traitement par antibiotiques, les complications sont heureusement rares. Contracter la maladie confère une immunité à vie.

SYMPTÔMES

Incubation : 2 à 4 jours

- Vomissements.
- Fièvre.
- Maux de gorge et de tête.
- L'éruption apparaît sur le torse dans les 12 heures suivant le premier symptôme (*voir p. 187*), puis s'étend rapidement en particulier sur le cou, les aisselles et l'aine. Elle n'atteint pas le visage. Les plaques durent jusqu'à 6 jours puis la peau desquame.
- Contour de la bouche pâle et joues rouges comme si l'enfant avait reçu une gifle.
- Au début, la langue est recouverte d'un enduit blanchâtre parsemé de boutons rouges. L'enduit pèle vers le 4e jour, laissant apparaître une langue framboise recouverte de boutons rouges.

OREILLONS

Cette infection virale bénigne provoque une fièvre et un gonflement d'une ou des deux glandes salivaires parotides situées devant et sous les oreilles, à l'angle de la mâchoire. Elle était très courante avant qu'on immunise les enfants contre elle.

Traitement

Si vous pensez que votre enfant a les oreillons, consultez un médecin pour qu'il confirme le diagnostic. Appelez-le en urgence si votre enfant souffre de maux de tête sévères (avec ou sans vomissements) ou a mal au ventre. S'il a très mal à la tête, il sera probablement hospitalisé pour faire des examens et s'assurer qu'il ne souffre pas d'une encéphalite ou d'une méningite bactérienne.

Conduite à tenir

Le gonflement des glandes salivaires peut être douloureux, mais de l'acétaminophène devrait soulager votre enfant. Faites-le boire beaucoup en évitant les jus de fruits car ils stimulent la production de salive et peuvent aggraver la douleur.

Tout rentre dans l'ordre en 10 jours. Si des troubles se développent dans les testicules ou le pancréas, ils ne posent généralement pas de difficultés à long terme. Contracter la maladie confère normalement une immunité à vie.

Complications possibles

Il arrive que des adolescents du sexe masculin développent une inflammation des testicules lorsqu'ils attrapent les oreillons (*voir p. 277*). Cette complication apparaît environ 1 semaine après le début de la maladie.

Rarement, il peut apparaître des troubles graves tels que la pancréatite, l'encéphalite ou la méningite.

SYMPTÔMES

Incubation : de 14 à 24 jours

- Fièvre.
- Sensibilité et gonflement d'un ou des deux côtés du visage. Ce symptôme apparaît normalement 1 ou 2 jours après le début de la fièvre et peut persister 4 à 8 jours.
- Douleur dans la mâchoire, l'oreille et le ventre.
- Gonflement des autres glandes.

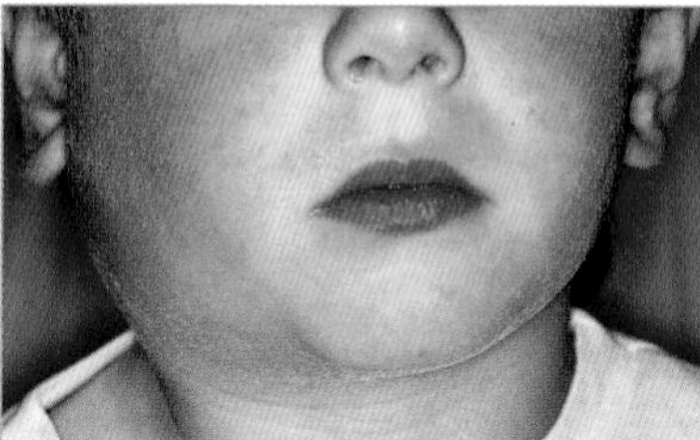

GONFLEMENT DES GLANDES SALIVAIRES
Caractéristique de l'infection des oreillons, ce gonflement, juste sous les oreilles, peut être douloureux.

TÉTANOS

Cette maladie grave qui affecte le système nerveux central est rare dans les pays où les enfants sont vaccinés. Elle est due à l'entrée d'une bactérie dans le corps via une plaie profonde qui aura été en contact avec de la terre ou des déjections animales.

Causes

Le tétanos est dû à une toxine produite par une bactérie appelée *Clostridium tetani*, présente dans nos intestins – comme dans ceux des animaux – sans effet pathogène. C'est par les déjections qu'elle contamine le sol.

Lorsqu'une blessure est souillée par de la matière infectée, la bactérie peut passer dans le sang et se reproduire. La toxine qu'elle produit provoque une contraction accrue, violente et douloureuse des muscles. Elle touche d'abord la mâchoire, puis le visage et le cou. Lorsque la toxine oblige les muscles du dos à se contracter, le corps peut s'arquer brusquement en arrière.

Urgence

Le tétanos est une urgence médicale. Si vous pensez que votre enfant présente l'un des symptômes de la maladie, consultez immédiatement un médecin ou emmenez-le aux urgences.

SYMPTÔMES

Incubation : 3 à 21 jours

- Impossibilité d'ouvrir la bouche du fait de la contraction des muscles de la mâchoire. C'est ce qu'on appelle le trismos.
- Difficulté à déglutir.
- Contraction des muscles faciaux fixant un sourire sur le visage de l'enfant. C'est ce que l'on appelle le rire sardonique.
- Spasmes des muscles du cou, du dos, de l'abdomen et des membres qui peuvent être extrêmement douloureux et perdurer pendant 10 à 14 jours. Ces spasmes rendent la respiration de l'enfant difficile.

Traitement

Si votre enfant s'est coupé et que vous pensez que sa blessure a pu être infectée par de la terre contaminée, emmenez-le chez un médecin immédiatement. Si ce dernier suspecte un tétanos, il enverra votre enfant à l'hôpital. Lorsque l'infection est modérée, l'enfant ne ressent qu'une certaine raideur autour de la blessure infectée et peut souffrir de convulsions mais faibles. Une diète légère et l'administration de sédatifs suffiront à le soigner.

Dans les cas plus sévères, le médecin prendra des mesures d'urgence : tout d'abord, une intubation endotrachéale (tube dans la trachée) ou une trachéotomie (incision de la trachée) aidera votre enfant à respirer ; puis on lui administrera des médicaments relaxants et sédatifs pour diminuer les contractions musculaires et les spasmes.

Suites éventuelles

On peut encore mourir du tétanos. Toutefois, une hospitalisation rapide sauve le plus souvent l'enfant. Il mettra la plupart du temps environ 3 semaines à se rétablir, mais ce sera plus long en cas d'attaque grave.

PRÉVENTION

Normalement, tout enfant a été vacciné contre le tétanos lorsqu'il était bébé.

Mais si votre enfant a une blessure profonde, n'attendez pas de voir des symptômes se développer. Emmenez-le immédiatement au service des urgences le plus proche, même s'il a été immunisé contre la maladie. Pour empêcher toute infection, le médecin va nettoyer la blessure de tout corps étranger ou tissu mort, et éventuellement revacciner votre enfant.

COQUELUCHE

Cette infection, due à une bactérie, est particulièrement dangereuse chez les nourrissons de moins de 6 mois. La plupart des enfants des pays développés sont vaccinés. La maladie se caractérise par une toux quinteuse évoquant le chant du coq.

Traitement

Si votre bébé a moins de 6 mois et tousse, s'il tousse au point de vomir ou si votre enfant tousse depuis plus d'une semaine, consultez un médecin dans les 24 heures. Appelez-le immédiatement si la langue ou les lèvres de votre enfant bleuissent au cours d'une quinte de toux ou s'il est pris de convulsions.

Le médecin demandera éventuellement l'analyse d'un prélèvement de gorge de votre enfant pour confirmer son diagnostic. Les antibiotiques sont très efficaces s'ils sont administrés aux premiers stades de la maladie. Si l'enfant bleuit ou est pris de convulsions, il faudra peut-être l'hospitaliser, surtout s'il a moins de 6 mois.

Si vous avez d'autres enfants, le médecin leur prescrira dix jours d'antibiotiques afin que l'infection soit moins sévère s'ils attrapent la maladie.

Conduite à tenir

Faites boire abondamment votre enfant et nourrissez-le de purées ; évitez tout aliment granuleux. Lors de ses quintes de toux, il appréciera peut-être que vous lui tapotiez dans le dos.

Si nécessaire, votre médecin vous enseignera des techniques de kinésithérapie pour aider votre enfant à expulser les sécrétions de ses bronches. Si vous devez le veiller, demandez l'aide d'autres adultes.

Suites éventuelles

La toux peut persister pendant plusieurs mois. En cas de mauvais état général ou de persistance de la toux après 6 semaines, une radio des poumons est nécessaire. Toutefois, il est très rare de découvrir des dommages irréparables. Certains enfants recommenceront à tousser s'ils attrapent une infection virale l'année suivante.

SYMPTÔMES

Incubation : environ 7 jours

- Toux sèche qui n'apparaît souvent que la nuit.
- Écoulement nasal.
- Légère fièvre.
- Yeux douloureux, rouges et larmoyants, comme atteints de conjonctivite.

Le stade suivant de l'évolution de la maladie peut durer entre 8 et 12 semaines avec les symptômes suivants :

- Accès de toux sèche, de jour comme de nuit : l'enfant tousse 10-20 fois de suite.
- Longues quintes de toux suivies d'une inspiration sifflante appelée « chant du coq ». Les bébés peuvent ne pas produire ce bruit.
- Vomissements causés par une toux persistante.
- Apnées de plus de 10 secondes.
- Convulsions.

Très occasionnellement, le passage de l'air peut être bloqué par des mucosités pouvant provoquer un collapsus pulmonaire ou entraîner le développement d'une pneumonie.

MONONUCLÉOSE INFECTIEUSE

La mononucléose infectieuse est due au virus d'Epstein-Barr, lequel s'attaque aux globules blancs chargés de l'immunité de l'organisme. Difficile à diagnostiquer du fait de ses similarités avec d'autres maladies, elle est courante chez les adolescents et les jeunes adultes, mais peut atteindre des sujets de tous âges, voire de jeunes enfants.

SYMPTÔMES

Période d'incubation : environ 10 jours

- Gonflement des ganglions lymphatiques du cou, juste sous le milieu de la mâchoire, des aisselles et/ou de l'aine.
- Forte fièvre (39-40 °C).
- Fièvre durant quelques jours et parfois plusieurs semaines.
- Mal de gorge sévère.
- Fatigue, léthargie.
- Perte de poids et d'appétit.
- Maux de tête.
- Augmentation de la taille de la rate.
- Parfois douleurs musculaires.
- Éruption possible.
- Douleurs au ventre.

RELAXATION

Encouragez votre enfant à se relaxer en lui faisant pratiquer des exercices de yoga ou de respiration ventrale. Les exercices doivent être courts et adaptés aux enfants, mais réguliers. Les massages et les autres thérapies par le toucher, de même que l'aromathérapie (*voir p. 325*) permettront aussi de réduire le stress et la tension de votre enfant et de lui redonner un sentiment de bien-être.

Traitement

Si vous pensez que votre enfant souffre d'une mononucléose infectieuse, conduisez-le chez un médecin immédiatement. Le test de Paul-Bunnell-Davidsohn est la meilleure manière de faire le diagnostic. Il s'agit d'analyser le sang à la recherche des anticorps spécifiques du virus et d'une augmentation du nombre des monocytes, le type de globules blancs d'où la maladie tire son nom.

Si le test est positif, cela éliminera d'autres infections aux symptômes similaires. En effet, la mononucléose provoque les mêmes douleurs musculaires que la grippe (*voir p. 225*) ; elle entraîne des maux de gorge et une inflammation des amygdales qui peuvent faire penser à une amygdalite (*voir p. 223*) parfois, elle débute par une éruption semblable à celle de la rubéole (*voir p. 264*).

L'infection étant causée par un virus, les antibiotiques sont inutiles et peuvent même provoquer une éruption sur tout le corps. Le médecin demandera à votre enfant de garder le lit jusqu'à ce que la fièvre tombe.

Conduite à tenir

La maladie doit suivre son cours, mais vous pouvez soulager certains symptômes. Votre enfant doit boire beaucoup et ne pas trop se fatiguer. Donnez-lui de l'acétaminophène pour réduire la fièvre. Laissez-le se coucher ou jouer comme il le souhaite.

L'infection se transmet facilement : il suffit d'un baiser sur la bouche. Il faut donc éviter que votre enfant entre en contact étroit avec d'autres enfants.

Différentes mesures vous permettront de stimuler le système immunitaire de votre enfant afin qu'il lutte mieux contre le virus. Faites-lui suivre un régime sain comprenant au moins 5 portions de fruits et de légumes par jour, et du poisson gras au moins 2 fois par semaine.

Toute carence alimentaire peut aggraver sa fatigue. Donnez-lui des compléments multivitaminés et minéraux. S'il n'aime pas le poisson gras, versez de l'huile de foie de morue sur le poisson qu'il mangera.

La phytothérapie peut aussi aider à stimuler les capacités d'autoguérison de l'organisme en renforçant le système immunitaire. L'échinacée (*voir p. 322*) est un véritable stimulant à prendre en continu ou en alternance avec d'autres plantes médicinales à effet antiviral. Vous pouvez y associer des remèdes homéopathiques (*voir p. 321*). Consultez un homéopathe afin qu'il détermine le remède qui convient à votre enfant. Prendre de forte dose de ce remède peut lui redonner des forces.

Complications possibles

La complication la plus courante est l'hépatite (*voir p. 261*). Plus rarement, on peut diagnostiquer une pneumonie (*voir p. 227*) ou une rupture de la rate. Des troubles du système nerveux, de la circulation sanguine et des voies respiratoires peuvent aussi se développer.

Suites éventuelles

La plupart des enfants pourront retourner à l'école au bout de deux semaines, mais certains auront besoin de plus de repos. Votre enfant devra tout de même éviter les activités sportives trop énergiques pendant plusieurs semaines afin de ne pas trop se fatiguer. Il arrive – rarement – que des enfants développent le syndrome de fatigue chronique (*voir p. 296*).

PALUDISME

Maladie grave des régions subtropicales et tropicales, le paludisme réapparaît du fait d'un tourisme de plus en plus fréquent vers ces destinations. Le paludisme est provoqué par un parasite qui pénètre dans le sang suite à la piqûre d'un moustique infecté.

Causes

Le paludisme est causé par un protozoaire appelé *Plasmodium* qui se transmet par les moustiques. Une fois arrivé dans le foie, le parasite va évoluer pour coloniser les globules rouges ; c'est à ce moment-là que les symptômes de la maladie se développent.

Traitement

Consultez immédiatement un médecin si vous pensez que votre enfant est contaminé. Si c'est le cas, un traitement antipaludique lui sera administré. Emmenez votre enfant aux urgences les plus proches, s'il présente l'un des symptômes suivants : convulsions, somnolence, ictère ou pâleur extrême de la peau. En cas de complications, une prise en charge dans une unité de soins intensifs sera peut-être nécessaire. S'il est soigné rapidement, votre enfant se remettra en quelques jours, au maximum en deux semaines, selon la gravité de la crise. La forme la plus grave du parasite, *Plasmodium falciparum*, peut être mortelle s'il y a des complications au niveau du cerveau ou des reins.

PROTECTION

Si vous projetez de vous rendre dans une région où sévit le paludisme, commencez un traitement antipaludique plusieurs jours avant votre départ et continuez-le pendant tout votre séjour. Demandez à votre médecin quel est le médicament recommandé pour la zone où vous allez. Vous éviterez les piqûres de moustique en portant des vêtements couvrants, et en utilisant des répulsifs et des moustiquaires.

SYMPTÔMES

Les symptômes du paludisme se développent en général entre 6 et 30 jours après l'infection. Parfois, ils peuvent apparaître jusqu'à 1 an après, si l'enfant a suivi un traitement antipaludique qui n'a pas été totalement efficace.

Symptômes principaux :

- Forte fièvre et tremblements.
- Maux de tête.

Autres symptômes :

- Nausée, vomissements.
- Douleurs abdominales et dorsales.
- Douleurs articulaires.

Le Plasmodium falciparum *peut entraîner de très graves complications affectant les reins, le foie, le cerveau et le sang.*

FIÈVRE TYPHOÏDE

La fièvre typhoïde est provoquée par une bactérie qui infecte le système digestif. Les enfants contractent la maladie en consommant de la nourriture ou de l'eau contaminée par les fèces d'un individu infecté.

Causes

La fièvre paratyphoïde, maladie similaire à la typhoïde, mais moins virulente, est provoquée par le germe *Salmonella paratyphi*. Une fois dans le système digestif, la bactérie pénètre dans le sang et provoque fièvre et autres symptômes de septicémie. La maladie est courante partout où l'hygiène est mauvaise et où les mouches transportent la bactérie des fèces humaines aux aliments et à l'eau.

Traitement

Consultez dans les 24 heures si votre enfant présente des symptômes de la fièvre typhoïde. Si le médecin pense que votre enfant est atteint, il lui fera faire des analyses de selles, d'urine ou de sang pour confirmer son diagnostic. Le cas échéant, il lui prescrira un traitement à base d'antibiotiques qui pourra lui être administré par intraveineuse si les symptômes sont sévères. Les enfants atteints commencent à se

SYMPTÔMES

Période d'incubation : 7 à 14 jours

- Forte fièvre (39-40 °C) qui ne diminue jamais et peut durer jusqu'à 4 semaines.
- Maux de tête.
- Manque d'énergie.
- Douleurs abdominales.
- Constipation ou diarrhée.
- Éruption de papules roses sur l'abdomen et le torse qui se développe au cours de la 2e semaine de maladie et dure environ 1 jour.
- Hémorragie, perforation intestinale ou autres complications peuvent survenir vers la 3e semaine si l'infection n'est pas soignée.

sentir mieux au bout de quelques jours de traitement et guérissent complètement en 2 à 3 semaines.

Complications possibles
Quand la prise en charge est rapide, les complications telles que l'hémorragie interne, la pneumonie (*voir p.* 227), la méningite (*voir p.* 294) et la cholécystite sont rares.

Protection
Le vaccin contre la typhoïde protège contre la maladie. Toutefois, pour certains pays, mieux vaut faire un rappel avant de partir.

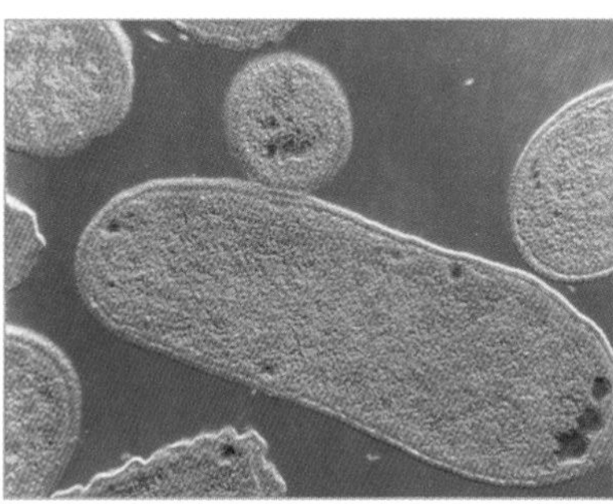

SALMONELLA TYPHI Germe responsable de la fièvre typhoïde. La bactérie envahit les parois de l'intestin grêle pour pénétrer dans le sang.

SÉROPOSITIVITÉ ET SIDA

Pour la plupart des enfants atteints du VIH (virus de l'immunodéficience humaine) ont été contaminés par leur mère. Le traitement de la mère pendant sa grossesse réduit les risques de transmission. Le virus ne provoque que peu de symptômes, mais il détériore le système immunitaire et entraîne le SIDA (syndrome d'immunodéficience acquise), ce qui va permettre à des maladies de se développer.

SYMPTÔMES

La plupart des nouveau-nés infectés vont présenter des symptômes avant leurs 2 ans. Cependant, certains ne développeront aucuns symptômes avant leurs 5 ans. Voici certains des multiples symptômes possibles :

- Atrophie.
- Diarrhée récurrente.
- Gonflement des ganglions lymphatiques dans le cou, aux aisselles et à l'aine.
- Infections fréquentes, en particulier des oreilles et des sinus, souvent accompagnées de fièvre.
- Pneumonie.
- Retard de croissance.

Causes
L'infection par le VIH se fait par contact direct avec du sang contaminé ou via des produits sanguins utilisés en transfusion. Les particules du virus se fixent aux globules blancs pour les détruire, rendant ainsi le système immunitaire moins efficace. Le corps s'affaiblit peu à peu jusqu'à ce que le système immunitaire ne soit plus capable de résister et laisse se développer des maladies qui peuvent être mortelles comme la pneumonie (*voir p.* 227) ou la tuberculose.

La quasi-totalité des cas de VIH chez les enfants est due à la transmission du virus par une mère séropositive pendant la grossesse ou à la naissance. On parle de transmission périnatale.

Traitement
Les enfants séropositifs ou atteints du SIDA nécessitent des soins très particuliers. Lorsqu'un médecin suspecte le VIH chez un bébé, il procède, avec le consentement des parents, à une analyse de sang. S'il y a présence d'anticorps anti-VIH, le bébé a été exposé au virus. Cela ne signifie pas qu'il est infecté. En effet, bien que son sang puisse être porteur pendant un an ou plus des anticorps anti-VIH de sa mère, la présence du virus n'est pas certaine : un test pratiqué dans les quatre premiers mois de vie la confirmera ou pas.

Le médecin prescrira éventuellement des médicaments, comme l'AZT (zidovudine), pour attaquer le virus et ralentir le développement de la maladie. L'injection régulière de gammaglobulines et de médicaments antibactériens peut aussi améliorer l'état de l'enfant en prévention ou pour lutter contre des infections opportunistes comme la pneumonie.

Conduite à tenir
L'allaitement est déconseillé aux mamans séropositives, car il existe un petit risque de transmettre le virus par le lait. Si la mère a été traitée pendant sa grossesse et n'a pas allaité son bébé, le risque est inférieur à 5 %. Si l'enfant est malgré tout séropositif ou atteint du SIDA, le médecin traitant indiquera à ses parents comment réagir face à la maladie.

Perspectives
Le nombre d'enfants séropositifs qui atteignent l'âge adulte est croissant. Mais, la nature progressive de cette infection fait que presque toutes les personnes infectées succombent.

TROUBLES UROGÉNITAUX

Ils comprennent toute une variété de maladies, allant de l'énurésie à la glomérulonéphrite.

CONTENU DU CHAPITRE

La plupart des infections urinaires disparaissent rapidement avec un traitement. Néanmoins, même les troubles touchant les reins, la vessie ou les parties génitales, doivent faire l'objet d'un examen médical afin de vérifier l'absence de malformation de naissance. Il existe aujourd'hui des traitements contre les maladies rénales les plus graves, comme la glomérulonéphrite ou la tumeur de Wilm, le cancer du rein le plus fréquent chez l'enfant.

ANATOMIE DU SYSTÈME UROGÉNITAL

APPAREIL UROGÉNITAL FÉMININ
L'appareil urinaire féminin – reins, uretères et vessie – filtre les déchets de l'organisme, les excédents d'eau et ceux de sels minéraux dans le sang. L'appareil génital, composé des deux ovaires, de l'utérus et de différents canaux, produit des hormones et à partir de la puberté un ou plusieurs ovules par mois.

APPAREIL UROGÉNITAL MASCULIN
L'appareil urinaire masculin se compose aussi des reins, des uretères et de la vessie. L'urine, puis après la puberté, le sperme sont excrétés via l'urètre et le pénis. Les testicules produisent des hormones responsables des caractéristiques masculines qui apparaissent à la puberté.

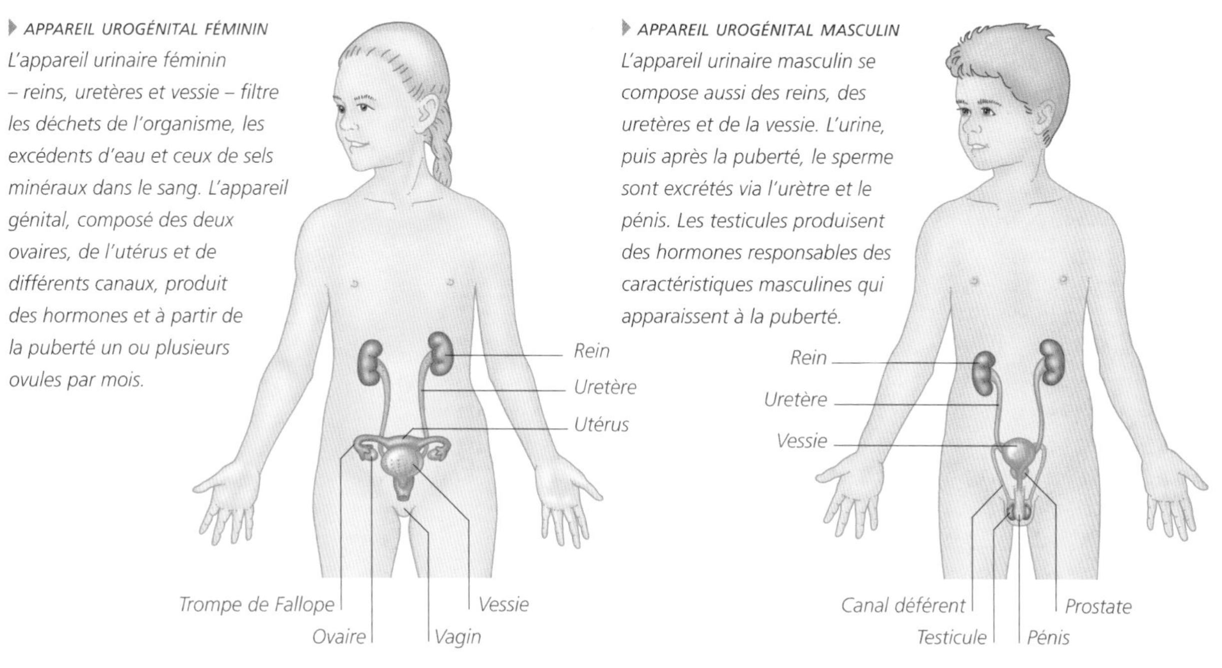

ÉNURÉSIE NOCTURNE

L'âge auquel les enfants deviennent propres la nuit varie énormément : rares sont ceux qui peuvent contrôler leur vessie avant 3 ans et il est fréquent que les draps soient mouillés. C'est normalement entre 3 et 5 ans que les choses s'améliorent. Si ce n'est pas le cas ou si votre enfant recommence à faire pipi au lit après avoir été propre, il souffre peut-être d'énurésie.

CALENDRIER AUX ÉTOILES *Coller une étoile chaque nuit où il n'a pas fait pipi au lit est une manière amusante pour l'enfant de noter ses progrès. Toute la famille le félicitera de ses bons résultats.*

Causes

L'énurésie est en général due à une immaturité de la partie du système nerveux qui contrôle la vessie. Ce trouble peut également se développer si l'enfant souffre d'une infection urinaire (*voir p.* 275) ou d'anxiété (*voir p.* 130). Plus rarement, l'énurésie est due à une malformation congénitale de l'appareil urinaire ou au diabète.

Traitement

Consultez un médecin si votre enfant fait pipi au lit, en particulier s'il a 5 ans ou plus ou s'il a recommencé à mouiller ses draps après avoir été propre pendant une longue période s'étalant de 6 à 12 mois.

Le médecin l'examinera et demandera une analyse d'urine pour vérifier qu'il ne souffre pas d'une infection urinaire ou de diabète (*voir p.* 309). S'il trouve une cause physique à l'énurésie, il prescrira par exemple des antibiotiques contre une infection urinaire. Dans le cas contraire, il vous donnera probablement les conseils suivants (*voir aussi* La propreté *p.* 72 *et* 73).

Conduite à tenir

Donnez l'habitude d'aller vider sa vessie à des heures régulières de la journée et juste avant de dormir. Ne le punissez jamais pour avoir mouillé son lit car vous risqueriez d'accroître son anxiété et d'aggraver le problème. En revanche, ne manquez pas de le féliciter dès que ses draps sont propres.

Faites-lui un calendrier sur lequel il pourra coller des étoiles chaque fois qu'il n'aura pas fait pipi au lit (*voir photo*). Cela le motivera. Certains enfants deviennent propres au bout de quelques semaines sans le moindre traitement. Si votre enfant est découragé par l'affichage de ses tristes résultats, rangez le calendrier.

Si féliciter et encourager votre enfant se révèle inefficace, essayez le « dispositif d'alarme» qui peut vous être prescrit par un médecin. Il s'agit d'un appareil muni d'une sonde que l'on place dans la culotte et qui déclenche une sonnerie quand elle détecte de l'urine. L'enfant, réveillé, se lève pour aller aux toilettes. Progressivement, la quantité d'urine évacuée avant le réveil de l'enfant diminue. Après quelques mois, la plupart des enfants se réveillent avant que l'alarme sonne ou passent la nuit sans faire pipi. Vous pouvez supprimer l'appareil au bout de 6 semaines de propreté, mais réinstallez-le si l'enfant recommence à faire pipi la nuit.

La majorité des enfants deviennent propres sans traitement médical. Il existe toutefois un médicament appelé Minirin® que l'on administre par vaporisateur. Fabriqué à partir d'une hormone naturelle qui a pour effet de concentrer l'urine, il peut être efficace en quelques mois.

Il faut savoir que plus un enfant est âgé et plus sa guérison prendra du temps.

CONSEILS

- La constipation provoquant une pression sur la vessie, aidez votre enfant à aller régulièrement à la selle.
- Évitez les aliments susceptibles de provoquer une irritation de la vessie. Notez quotidiennement ce qu'il mange et si vous repérez des mets qui pourraient être la cause de son problème, supprimez-les.
- Encouragez votre enfant à éviter les boissons riches en caféine comme le lait chocolaté ou le Coca-Cola.
- Si votre enfant vient de vivre une crise émotionnelle, due à un déménagement ou un changement d'école, ou s'il est troublé par la naissance d'un petit frère ou d'une petite sœur, passez plus de temps avec lui, faites-lui des massages relaxants ou faites des exercices de yoga apaisants avec lui.
- Les remèdes homéopathiques Equisetum ou Causticum peuvent aussi aider (*voir p.* 321).

INFECTIONS URINAIRES

En général, les filles souffrent plus souvent d'infections urinaires que les garçons, sauf chez les nouveau-nés, où c'est le contraire. Les infections urinaires touchent l'urètre (urétrite), la vessie (cystite) et/ou les reins (pyélonéphrite). Un traitement rapide empêchera une lésion des reins, à laquelle les enfants de moins de 5 ans ont tendance à être sujet. Les lésions dans les reins causées par des infections récurrentes peuvent provoquer une hypertension artérielle, voire une défaillance rénale à l'âge adulte.

SYMPTÔMES

Chez les enfants de moins de 2 ans :
- Fièvre.
- Diarrhée.
- Vomissements.
- Manque d'énergie ou irritabilité.

Chez les enfants plus âgés, les symptômes sont plus spécifiques :
- Sensation de brûlure à la miction.
- Miction de plus en plus fréquente.
- Douleur dans le bas du dos ou d'un côté du ventre.
- L'enfant fait pipi au lit alors qu'il est normalement propre.
- Urine rougeâtre, rosée ou trouble du fait de la présence de sang.
- Fièvre.

Causes

La cause la plus courante de l'infection urinaire est une bactérie en provenance du rectum qui va pénétrer dans l'urètre, mais des bactéries peuvent aussi arriver dans l'appareil urinaire via la circulation sanguine. Si les filles sont plus sujettes aux infections que les garçons, c'est pour la simple raison que leur urètre est plus court.

Les enfants souffrant de reflux urinaire sont aussi particulièrement sujets aux infections. Ils ont un défaut anatomique qui fait que lorsque leur vessie se vide, un peu d'urine remonte vers leurs reins. Les enfants souffrant d'autres malformations congénitales de l'appareil urinaire, de constipation chronique (*voir p. 255*) ou dont les reins ont subi des lésions lors d'une précédente infection, sont aussi plus susceptibles de contracter une infection.

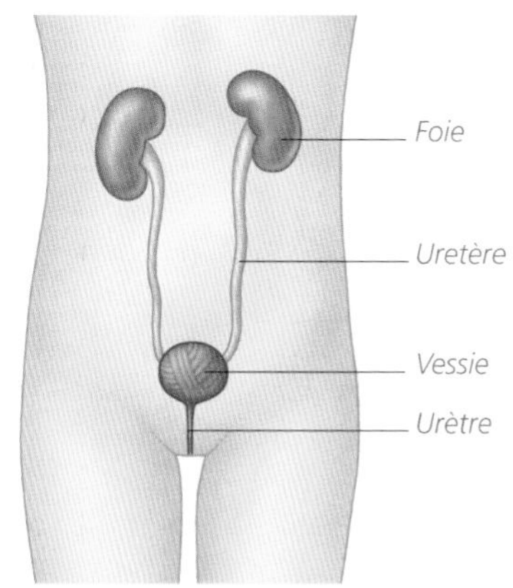

SITES INFECTÉS *Une infection urinaire peut affecter uniquement l'urètre, mais il est fréquent qu'elle remonte jusqu'à la vessie voire aux reins.*

Traitement

Consultez dans les 24 heures si votre enfant semble souffrir d'une infection urinaire. Le médecin lui fera probablement faire une analyse d'urine. S'il s'agit d'un bébé, il peut vous envoyer à l'hôpital pour qu'on lui vide la vessie à l'aide d'un cathéter. Des tests seront effectués pour éliminer toute autre maladie et confirmer le diagnostic.

Le cas échéant, le médecin prescrira jusqu'à une semaine d'antibiotiques par voie orale. Si votre enfant est sérieusement atteint, il faudra peut-être le soigner à l'hôpital pour lui administrer des antibiotiques par intraveineuse. Un jour ou deux après la fin du traitement, l'urine de votre enfant sera de nouveau analysée ; si l'infection est encore présente, un nouveau traitement à base d'antibiotiques sera administré.

Il se peut que le médecin veuille faire des examens supplémentaires pour vérifier l'état des reins de votre enfant ou la présence d'une malformation de l'appareil urinaire. De même, il peut vouloir réaliser des tests spéciaux pour éliminer une possibilité de reflux urinaire. Les enfants souffrant de reflux urinaire étant souvent sujets à des infections récurrentes, ils peuvent recevoir des antibiotiques pendant plusieurs années à titre préventif.

Conduite à tenir

Faites boire votre enfant abondamment. L'absorption de liquide va diluer son urine, soulager sa douleur au moment de la miction, et l'aider à se débarrasser de la bactérie. Cela devrait aussi stimuler son système immunitaire, améliorer son état de santé général et le rendre plus résistant face à l'infection.

Pour éviter les récidives, encouragez votre enfant à uriner toutes les 4 heures au minimum (avant chaque repas) et avant d'aller se coucher.

Les petites filles doivent apprendre à s'essuyer d'avant en arrière afin d'éviter la propagation des bactéries entre le rectum et l'urètre. Elles ont aussi intérêt à se doucher régulièrement et à éviter les produits lavants irritants (savons parfumés, bain moussant...).

Enfin, veillez à traiter rapidement tout problème de constipation.

GLOMÉRULONÉPHRITE

Il s'agit d'une inflammation des glomérules du rein qui sont chargés de la filtration. Elle entraîne une diminution de la production d'urine et le passage de sang et de protéines dans l'urine. Ce trouble est parfois lié à une infection streptococcique ou à un virus.

HÉMATURIE La présence de sang change l'apparence de l'urine; cette dernière, normalement jaune pâle et transparente, sera plus sombre et plus trouble.

Traitement

Consultez immédiatement si vous pensez que votre enfant peut être atteint d'une glomérulonéphrite. Il est probable que le médecin demande une analyse d'urine et une mesure des quantités de liquide absorbé et excrété. Si le diagnostic est confirmé, votre enfant sera hospitalisé. Pour soulager ses reins et éviter la rétention de liquide, il sera mis à un régime pauvre en sel et sans protéines et on limitera ses boissons. L'alitement n'est pas obligatoire.

Si l'affection a été causée par une infection d'origine bactérienne, un traitement à base d'antibiotiques pourra être prescrit. En cas d'hypertension artérielle, un traitement adapté sera proposé jusqu'à ce que la tension redevienne normale.

Avec un traitement, on guérit en 1 semaine. Cette maladie n'a en général aucune conséquence à long terme et n'est pas récidivante. Très rarement, elle est suivie d'un syndrome néphrotique (*voir ci-dessous*).

SYMPTÔMES

Dans le cas de la glomérulonéphrite due à une infection, les symptômes apparaissent environ 1 semaine après l'infection. On observe les symptômes suivants :

- Urine rouge, rosée ou trouble du fait de la présence de sang (*voir la photo à gauche*)
- Quantité d'urine réduite
- Parfois, maux de tête

Du liquide peut s'accumuler dans les tissus provoquant un œdème, en particulier du visage et des jambes. L'hypertension est une complication possible mais rare.

SYNDROME NÉPHROTIQUE

Trouble peu fréquent qui affecte principalement les enfants de 1 à 6 ans. Les reins évacuent trop de protéines dans l'urine tandis que le taux réduit de protéines dans le sang provoque un œdème c'est-à-dire l'accumulation excessive de liquide dans les tissus corporels.

Traitement

Si votre enfant présente un œdème, consultez un médecin dans les 24 heures. Ce dernier l'examinera et lui fera faire une analyse d'urine pour détecter la présence de protéines. S'il suspecte un syndrome néphrotique, il demandera l'hospitalisation de votre enfant pour des analyses complémentaires. Si le diagnostic se confirme, ce dernier recevra des corticostéroïdes.

Son état devrait s'améliorer en 10 jours, l'œdème devrait diminuer et le poids revenir à la normale. Votre enfant sera probablement gardé à l'hôpital jusqu'à ce que les analyses montrent une réduction notoire de sa protéinurie.

Conduite à tenir

Après son séjour à l'hôpital, votre enfant devra peut-être faire des analyses d'urine quotidiennes à l'aide de bandelettes réactives.

S'il y a protéinurie, vous devrez contacter un médecin pour lui demander quoi faire. Les enfants atteints du syndrome néphrotique sont sujets aux infections et à la formation de caillots sanguins dans les veines.

Suites éventuelles

La plupart des enfants ne font pas de rechutes. Pour ceux à qui cela arrive, le traitement aux corticostéroïdes (et/ou autre médicament) peut durer un an, voire plus.

SYMPTÔMES

Œdèmes de certaines parties du corps qui se développent en général progressivement sur plusieurs semaines.

- Réduction de la quantité d'urine excrétée.
- Prise de poids.
- Parfois, diarrhée, perte d'appétit et fatigue inhabituelle.

MALADIES DU PÉNIS ET DES TESTICULES

Les jeunes garçons peuvent souffrir de diverses affections du pénis ; parmi elles, le phimosis (prépuce trop étroit), le paraphimosis (prépuce trop étroit et rétracté), la balanite (inflammation du gland et du prépuce) et l'hypospadias (ouverture de l'urètre anormalement placée). Les troubles les plus fréquents touchant les testicules sont l'hydrocèle (accumulation anormale de liquide autour d'un testicule) et le testicule non descendu. Les adolescents sont sujets à la torsion et à l'inflammation des testicules (orchite).

PROBLÈMES DE PRÉPUCE

En général, le prépuce des petits garçons ne peut pas se rétracter. Il ne faut jamais essayer de dilater un pénis de force car on risque d'endommager les tissus du sexe, provoquant alors saignement, inflammation ou formation de tissu cicatriciel.

La dilatation devient possible entre 1 et 2 ans, mais certains garçons ne pourront pas le faire avant 4 ans. Plus tard, l'impossibilité de dilatation du pénis est pathologique.

Causes

La résistance du prépuce peut être due au fait que certains des tissus qui le joignent au pénis ne se sont pas complètement résorbés après la naissance. Mais il peut aussi s'agir d'un phimosis, c'est-à-dire d'une étroitesse de l'anneau du prépuce (*voir ci-dessous*). Le phimosis peut être congénital ou provoqué par la formation de tissu cicatriciel due à une inflammation (*voir* Balanite, *p. 278*) ou à une tentative de dilatation forcé. Les petits garçons souffrant de phimosis sont particulièrement sujets aux infections urinaires (*voir p. 275*).

Traitement

Consultez un médecin si votre enfant a plus de 4 ans et que son prépuce ne se retrousse pas et/ou s'il a des mictions difficiles. Le médecin l'examinera et s'il souffre d'un phimosis, vous recommandera peut-être une circoncision, opération qui consiste à ôter le prépuce (*voir p. 278*). Si le prépuce est accolé au pénis et que le diamètre de son ouverture est correct, il est possible de séparer les tissus chirurgicalement. Ces deux opérations sont pratiquées sous anesthésie générale.

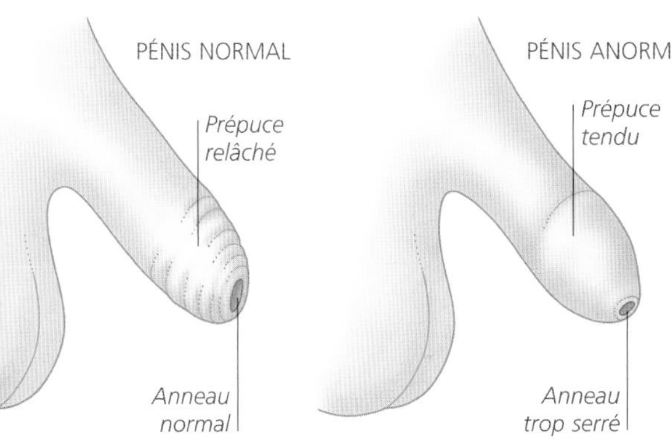

PHIMOSIS *Lorsque l'ouverture du prépuce est anormalement étroite, il se tend et a du mal à se rétracter sur le gland. La miction peut devenir difficile.*

SYMPTÔMES

Le ***phimosis*** *n'a qu'un symptôme : la difficulté à rétracter le prépuce. L'étroitesse de l'ouverture du prépuce peut causer :*

- Le gonflement du prépuce lors de la miction.
- Une finesse extrême du jet d'urine.

La ***balanite*** *provoque :*

- Gonflement du pénis et du prépuce chez les enfants non circoncis.
- Douleurs ou démangeaisons.
- Écoulements blancs du pénis.
- Rougeur et moiteur des parties génitales.

La ***torsion du testicule*** *provoque :*

- Douleur soudaine et forte dans l'abdomen.
- Forte douleur au testicule.
- Le testicule affecté peut se trouver beaucoup plus haut que la normale dans le scrotum.
- Parfois, nausées et vomissements.
- Au bout de quelques heures, le scrotum peut enfler, rougir et devenir douloureux.

*L'****orchite*** *provoque :*

- Douleur dans le testicule.
- Parfois, fièvre.

HYGIÈNE

- Enseignez à votre fils comment laver son pénis lors de son bain ou de sa douche. N'oubliez pas que la dilatation est parfois impossible jusqu'à l'âge de 4 ans ; il ne faut donc en aucun cas forcer le prépuce à se rétracter.
- Après la toilette à l'eau chaude, tapoter doucement le pénis avec une serviette pour le sécher. Essayez de ne pas en frotter la peau pour éviter de l'irriter.
- Préférez les sous-vêtements en coton à ceux en synthétique.

PARAPHIMOSIS

Le paraphimosis est dû au fait de retrousser de force un prépuce atteint d'un phimosis (*voir p. 277*). Le prépuce reste coincé en position rétractée et provoque un gonflement du pénis douloureux.

Traitement

Si le prépuce de votre fils est coincé en position rétractée, emmenez-le immédiatement aux urgences. Un médecin se chargera de remettre son prépuce en position normale en compressant son pénis après l'avoir anesthésié ou lui avoir donné un sédatif.

Dans certains cas, le médecin peut être obligé de faire une incision dans le prépuce pour le libérer. Le paraphimosis peut devenir un problème récurrent auquel cas une circoncision est conseillée (*voir ci-dessous*).

BALANITE

La balanite est l'inflammation du prépuce ou du gland provoquée en général par une bactérie ou un champignon. La cause en est souvent une mauvaise toilette du pénis. Le phimosis (*voir p. 277*) rendant la toilette du sexe difficile, les enfants qui en souffrent sont particulièrement sujets aux inflammations. La balanite peut aussi être provoquée par les produits chimiques contenus dans les lessives et les savons ou par des matières irritantes comme la laine.

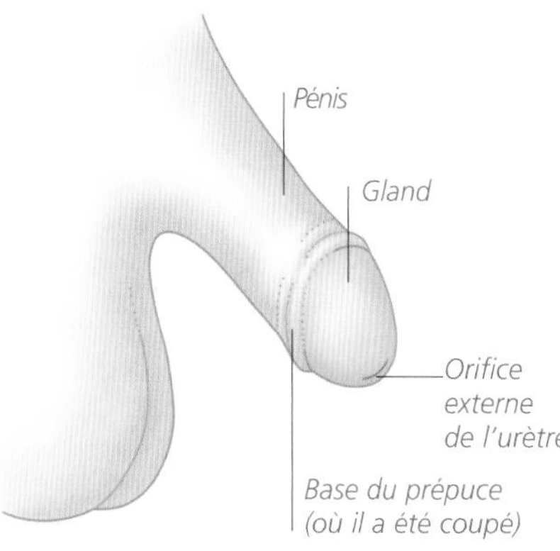

CIRCONCISION *Cette opération, recommandée en cas d'étroitesse du prépuce ou de balanite récurrente, consiste à couper le prépuce afin de dénuder le gland.*

Conduite à tenir

Dans la plupart des cas, la balanite disparaît grâce à une simple amélioration de l'hygiène. Assurez-vous que votre fils lave ses parties génitales deux fois par jour. Lorsque l'inflammation aura disparu, il devra continuer à laver son pénis avec soin tous les jours pour éviter une rechute. Si la balanite est due à une irritation provoquée par des produits ou une matière, veillez à ce que votre fils ne porte que des sous-vêtements en coton correctement rincés après lavage. Il devra éviter les savons parfumés.

Traitement

Si la balanite ne disparaît pas en 3 jours grâce à ces mesures, emmenez votre enfant chez un médecin. Il lui prescrira probablement une crème antibiotique ou antifongique ou encore un antibiotique oral. Ce traitement viendra normalement à bout de l'infection en une semaine.

Si votre fils souffre d'une balanite récurrente, le médecin vous recommandera peut-être une circoncision (*voir l'illustration*). Il peut aussi être utile de stimuler le système immunitaire de votre enfant pour l'aider à résister à l'infection (*voir p. 163*).

HYDROCÈLE

Il s'agit du gonflement indolore du scrotum dû à l'accumulation de fluide dans l'espace qui entoure le testicule. L'hydrocèle est commune chez les nouveau-nés et disparaît en général sans traitement vers l'âge de 6 mois. L'apparition soudaine d'une hydrocèle chez un garçon plus âgé peut être due à un choc.

Traitement

Si le gonflement du scrotum persiste après l'âge de 6 mois ou s'il apparaît après cet âge, consultez un médecin, car l'hydrocèle peut alors être associée à une hernie inguinale (*voir* Hernie, *p. 260*), ce qui implique une opération chirurgicale.

Lorsqu'une hydrocèle apparaît chez un garçon plus âgé, consultez : il est probable qu'elle résulte d'un choc et qu'elle guérisse sans traitement. Cependant, le médecin procédera à des examens dont une échographie pour vérifier que le testicule n'est pas endommagé.

ECTOPIE DU TESTICULE

Chez certains garçons, il arrive qu'un ou que les deux testicules ne soient pas descendus dans le scrotum avant la naissance. Les testicules sont examinés chez tous les nouveau-nés. S'il y a ectopie du testicule, on réexaminera le bébé à 3 mois, car il arrive souvent que la descente se fasse jusqu'à cet âge.

Traitement

Si à 3 mois, le testicule n'a pas bougé, il est probable qu'une opération soit nécessaire pour le faire descendre. Elle est en général pratiquée vers 2-3 ans. Si l'opération est réalisée à temps, le développement sexuel de votre enfant et sa fertilité ne devraient pas être affectés. Toutefois, il aura un risque légèrement plus élevé de contracter un jour un cancer du testicule.

TORSION DU TESTICULE

La torsion du testicule correspond à une torsion du cordon spermatique (ensemble du canal déférent, des veines et artères reliés au testicule) qui provoque une coupure ou une réduction de l'irrigation sanguine du testicule. La douleur est intense. L'intervention doit être rapide pour éviter que le testicule affecté soit endommagé à vie.

Traitement

Si votre fils se plaint de fortes douleurs à l'un des testicules, appelez immédiatement le 911 ou emmenez-le aux urgences où il subira une opération qui consiste à détordre le cordon spermatique et à fixer les testicules dans le scrotum. Si le testicule est nécrosé, il sera retiré. Si votre fils est traité à temps, son testicule devrait fonctionner normalement. S'il a dû subir une ablation du testicule, le second lui permettra toutefois d'avoir une vie sexuelle normale.

ORCHITE

Il s'agit d'une inflammation de l'un ou les deux testicules et qui fait en général suite aux oreillons (*voir p. 268*). Mais elle peut aussi être provoquée par une infection d'origine bactérienne qui pénètre dans le pénis et se propage le long du canal déférent. Le testicule touché est rouge et gonflé et parfois extrêmement douloureux.

Traitement

Si votre fils n'a pas eu les oreillons dans les deux semaines précédant la douleur, appelez immédiatement le 911 ou emmenez-le aux urgences : il peut s'agir d'une torsion du testicule.

Si votre enfant a eu les oreillons récemment, emmenez-le chez un médecin dans les 24 heures. Donnez-lui de l'acétaminophène pour soulager la douleur. En cas d'infection bactérienne, le médecin lui prescrira probablement des antibiotiques. L'orchite n'est pas une maladie grave et se guérit normalement en une semaine. Il arrive parfois que ce trouble provoque une baisse de la fertilité à l'âge adulte.

VULVOVAGINITE

Cette inflammation de la vulve et du vagin est fréquente chez les petites filles. Elle est due à une mauvaise hygiène, au port de vêtements trop serrés, à l'utilisation de bain moussant ou de savon parfumé. Mais parfois, on ne parvient pas à en déterminer la cause. Les tissus de la vulve et du vagin étant particulièrement sensibles, la sensation de démangeaison s'aggrave dès que l'enfant se gratte.

SYMPTÔMES

- Inflammation, douleur et démangeaisons affectant les parties génitales.
- Douleur à la miction.
- Sécrétions vaginales verdâtres ou jaune grisâtre (quand la cause est bactérienne) qui peuvent être malodorantes si l'infection est due à un corps étranger dans le vagin.
- Pertes blanches épaisses s'il y a mycose.

Causes

Outre les causes évoquées ci-dessus, des bactéries en provenance du rectum peuvent aussi infecter vulve et vagin si votre fille s'essuie d'arrière en avant après la selle. Moins souvent, l'infection bactérienne peut être provoquée par la présence d'un corps étranger (crayon, tampon…) dans le vagin. Les petites filles peuvent aussi attraper des oxyures (*voir p. 262*). Après la puberté, il est fréquent que l'infection soit mycosique.

Traitement

Si votre fille ne se sent pas bien, a des sécrétions vaginales anormales ou a mal lors de la miction, emmenez-la chez un médecin dans les 24 heures. Consultez aussi si d'autres symptômes persistent pendant plus de deux semaines. Si le médecin pense qu'elle a peut-être un corps étranger coincé dans le vagin, il vous enverra à l'hôpital pour que celui-ci puisse être retiré sous anesthésie.

Un prélèvement vaginal sera peut-être exigé pour vérifier s'il y a infection. Si votre fille souffre d'une infection d'origine bactérienne, un antibiotique oral ou sous forme de crème lui sera prescrit. S'il s'agit d'une mycose, elle devra appliquer une crème antifongique ou insérer des ovules dans son vagin.

En cas d'irritation persistante sans infection, le médecin peut prescrire une crème aux œstrogènes qui va renforcer les tissus de la vulve et les parois du vagin.

Conduite à tenir

Lorsqu'elle n'est pas due à une infection, il suffit en général de quelques mesures simples (*voir p. 215*). Deux fois par jour, faites prendre un bain de siège à votre fille en utilisant ni savon parfumé ni bain moussant. Après sa toilette, appliquez une crème protectrice (pommade à l'oxyde de zinc par exemple) sur sa vulve. Faites-lui porter des sous-vêtements larges en coton. Elle doit en changer quotidiennement.

Si possible, il faudra qu'elle laisse ses parties génitales à l'air pendant un petit moment chaque jour.

Enfin, pour qu'aucune matière fécale irritante ne se dépose sur la vulve ou dans le vagin, veillez à ce qu'elle s'essuie toujours d'avant en arrière après la selle.

PROBLÈMES OSSEUX ET MUSCULAIRES

Les enfants sont sujets à des troubles musculaires et osseux, mais en guérissent assez facilement.

CONTENU DU CHAPITRE

Les enfants sont particulièrement fragiles des muscles, des os et des articulations : il est courant qu'ils souffrent de fractures, d'entorses, de déchirures musculaires, de crampes ou de luxations. Cela est dû au fait qu'ils bougent beaucoup alors que leurs os et leurs articulations sont encore immatures et en pleine croissance. Certains troubles, comme la myopathie de Duchenne, sont la conséquence d'anomalies génétiques. Les malformations bénignes du squelette comme les pieds en dedans ou en dehors sont courantes.

ANATOMIE DU SQUELETTE

COMMENT FONCTIONNE LE SQUELETTE

Le squelette est la structure interne du corps. Il sert de support aux tissus mous, protège les organes et fournit des points d'ancrage aux muscles. Au cours de l'enfance, il ne cesse de croître et de changer de forme. La plupart des os longs des enfants contiennent du cartilage, lequel croît en absorbant du calcium et se transforme en os. Dans les os des membres, des pieds et des mains qui sont ceux qui grandissent le plus, on distingue ainsi la diaphyse, partie moyenne des os, et les épiphyses, extrémités des os. Tout au long de l'enfance, la plaque cartilagineuse située entre épiphyse et diaphyse se transforme peu à peu en os et le corps croît jusqu'à atteindre la taille adulte à la fin de l'adolescence.

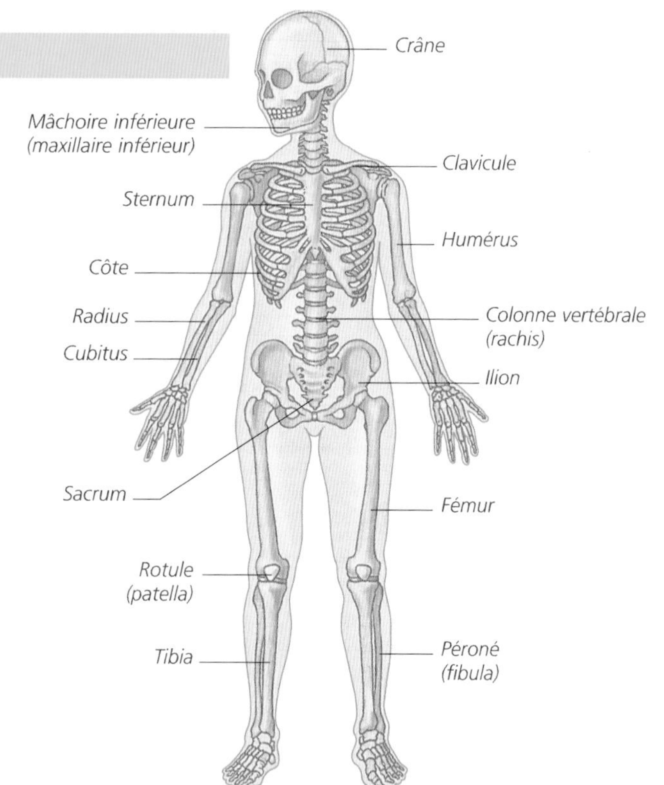

BOITERIE

Une boiterie est en général provoquée par une blessure bénigne qui va guérir d'elle-même. Toutefois, il est possible que derrière se cache une autre maladie nécessitant un traitement rapide. Il ne faut donc jamais l'ignorer.

Causes

Les troubles touchant une articulation, un muscle ou un os situé près de la hanche, dans la jambe ou dans le pied peuvent provoquer une boiterie. La localisation de la douleur peut induire en erreur : une malformation de la hanche provoquera ainsi une douleur dans la cuisse ou le genou. Quelques causes possibles : rhume de hanche, infection des os ou des articulations, maladie de Legg-Perthes-Calvé, déchirure musculaire, arthrite chronique juvénile (*voir p. 285 à 288*), verrue plantaire (*voir p. 231*), écharde dans le pied.

Mais un enfant peut aussi boiter à cause d'une différence de longueur entre ses deux jambes. L'un de ses os peut être trop court de naissance ou à cause d'un dysfonctionnement de la moelle épinière ou d'une infirmité motrice cérébrale (*voir p. 295*), provoquant une faiblesse musculaire d'un côté du corps. Ou bien les jambes peuvent être de même taille et la boiterie due à une luxation congénitale de la hanche (*voir p. 286*) diagnostiquée trop tard ou à une malformation de la colonne vertébrale comme une scoliose (*voir p. 287*).

Les enfants souffrant de troubles musculaires et/ou du système nerveux, avec, par exemple, la dystrophie musculaire (*voir p. 289*) ou une infirmité motrice cérébrale (*voir p. 295*), peuvent présenter une faiblesse musculaire ou un manque de coordination entraînant un défaut de marche ressemblant à une boiterie. Un enfant souffrant de troubles émotionnels ou psychologiques peut aussi se mettre à boiter.

Traitement

Emmenez votre enfant chez un médecin s'il boite sans raison évidente ou s'il est en âge de marcher et refuse de le faire. Appelez un médecin en urgence s'il a de la fièvre, présente une éruption ou des articulations chaudes et gonflées : c'est peut-être le signe d'une infection osseuse ou articulaire.

Le médecin l'examinera et prescrira peut-être des radios, des analyses de sang et/ou un scanner. Il est possible qu'il vous envoie consulter un chirurgien orthopédiste, faire des examens complémentaires à l'hôpital ou que l'on garde votre enfant en observation. Le traitement dépendra de la cause.

Les boiteries dues à une blessure bénigne disparaissent en quelques jours, les autres dès que l'on en a traité la cause. Dans quelques cas, toutefois, la cause ne peut pas être supprimée (jambes de longueurs inégales par exemple) et l'enfant continue de boiter.

DÉCHIRURE MUSCULAIRE ET ENTORSE

Souvent provoquées par une chute ou une activité physique, ces blessures peuvent être traitées à la maison. Lorsque l'enfant fournit trop d'efforts, les fibres d'un muscle peuvent s'abîmer : il y a alors déchirure musculaire. L'entorse, elle, est due à la distorsion d'une articulation avec étirement ou rupture de ligaments.

SYMPTÔMES

- Douleur augmentant lorsque l'on bouge le membre blessé.
- Gonflement.
- Crampe (rigidité du muscle due à des contractions involontaires).
- Boiterie, si c'est la jambe qui est touchée.
- Ecchymose qui apparaît quelques jours après la blessure.

Traitement

Emmenez votre enfant chez un médecin si la douleur et le gonflement sont importants juste après qu'il se soit blessé, par exemple si votre enfant ne réussit plus à marcher après s'être tordu la cheville. Consultez également si des symptômes plus bénins ne se sont pas améliorés en quelques jours.

Le médecin examinera la blessure et demandera peut-être une radio (*voir* Fracture et luxation *p. 283*). S'il est nécessaire de faire une contention à votre enfant, il devra peut-être utiliser des béquilles ou porter une écharpe.

Lorsque la déchirure ou l'entorse est très sévère, le médecin peut prescrire des anti-inflammatoires non-stéroïdiens (AINS) pour soulager douleur et gonflement, et accélérer la guérison. Votre enfant devra alors peut-être porter une attelle ou un plâtre.

Conduite à tenir

Pendant les 48 heures suivant la blessure, vous pouvez soigner l'entorse vous-même (*voir p. 339*) : appliquez de la glace, faites une contention et surélevez le pied.

Ne chauffez pas la blessure pendant les 48 premières heures. Si votre enfant a très mal, donnez-lui de l'acétaminophène. La douleur et le gonflement devraient diminuer après 1 à 2 jours de repos. Il pourra alors reprendre prudemment ses activités. Les crèmes homéopathiques à base d'Arnica se révèlent utiles si on les applique juste après la blessure.

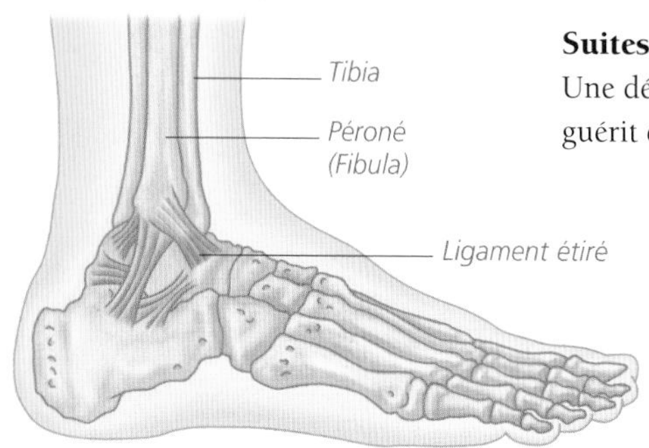

ENTORSE DE LA CHEVILLE
La cheville est l'articulation qui souffre le plus souvent d'entorse. La lésion survient par exemple lorsque l'enfant se tord le pied en tombant.

Suites éventuelles

Une déchirure ou une entorse bénigne guérit en 2 semaines. Dès que la douleur aura disparu, le médecin conseillera à votre enfant des exercices pour renforcer le membre blessé. Il peut aussi l'envoyer chez un kinésithérapeute. Si votre enfant ne laisse pas au ligament ou au muscle touché le temps de guérir complètement et qu'il ne pratique pas ses exercices ensuite, il risque de ne pas se remettre complètement et d'avoir un membre ou une articulation fragilisé.

Prévention

Apprenez à votre enfant à s'échauffer avant de faire du sport ou une activité physique énergique : il s'agit de pratiquer différents mouvements mobilisant les articulations et échauffant les muscles, puis de faire quelques étirements doux.

CRAMPE MUSCULAIRE

Une crampe est une contraction soudaine et involontaire du muscle. La douleur est intense, mais dure rarement plus de quelques minutes. Le muscle est dur et compact ; il arrive qu'une bosse ou une déformation apparaisse sur le membre touché.

SYMPTÔMES

- C'est souvent le mollet qui est touché.
- Le muscle est dur et compact.
- Une bosse peut se former temporairement.

Causes

Une crampe peut survenir à l'effort, parce que l'on est assis ou couché dans une mauvaise position ou à force de répéter le même mouvement. On peut avoir une crampe alors que l'on dort ou si l'on nage juste après avoir mangé.

La crampe est due à l'incapacité du muscle impliqué à se débarrasser de l'acide lactique, le déchet de la transformation du glucose en énergie. Le muscle se contracte. Il ne cessera d'être douloureux que lorsque la circulation sanguine reprendra.

Les crampes dues à l'effort physique peuvent être en partie provoquées par la perte de sel lors de la transpiration. Plus rarement, c'est le manque de calcium qui peut entraîner des crampes récurrentes ou des spasmes musculaires.

Conduite à tenir

Si jamais votre enfant a une crampe, il va probablement crier. Tenez le membre touché et massez doucement le muscle tendu en l'étirant.

S'il a une crampe au mollet, vous pouvez lui montrer comment s'étirer tout seul. D'abord, tirez doucement les orteils de la jambe souffrante dans votre direction. Puis repoussez son pied en arrière de sorte que ses orteils pointent vers le haut. Pratiquez ces gestes pendant quelques minutes, et répétez-les jusqu'à ce que la douleur diminue. S'il a encore mal, enveloppez une bouillotte d'eau chaude (mais pas bouillante) dans une serviette. Appliquez-la sur la partie douloureuse. Vous pouvez aussi lui donner un bain ou une douche chaude.

Avoir une crampe peut être une expérience traumatisante pour un enfant : il convient de le rassurer en lui expliquant que c'est un trouble courant, temporaire et bénin. Pour soulager sa douleur, vous pouvez lui donner de l'acétaminophène ou de l'ibuprofène en suivant la posologie indiquée en fonction de l'âge et du poids.

Pour éviter les crampes, assurez-vous que votre enfant boit en abondance lorsqu'il fait du sport. Cela l'aidera à préserver la quantité de sels minéraux présente dans son corps.

En cas de récidives sans cause connue, demandez à votre médecin d'examiner votre enfant pour vérifier que cela ne cache pas un autre trouble.

FRACTURE ET LUXATION

Les fractures et les luxations sont en général le résultat de chutes, d'activités sportives ou d'accidents de la route. Les os le plus souvent cassés sont ceux de la jambe, du bras et la clavicule. La luxation se produit lorsque les ligaments maintenant les os au niveau d'une articulation se distendent ou se tordent, de sorte que les os se déplacent. Il peut y avoir à la fois fracture et luxation.

SYMPTÔMES

- Forte douleur et réticence à bouger la partie du corps affectée.
- Douleur extrême si l'on appuie sur la zone recouvrant la blessure.
- Gonflement et décoloration de la peau autour de la blessure.
- Déformation visible (pour les luxations et les fractures graves).
- Lésions des tissus environnants. Si la fracture est ouverte, il y a risque d'infection.

Une fracture mineure peut ne causer que de légers symptômes et être confondue avec une déchirure musculaire ou une entorse.

Conduite à tenir

Si vous pensez que votre enfant a une fracture à la colonne vertébrale, ne le déplacez surtout pas et appelez immédiatement le 911. S'il semble qu'il a une fracture ou une luxation dans une autre partie du corps, appelez le 911 ou emmenez-le au service des urgences le plus proche. En attendant l'ambulance, soutenez ou immobilisez le membre cassé.

Traitement

Une fois à l'hôpital, votre enfant devra faire une radio pour vérifier s'il souffre d'une fracture et/ou d'une luxation, pour repérer l'emplacement de la blessure et juger de sa gravité.

Il se peut qu'on lui fasse une anesthésie locale ou générale afin de remettre ses os dans une position correcte. Dans certains cas, une opération chirurgicale peut être nécessaire pour repositionner les os et réparer les lésions des tissus environnants.

Le membre touché devra peut-être être plâtré ou équipé d'une attelle pour maintenir les os dans une position correcte. Dans certains cas graves, les médecins peuvent avoir recours à une traction, une vis, une tige, une broche ou une plaque pour conserver les os en position.

L'enfant guérit en général plus rapidement de ses fractures que l'adulte. Un petit os, comme un os de doigt, qui ne porte pas de poids, peut guérir en une semaine ou deux. La réparation des grands os porteurs comme le fémur peut prendre plusieurs mois. Une luxation, telle le déboîtement de l'humérus et du cubitus, guérit normalement en 1 à 2 semaines.

Dès qu'il ne sera plus risqué pour l'enfant de reprendre ses activités, le médecin l'enverra chez un kinésithérapeute pour éviter que les muscles et les articulations ne se raidissent ou ne s'affaiblissent.

LA FRACTURE « EN BOIS VERT »
Les os des enfants étant encore souples, les os longs des bras et des jambes ont tendance à se tordre et à ne se fracturer que d'un côté.

Suites éventuelles

Si les os impliqués dans la fracture ou la luxation ont correctement été remis en place puis maintenus en position le temps qu'ils se ressoudent et guérissent, votre enfant se remettra parfaitement. Les muscles associés peuvent rester raides pendant quelques semaines ou mois, mais cela passera. La fracture d'une articulation peut augmenter légèrement le risque d'arthrite.

DES OS SAINS

L'enfance est la période la plus importante du développement des os et des articulations. Le régime de l'enfant doit donc inclure des nutriments essentiels tels que le calcium, les vitamines D et K, le magnésium et d'autres oligo-éléments comme le bore, le zinc, le manganèse et le cuivre. L'apport quotidien recommandé en calcium est de 450 mg jusqu'à 6 ans, puis de 550 mg jusqu'à 11 ans.

Veillez à ce que votre enfant boive beaucoup de lait et mange assez de fromage, de yaourt, de noix et de légumes pour absorber la quantité de calcium nécessaire. Les poissons gras comme le hareng, le saumon ou le thon sont riches en vitamine D, laquelle est aussi produite par l'organisme lorsque la peau est exposée aux rayons ultraviolets B. Nombreuses sont les céréales et les margarines enrichies en vitamine D.

Faire du sport régulièrement aide à développer une masse osseuse solide. Le mieux est de choisir une activité physique comme la marche, la course à pied, le tennis... En outre, les enfants sportifs deviennent plus facilement des adultes sportifs.

MALFORMATION BÉNIGNE DU SQUELETTE

C'est un véritable bonheur que de voir son enfant commencer à se tenir debout puis à marcher. Mais l'on s'inquiète parfois de la position de ses jambes ou de ses pieds qui ne semblent pas droits. Beaucoup d'enfants marchent avec les pieds en dehors ou en dedans, ont les jambes arquées, les genoux cagneux ou les pieds plats. Ces problèmes sont souvent dus à la position du bébé dans le ventre de sa mère. Il est rare qu'ils dissimulent un trouble plus grave.

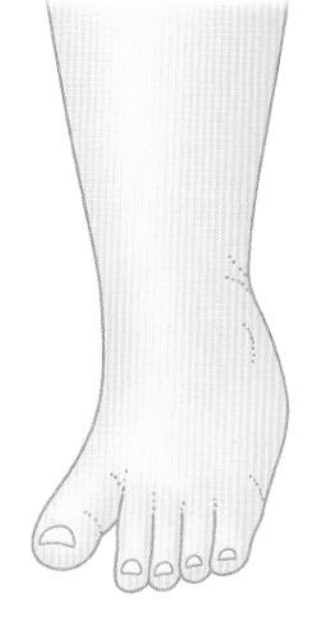

PIED EN DEDANS Il est souvent dû à la courbure de l'avant du pied vers l'intérieur (métatarsus varus). *Il est fréquent que le gros orteil s'écarte de manière exagérée.*

PIEDS EN DEDANS OU EN DEHORS

La rotation vers l'intérieur de la jambe depuis la hanche est la cause la plus courante du pied en dedans. Mais cela peut aussi être dû à un metatarsus varus (*voir l'illustration ci-dessus*) ou à des jambes arquées (*voir ci-dessous*). Si les pieds sont « en canard » (en dehors), cela est dû à une rotation vers l'extérieur de la jambe depuis la hanche.

Traitement

Consultez votre médecin si la position des jambes ou des pieds de votre enfant vous inquiète. Les pieds en dedans reprennent en général une position normale vers l'âge de 3-4 ans. Mais on peut aussi traiter ce problème par des massages ou l'immobilisation dans des plâtres. Il est rare que l'on ait recours à la chirurgie. Une rotation depuis la hanche se corrigera en général d'elle-même vers l'âge de 8 ans. De même, il est rare d'avoir besoin d'opérer.

Les pieds en canard se corrigeront naturellement dans l'année suivant le début de la marche. Ce défaut ne pose aucun souci même s'il persiste.

JAMBES ARQUÉES Jambes courbées vers l'extérieur. Les genoux ne se touchent pas. Le tibia est tourné vers l'intérieur.

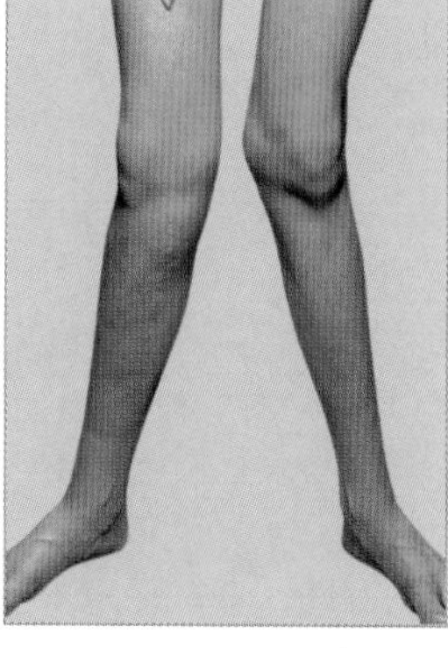

GENOUX CAGNEUX Jambes courbées vers l'intérieur, les genoux se touchent et les pieds sont écartés.

JAMBES ARQUÉES ET GENOUX CAGNEUX

Il est normal que les bébés aient les jambes légèrement arquées. C'est un problème lorsque l'arc est prononcé et que le tibia est tourné vers l'intérieur.

Dans le cas des genoux cagneux, les jambes sont arquées vers l'intérieur de sorte que les genoux semblent se toucher. Les jambes arquées se corrigent d'elles-mêmes vers l'âge de 3-4 ans, les genoux cagneux vers l'âge de 11 ans.

Traitement

Si vous vous inquiétez au sujet des jambes de votre enfant, consultez un médecin. Le plus souvent ce n'est rien. Les cas qui nécessitent une intervention chirurgicale sont très rares : il s'agit de malformations graves ou persistantes qui peuvent résulter d'une maladie du squelette comme le rachitisme.

PIEDS PLATS

On parle de pieds plats lorsque l'ensemble de la plante du pied touche le sol et qu'il n'y a pas de voûte plantaire. L'empreinte du pied permet le diagnostic : le pied trace au sol une large bande allant du talon aux orteils. L'enfant peut ressentir une douleur derrière la cheville et au cou-de-pied.

Avoir les pieds plats est normal jusqu'à l'âge de 2-3 ans. Chez certains enfants cela peut durer plus longtemps. Dans certains cas rares, les pieds plats sont dus à une malformation des os ou des articulations qui provoque douleurs, courbatures et fragilité des pieds.

Traitement

Si vous avez l'impression que votre enfant a les pieds plats, consultez un médecin.

Il vous conseillera sans doute de voir un podologue ou un orthopédiste qui fera tous les tests nécessaires et recommandera pour votre enfant le traitement approprié.

PIED BOT

Le pied bot varus équin est une déformation congénitale dans laquelle le pied est coudé et en rotation. Les garçons sont trois fois plus touchés que les filles par ce problème et dans la moitié des cas, les deux pieds sont affectés.

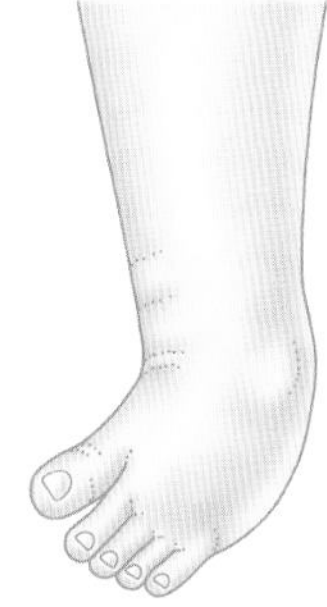

PIED BOT Le talon est tourné vers l'intérieur, le reste du pied est incliné vers le bas. Dans certains cas, le tibia est tourné vers l'intérieur et les muscles de la jambe sont atrophiés.

Causes

Malposition du pied et pied bot sont en général diagnostiqués lors de l'examen de routine réalisé à la naissance. La malposition du pied est due à la compression du pied du bébé mal positionné dans le ventre de la mère. Les bébés très grands y sont sujets. Le pied bot varus équin correspond à une malformation des os du pied qui peut être héréditaire. Le pied bot peut être coudé vers le haut et tourné vers l'extérieur, ou coudé vers le bas et tourné vers l'intérieur. Parfois, la déformation est à peine perceptible et le pied paraît normal.

Traitement

Lorsque le pied possède une mobilité normale, il s'agit d'une malposition qui n'a pas besoin de traitement et se corrigera d'elle-même dans les semaines suivant la naissance.

Si la mobilité est restreinte, votre enfant peut souffrir d'un pied bot varus équin et avoir besoin d'un traitement. Dans les cas les moins graves, cela consiste à faire de la kinésithérapie et des exercices pour étirer les ligaments. Les parents peuvent s'en charger en suivant les instructions données.

Dans les cas plus graves, le pied peut avoir besoin d'être manipulé puis bandé et maintenu en position par des attelles. Si le pied ne s'est pas redressé à l'âge de 3 à 6 mois, une opération chirurgicale sera peut-être nécessaire.

Après l'opération, le pied est plâtré pour au moins 3 mois. En général, l'opération réussit, même si quelques rares enfants peuvent avoir besoin d'être opérés à plusieurs reprises après 5 ans pour améliorer la mobilité et l'apparence de leur pied, lequel peut ne jamais devenir complètement normal.

RHUME DE HANCHE

Pour une raison inconnue, le rhume de hanche se développe souvent dans les deux semaines suivant une légère inflammation des voies respiratoires supérieures. Il y a inflammation de la paroi interne de l'articulation de la hanche, du liquide s'accumule dans l'articulation, entraînant l'apparition rapide des symptômes. Ce mal touche plus souvent les enfants âgés de 2 à 12 ans.

SYMPTÔMES

- Boiterie.
- Douleur à la hanche, à l'aine, à la cuisse ou au genou.
- Éventuellement fièvre modérée.

Traitement

Emmenez votre enfant chez un médecin dans les 24 heures s'il souffre de la hanche, de l'aine, de la cuisse ou du genou et/ou boite sans raison. Si le médecin diagnostique un rhume de hanche, vous pourrez donner de l'acétaminophène ou tout autre analgésique à votre enfant pour le soulager. Alitez-le jusqu'à ce qu'il aille mieux (en général entre 1 à 7 jours). S'il souffre beaucoup, il faudra peut-être l'hospitaliser pour réaliser des analyses sanguines et vérifier qu'il n'est pas victime d'une infection d'origine bactérienne. On lui fera une radio et une échographie pour éliminer une maladie de Legg-Perthes-Calvé (*voir p. 286*) ou une infection des articulations (*voir p. 288*). Parfois, on pratique une traction de la hanche pour soulager douleur et spasmes musculaires.

Pronostic

Votre enfant retrouvera une complète mobilité, mais il ne faut pas qu'il s'agite trop juste après le traitement, parce qu'une récidive est possible. Il aurait alors besoin d'anti-inflammatoires non-stéroïdiens (AINS). S'il continue de souffrir malgré le traitement, il se peut qu'il soit atteint de la maladie de Legg-Perthes-Calvé (*voir p. 286*) ou d'arthrite chronique juvénile (*voir p. 288*).

MALADIE DE LEGG-PERTHES-CALVÉ

Cette maladie touche les enfants, en particulier les garçons, de 4 à 8 ans. Une mauvaise irrigation sanguine provoque une fragilisation puis un processus de réparation et un durcissement de la tête fémorale. Normalement, le problème se résorbe spontanément en 2 à 4 ans, mais l'enfant doit quand même être suivi le plus tôt possible pour éviter une déformation de l'articulation de la hanche.

SYMPTÔMES

- Boiterie.
- Douleur dans la hanche ou le genou.
- Mobilité réduite de la hanche.

Traitement

Si votre enfant souffre d'une douleur à la hanche ou au genou et/ou boite, consultez un médecin dans les 24 heures. Après avoir examiné votre enfant, il l'enverra peut-être faire une radio de la hanche.

Le traitement dépend de la gravité de la maladie. Les cas les moins graves seront guéris par un alitement d'une semaine ou deux jusqu'à ce que la douleur cesse, en faisant régulièrement des radios. Si l'articulation menace de se déformer, votre enfant aura peut-être à porter une orthèse (attelles, plâtre). Dans les cas très graves, il peut être nécessaire d'opérer pour fixer la tête du fémur plus fermement dans la cavité cotyloïde.

Suites éventuelles

On peut normalement éviter la déformation de la hanche et l'articulation recouvre sa mobilité. Plus tôt la maladie est diagnostiquée et traitée, plus l'enfant aura de chance de guérir complètement.

Dans certains cas très graves, il est impossible d'empêcher l'articulation de se déformer et l'enfant risque de souffrir plus tard d'arthrite au niveau de la hanche.

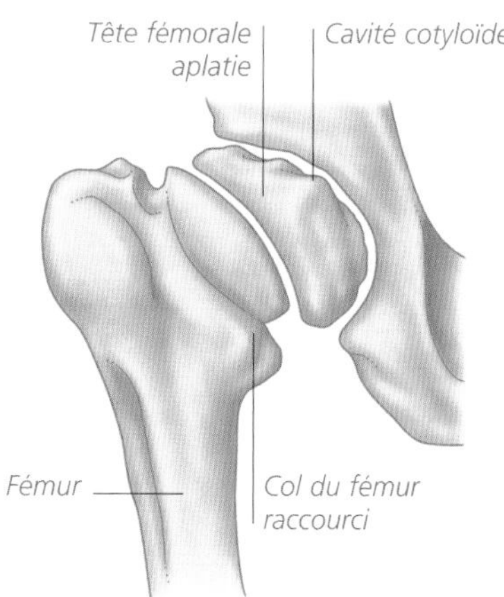

DÉFORMATION DU FÉMUR Chez un enfant atteint. Sous le poids de l'enfant, la tête et le col du fémur risquent de se déformer.

LUXATION CONGÉNITALE DE LA HANCHE

Un bébé sur 250 naît avec une luxation de la hanche, c'est-à-dire que la tête de l'un de ses fémurs se trouve en dehors du cotyle ou est instable et risque d'en sortir. La luxation congénitale de la hanche, recherchée chez les bébés peu après leur naissance puis lors de leur première année, est une maladie familiale plus courante chez les filles que chez les garçons.

Causes

On ne connaît pas les causes de ce problème orthopédique. La hanche du bébé – voire ses deux hanches – peuvent être luxées ou menacer de se luxer du fait de la faiblesse de la capsule fibreuse qui entoure l'articulation de la hanche ou parce que le cotyle n'est pas assez profond.

La luxation congénitale de la hanche est en général diagnostiquée juste après la naissance lors de la première visite chez le médecin. Celui-ci manipule les cuisses du bébé pour vérifier la mobilité de la hanche. S'il y a luxation, il percevra un ressaut montrant que la tête du fémur ne se déplace pas bien dans le cotyle. Une

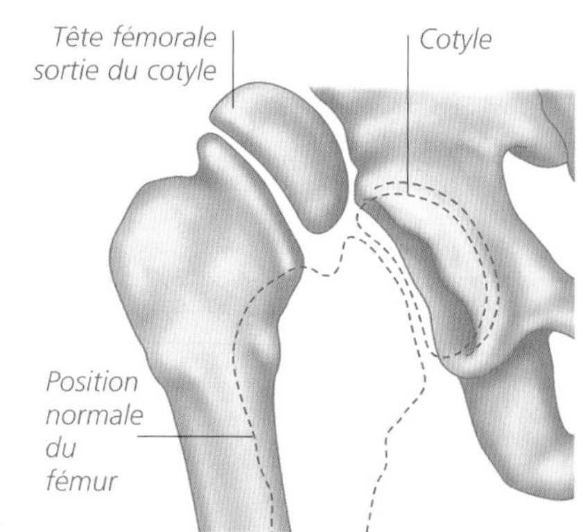

HANCHE LUXÉE Chez le nouveau-né souffrant d'une luxation de la hanche, la tête arrondie du fémur ne se trouve pas dans la cotyle comme elle le devrait, mais au-dessus de la cavité. En général, sa position se corrige peu de temps après la naissance.

radio confirmera le diagnostic.
Si le problème n'est pas diagnostiqué à la naissance ou lors de l'une des consultations de la première année, il peut passer inaperçu jusqu'à ce que l'enfant marche. Les parents remarquent alors que leur enfant boite ou que l'une de ses jambes présente plus de plis cutanés sous la fesse que l'autre.

Traitement

Consultez immédiatement si vous craignez que votre bébé souffre d'une luxation congénitale de la hanche. Si l'anomalie ne se corrige pas d'elle-même lorsqu'il a à peu près 2 semaines, il sera peut-être nécessaire de lui faire porter deux couches au lieu d'une ou une culotte d'abduction. L'appareil est généralement porté entre 2 et 4 mois. Votre médecin vous dira comment prendre soin de votre enfant pendant cette période.

Si le diagnostic n'est pas fait à la naissance, il se peut qu'il faille placer la tête du fémur dans le cotyle et la maintenir en place par traction pendant plusieurs semaines. Ensuite, votre enfant peut devoir porter attelle ou plâtre pendant plusieurs mois. Si le problème n'est pas repéré avant que l'enfant marche, une série d'opérations chirurgicales peut être nécessaire pour le régler.

Suites éventuelles

Plus l'enfant est traité tôt, mieux c'est. S'il est soigné dès la naissance, il a toutes les chances de marcher normalement. En revanche, si le traitement se fait tard ou s'il n'y a pas de traitement, une boiterie permanente est à craindre comme l'apparition précoce d'arthrite dans la hanche concernée.

SCOLIOSE

Il s'agit d'une courbure latérale anormale de la colonne vertébrale. Elle peut être due à une anomalie d'une ou de plusieurs vertèbres ou à une faiblesse musculaire locale. Plus fréquente chez les filles, elle débute lors du pic de croissance à l'adolescence.

SYMPTÔMES

- Déviation latérale de la colonne vertébrale.
- Inclinaison du pelvis.
- Une épaule plus haute que l'autre.
- Un des côtés de la poitrine est proéminent.
- La courbure de la colonne vertébrale s'accentue lorsque l'enfant se penche en avant pour toucher ses orteils sans plier les genoux.

Causes

La fausse scoliose est provoquée par une différence de longueur des membres inférieurs : le pelvis de l'enfant penche d'un côté tandis que son épaule monte du côté opposé. La ligne des épaules bascule ; tentant de la remettre à l'horizontale, la colonne vertébrale prend alors un aspect sinueux. Dans la vraie scoliose, une vertèbre, plus étroite d'un côté, force la colonne vertébrale à pencher latéralement et à se tordre de nouveau pour monter jusqu'au cou.

La scoliose passe souvent inaperçue à la naissance et ne devient évidente que lorsque l'enfant grandit, ou se découvre lors d'une radio faite pour une autre raison.

Traitement

Si vous trouvez que votre enfant ne se tient pas droit, observez son dos (nu) lorsqu'il est debout, se penche en avant puis se redresse. Si vous apercevez une courbure, consultez un médecin. Il vous enverra peut-être chez un kinésithérapeuthe ou un orthopédiste pour qu'il l'examine et surveille l'évolution de la déviation de sa colonne vertébrale. Si la déviation est légère et ne progresse pas, aucun traitement n'est nécessaire. Si elle évolue, votre enfant devra peut-être porter un corset pour empêcher une aggravation. Parfois, la scoliose est si grave qu'une opération chirurgicale est justifiée.

Suites éventuelles

Lorsque la scoliose est traitée à temps, elle ne s'aggrave pas et l'enfant a peu de chance de souffrir de séquelles. Si elle n'est pas traitée, une scoliose progressive peut provoquer des déformations graves de la cage thoracique et de la colonne vertébrale, lesquelles engendrent des difficultés respiratoires et des infections des voies respiratoires à répétition.

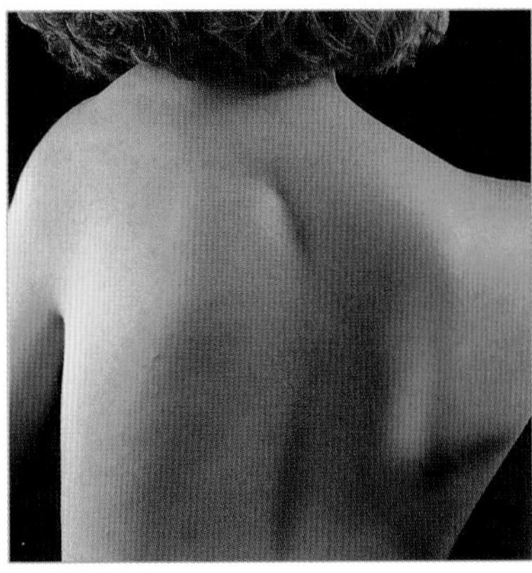

ASPECT DE LA SCOLIOSE *La colonne vertébrale est déviée sur le côté, en général le droit, et une épaule est plus haute que l'autre.*

ARTHRITE CHRONIQUE JUVÉNILE

L'arthrite chronique est une inflammation à long terme des articulations. Trois types d'arthrite affectent les enfants selon l'articulation touchée. Les causes de la maladie sont inconnues : il se peut qu'elle soit en partie d'origine génétique.

Traitement

Si votre enfant souffre de douleurs ou de raideurs articulaires, d'une boiterie ou d'une éruption et qu'il a de la fièvre, emmenez-le chez un médecin dans les 24 heures. Celui-ci l'examinera et demandera des analyses de sang.

Si des grandes articulations, comme le genou ou l'épaule, sont affectées, il peut s'agir d'arthrite oligoarticulaire ; et pour les petites articulations, comme les mains et les pieds, cela peut être de l'arthrite polyarticulaire. Et s'il y a aussi d'autres symptômes témoignant d'un mauvais état général, il peut s'agir de la forme systémique de la maladie.

Le médecin lui prescrira de la kinésithérapie pour entretenir sa force musculaire et la mobilité de ses articulations. Il peut lui faire porter un appareillage la nuit pour empêcher ses articulations de se déformer ou la journée pour les soulager.

Le médecin lui donnera peut-être de l'aspirine et des anti-inflammatoires non-stéroïdiens (AINS) comme l'ibuprofène pour soulager sa douleur et réduire le gonflement. Si ces médicaments se révèlent inactifs, il devra prendre des corticostéroïdes.

Dans les cas les plus graves, une opération chirurgicale permet de remplacer les articulations abîmées et douloureuses ou d'allonger les muscles qui provoquent la déformation. Il faudra aussi pratiquer des examens systématiques des yeux de votre enfant pour vérifier qu'il ne souffre pas d'iritis (*voir p. 244*) pendant sa maladie.

Pronostic

Un tiers des enfants malades guérit complètement. Un autre tiers présentera des symptômes pendant plusieurs années. Le dernier tiers verra son état s'aggraver.

SYMPTÔMES

- Douleur, rougeur, gonflement et raideur de l'articulation affectée.
- Boite, si le pied ou la jambe est affecté.
- Fièvre modérée pour l'arthrite polyarticulaire.

L'arthrite juvénile ***systémique*** *affecte le corps entier, provoquant les symptômes suivants qui peuvent apparaître plusieurs semaines ou mois avant que les articulations ne soient touchées :*

- Fièvre supérieure à 39 °C.
- Gonflement de tous les ganglions.
- Éruption marbrée qui ne démange pas.

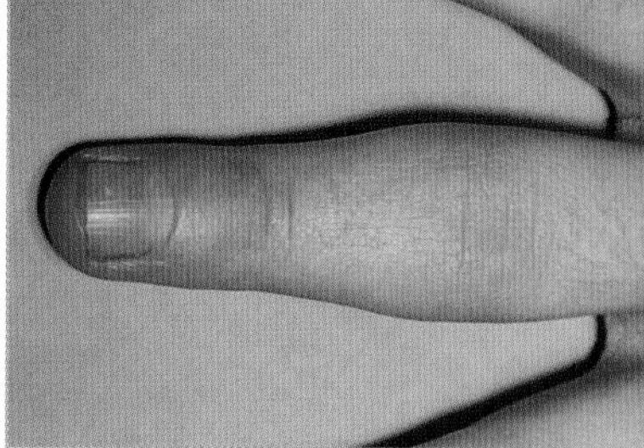

ARTHRITE DES MAINS *Dans l'arthrite polyarticulaire, les articulations des doigts sont rouge et gonflées du fait de l'inflammation. Il arrive que le cou et la mâchoire soient aussi touché.*

INFECTION DES OS ET DES ARTICULATIONS

La cause la plus fréquente est une bactérie apportée par le sang en provenance d'une blessure infectée ou, par exemple, d'un furoncle. Dans certains cas, l'os ou l'articulation est touché directement par une infection des tissus environnants.

OSTÉOMYÉLITE

Le traitement doit être rapide sinon la maladie peut devenir chronique et très difficile à éradiquer. L'infection touche le plus souvent les os longs des membres (humérus, fémur). Ce sont les garçons de 3 à 14 ans qui sont les plus affectés.

Traitement

Consultez immédiatement un médecin si vous pensez que votre enfant souffre d'une infection osseuse. Il lui fera faire des examens dont une hémoculture et une scintigraphie de l'os. Si alors le diagnostic est confirmé, il lui prescrira des antibiotiques. Plus rarement, une intervention chirurgicale pourra être envisagée. Si l'infection est traitée à temps, il n'y a pas de séquelle.

SYMPTÔMES

Douleur sévère dans le bras ou la jambe affecté

- L'enfant refuse de bouger le membre affecté ou de le laisser toucher.
- Fièvre.
- Gonflement et inflammation de la peau entourant l'os si le traitement tarde.

INFECTION D'UNE ARTICULATION

Les tissus à l'intérieur de l'articulation sont infectés par une bactérie, ce qui provoque une inflammation et l'accumulation de liquide. Si l'infection n'est pas diagnostiquée et traitée rapidement, le cartilage qui recouvre l'os à l'intérieur de l'articulation peut être endommagé, ce qui entraîne raideur et déformation de l'articulation.

Les infections articulaires sont plus courantes chez les bébés jusqu'à 2 ans et chez les adolescents. Un traitement rapide garantit une guérison complète.

Traitement

Si vous pensez que votre enfant souffre d'une infection articulaire, consultez un médecin. Il l'enverra probablement faire une échographie de l'articulation. Une ponction sera pratiquée afin d'analyser le liquide présent dans l'articulation et de confirmer la présence de bactéries. Des analyses de sang permettront enfin d'identifier l'origine de l'infection.

Le médecin prescrira des antibiotiques à votre enfant; il se peut toutefois qu'une opération soit nécessaire pour retirer le liquide infecté de l'articulation affectée. Une fois l'infection guérie, votre enfant aura peut-être besoin d'une kinésithérapie pour retrouver une bonne mobilité. Si l'articulation infectée est repérée à temps et traitée rapidement, la guérison est totale.

SYMPTÔMES

Lors d'une infection articulaire, les symptômes sont les suivants :

- Articulation chaude, gonflée et très douloureuse.
- Fièvre.

MYOPATHIE DE DUCHENNE

La maladie de Duchenne est la plus courante et la plus grave des dystrophies musculaires progressives. Cette maladie congénitale se caractérise par un affaiblissement progressif des muscles et ne touche que les garçons.

Causes

La myopathie de Duchenne affecte 1 garçon sur 3500 et se déclare avant 5 ans. La maladie est liée à un gène du chromosome X qui est responsable de la production de la dystrophine, une protéine dont on pense qu'elle est essentielle dans la structure des cellules musculaires. Lorsque le gène est défectueux, la protéine n'est pas produite et les cellules musculaires dégénèrent.

Lorsque la mère est porteuse, son fils a 50 % de risque de développer la maladie et sa fille a 50 % de risque de devenir porteuse à son tour.

Traitement

Après avoir examiné votre enfant, le médecin généraliste l'enverra chez un neurologue, lequel fera peut-être pratiquer des examens en milieu hospitalier pour confirmer le diagnostic.

À l'heure actuelle, il n'existe pas de traitement contre l'affaiblissement progressif des muscles dont souffrent les malades, quel que soit le type de dystrophie.

Des séances de kinésithérapie aideront à prévenir les contractures (contractions des muscles entourant l'articulation et provoquant un déboîtement douloureux de celle-ci). Le kinésithérapeute aidera votre enfant à garder une certaine mobilité et vous enseignera comment lui faire pratiquer vous aussi ses exercices.

Tests génétiques

Les femmes qui ont des cas de myopathie de Duchenne dans leur famille peuvent faire un test génétique pour vérifier si elles sont porteuses du mauvais gène. Si vous êtes porteuse du gène, et que vous souhaitez quand même avoir un enfant, les médecins vous expliqueront les risques de transmission au bébé. Des tests peuvent être effectués pendant la grossesse afin de repérer le gène anormal chez le fœtus.

Évolution de la maladie

L'affaiblissement musculaire est croissant chez les enfants atteints de myopathie de Duchenne, et s'étend progressivement à tous les muscles qui contrôlent les mouvements du corps.

Les enfants perdent vite toute mobilité et sont très sujets aux infections respiratoires. Vers l'âge de 8-11 ans, ils ont besoin d'un fauteuil roulant. Une prise en charge adaptée leur permet souvent d'atteindre l'âge de 20-25 ans.

SYMPTÔMES

- Faiblesse des muscles des jambes qui retarde parfois la marche (à plus de 18 mois).
- L'enfant se dandine, monte les escaliers avec difficulté, tombe souvent et a du mal à se relever.
- Muscles des mollets très développés.
- Incurvation concave du bas de la colonne vertébrale.

TROUBLES DU SYSTÈME NERVEUX

Beaucoup d'enfants atteints de troubles neurologiques présentent un retard de développement.

CONTENU DU CHAPITRE

Le cerveau achève son développement vers l'âge de 5 ans. Un traumatisme crânien ou une infection avant cet âge peut donc avoir de graves conséquences à long terme. C'est pourquoi il est vital que le diagnostic et le traitement soient prompts. Certaines maladies du système nerveux sont incurables, mais en général, le cerveau d'un enfant se remet plus facilement d'une blessure ou d'une infection que celui d'un adulte.

ANATOMIE DU SYSTÈME NERVEUX

▸ *CERVEAU ET SYSTÈME NERVEUX*
Composé par le cerveau, la moelle épinière et des millions de cellules nerveuses, le système nerveux assure la commande de toutes nos actions volontaires et la coordination des fonctions du corps. Les nerfs sont responsables de la réception sensorielle (toucher, goût, odorat, vue, ouïe).

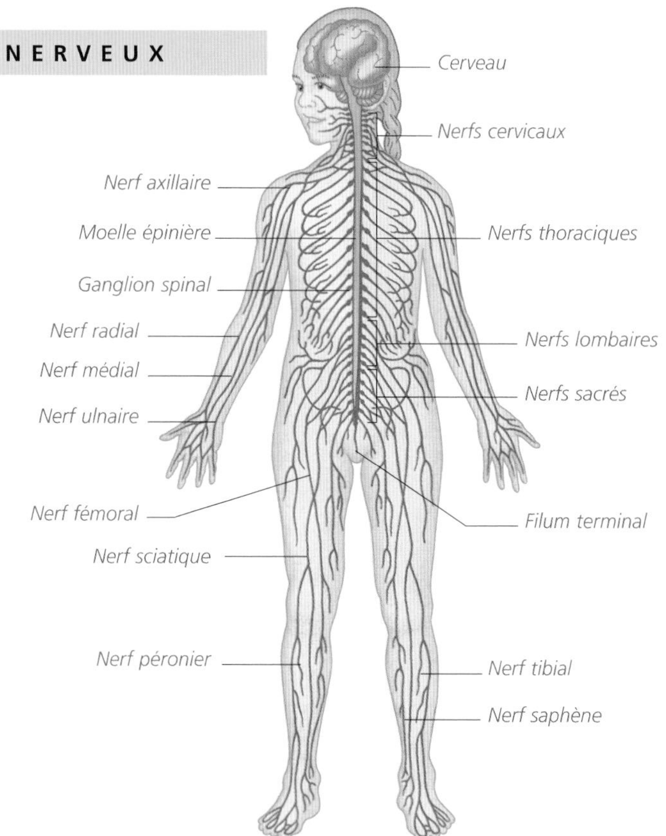

TRAUMATISME CRÂNIEN

Tout enfant, un jour ou l'autre, se cogne ou reçoit un choc sur la tête ; mais c'est en général sans conséquence grave à long terme. Le risque le plus grand est la formation d'un hématome à l'intérieur du crâne qui peut endommager le cerveau et provoquer un handicap.

Premiers gestes
Si votre enfant tombe, se cogne violemment la tête et perd connaissance, appelez le 911 et en attendant, vérifiez qu'il respire correctement et que son sang circule bien (*voir p. 330*). Si l'enfant semble seulement un peu confus, somnole de façon anormale, vomit à plusieurs reprises ou perd du liquide ou de l'eau sanguinolente par le nez ou les oreilles, conduisez-le à l'hôpital le plus proche.

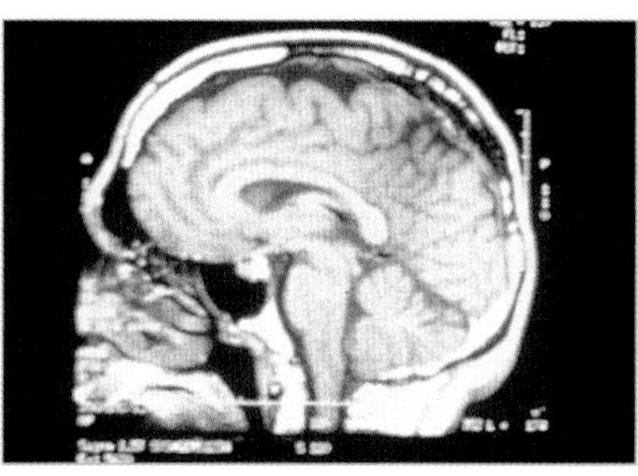

IRM DU CERVEAU *Une hémorragie à l'intérieur du crâne peut entraîner la formation d'un caillot lequel peut provoquer des lésions cérébrales.*

Traitement
Un médecin examinera votre enfant et prendra les mesures adaptées : points de suture sur le cuir chevelu en cas de coupure, radio et scanner s'il suspecte une fracture du crâne (*voir illustration*).

Si le scanner révèle des signes d'hémorragie cérébrale, on opérera peut-être votre enfant en urgence afin d'arrêter l'hémorragie et de retirer un éventuel caillot. S'il y a fracture du crâne ou commotion grave, votre enfant sera gardé en observation au moins pendant les 24 heures suivant le choc.

SYMPTÔMES

Traumatisme léger
- Léger mal de tête.
- Bosse ou gonflement.
- Vomissements.

Traumatisme plus grave
- Brève inconscience ou commotion.
- Confusion.
- Incapacité à se rappeler ce qui est arrivé juste avant l'accident.
- Vertiges.
- Vision trouble.
- Vomissements.

Conduite à tenir
Dans les cas graves, l'enfant a besoin de plusieurs semaines de repos à son retour de l'hôpital. Sinon, 2 à 3 jours suffisent. Surveillez-le pendant les premières 24 heures et conduisez-le à l'hôpital en cas de : somnolence anormale, paroles incohérentes ou inarticulées, irritabilité, vomissements, confusion, liquide ou sang coulant du nez ou des oreilles.

MAUX DE TÊTE RÉCURRENTS

Il n'est pas rare qu'un enfant ait des maux de tête de temps en temps ; mais parfois ces maux de tête sont récurrents et débilitants. Il peut alors s'agir de migraine, de céphalée de tension ou, beaucoup plus rarement, d'une maladie cérébrale.

MIGRAINE

La migraine, quand elle est fréquente, est souvent un trouble familial. La cause la plus courante est le stress, mais d'autres facteurs peuvent provoquer la crise : des aliments comme les agrumes ou le fromage ; la faim ; une exposition excessive au soleil ou la fatigue. Les enfants ont rarement plus d'une ou deux crises par mois.

Traitement
Si vous pensez qu'il souffre de migraine, emmenez votre enfant chez un médecin. Ce dernier vous aidera à identifier les éventuelles causes des crises et à les éliminer. Il pourra prescrire des antiémétiques pour empêcher votre enfant de vomir pendant ses crises. En cas de crises fréquentes, il prescrira aussi des médicaments préventifs.

SYMPTÔMES

Certains enfants migraineux se plaignent de troubles visuels : scintillement ou zigzags lumineux qui semblent signaler l'imminence d'une crise. Puis suivent d'autres symptômes :
- Douleur uni- ou bilatérale à la tête.
- Vomissements.
- Hypersensibilité à la lumière et au bruit.
- Vertiges.
- Picotements, faiblesse ou engourdissement dans le bras ou la main.
- La migraine peut durer de 2 heures à 2 jours.

Lors de la crise, donnez-lui de l'acétaminophène et faites-le se reposer dans une pièce sombre.

Il arrive que des enfants souffrent de crises fréquentes puis restent en parfaite santé pendant de longues périodes. On a recours à du propranolol pour réduire la fréquence des crises.

CÉPHALÉE DE TENSION

La tension musculaire au niveau du visage ou de la nuque (par exemple à force de serrer ou de grincer des dents) peut provoquer des céphalées de tension. La cause principale est le stress.

Conduite à tenir

Donnez de l'acétaminophène à votre enfant et essayez d'identifier les causes de son stress pour les supprimer. Si les céphalées continuent, consultez un médecin : il vous dirigera peut-être chez un spécialiste.

MALADIES CÉRÉBRALES

Les maladies cérébrales sont très rares. Si votre enfant présente l'un des symptômes ci-contre, conduisez-le chez un médecin. Il l'examinera et demandera des analyses si nécessaire. Traitement et pronostic dépendront de la nature du problème.

SYMPTÔMES

Céphalée de tension

- Maux de tête qui peuvent affecter n'importe quelle région de la tête.
- Parfois association d'autres signes de stress comme des maux de ventre.

Maladie cérébrale

- Maux de tête qui réveillent l'enfant la nuit, présents dès le réveil ou qui sont plus douloureux lorsque l'enfant tousse.
- Convulsions.
- Changement de comportement.

CONVULSIONS FÉBRILES

Ces convulsions arrivent souvent lors d'une infection des voies respiratoires supérieures, lorsque la température de l'enfant augmente brutalement. Elles peuvent survenir au début d'une maladie fébrile ou d'une infection sans rapport avec le cerveau.

Premiers gestes

En cas de convulsions ou si votre enfant a plus de 39 °C de fièvre, appelez un médecin. Si les convulsions durent plus de 3 minutes (10 minutes si l'enfant a eu du diazepam après une convulsion précédente), appelez le 911.

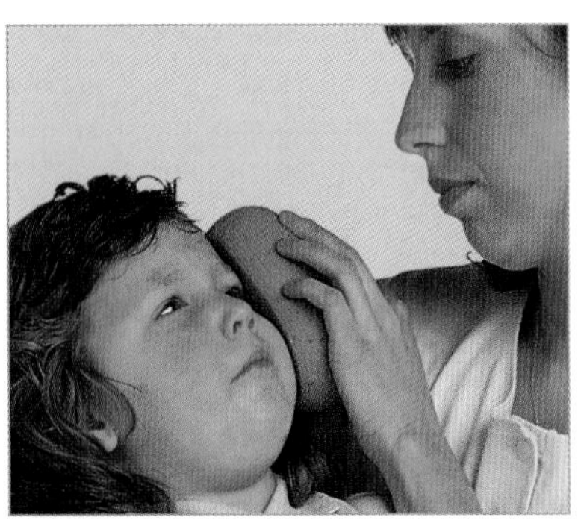

FAIRE BAISSER LA FIÈVRE *Passez une éponge humide tiède sur votre enfant. Évitez de mettre un enfant pris de convulsions dans un bain, il risquerait de se noyer.*

Traitement

Le médecin s'assurera que votre enfant ne souffre pas d'infections telles que la méningite (*voir p.* 294). Il pourra lui faire un prélèvement dans la gorge ainsi que des analyses de sang et d'urine, et lui donner éventuellement des antibiotiques. Il vous dira quoi faire en cas de nouvelle crise et prescrira peut-être du diazepam (anticonvulsivant). Ce médicament peut être donné par voie rectale pendant la crise pour en raccourcir la durée.

Conduite à tenir

Les convulsions sont fréquentes entre 6 mois et 5 ans du fait de l'immaturité du cerveau. Bien qu'impressionnantes, elles sont souvent bénignes et sans séquelles à long terme. Un tiers des enfants aura une nouvelle crise dans les six mois. Certains deviendront épileptiques (*voir p.* 293).

SYMPTÔMES

Le premier stade d'une convulsion *dure environ 30 secondes :*

- Perte de conscience.
- Raideur corporelle.
- Apnée jusqu'à 30 secondes ; lorsque la respiration reprend, elle peut être très légère et à peine détectable.
- Incontinence urinaire et/ou fécale.

Le deuxième stade de la crise *dure jusqu'à 5 minutes :*

- Inconscience de l'enfant.
- Spasmes des membres et/ou du visage.
- Révulsion oculaire.

À la fin de la deuxième phase, l'enfant reprend conscience et peut tomber dans un sommeil profond d'une heure ou deux. À son réveil, il sera peut-être confus, somnolent et irritable.

Essayez toujours de faire baisser les fortes fièvres (*voir p. 59 et 171*). Et donnez de l'acétaminophène et/ou de l'ibu- profène régulièrement à votre enfant. S'il se convulse, mettez-le en position latérale de sécurité (*voir p. 330*) et persistez à faire baisser sa fièvre.

ÉPILEPSIE

Environ 1 enfant sur 200 souffre de crises d'épilepsie récurrentes. On ne parle pas d'épilepsie lorsque l'enfant n'a eu qu'une seule crise. Parmi les différents types de crises, deux sont très courantes chez les enfants : les crises tonico-cloniques et les absences.

Causes

Les enfants épileptiques souffrent parfois d'anomalies cérébrales, mais en général il n'y a pas de causes connues. Les crises peuvent être déclenchées par des facteurs particuliers.

Pendant la crise d'épilepsie, l'activité électrique du cerveau devient irrégulière et chaotique, ce qui provoque une altération de la conscience et parfois des mouvements incontrôlés des membres et/ou de la tête. Attention, convulsion n'est pas toujours synonyme d'épilepsie (*voir ci-contre*).

Traitement

Si votre enfant est pris brutalement de convulsions et n'a pas de fièvre, appelez immédiatement un médecin. S'il a déjà fait des crises, mais qu'il reste inconscient plus de 10 minutes, appelez le 911 ou emmenez-le aux urgences. En attendant les secours, vérifiez que ses voies respiratoires sont bien dégagées et que son sang circule bien (*voir* technique de secourime et premiers soins *p. 330*).

Si votre enfant fait un autre type de crise que la crise tonico-clonique, prenez rendez-vous chez un médecin. Il vous demandera probablement de décrire le comportement et l'état de votre enfant avant, pendant et après chaque crise.

Dites au médecin ce que votre enfant faisait juste avant sa crise : cela peut l'aider à repérer d'éventuels facteurs déclenchant. Il est fréquent que l'on fasse un électroencéphalogramme à l'enfant pour identifier le type d'épilepsie, de même qu'un scanner pour chercher une éventuelle anomalie cérébrale. Des analyses de sang permettront de diagnostiquer d'autres causes comme l'hypoglycémie.

Les enfants épileptiques ont en général besoin de prendre des anticonvulsivants. Le traitement sera arrêté progressivement, sur plusieurs mois, après 2 à 4 ans sans crises. Très rarement, lorsque la prise de médicaments n'a pas d'effet sur les crises et que le scanner indique une anomalie cérébrale, une intervention chirurgicale sera proposée pour corriger le problème.

Conduite à tenir

Si votre enfant a une crise tonico-clonique, placez-le dans la position latérale de sécurité (*voir* technique de secourisme et premiers soins *p. 330*) et restez à ses côtés jusqu'à ce qu'il se rétablisse.

S'il s'agit d'un autre type de crise, faites-le asseoir calmement et restez à côté de lui jusqu'à ce qu'il se rétablisse, puis alertez un médecin. Rassurez-le en lui parlant calmement et n'essayez pas de mettre un terme à la crise.

Évolution de la maladie

Plus de 75 % des enfants souffrant d'épilepsie tonico-clonique et n'ayant pas eu de crises pendant deux ans ne récidivent pas. La plupart des enfants souffrant d'épilepsie partielle bénigne guérissent et n'ont plus besoin de traitement après la puberté.

Les absences sont difficiles à prévoir et le pronostic varie en fonction des individus. La plupart des enfants épileptiques n'ont pas d'autres handicaps et peuvent suivre une scolarité normale et pratiquer la plupart des sports. Les médecins vous diront quelles sont les précautions à prendre et les activités à éviter.

SYMPTÔMES

Plus de 75 % des enfants épileptiques souffrent de crises tonico-cloniques. Le second type d'épilepsie le plus fréquent est l'absence. En général, un enfant ne fait qu'un type de crise, mais il peut arriver dans des formes complexes de la maladie, qu'il fasse deux types de crise différents, voire plus.

***La crise tonico-clonique** se manifeste par les symptômes suivants :*

- Irritabilité ou comportement inhabituel quelques minutes avant la crise.
- Contracture qui peut durer 30 secondes et pendant laquelle l'enfant perd connaissance et tombe. La respiration devient irrégulière.
- Secousses brusques des membres et du visage qui peuvent durer de 20 secondes à plusieurs heures. L'enfant risque de mordre sa langue et d'être pris d'incontinence passagère.
- Lorsque les convulsions s'arrêtent, l'enfant peut rester inconscient jusqu'à 10 minutes mais c'est rare.
- Lorsque l'enfant reprend conscience, il peut souffrir de maux de tête, être désorienté et confus, demander à dormir.

***Les absences de type « Petit mal »** se caractérisent par les symptômes suivants :*

- L'enfant cesse son activité et regarde dans le vide, sans avoir conscience de ce qui se passe autour de lui, pendant 10 à 15 secondes. Il ne tombe pas.
- Il n'a aucun souvenir de sa crise.

***L'épilepsie partielle bénigne** constitue un troisième type, moins courant. Elle provoque des mouvements brusques d'un côté du visage ou d'un membre. L'enfant peut aussi perdre connaissance.*

MÉNINGITE

Inflammation des membranes enveloppant le cerveau et la moelle épinière. La méningite bactérienne peut être très grave, mais la prise d'antibiotiques dès les premiers stades de la maladie permet une guérison complète. La méningite virale est moins virulente.

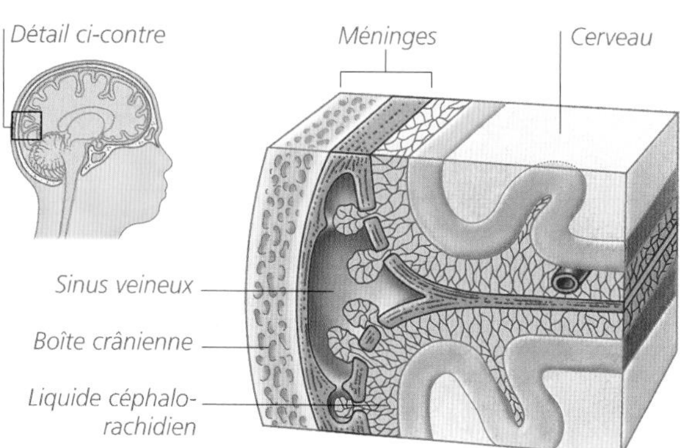

MÉNINGES Il s'agit de trois couches de membranes protectrices qui recouvrent le cerveau et la moelle épinière. La méningite est l'infection des méninges par un virus ou une bactérie.

MÉNINGITE BACTÉRIENNE

La méningite à méningocoque touche surtout les enfants de moins de 5 ans. Les cas sont souvent isolés et dus en général aux bactéries *Neisseria meningitidis* ou plus rarement *Haemophilus influenzae*. La bactérie Neisseria, présente dans le nez et la gorge, est normalement inoffensive. On ignore pourquoi elle provoque la méningite chez certains enfants.

MÉNINGITE VIRALE

Les épidémies de méningite virale, qui ont souvent lieu en hiver, touchent surtout les enfants de plus de 5 ans. Parmi les virus responsables, on retrouve ceux qui provoquent la grippe, la varicelle, la mononucléose ou encore le VIH. On ne sait pas encore pourquoi ils s'attaquent aux méninges et entraînent la méningite.

Premiers gestes

En cas de somnolence anormale ou à l'apparition d'au moins deux des symptômes de la méningite, conduisez immédiatement votre enfant chez un médecin ou aux urgences.

On lui fera probablement une ponction lombaire pour savoir s'il s'agit d'une méningite virale ou bactérienne, et dans certains cas pour identifier le germe responsable. Des prélèvements de sang permettront d'identifier la bactérie responsable.

Traitement

S'il s'agit d'une méningite bactérienne, on administrera immédiatement à votre enfant de hautes doses d'antibiotiques. Et dès que les médecins auront les résultats du laboratoire, ils décideront de continuer ou de modifier leur traitement pour cibler en particulier la bactérie identifiée.

On lui donnera peut-être aussi d'autres produits par voie intraveineuse ainsi que des anticonvulsivants s'il fait des convulsions. Le traitement peut durer 10 jours.

S'il s'agit d'une méningite virale, il faut arrêter le traitement antibiotique pour ne prendre que des analgésiques. L'infection sera éliminée selon les virus en 5 à 14 jours. La méningite virale ne laisse en général pas de séquelles.

SYMPTÔMES

Les méningites virale et bactérienne sont similaires au début. Ensuite, les symptômes de la méningite bactérienne sont en général plus graves et plus rapides à se développer (parfois en quelques heures seulement).

Chez les ***bébés****, les premiers symptômes ne sont pas vraiment spécifiques :*

- Somnolence anormale.
- Fièvre et vomissements.
- Refus de s'alimenter.
- Pleurs plus fréquents ; nervosité.

Chez les ***enfants plus âgés****, on retrouve les symptômes ci-dessus plus :*

- Forts maux de tête.
- Intolérance à la lumière et au bruit.
- Rigidité musculaire et en particulier raideur de la nuque.

Les symptômes plus tardifs de la méningite bactérienne chez tous les enfants sont :

- Une somnolence encore plus grande, et parfois une perte de conscience ou des convulsions.

Certains enfants atteints développent :

- Une éruption de macules roses ou violacées ne s'effaçant pas à la pression (*voir p. 187*).

Prévention

Il est recommandé de vacciner les enfants contre l'*Haemophilus influenzae* ; d'autres vaccins existent contre les méningites à pneumocoque et à méningocoque. En cas de méningite bactérienne, on donnera des antibiotiques à titre préventif aux personnes ayant été en contact avec le malade.

Suites éventuelles

Certains enfants présentent des lésions cérébrales provoquant surdité, convulsions ou difficultés d'apprentissage, surtout si le traitement n'a pas débuté tôt. La maladie peut être mortelle.

ENCÉPHALITE

Cette maladie rare, qui correspond à une inflammation du cerveau, peut être provoquée par n'importe quelle infection virale ; un virus présent dans le corps va gagner le cerveau via le sang. Chez les nouveau-nés, le virus le plus souvent en cause est *Herpes simplex*.

Causes

L'encéphalite se développe parfois après une contamination par le virus *Herpes simplex* (qui provoque le bouton de fièvre), celui de la rougeole, de la rubéole ou de la varicelle. Elle peut être bénigne ou bien très grave et mortelle. La plupart des enfants guérissent. La maladie est rarement fatale. Il est exceptionnel qu'elle laisse des séquelles cérébrales provoquant l'infirmité d'un membre, des difficultés d'apprentissage, des troubles comportementaux, voire une épilepsie (*voir p. 293*).

Traitement

Si votre enfant somnole anormalement ou s'il a de la fièvre et deux des symptômes ci-contre, conduisez-le immédiatement chez un médecin. On lui fera des analyses et un scanner du cerveau. Aux premiers stades de la maladie, les analyses ne la détecteront peut-être pas et elle peut quand même se développer. Une ponction lombaire permettra d'éliminer une méningite bactérienne.

Si l'encéphalite est herpétique, on la traitera avec un antiviral, l'aciclovir.

SYMPTÔMES

- Somnolence anormale qui empire progressivement et peut donner de la fièvre ou mener à un coma.
- Irritabilité.
- Vomissements.
- L'enfant voit double ou est pris de strabisme.
- Faiblesse d'un membre.
- Convulsions.

Dans les cas les moins graves, les symptômes sont presque invisibles. Un enfant atteint d'une encéphalite varicelleuse va ainsi légèrement perdre son équilibre en marchant.

Les enfants développant des difficultés respiratoires peuvent avoir besoin d'une ventilation mécanique.

INFIRMITÉ MOTRICE CÉRÉBRALE

Ce terme désigne des états pathologiques incurables caractérisés par des troubles moteurs dus à des lésions cérébrales. Les I.M.C. sont fréquentes chez les prématurés ou les bébés pesant moins de 1,5 kg.

Causes

La lésion cérébrale a lieu à la fin de la grossesse, à la naissance ou juste après, voire dans la petite enfance. En général, les lésions se font avant la naissance, même si on ne diagnostique la maladie que lorsque l'enfant a quelques mois.

Certains enfants souffrent d'une raideur musculaire empêchant les mouvements normaux. Le problème ne peut apparaître que vers 6 mois. D'autres enfants peuvent se contorsionner de façon involontaire. Souvent, l'enfant souffre aussi de difficultés d'apprentissage, d'épilepsie (*voir p. 293*) et de troubles de l'ouïe et de la vue. Les difficultés de langage sont donc aussi courantes. On rencontre encore des troubles comportementaux et des difficultés alimentaires.

Conduite à tenir

Si vous pensez que votre bébé ne se développe pas normalement, consultez un médecin. Sachez qu'il est difficile de faire un diagnostic précis même après divers examens et scanners et l'intervention de spécialistes.

Les enfants dont l'infirmité est faible ou modérée pourront suivre une scolarité normale et vivre presque comme tout le monde. Ceux qui sont plus gravement atteints auront besoin d'une assistance spécialisée.

SYMPTÔMES

- Raideur des bras et des jambes lorsque l'on porte l'enfant.
- Refus d'utiliser une main ou un bras.
- Difficultés à s'alimenter.
- L'enfant ne s'assied toujours pas à 1 an.
- Retard moteur.

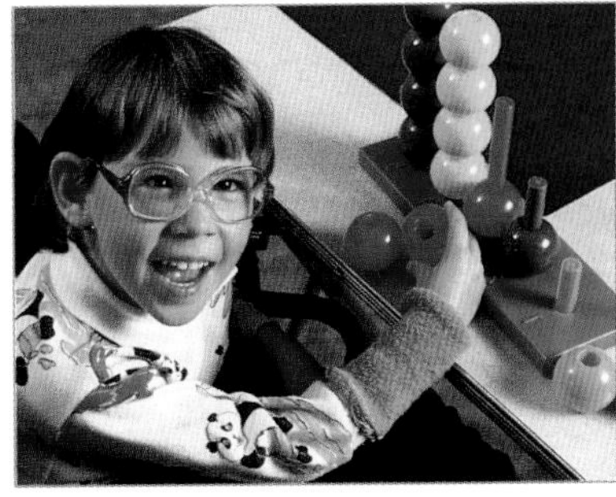

ERGOTHÉRAPIE *Puzzles et jeux impliquant des mouvements précis de la main peuvent améliorer concentration et coordination.*

ANOMALIE DE FERMETURE DU TUBE NEURAL

Le tube neural est la partie de l'embryon qui donnera le cerveau, la moelle épinière, l'arrière du crâne et des vertèbres. S'il se développe mal, le bébé peut naître avec des malformations de ces parties du corps. L'anomalie la plus courante est le *spina bifida*.

Traitement

L'enfant souffrant d'une légère anomalie ne développera pas de symptômes et n'aura pas besoin de traitement. Les défauts plus graves impliqueront le recours à la chirurgie. Mais, l'enfant risque de rester infirme. Un kinésithérapeute et d'autres spécialistes l'aideront à vivre avec son handicap.

PRÉVENTION

Les risques d'anomalies du tube neural sont fortement réduits par la prise quotidienne d'une petite quantité d'acide folique durant le premier et le dernier mois de la grossesse. Les analyses sanguines et les échographies permettent en général de détecter ces anomalies.

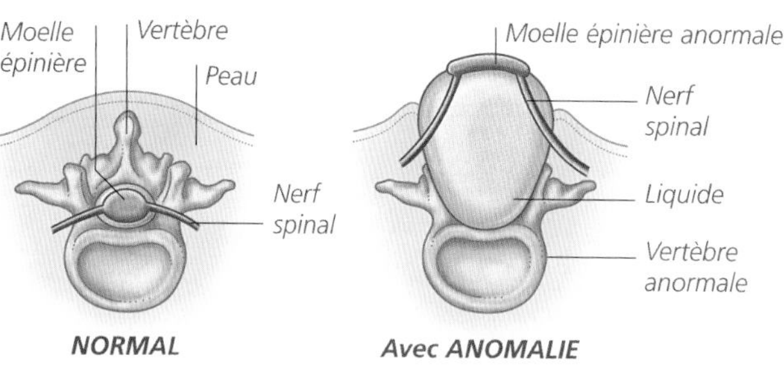

ANOMALIE GRAVE DU TUBE NEURAL *Un sac constitué d'une fine membrane et rempli de liquide s'est développé entre la vertèbre et la peau.*

SYMPTÔMES

- Les tissus nerveux vitaux de la moelle osseuse, du cerveau ou des membranes qui les enveloppent (méninges) sont plus ou moins exposés et susceptibles de s'abîmer ou de s'infecter.
- Une fossette ou une touffe de cheveux peuvent être les seuls signes de la présence d'une anomalie.
- Un gonflement et l'accumulation de liquide sous une fine membrane ou sous la peau peuvent indiquer une anomalie plus grave.

Les symptômes – s'il y en a – dépendent de la gravité de l'anomalie. On observe :

- Une faiblesse ou paralysie des jambes.
- Une déformation des jambes.
- Une incontinence urinaire et/ou fécale.
- La peau située sous le niveau de l'anomalie est insensible à la douleur.
- Parfois, une hydrocéphalie (accumulation de liquide dans le cerveau).
- Dans certains cas, difficultés d'apprentissage.

SYNDROME DE FATIGUE CHRONIQUE

Le symptôme principal est une fatigue intense qui peut durer des mois, voire des années. Parfois, la maladie apparaît suite à un mal de gorge ou à une infection virale comme la mononucléose. Une dépression ignorée peut aussi en être la cause.

SYMPTÔMES

- Fatigue intense : l'enfant n'arrive pas à se lever à l'heure le matin.
- Impression de faiblesse des membres.
- Maux de tête, de ventre ou douleurs musculaires dans les membres.
- Refus de manger ou de participer à des activités de groupe.
- Épuisement après le moindre effort physique ou mental.
- Difficulté à se concentrer.

Traitement

Un enfant peut sortir épuisé d'une maladie infectieuse grave, mais cela ne doit pas durer plus d'un mois. Au-delà de ce délai, consultez un médecin. Il examinera votre enfant et lui fera faire des analyses de sang.

En général, les résultats sont normaux, mais il arrive souvent qu'ils indiquent une infection virale récente ou en cours. Aucun traitement particulier n'est prescrit dans ce cas. On recommande un rythme de vie régulier, et un régime alimentaire sain.

Conduite à tenir

Si votre enfant a beaucoup manqué l'école, organisez un retour progressif à la scolarité. Interrogez ses professeurs pour savoir ce qui pourrait éventuellement le rendre anxieux. Lorsque votre enfant sera capable de retourner à l'école à plein temps, vous pourrez le considérer guéri.

S'il récidive à une ou plusieurs reprises, conduisez-le chez un médecin et/ou chez un pédopsychiatre afin d'identifier la cause de son problème.

DYSLEXIE

Entre 4 et 10 % des enfants sont dyslexiques ; dans une classe d'école, il y a donc en moyenne un ou deux cas. Le plus souvent, les enfants atteints ont des difficultés à épeler les mots. La dyslexie peut être visuelle mais aussi parfois auditive.

Causes
La dyslexie est une maladie génétique et serait transmise par les deux parents, même s'il semble qu'elle touche plus les hommes. On découvre souvent dans l'histoire familiale de la dyslexie ou des difficultés de lecture. L'environnement langagier joue aussi un rôle dans la pathologie.

Traitement
Près de la moitié des enfants atteints ont besoin d'aide. Les enfants à risque peuvent être repérés dès 3 ans. En général, les professeurs détectent le problème lorsque l'enfant apprend à lire, soit vers 6-7 ans. Une fois le problème identifié, l'enfant est alors orienté vers un psychologue ou un éducateur spécialisé pour évaluer ses faiblesses et déterminer s'il a besoin ou non d'aide. Si c'est le cas, il vous faudra trouver un professeur pour l'aider à apprendre de manière efficace et le motiver moralement.

Conduite à tenir
Un enfant dyslexique se décourage facilement ; il est donc important que vous le félicitiez pour la moindre réussite et que vous mettiez en valeur ses points forts. S'il n'arrive pas à lire, faites-lui la lecture afin d'améliorer son vocabulaire et assurez-vous du soutien de ses professeurs.

Avec un bon soutien, il devrait rattraper sans problème son retard scolaire.

SYMPTÔMES

- L'enfant reconnaît les lettres et les chiffres isolément mais n'arrive pas à les mettre dans l'ordre.
- Parfois, difficultés à reconnaître certains sons, à retenir des informations via sa mémoire à court terme et à parler rapidement.

ENFANT DYSLEXIQUE *Reconnaître les lettres n'est pas difficile, mais les utiliser pour constituer un mot est un problème.*

DYSPRAXIE

Ce problème de coordination affecte entre 5 et 6 % des enfants, et plus particulièrement les garçons. Il s'agit d'un trouble spécifique du développement moteur caractérisé par des difficultés à planifier et à organiser ses gestes.

Causes
Cette maladie est souvent liée à une naissance prématurée ou à un faible poids de naissance. D'autres membres de la famille peuvent avoir des problèmes similaires.

Traitement
La dyspraxie passe souvent inaperçue et les enfants sont taxés de fainéantise ou de désintérêt. Des problèmes éducatifs, sociaux et émotionnels peuvent être associés et se poursuivre dans la vie adulte. Parfois, l'ergothérapie ou la kinésithérapie peut aider.

Conduite à tenir
L'enfant peut facilement perdre toute estime de lui-même ; évitez de le critiquer ou de le comparer aux autres. Faites-le participer aux activités dans lesquelles il est bon et encouragez-le à progresser. Félicitez ses efforts et ses succès. Informez les professeurs de son problème. Il devrait s'améliorer avec le temps en apprenant à se confronter aux gestes qui lui sont les plus difficiles.

SYMPTÔMES

- Lenteur du développement moteur : l'enfant met du temps à s'asseoir, à marcher à 4 pattes puis à marcher.
- L'enfant a ensuite des difficultés à sauter à la corde, sauter à cloche-pied, pédaler, lacer ses chaussures ou à boutonner ses habits.
- Il se fatigue facilement, chute sans cesse, et à tendance à faire tout tomber, ce qui peut être frustrant pour lui et pour sa famille.

TROUBLES DU COMPORTEMENT

La plupart des enfants atteints en guérissent seuls; certains auront besoin de l'aide de professionne

CONTENU DU CHAPITRE

Les enfants ont des comportements spécifiques : les bébés sucent souvent leur pouce, se cognent volontairement la tête ou retiennent leur respiration de façon alarmante. Les enfants plus grands ont des tics, agissent de façon compulsive, rongent leurs ongles, tirent ou tortillent leurs cheveux. C'est normal. La plupart de ces petites habitudes n'ont aucune conséquence et apportent à l'enfant le réconfort dont il a besoin lorsqu'il est stressé ou anxieux, ou encore lui permettent d'exprimer sa colère, son ennui ou sa frustration. Pour les parents, il est difficile de savoir quand il y a pathologie ou non. En cas d'inquiétude, consulter un médecin permettra de déterminer si l'enfant a un problème et besoin d'un traitement. Certains troubles comme l'hyperactivité ou l'autisme ne pourront se soigner sans l'aide de professionnels.

TDA/H (TROUBLE D'HYPERACTIVITÉ AVEC DÉFICIT DE L'ATTENTION)

Lorsqu'un enfant bouge sans arrêt, il est incapable de se concentrer et a de mauvais résultats scolaires, il est possible qu'il souffre de TDA/H. À l'école primaire, environ 4 % des enfants sont atteints.

Causes
Les causes du TDA/H ne sont pas vraiment connues : parfois, de minuscules lésions cérébrales ou un stress psychologique semblent en cause. Dans les cas les plus graves, il se pourrait qu'intervienne le facteur génétique. Les garçons sont plus touchés que les filles et la maladie apparaît en général entre 3 et 7 ans.

Traitement
Conduisez votre enfant chez un médecin si vous trouvez son comportement anormal et s'il a des symptômes ressemblant à ceux du TDA/H (*voir p. 79*). Il vous enverra peut-être chez un psychiatre ou un psychologue pour confirmer son diagnostic. En général, c'est à partir des symptômes et de ses observations que le médecin fait son diagnostic. Le traitement dépend de la gravité et des causes invoquées.

Imposer à l'enfant un rythme de vie régulier, exiger de lui qu'il se conduise bien, lui faire suivre un régime adapté et appliquer les conseils de spécialistes sont des mesures qui peuvent se révéler très utiles.

Les cas graves peuvent être traités avec des psychostimulants qui calmeront l'enfant, lui permettront de se concentrer, tout en étant moins agressif et impulsif. Les recherches montrent que 70 à 80 % des enfants souffrant de TDA/H y répondent bien.

Suites éventuelles
La plupart des enfants guérissent sous traitement. Il arrive parfois que certains développent des comportements antisociaux plus tard.

Les symptômes du TDA/H peuvent passer inaperçus jusqu'à ce que l'enfant aille à l'école et que son comportement soit comparé à celui des autres.

SYMPTÔMES

- Manque de concentration.
- Hyperactivité.
- Impulsivité et agitation.
- Instinct destructeur, enfant perturbateur, sujet aux accidents.
- Irritabilité et agressivité.

CONSEILS

Si votre enfant est hyperactif, vous pourrez contrer ou tout au moins affaiblir certains de ses symptômes en éliminant les aliments suivants de son régime :

- Aliments ou boissons contenant les additifs tartrazine et acide benzoïque.
- La caféine contenue dans les boissons de type Coca-Cola.
- Les aliments riches en salicylates comme les pommes, le raisin, les abricots, les pêches et les prunes, la peau des pommes de terre, les épinards, les carottes, le brocoli, la menthe et la réglisse.

AUTISME

L'autisme empêche l'enfant d'entrer en contact avec les autres. On le repère en général avant l'âge de 3 ans. Les garçons sont plus souvent touchés. Les causes de cette maladie sont encore inconnues mais des facteurs génétiques semblent jouer un rôle.

Traitement
Conduisez votre enfant chez un médecin s'il semble avoir des difficultés à communiquer avec son entourage, s'il a un retard de langage ou des difficultés d'apprentissage. S'il a des doutes concernant le diagnostic, il vous enverra chez un pédopsychiatre ou un psychologue. Il n'existe pas de traitement contre l'autisme. Mais des éducateurs spécialisés et des orthophonistes peuvent aider l'enfant.

La plupart des autistes sont scolarisés dans des instituts spécialisés. Quelques-uns suivent une scolarité normale avec l'aide d'un éducateur. Les parents peuvent aider leur enfant en lui apprenant à être autonome.

SYMPTÔMES

- L'enfant ne regarde jamais personne dans les yeux ; il montre du doigt un objet pour attirer l'attention des autres.
- Gestes répétitifs : l'enfant se tape sur les mains ou remue un jouet.
- Retard dans la parole ou dans le langage.
- Apparente indifférence aux autres.
- Préférence pour les activités solitaires.
- Peu d'intérêt pour les jeux créatifs.
- L'enfant n'aime pas qu'on change ses habitudes.
- Difficultés d'apprentissage.

Évolution de la maladie
Les enfants autistes assistés par des orthophonistes et des éducateurs spécialisés voient leur état s'améliorer progressivement tout au long de l'enfance et de l'adolescence. Certains réussiront à devenir des adultes indépendants, mais presque tous resteront plus ou moins infirmes et continueront d'avoir des difficultés à communiquer avec les autres.

Les enfants atteints du syndrome d'Asperger, la forme la moins grave d'autisme, jouissent d'une intelligence normale et sont capables de développer des relations avec d'autres personnes.

DÉTERMINER LES BESOINS PARTICULIERS DE CHAQUE ENFANT Des spécialistes vont observer ce petit garçon qui joue afin d'évaluer ses capacités motrices et sensorielles.

DÉPRESSION

La dépression est considérée comme une maladie d'adulte, alors qu'elle touche 1 enfant de moins de 12 ans sur 200. Il est normal d'avoir parfois le sentiment d'être à bout, mais il y a un problème quand ce sentiment dure et ne disparaît que lors de brefs instants.

Causes
La dépression semble liée à des modifications de l'équilibre chimique dans la partie du cerveau qui contrôle l'humeur.

Elle peut être provoquée par des événements pénibles, comme la mort ou l'éloignement d'une personne aimée, le fait d'être tyrannisé par un autre écolier, l'éclatement de la cellule familiale ou une maladie chronique. Le stress prolongé peut aussi en être la cause. Parfois, il n'y a pas de raison apparente.

L'histoire familiale n'est pas anodine : un enfant a plus de risques de faire une dépression si l'un de ses proches souffre de cette maladie. L'environnement joue aussi un rôle : les troubles sont deux fois plus fréquents en ville.

Une dépression peut être difficile à diagnostiquer car les enfants intériorisent souvent leurs sentiments, ce qui fait que leur entourage ne s'aperçoit de rien. Lorsqu'un enfant pubère n'a plus goût à rien et a l'air triste, on en conclut souvent qu'il fait sa crise d'adolescence.

Traitement
Avec la plupart des enfants, il est utile de chercher la cause du problème et de travailler sur des stratégies permettant de l'affronter. Cependant, si l'état de l'enfant ne s'améliore pas, votre médecin vous suggérera peut-être de consulter un pédopsychiatre. On lui proposera d'abord des consultations individuelles chez un psychologue. Certains médicaments peuvent être efficaces, mais ce n'est pas le premier traitement auquel on aura recours, en particulier avant l'adolescence.

Conduite à tenir
Prenez le temps de parler avec votre enfant. Au début, il vous paraîtra peut-être irritable et vous repoussera, mais prenez le temps d'avoir une activité quotidienne avec lui, cela ne pourra que l'aider. Il peut s'agir de quelque chose de très simple, comme : faire la vaisselle ensemble, cuisiner ou promener le chien. Essayez de comprendre ce qui lui pèse et cherchez des méthodes pour l'aider à mieux gérer sa vie. Faites un effort pour comprendre ses sentiments. Si sa vie scolaire ne s'améliore pas après que vous ayez dialogué, il est probable que votre enfant refuse de l'évoquer de nouveau. Or il ne faudrait pas que vous croyiez que ses problèmes ont disparu.

SYMPTÔMES

- Mauvaise humeur, irritabilité.
- L'enfant pleure et est contrarié facilement, semble malheureux et triste, se renferme, évite la famille et les amis, n'est jamais content de lui, se sent coupable, néglige son apparence.
- Difficultés de concentration.
- Difficultés de réveil ou d'endormissement.
- Fatigue et manque d'énergie.
- Petits problèmes de santé fréquents comme les maux de tête ou d'estomac.
- Menace de se faire du mal ou de se suicider.
- Mange pour se réconforter ou perd son appétit.

Suites éventuelles
La dépression peut affecter la vie d'un enfant tout entière, entraînant un manque de confiance en soi, une incapacité à prendre des décisions, à s'entendre avec sa famille et ses amis, à étudier, travailler, passer des examens, voire juste à se lever le matin.

DAMP (DÉFICIT DE L'ATTENTION, DU CONTRÔLE MOTEUR ET DE LA PERCEPTION)

Les enfants souffrant de DAMP ont des troubles similaires à ceux de l'autisme (*voir p. 299*) car ils ont des difficultés de socialisation, et à ceux de la dyspraxie (*voir p. 297*) parce qu'ils ont des problèmes de perception qui leur rendent la lecture et l'écriture parfois difficiles.

SYMPTÔMES

- Déficit des capacités motrices et de l'attention.
- Problèmes de perception : parfois difficultés particulières à la lecture et à l'écriture.
- Manque de confiance en soi et d'estime de soi.
- Difficultés à se faire des amis et à s'intégrer dans la vie sociale.

Traitement

L'appellation DAMP vient de Suède et n'est pas connue de tous les professionnels de la santé ou de l'éducation. Il est en outre toujours difficile d'obtenir un diagnostic précis avec ce type de troubles.

Il n'existe aucun traitement spécifique, mais l'essentiel est que votre enfant reçoive l'aide d'éducateurs et de thérapeutes compétents et capables de cibler les domaines spécifiques dans lesquels il rencontre des difficultés.

À l'école, le professeur de votre enfant va évaluer ses points forts et ses faiblesses, et déterminer les matières pour lesquelles il aura besoin de cours supplémentaires. Conduisez votre enfant chez un médecin : ce dernier l'orientera, si besoin est, vers un centre spécialisé.

Conduite à tenir

Les enfants atteints de ces troubles ont tendance à perdre confiance en eux et à se sous-estimer : il est donc aussi important de travailler avec eux sur les tâches qu'ils trouvent difficiles que de s'investir dans des activités qu'ils réussissent. Votre enfant a peut-être ainsi un passe-temps favori. Discutez avec son instituteur et demandez-lui d'inciter votre enfant à participer aux activités dans lesquelles il est à l'aise. Cela lui remontera le moral. Par ailleurs, n'hésitez pas à prendre contact avec l'une des multiples associations qui s'occupent des troubles comportementaux ; elle vous apportera soutien et informations.

Évolution de la maladie

La bonne nouvelle, c'est que les enfants souffrant de DAMP vont souvent de mieux en mieux en grandissant.

TROUBLES DE LA CONDUITE

Tout enfant fait preuve à un moment ou un autre d'espièglerie, fait le coquin et désobéit. Avoir des troubles de la conduite représente un problème sérieux et beaucoup plus grave : cela signifie que l'enfant désobéit en permanence, qu'il est agressif et que son comportement perturbateur est tel, que cela l'empêche de se développer normalement et nuit à la vie familiale.

SYMPTÔMES

- Problèmes scolaires.
- Comportement asocial qui empire quand l'enfant grandit : il devient hostile et défiant, sèche les cours, et a tendance à de mauvaises habitudes comme le mensonge et le vol.
- Incapacité à respecter des règles, que ce soit à l'école ou à la maison.
- Manque d'estime de soi.

Causes

Les problèmes scolaires sont l'un des premiers signes évocateurs des troubles de la conduite chez l'enfant. Le comportement asocial de l'enfant l'amène à être rejeté par ses camarades. Selon certaines études, plus de la moitié des enfants âgés de 3 à 7 ans et souffrant de troubles de la conduite sont obligés de changer d'école, à deux reprises ou plus, du fait de leur comportement difficile.

Les garçons sont deux fois plus concernés que les filles. La moitié des enfants voient leur état s'améliorer avec le temps, tandis que l'état des autres s'aggrave : ils peuvent devenir hostiles, défiants, ignorer toutes les règles, se battre, voler, mentir, faire l'école buissonnière. Il arrive aussi qu'ils mettent leur sécurité et leur santé en danger, en prenant des drogues par exemple.

Les facteurs prédisposant un enfant aux troubles de la conduite sont nombreux : une personnalité « difficile » au départ, des difficultés d'apprentissage (par exemple de la lecture et de l'écriture), une dépression (*voir p. 300*) et/ou des problèmes de maltraitance. Les enfants atteints de trouble d'hyperactivité avec déficit de l'attention (*voir* TDA/H *p. 299*) ont aussi tendance à développer ce type de troubles car ils ont du mal à se contrôler, à être attentif et à respecter des règles.

Traitement

Si votre enfant pose des problèmes à la fois à la maison, ou à l'école depuis plus de trois mois, vous devriez le conduire chez un médecin. Il vous conseillera peut-être de vous rendre dans un centre médico-psychologique.

Le traitement consiste en une thérapie individuelle, de groupe ou familiale. Avec votre enfant, le pédopsychiatre travaillera à trouver la cause de ses problèmes, puis il vous donnera des conseils pratiques pour améliorer son comportement, et lui enseigner, par exemple, comment se contrôler ou comment mieux s'intégrer dans la vie sociale.

Il peut être utile que votre enfant s'identifie à un modèle ou que toute la famille participe à son traitement : par exemple en s'informant sur sa maladie, en l'aidant à structurer son environnement ou en fixant des règles de vie claires, scolaire et familiale, et en s'y tenant.

Conduite à tenir

En tant que parent, vous pouvez faire beaucoup pour votre enfant à la maison : imposez-lui une discipline permanente, sans être excessive, félicitez-le et récompensez-le dès qu'il se conduit bien ou mieux. Prêtez attention à votre enfant lorsqu'il se conduit bien pour lui indiquer que c'est le type de comportement que vous attendez de lui. Il aura ainsi des points de repère.

Discutez avec son instituteur et mettez-vous d'accord sur un code de conduite à l'école en expliquant clairement à votre enfant ce que vous attendez de lui dans le contexte scolaire. Parlez avec votre enfant, prévenez-le qu'il sera puni s'il n'obéit pas aux règles et qu'il sera récompensé s'il s'y plie. Il est très important que vous appliquiez ce que vous avez dit en cas de désobéissance.

Il peut aussi être utile de consulter le psychologue scolaire pour voir s'il a des conseils à vous donner ou si votre enfant pourrait avoir droit à un soutien particulier.

Évolution de la maladie

Lorsque les troubles de conduite sont diagnostiqués à temps et que l'enfant est soutenu et traité de façon appropriée, il a de grandes chances de s'en sortir en grandissant. La plupart des enfants atteints voient leur comportement s'améliorer rapidement avec un peu d'aide, si leurs parents sont bien conseillés et soutenus.

PROBLÈMES DE PROPRETÉ

Les bébés sont par nature très curieux et donc souvent très intéressés par ce qu'ils laissent derrière eux dans leur pot, au moment où vous leur apprenez la propreté. Toutefois, le fait de « peindre », par exemple, avec ses excréments n'est pas toujours un jeu et peut être le signe d'une profonde détresse, d'une grande anxiété ou de maltraitance.

Conduite à tenir

Même si les parents peuvent trouver cela dégoûtant, il est tout à fait normal qu'un bébé ait envie de toucher le contenu de son pot. Si vous surprenez votre enfant en train de jouer avec ses selles, essayez de rester calme et ne le grondez pas ; expliquez-lui plutôt qu'il ne faut pas qu'il joue avec parce que les selles doivent rester dans le pot jusqu'à ce que vous les jetiez dans les toilettes.

Le mieux est de rester le plus neutre possible. Si vous prenez un air horrifié ou vous mettez en colère, votre enfant sera intrigué par votre réaction et sera tenté de recommencer. La fois suivante, lorsque vous le mettrez sur le pot, surveillez-le et jetez le contenu du pot aux toilettes dès qu'il a terminé. Dites-lui de tirer la chasse d'eau, cela l'amusera. Par ailleurs, proposez-lui une activité manuelle créative comme le dessin et la peinture.

Si vous rencontrez ce problème avec un enfant plus âgé, cherchez d'autres symptômes de souffrance ou d'anxiété. Entamez en douceur un dialogue avec lui et essayez de découvrir si quelque chose ne va pas. Éventuellement consultez un médecin qui vous orientera peut-être vers un pédopsychiatre. Celui-ci vous aidera à trouver la raison de ces actes et vous conseillera sur la meilleure manière de soutenir et d'aider votre enfant.

MALADIES DU SANG ET DE LA CIRCULATION

Les maladies les plus graves, comme la leucémie, se soignent aujourd'hui beaucoup mieux.

CONTENU DU CHAPITRE

Pour être en bonne santé, un enfant a besoin d'un cœur et d'un système sanguin qui fonctionnent bien. S'il souffre d'une maladie de la circulation, comme le purpura rhumatoïde, il est très important que le diagnostic soit fait le plus tôt possible pour maximiser les chances de guérison. Les malformations congénitales les plus graves sont celles qui affectent le cœur ; mais nombre d'entre elles sont aujourd'hui curables.

SYSTÈME CARDIO-VASCULAIRE

COMMENT LE SANG CIRCULE-T-IL ?
Le cœur pompe le sang via les artères, les veines et les vaisseaux capillaires. Le sang apporte l'oxygène et les substances nutritives dans toutes les parties du corps et emporte les déchets de l'organisme. Il retourne ensuite aux poumons pour s'oxygéner de nouveau et éliminer le dioxyde de carbone

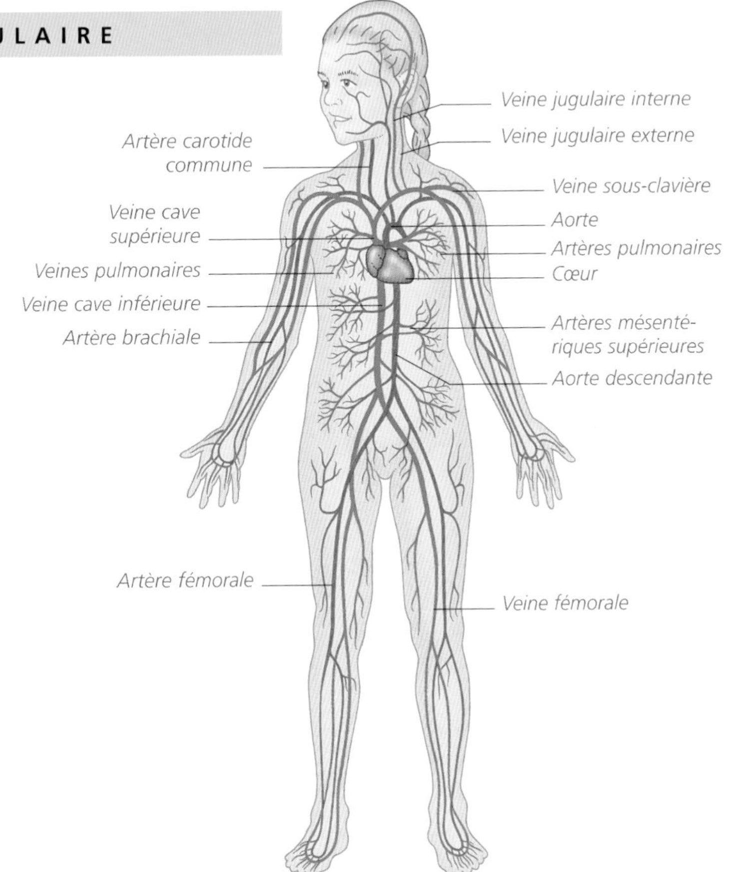

CARDIOPATHIES CONGÉNITALES

Les enfants atteints de cardiopathie congénitale naissent avec une malformation cardiaque. Cela concerne 1 naissance sur 140. Certains enfants guérissent sans traitement, d'autres ont besoin d'une opération chirurgicale. Le risque de malformation cardiaque du bébé est accru si la mère ne soigne pas correctement son diabète, prend des drogues, a déjà eu un enfant présentant une malformation cardiaque ou, dans certains cas rares, a été infectée par la rubéole au début de sa grossesse.

Types de malformation

Les plus courantes sont :

- La communication interventriculaire : une ouverture dans la cloison interauriculo-ventriculaire permet au sang de passer du ventricule gauche au droit. Au lieu d'aller dans le corps, le sang oxygéné part dans les poumons.
- La persistance du canal artériel : ce canal de dérivation de la circulation sanguine ne se ferme pas à la naissance du bébé.
- La communication interauriculaire : les oreillettes (cavités du cœur situées au-dessus et en arrière des ventricules) communiquent entre elles.
- La sténose de la valvulve aortique : rétrécissement de la valvulve aortique.
- La sténose de la valvulve pulmonaire : rétrécissement de la valvulve pulmonaire.

Les malformations plus rares :

- La transposition des gros vaisseaux : les positions de l'aorte et de l'artère pulmonaire sont inversées.
- La coarctation de l'aorte : un rétrécissement de l'aorte.
- La tétralogie de Fallot : combinaison de quatre problèmes, à savoir une hypertrophie ventriculaire droite, une communication interventriculaire, une sténose pulmonaire et une mauvaise position de l'aorte.

Traitement

La cardiopathie peut être détectée lors de l'examen de routine à la naissance. Il arrive que les symptômes ne soient perceptibles que plus tard dans l'enfance, voire à l'âge adulte.

SYMPTÔMES

Les symptômes varient en fonction de la nature et de la gravité de la ou des malformations. Il existe trois signes possibles de cardiopathies congénitales :

Le souffle au cœur :

- Il s'agit d'un bruit anormal que le médecin entend au stéthoscope. La plupart des souffles au cœur ne sont pas le signe d'une cardiopathie congénitale. Mais ils peuvent indiquer un rétrécissement de la valvulve pulmonaire ou aortique ou une autre malformation cardiaque.

Alimentation et perte de poids :

- Le cœur de certains bébés atteints ne pompent pas efficacement ; ils tètent donc lentement et ont du mal à finir leur repas.
- Les bébés atteints peuvent aussi respirer rapidement et transpirer en particulier après leur repas.
- Croissance ralentie

Mauvaise oxygénation du sang :

- Coloration bleue de la langue et des lèvres. Des malformations empêchent le sang de circuler normalement dans les poumons : il apporte au corps moins d'oxygène qu'il le devrait.
- Essoufflement à l'effort.

COMMUNICATION INTERVENTRICULAIRE
Un trou dans le septum permet au sang de couler du ventricule gauche dans le droit. Le sang oxygéné retourne dans les poumons au lieu de couler dans l'aorte et de rejoindre les tissus du corps.

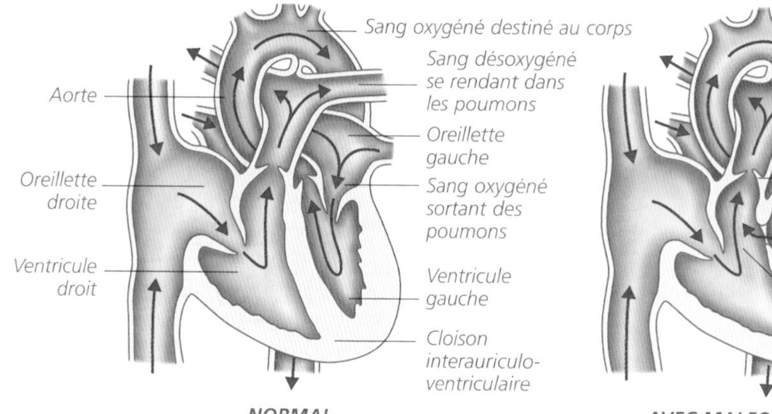

En cas d'inquiétude, conduisez votre enfant chez un médecin. Il vous enverra si nécessaire chez un spécialiste afin de procéder à une radio des poumons, un électrocardiogramme (ECG) et une échographie du cœur pour rechercher le type de malformation et en évaluer la gravité.

La malformation peut disparaître seule. Il arrive qu'il faille opérer en urgence ou plus tard dans l'enfance. Le médecin prescrira des antibiotiques à titre préventif en cas de soins dentaires ou d'opération.

Pronostic

Tout dépend de la nature de la malformation et de sa gravité. Si l'anomalie ne disparaît pas d'elle-même, une opération chirurgicale peut être nécessaires. Nombreuses sont celles que l'on peut opérer : communication interauriculaire, persistance du canal artériel ou rétrécissement d'une valvule pulmonaire ou aortique. Les progrès en chirurgie sont tels que la plupart des enfants atteints, même des malformations les plus graves, finissent par vivre normalement.

POUR ÉCOUTER LE CŒUR D'UN ENFANT, le médecin utilisera un stéthoscope. Un bruit anormal peut indiquer la présence d'une malformation.

Conduite à tenir

Encouragez votre enfant à mener une vie normale, mais dans certains cas, le médecin conseillera de limiter les activités physiques.

Si votre enfant souffre d'une cardiopathie congénitale, consultez un médecin dès qu'il a de la fièvre, un manque d'énergie ou d'appétit : il peut s'agir d'une endocardite bactérienne.

Si on lui prescrit des antibiotiques pour prévenir une endocardite bactérienne, veillez à ce qu'il finisse bien son traitement. Il portera sur lui une carte fournie par le médecin, indiquant qu'il souffre d'une cardiopathie congénitale.

CHOLESTÉROL ET MALADIE CARDIAQUE

Les enfants susceptibles d'avoir des problèmes cardiaques à l'âge adulte du fait de leur héritage génétique auront moins de risque d'être malades s'ils adoptent une bonne hygiène de vie. L'athérosclérose, maladie due à l'épaississement des artères et à leur obstruction du fait d'un excès de cholestérol, se développerait sur une période de 30 ans, voire plus. En encourageant votre enfant à faire du sport et à manger sainement, vous réduirez le risque qu'il développe une maladie cardiaque à l'âge adulte. Le plus efficace est de changer les habitudes de toute la famille.

Conseils pour une bonne hygiène de vie :

- Manger beaucoup de fruits et de légumes frais (5 portions/jour)
- Réduire la quantité de viandes grasses et de produits laitiers entiers qui contiennent beaucoup d'acides gras saturés et font monter le taux de cholestérol dans le sang.
- Faire du sport régulièrement.
- Éviter de fumer à la maison et avertir votre enfant des dangers du tabac.
- Aider son enfant à gérer son stress. S'il a tendance à être anxieux ou inquiet, lui proposer des cours de yoga ou des massages.

ANÉMIE DUE À UNE CARENCE EN FER

Un enfant souffrant d'anémie n'a pas assez d'hémoglobine dans ses globules rouges, ce qui entraîne une diminution de l'apport d'oxygène dans les tissus. Les symptômes peuvent être inexistants. L'anémie due à une carence en fer est la plus courante.

SYMPTÔMES

- Pâleur.
- Manque d'énergie.
- Essoufflement à l'effort.

Causes

Les globules rouges sont fabriqués dans la moelle des os tels que le fémur. Ils circulent dans le sang pendant environ 120 jours puis perdent en efficacité et sont détruits. Le fer, ingrédient essentiel de l'hémoglobine, joue un rôle majeur dans la formation de globules rouges. Une carence en fer entraînera une mauvaise production de globules rouges et par conséquence une anémie.

Votre enfant peut souffrir de carence parce qu'il n'y a pas assez de fer dans son alimentation ou parce que son corps n'absorbe pas ou n'utilise pas le fer de manière efficace. Si elle dure trop longtemps, une anémie due au manque de fer peut affecter fonction et développement mentaux.

Si l'anémie est due à une destruction des globules rouges en trop grand nombre, il peut y avoir anomalie génétique (Drépanocytose *voir p. 313*, Thalassémie *voir p. 314*).

Traitement
Consultez un médecin si vous pensez que votre enfant est anémié. Il vous questionnera pour déterminer ce qu'il en est (antécédents, habitudes alimentaires, etc.).

S'il pense qu'une anémie est possible, il demandera une analyse de sang pour vérifier quelle est la quantité de globules rouges, leur forme, leur taille et leur couleur. Dans l'anémie due à une carence en fer, ils seront plus petits et plus pâles que la normale. D'autres tests, incluant la mesure du taux de fer dans le sang, peuvent se révéler nécessaires pour préciser le diagnostic.

Le médecin conseillera un régime alimentaire et prescrira éventuellement du fer pendant 3 mois.

Si votre enfant a moins de 6 mois ou est né prématurément, on lui aura probablement déjà prescrit du fer. Si ce n'est pas le cas, le médecin le fera. Les enfants prématurés ont des réserves en fer souvent insuffisantes pour compenser le peu de fer présent dans le lait.

Conduite à tenir
L'anémie est moins fréquente chez les enfants plus âgés s'ils ont une alimentation variée. Veillez à ce que votre enfant mange des aliments riches en fer (légumes à feuilles vert foncé, sardines et viande). Le fer des légumes verts sera mieux absorbé par le corps s'ils sont mangés avec des protéines (viande, œufs ou fromage).
Si votre enfant refuse de manger des aliments riches en fer, demandez au médecin de vous en prescrire.

Les enfants qui ne se nourrissent que de lait jusqu'à 6 mois risquent de développer une anémie même si le lait est enrichi en fer.

LEUCÉMIE

La leucémie est un cancer dans lequel la moelle osseuse produit beaucoup de globules blancs anormaux et peu de globules blancs, de globules rouges et de plaquettes normaux. Les cellules leucémiques infiltrent le foie, la rate et les ganglions lymphatiques, affaiblissant le système immunitaire. La forme de leucémie la plus courante chez les enfants est la leucémie aiguë lymphoblastique.

SYMPTÔMES

- Pâleur et fièvre.
- Taches roses ou violacées.
- Peau facilement ecchymosée.
- Manque d'énergie.
- Gonflement des ganglions lymphatiques du cou, des aisselles et de l'aine.
- Douleur dans les os et les articulations.
- Saignement des gencives.

CELLULE NORMALE

CELLULE LEUCÉMIQUE

LEUCÉMIE AIGUË LYMPHOBLASTIQUE La vue au microscope du sang d'une personne atteinte de leucémie (à droite) montre un grand nombre de globules blancs anormaux.

Traitement
Après un examen attentif, le médecin fera faire des analyses de sang à votre enfant. Si les tests effectués ne permettent pas d'éliminer une leucémie, une biopsie sera nécessaire : on prélèvera donc des cellules de sa moelle osseuse pour les analyser.

Le traitement de la leucémie aiguë lymphoblastique se divise en deux phases : dans la première, qui peut durer de plusieurs semaines à plusieurs mois, on donne à l'enfant des médicaments destinés à détruire les cellules leucémiques. Ce traitement est poursuivi jusqu'à ce qu'une biopsie de la moelle osseuse montre la disparition des cellules malignes. L'enfant est alors dit en rémission.

La seconde phase du traitement dure 2 ans pendant lesquels l'enfant est soumis à des périodes de traitement intensif destiné à détruire la moindre cellule leucémique encore présente dans son corps. Souvent cela peut se faire en hôpital de jour. Aidez votre enfant à mener une vie aussi normale que possible et tenez-le éloigné des personnes atteintes d'une infection virale, en particulier de la varicelle ou de la rougeole, car son traitement le rendra plus vulnérable.

Pronostic
Les thérapeutiques actuelles permettent une rémission totale dans plus de 70 % des cas de leucémies aiguës lymphoblastiques.

PURPURA RHUMATOÏDE

Les capillaires sanguins fragilisés répandent du sang sous la peau, provoquant une éruption. Articulations, reins et système digestif sont aussi affectés. Cette maladie touche surtout les enfants de 2 à 10 ans, et peut-être due à une allergie ou une infection bactérienne.

Traitement
Conduisez votre enfant chez un médecin dans les 24 heures s'il développe l'un des symptômes. Le médecin demandera peut-être de lui faire faire des analyses de sang afin d'éliminer d'autres maladies. Une analyse d'urine sera aussi nécessaire : la présence de globules rouges et de protéines indiquant une inflammation des reins.

Les symptômes sont légers et aucun traitement n'est nécessaire. Si votre enfant souffre de douleurs abdominales importantes, le médecin pourra lui prescrire des corticostéroïdes qui devraient le soulager rapidement. Si les reins sont touchés, il fera de nouvelles analyses d'urine et de sang à plusieurs reprises pour contrôler l'amélioration.

Conduite à tenir
Si votre enfant ne se sent vraiment pas bien, vous pouvez lui donner de l'acétaminophène et lui permettre de rester au lit s'il le souhaite. Le purpura rhumatoïde peut durer de quelques jours à un mois et les symptômes peuvent disparaître puis réapparaître à plusieurs reprises.

La plupart des enfants qui contractent la maladie en guérissent complètement et sans séquelles. L'inflammation des reins disparaît normalement en quelques jours, mais il arrive qu'elle dure jusqu'à 2 ans.

SYMPTÔMES

- Dans tous les cas, éruption de taches roses, rouges ou violacées constituées de sang infiltré dans la peau et qui ne s'effacent pas lorsqu'on appuie dessus.
- L'éruption apparaît sur les fesses et l'arrière des membres, autour des coudes et des chevilles, avant de s'étendre sur le devant des membres.
- Articulations douloureuses et gonflées.
- Douleur abdominale souvent accompagnée de vomissements et de diarrhée.
- Sang dans les selles.

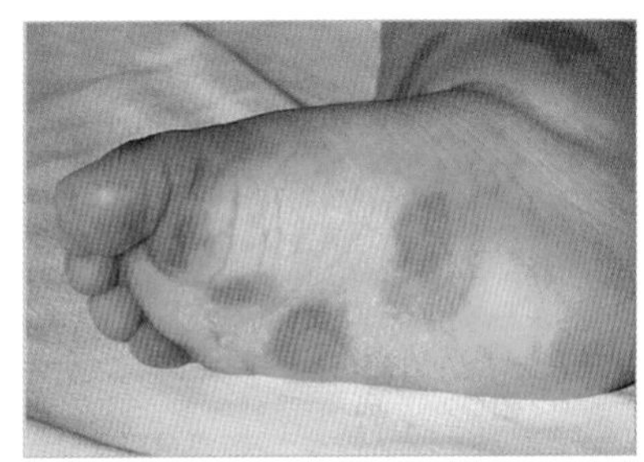

ÉRUPTION TYPIQUE Les taches peuvent être roses, rouges ou violacées, plates ou bombées, et de tailles très variables.

THROMBOCYTOPÉNIE

Les individus qui en sont atteints ont un taux de plaquettes anormalement bas. Chez les enfants, elle se développe souvent conjointement à un purpura thrombocytopénique idiopathique (PTI) qui naît en général dans les 2 semaines suivant une infection virale.

Traitement
Conduisez immédiatement votre enfant chez un médecin s'il présente une éruption et des saignements. Il lui fera faire des analyses afin de déterminer s'il souffre d'un PTI et d'éliminer d'autres maladies aux symptômes similaires.

La plupart des enfants atteints de PTI n'ont pas besoin de traitement. Il leur faut éviter toute activité fatigante jusqu'à la disparition des symptômes, en général en quelques semaines. Les plaquettes sont essentielles pour la coagulation du sang. Si votre enfant saigne beaucoup du nez ou de la bouche ou si son taux de plaquettes est bas, il sera hospitalisé. On pourra lui administrer un traitement à base de corticostéroïdes, de transfusions de plaquettes et parfois de gamma globuline par intraveineuse afin de stimuler son organisme et de réduire les risques de graves hémorragies.

SYMPTÔMES

- Éruption étendue de taches violacées constituées de sang infiltré dans la peau et qui ne s'effacent pas quand on appuie dessus.
- Des ecchymoses se forment à la moindre pression sur la peau.
- Saignements de nez et dans la bouche.
- Présence de sang dans l'urine résultant de saignements dans les reins.

L'hémorragie cérébrale est une complication possible, mais très rare. La plupart des enfants guérissent en 2 semaines. Dans certains cas, le taux de plaquettes peut mettre 6 mois ou plus à redevenir normal.

TROUBLES HORMONAUX

Une production anormale d'hormones peut affecter le développement physique et/ou mental.

CONTENU DU CHAPITRE

Les hormones sont des messagers de nature chimique libérés directement dans le sang par les glandes du système endocrinien. Chacune a un rôle différent et important dans le corps, puisqu'elles contrôlent la croissance, la production d'énergie, les activités biochimiques, telles que la digestion, ainsi que le développement et la fonction sexuels. Elles aident aussi notre organisme à faire face au stress, au danger et à la fatigue.

ANATOMIE DU SYSTÈME ENDOCRINIEN

LE SYSTÈME ENDOCRINIEN
Les glandes du système endocrinien sont contrôlées par l'hypophyse qui se trouve à la base du cerveau. De cette glande maîtresse va dépendre la libération dans le sang d'une grande partie des hormones. Le sang va ensuite les distribuer dans tout le corps. Certaines glandes comme les testicules et les ovaires restent inactives jusqu'à la puberté.

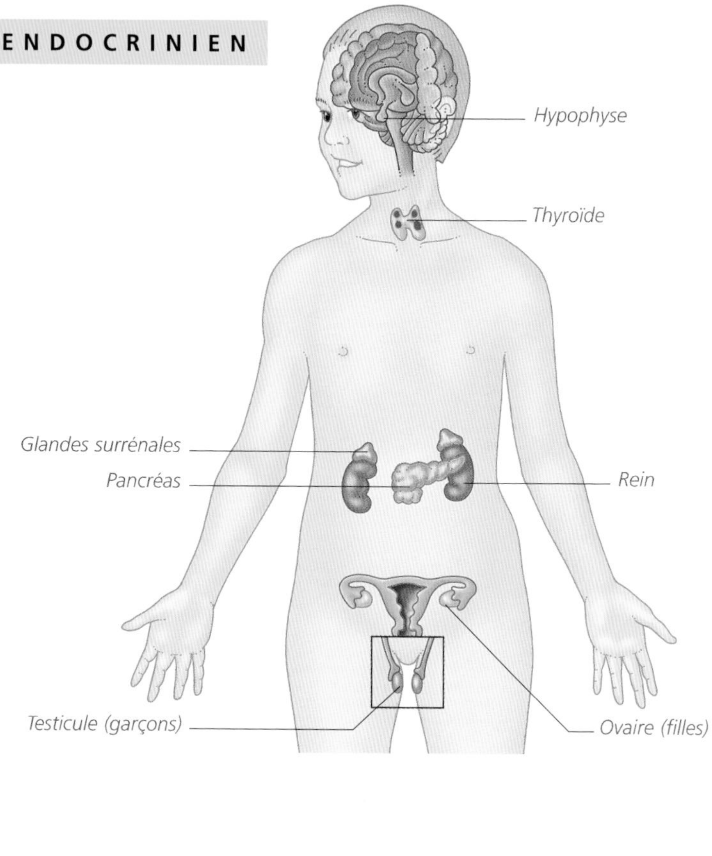

DIABÈTE INSULINO-DÉPENDANT

L'insuline est une hormone qui permet au corps de traiter et de stocker le glucose. Chez l'enfant souffrant de diabète insulino-dépendant, le pancréas s'arrête brusquement de fabriquer de l'insuline : le déficit de cette hormone provoque une augmentation du taux de glucose dans le sang et affecte les processus chimiques de l'organisme. Le glucose non transformé est excrété en grande quantité dans l'urine ; les mictions sont fréquentes et l'enfant a soif. Le traitement consiste en des injections quotidiennes d'insuline à vie.

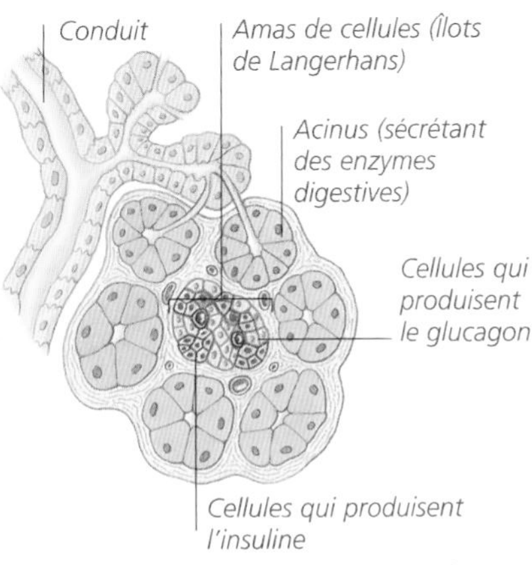

CELLULES DU PANCRÉAS *Certaines cellules sécrètent l'insuline qui fait baisser la glycémie ; d'autres le glucagon qui la fait monter.*

Conduite à tenir

Consultez rapidement un pédiatre si vous pensez que votre enfant peut être atteint de diabète. S'il est confirmé que votre enfant souffre d'un diabète insulino-dépendant, consultez dès que son état vous inquiète. Appelez immédiatement un médecin, s'il a une infection ou une gastro-entérite, car ces troubles peuvent rendre le contrôle de la glycémie difficile.

Traitement

Si les symptômes de votre enfant suggèrent un diabète insulino-dépendant, le médecin lui fera faire des analyses d'urine et de sang pour vérifier sa glycémie. Et si cette dernière est anormalement élevée, il se peut qu'il hospitalise votre enfant en urgence pour faire d'autres analyses et commencer un traitement à base d'insuline. Si votre enfant est déshydraté à force d'excréter trop d'urine, on le réhydratera par voie intraveineuse en même temps qu'on lui administrera l'insuline. La durée de l'hospitalisation dépend de l'âge de l'enfant et de la gravité de son état.

Il faudra ensuite que votre enfant reste sous surveillance médicale. Les médecins veilleront à ce qu'il reçoive suffisamment d'insuline pour avoir une glycémie normale et pouvoir mener une vie tout aussi normale. Pour y parvenir, il devra manger des repas réguliers, équilibrés et recevoir des injections d'insuline deux, voire trois fois par jour.

La glycémie de votre enfant peut chuter à cause d'un surdosage de l'insuline, d'un repas manqué ou d'une séance de sport un peu trop intense : il risquera alors de faire une crise d'hypoglycémie. Votre médecin vous expliquera comment reconnaître ce trouble et ce que vous devez faire. Il vous prescrira aussi du glucagon que vous pourrez injecter à votre enfant pour arrêter la crise.

Conseils

Le médecin vous montrera comment mesurer la glycémie de votre enfant et comment noter les résultats du test. Les mesures obtenues permettront d'ajuster la posologie aux besoins exacts de votre enfant. Vous apprendrez également comment faire les injections, conserver l'insuline et vous débarrasser des flacons et des seringues usagés.

Veillez à ce que votre enfant mange à un rythme régulier et des repas contenant les quantités adéquates de lipides, de protéines et de glucides.

L'alimentation d'un enfant de 5 ans et plus doit être composée de 30 % de lipides, 15 % de protéines et pour le reste de glucides. Les enfants plus jeunes peuvent absorber plus de lipides. Veillez aussi à ce que le régime de votre enfant soit riche en fibres solubles ou insolubles. On trouve des fibres solubles dans les flocons d'avoines, les légumes secs ou les fruits, et des fibres insolubles dans

SYMPTÔMES

Lorsque le diabète n'est pas ou mal soigné, il y a trop de glucose dans le sang (hyperglycémie). Les cellules n'étant pas capables de transformer le glucose en énergie, le corps est obligé de puiser son énergie dans les graisses et les protéines. Cette modification des processus internes de l'organisme provoque les symptômes suivants :

- Mictions fréquentes (parfois une énurésie chez des enfants propres).
- Soif excessive.
- Fatigue et manque d'énergie.
- Baisse de l'appétit.
- Forte perte de poids.

Dans les cas les plus graves, on constate :

- Des vomissements.
- Des douleurs abdominales.
- Une respiration trop rapide.
- Somnolence et confusion pouvant, en l'absence de traitement, être suivies de perte de conscience et de coma.

le pain complet, les pâtes ou encore les céréales. Il n'est pas nécessaire de faire un repas à part pour votre enfant ; une diététicienne de l'hôpital pourra vous donner des conseils pour la mise en place d'un régime sain et équilibré qui bénéficiera à toute la famille.

Lorsque votre enfant manque d'appétit, veillez à ce qu'il absorbe la même quantité de glucose que dans son repas en lui donnant des boissons glucosées. De même, assurez-vous qu'il prend bien son insuline.

Une séance de sport peut provoquer une crise d'hypoglycémie, aussi faudra-t-il que vous adaptiez le régime de votre enfant et ses apports d'insuline s'il participe à une compétition sportive ou va dépenser beaucoup d'énergie à une activité. Demandez conseil à son médecin.

Votre enfant devra toujours porter sur lui un bracelet ou une carte indiquant qu'il souffre de diabète insulino-dépendant et quels sont les médicaments qu'il prend. Vos proches comme ses professeurs doivent être informés de la conduite à tenir en cas de crise d'hypoglycémie.

Au fur et à mesure que votre enfant grandit, encouragez-le à prendre son traitement en main. Même très jeune, il peut comprendre l'importance de la régularité des repas et apprendre à repérer les symptômes de l'hypoglycémie comme à faire ses injections seul et à mesurer et enregistrer sa glycémie.

Les principaux symptômes de l'hypoglycémie

- Douleurs abdominales.
- Transpiration.
- Vertiges et/ou confusion.

Si votre enfant présente l'un de ces symptômes, donnez-lui immédiatement une boisson ou un aliment sucré, comme du chocolat ou un biscuit. Si votre enfant refuse de boire ou de manger, ou si sa glycémie a chuté si bas qu'il somnole ou a perdu connaissance, faites-lui une injection de glucagon afin de la faire remonter.

Complications possibles

Si sa glycémie est bien contrôlée, votre enfant pourra mener une vie normale, faire du sport, et encourra moins de risques de complications.

Ces dernières ne surviennent en général qu'à l'âge adulte : problèmes cardiaques, circulatoires, rénaux, oculaires et nerveux. Elles se développent souvent 10 à 15 ans après le début de la maladie.

DIABÈTE INSIPIDE

Le diabète insipide est dû à la déficience d'une autre hormone que celle impliquée dans le diabète insulino-dépendant. Il n'a rien à voir avec le glucose ou les problèmes d'utilisation de l'énergie par les organes. Les symptômes principaux en sont similaires.

SYMPTÔMES

- Soif excessive.
- Mictions fréquentes et très abondantes d'urine pâle comme de l'eau.

Une déshydratation est possible du fait de la quantité d'urine excrétée.

Causes

Dans la plupart des cas, le diabète insipide est provoqué par une incapacité de l'hypophyse à sécréter l'hormone antidiurétique (vasopressine). Cette hormone agit sur les reins pour qu'ils concentrent l'urine et réduisent ainsi la quantité de fluide excrété par le corps via la vessie.

Si l'hypophyse ne produit pas de vasopressine, les mictions sont trop importantes et la soif excessive. Le problème peut venir d'une lésion de la glande ou, moins fréquemment, d'une tumeur. Plus rarement, il résulte d'une incapacité des reins à répondre à des doses normales de vasopressine.

Traitement

Conduisez votre enfant immédiatement chez un médecin s'il présente les symptômes ci-contre ou des signes de déshydratation : yeux creux, somnolence anormale ou perte de poids.

Le médecin fera faire une analyse d'urine. Si l'urine n'est pas assez concentrée, il peut s'agir d'un diabète insipide. Des examens à l'hôpital seront probablement nécessaires pour confirmer le diagnostic et trouver la cause du problème.

Si l'hypophyse ne produit pas suffisamment de vasopressine, on lui prescrira de l'hormone antidiurétique synthétique. Si les reins ne fonctionnent pas normalement malgré un taux normal de vasopressine, il suivra un régime pauvre en sel et paradoxalement, prendra des médicaments diurétiques.

Évolution de la maladie

L'hypophyse avec lésion peut guérir, mais parfois le diabète insipide dure toute la vie. Les traitements existants permettent toutefois d'avoir une vie normale et d'être actif. Il n'y a pas de complications à long terme.

HYPOTHYROÏDIE

Les hormones produites par la thyroïde sont essentielles au bon développement physique et mental de l'enfant. En cas d'hypothyroïdie, il n'y a pas assez d'hormones produites. Sans traitement, croissance et capacités d'apprentissage peuvent en pâtir.

SYMPTÔMES

Chez les grands enfants :

- Ralentissement de la croissance.
- Mauvaise concentration.
- Manque d'énergie, manque d'appétit et prise de poids.
- Goitre (augmentation du volume de la glande thyroïde).
- Constipation.

Causes
Un enfant peut présenter une hypothyroïdie depuis la naissance. En général, c'est à cause d'une glande thyroïde trop petite ; mais cela peut aussi être dû à une thyroïde malade, un mauvais fonctionnement de l'hypothalamus ou de l'hypophyse (lesquels stimulent normalement la production des hormones thyroïdiennes). On retrouve des cas d'hypothyroïdie dans la famille et la maladie peut être associée à des maladies auto-immunes comme le vitiligo, l'arthrite rhumatoïde, le diabète et l'anémie pernicieuse.

Traitement
Le dépistage de l'hypothyroïdie par analyse de sang à la naissance est systématique. Si votre enfant souffre de la maladie, on lui donnera un traitement préventif avant l'apparition des symptômes.

Si vous craignez que votre enfant souffre de problèmes hormonaux, conduisez-le chez un médecin. Celui-ci effectuera des analyses de sang pour mesurer ses taux d'hormones. En cas d'hypothyroïdie, il prescrira des comprimés de thyroxine synthétique (hormone principale produite par la thyroïde) à prendre à vie.

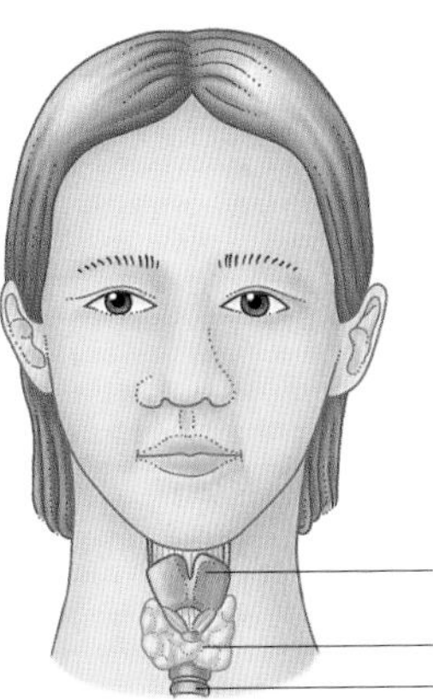

LA THYROÏDE
Localisée à la base du cou, devant la trachée, cette glande aide à réguler le métabolisme des cellules et la croissance.

DÉFICIT EN HORMONE DE CROISSANCE

L'hormone de croissance est nécessaire à tous pour grandir normalement. Elle est produite par l'hypophyse, une glande qui se trouve à la base du cerveau. L'enfant souffrant d'un déficit en hormone de croissance grandit lentement.

SYMPTÔMES

- Croissance lente.
- Petite taille et surcharge pondérale.
- Puberté retardée.

Causes
L'hormone de croissance produite par l'hypophyse stimule le développement osseux du squelette et la production des protéines qui vont composer les tissus organiques.

Lorsque l'hypophyse présente une malformation congénitale ou est atteinte d'une maladie (tumeur par exemple), ou en cas de traumatisme crânien, il arrive que la production d'hormone de croissance soit insuffisante pour un développement normal.

Traitement
Si vous trouvez que votre enfant ne grandit pas assez vite, conduisez-le chez un médecin. Il mesurera sa taille à intervalles réguliers pour établir sa courbe de croissance. Et s'il trouve qu'il grandit vraiment trop lentement, il enverra peut-être votre enfant faire des radios des os et des analyses de sang pour vérifier son taux d'hormone de croissance. S'il diagnostique un déficit de l'hormone de croissance, il se peut qu'il prescrive à votre enfant des injections quotidiennes d'hormone de croissance de synthèse jusqu'à la fin de la puberté.

Pronostic
Ce traitement améliorera la croissance de votre enfant. Mais il n'atteindra la taille adulte normale (la taille habituellement normale dans votre famille) que s'il commence à le prendre vers l'âge de 6 ans.

MALADIES GÉNÉTIQUES

Dans un futur proche, les médecins devraient être capables de remplacer, voire de réparer des gènes défectueux.

CONTENU DU CHAPITRE

Les informations biochimiques dont le fœtus a besoin pour croître et se développer sont portées par les 30 000 paires de gènes se trouvant dans les 23 paires de chromosomes constituant le génome humain. Si l'un de ces gènes ou l'un de ces chromosomes est défectueux, l'enfant peut naître avec une anomalie ou un trouble qui se manifestera plus tard dans sa vie. Les analyses génétiques et les conseils des généticiens permettent aux couples issus de familles touchées par l'une des 4000 maladies génétiques existantes de mesurer le risque d'avoir un bébé affecté.
Il est possible de faire des tests pendant la grossesse afin de vérifier l'état de santé du fœtus. Le projet de séquençage du génome humain et les autres recherches faites ont permis non seulement de mieux connaître l'ADN, les gènes et leur fonctionnement, mais aussi de développer de nouvelles technologies pour y parvenir.

DRÉPANOCYTOSE

La drépanocytose ou anémie falciforme est une maladie héréditaire grave qui sévit surtout mais pas exclusivement chez les peuples d'Afrique. Les globules rouges, déformés, ont la forme de faucilles et peuvent obstruer les vaisseaux sanguins les plus étroits. Ils sont aussi plus facilement détruits, ce qui provoque une anémie. Les enfants atteints ont un risque accru de contracter une pneumonie à pneumocoques. Il arrive que les reins, la rate ou le cerveau ne reçoivent pas assez de sang et que des lésions s'y produisent.

SYMPTÔMES

- Manque d'énergie, essoufflement.
- Ictère intermittent (coloration jaunâtre de la peau et du blanc des yeux).
- Douleurs dans les os, la poitrine, l'abdomen dues à l'obstruction des vaisseaux sanguins et au manque d'oxygène dans les tissus.
- L'enfant est sujet à la déshydratation, aux rhumes et aux infections sévères.

Causes

Les globules rouges se déforment en forme de faucilles parce que l'hémoglobine (pigment assurant le transport de l'oxygène) qu'ils contiennent est anormale (hémoglobine S). Du fait de leur forme, ils obstruent parfois les capillaires sanguins, provoquant de très fortes douleurs et empêchant l'oxygène d'atteindre certaines cellules du corps. Des caillots de sang se constituent entraînant la nécrose ou l'infection de certains tissus.

Lorsqu'un enfant hérite du gène responsable de la production de l'hémoglobine S de ses deux parents, il développe la drépanocytose. S'il hérite du gène anormal de l'un de ses parents et du gène normal correspondant de l'autre parent, il est porteur de la maladie, mais sain. Plus tard, il pourra toutefois transmettre le gène incriminé à ses enfants.

Traitement

Les bébés atteints d'anémie falciforme sont en général repérés lors des analyses de sang faites à la naissance. Cependant, conduisez votre enfant chez un médecin si vous pensez qu'il pourrait en être atteint ou s'il présente l'un des symptômes de la maladie.

Le traitement consiste à prendre de l'acide folique pour réduire la gravité de l'anémie.

On donne aussi régulièrement aux malades de la pénicilline pour prévenir les infections et on les vaccine contre les infections à pneumocoques. Des antalgiques soulageront l'enfant en cas de douleur.

Conduite à tenir

Afin d'éviter les douleurs, votre enfant devra boire beaucoup et vous devrez veiller à ce qu'il ne se refroidisse pas. Consultez immédiatement un médecin si votre enfant a une crise douloureuse et que celle-ci s'accompagne de :

- Fièvre.
- Pâleur soudaine.
- Vomissements persistants ou diarrhée sévère.
- Respiration difficile ou accélérée.
- Somnolence anormale ou manque d'énergie.

PRÉVENTION

Si vous risquez d'être porteur de la drépanocytose, vous pouvez faire une analyse de sang pour détecter le gène anormal. Si vous et votre partenaire êtes porteurs du gène, consultez un généticien. Des tests prénataux permettent de savoir si le fœtus est malade. Si c'est le cas, vous envisagerez peut-être une interruption de grossesse.

Si votre enfant souffre de fortes douleurs abdominales, appelez le 911 : il se peut qu'une hospitalisation soit nécessaire pour prendre la douleur en charge, et traiter une éventuelle déshydratation ou infection.

Pronostic

Lorsqu'ils sont bien suivis médicalement, la plupart des enfants atteignent l'âge adulte. Quand les symptômes sont graves, les médecins envisagent parfois une greffe de moelle osseuse à condition de trouver un donneur compatible. Une greffe réussie est synonyme de guérison totale.

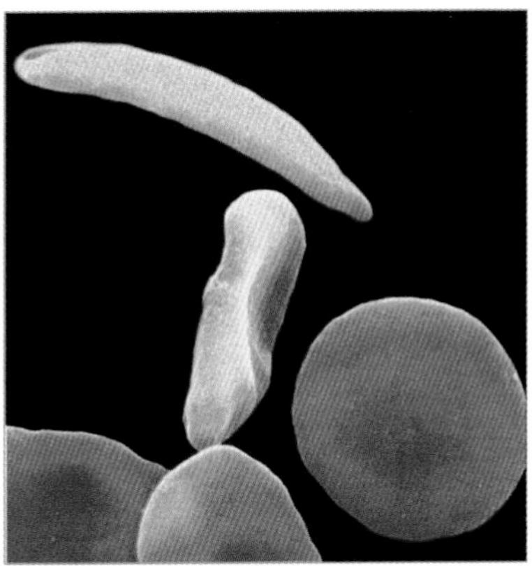

GLOBULES ROUGES ATTEINTS *Vue au microscope du sang d'une personne souffrant d'anémie falciforme. Les globules rouges déformés ont la forme de faucilles.*

THALASSÉMIE

Forme d'anémie courante chez les peuples du pourtour méditerranéen ou d'origine asiatique. La thalassémie mineure est sans symptômes, la thalassémie majeure entraîne un ralentissement de la croissance et une déformation du crâne et des os si elle n'est pas traitée.

Causes

La thalassémie est due à un défaut du gène responsable de la production d'hémoglobine. Lorsqu'un enfant hérite du gène défectueux de ses deux parents, il développe la thalassémie majeure et est incapable de produire de l'hémoglobine normale. Ses globules rouges sont petits, fragiles et se désagrègent facilement, provoquant une grave anémie. Lorsqu'un enfant hérite du gène défectueux de l'un de ses parents, il développe une thalassémie mineure. Ses globules rouges sont plus petits que la normale, mais il n'a aucun symptôme.

Traitement

Une analyse de sang suffit au diagnostic. La thalassémie mineure ne nécessite pas de traitement. La thalassémie majeure nécessite des transfusions mensuelles dès que le bébé a quelques mois. En suivant ce traitement, l'enfant a de grandes chances de grandir normalement et de survivre jusqu'à l'âge adulte.

SYMPTÔMES

- Pâleur.
- Fatigue chronique.
- Manque de souffle.

PRÉVENTION

Les parents directs ou proches d'un enfant atteint, de même que tous les adultes atteints de thalassémie souhaitant avoir un enfant, peuvent consulter un généticien pour calculer avec lui le risque d'avoir un enfant malade. Des tests prénataux existent permettant de savoir si le fœtus est atteint et de décider d'interrompre ou non la grossesse.

SYNDROME DE L'X FRAGILE

Cette maladie chromosomique héréditaire touche environ 1 garçon sur 4000 et 1 fille sur 7000. Son nom vient du fait que les personnes atteintes présentent un site fragile sur le chromosome X. Cause relativement courante de troubles d'apprentissage, elle entraîne aussi de légères anomalies physiques.

Causes

La mutation d'un gène du chromosome X peut affecter le développement du cerveau, entraînant des difficultés d'apprentissage et des troubles du comportement. Le syndrome de l'X fragile est la première cause de retard mental congénital. Les garçons sont plus gravement atteints que les filles, celles-ci possédant deux chromosomes X dont l'un reste normal, au contraire des garçons n'en ayant qu'un.

Traitement

Une femme sans symptôme peut être porteuse du gène défectueux sur l'un de ses chromosomes et le transmettre à certains de ses enfants. Chez les mères atteintes, un diagnostic prénatal est possible via une analyse de l'ADN de cellules prélevées par amniocentèse.

Si vous pensez que votre enfant développe certains symptômes du syndrome de l'X fragile, consultez un médecin. Cette maladie n'est parfois découverte qu'après la puberté, lorsque les caractéristiques physiques sont plus apparentes. Après avoir examiné votre enfant, le médecin testera ses capacités d'apprentissage, puis lui fera faire une prise de sang pour procéder à une analyse cytogénétique et une analyse de l'ADN. Si les tests confirment la présence du chromosome défectueux, il vous enverra chez un généticien afin que vous soyez informée des risques d'une prochaine grossesse.

Il n'existe pas de traitement spécifique. Si votre enfant ne reçoit pas déjà des soins visant à lutter contre ses troubles du langage ou de l'apprentissage, le médecin l'enverra consulter un orthophoniste et/ou un psychologue.

SYMPTÔMES

- Périmètre crânien supérieur à la normale.
- Retard mental léger chez les filles et modéré à grave chez les garçons.
- Retard du développement de la parole (souvent plus grand chez les garçons).
- Hyperactivité et TDA/H (*voir p. 299*).
- Certains symptômes de l'autisme (*voir p. 299*).
- Mâchoire carrée, faciès allongé, grandes oreilles et macroorchidie.

HÉMOPHILIE

Cette maladie génétique touche environ 1 garçon sur 10 000. Elle provoque des hémorragies spontanées et est due à l'activité déficiente du facteur VIII de coagulation du sang. Les filles peuvent être porteuses du gène défectueux et le transmettre à leurs fils.

Causes

Chez les hémophiles, le sang met soit beaucoup de temps à coaguler, soit ne coagule pas du tout. Les garçons atteints ont un gène défectueux, ce qui les empêchent de produire le facteur VIII jouant un rôle majeur dans la coagulation du sang.

Les hémophiles vivent dans la peur de se couper ou de s'égratigner parce que cela peut provoquer une hémorragie qu'il sera très difficile d'arrêter. Parfois, une hémorragie peut même commencer sans raison apparente.

Le gène défectueux se trouve sur le chromosome X, si bien que presque tous les hémophiles sont des hommes et que les femmes sont en général seulement des porteurs sains de la maladie. Une fille peut cependant être atteinte si son père est hémophile et sa mère porteuse de la maladie.

Traitement

Si votre enfant saigne de façon anormale, consultez un médecin. S'il est possible qu'il soit hémophile, le médecin lui fera faire un bilan de la coagulation sanguine. En cas d'hémophilie, ses hémorragies seront traitées avec du facteur VIII que vous apprendrez à lui administrer.

Les hémorragies sévères nécessitent parfois une hospitalisation. Si votre enfant a des hémorragies fréquentes, vous pourrez lui administrer des perfusions préventives de facteur VIII. La fréquence et la gravité des hémorragies varient d'un individu à l'autre. Parfois, il n'y a que des hémorragies mineures occasionnelles. Dans les cas plus graves, des hémorragies internes récurrentes peuvent provoquer le gonflement, la lésion ou la déformation des muscles et des articulations.

SYMPTÔMES

- Saignement prolongé après une blessure ou une petite opération chirurgicale comme une extraction de dent.
- Gonflement douloureux des muscles et des articulations résultant d'une hémorragie interne.

Pronostic

Les hémophiles doivent éviter de prendre des risques. S'il reçoit rapidement une dose de facteur VIII au moment de l'hémorragie, ou bien s'il reçoit des doses régulières, les muscles et les articulations de votre fils devraient être épargnés et il devrait avoir une espérance de vie normale.

PRÉVENTION

Les femmes qui ont des cas d'hémophilie dans leur famille peuvent faire des analyses pour vérifier si elles sont porteuses du gène de la maladie. Un généticien les informera des risques d'avoir un enfant atteint.

MUCOVISCIDOSE

La mucoviscidose est une maladie héréditaire grave qui touche environ 1 enfant sur 2000. Pour qu'un enfant soit malade, il doit hériter du gène défectueux de la part de ses deux parents qui sont porteurs sains de la maladie.

Causes

Le gène anormal provoque la sécrétion de mucosités visqueuses qui encombrent les voies respiratoires et entraînent des infections respiratoires récurrentes, lesquelles peuvent finir par causer des lésions pulmonaires. Ce gène défectueux cause aussi un déficit dans la sécrétion des enzymes pancréatiques aidant la digestion, ce qui empêche les intestins d'absorber correctement les nutriments (*voir p. 258*) et provoque des diarrhées.

Traitement

On peut ne pas diagnostiquer la mucoviscidose pendant des mois, voire des années. Or, pendant ce temps, les poumons commencent à s'abîmer. Le dépistage de la maladie à la naissance est aujourd'hui systématique.

Si votre enfant souffre de l'un des symptômes de la maladie, conduisez-le chez un médecin pour qu'il l'examine,

SYMPTÔMES

- L'enfant ne grandit pas normalement et n'arrive pas à prendre du poids.
- Toux persistante.
- Diarrhée chronique avec des selles pâles, grasses et d'odeur fétide.

et fasse analyser sa sueur, puis lui fasse subir des tests génétiques. En cas de confirmation de la maladie, le médecin prescrira à votre enfant de la pancréatine avec ses repas pour l'aider à digérer correctement. On lui recommandera un régime très énergétique et riche en protéines ainsi que la prise de vitamines. Le médecin prescrira des antibiotiques et des séances régulières de kinésithérapie pour le traitement des infections respiratoires et afin d'éviter une maladie pulmonaire chronique.

PRÉVENTION

Futur parent, si vous vous savez porteur du gène ou avez déjà un enfant atteint, consultez pour des conseils génétiques. Des tests prénataux peuvent permettre d'envisager une interruption de grossesse si le fœtus est contaminé.

Conduite à tenir

Le kinésithérapeute vous montrera comment faire pratiquer ses exercices à votre enfant (*voir ci-contre*) afin de l'aider à se libérer des sécrétions collantes qui obstruent ses bronches. Appelez votre médecin traitant au moindre signe de maladie afin qu'il soit traité rapidement. Donnez à votre enfant des goûters très riches afin qu'il absorbe les substances nutritives nécessaires à une croissance normale.

Pronostic

On ne guérit pas encore de la mucoviscidose, mais un diagnostic précoce et les nouveaux traitements permettent aux enfants d'atteindre l'âge adulte. Dans des cas très graves, il est arrivé que l'on procède à une greffe cœur-poumons améliorant qualité de vie et espérance de vie des patients.

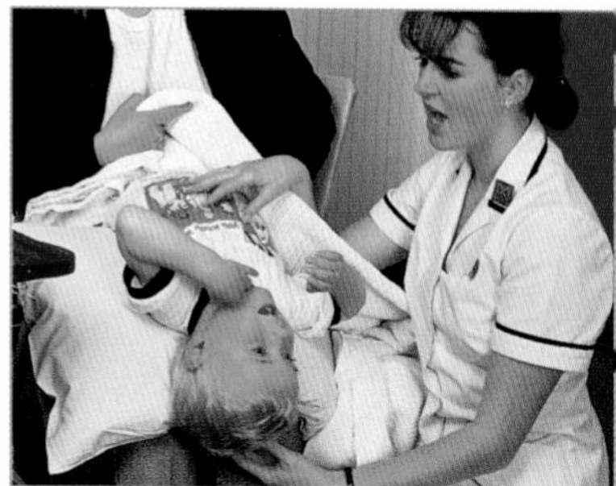

KINÉSITHÉRAPIE RESPIRATOIRE Le thérapeute montre aux parents les exercices qu'ils doivent pratiquer avec leur enfant pour l'aider à se libérer des sécrétions visqueuses qui s'accumulent dans ses poumons.

PHÉNYLCÉTONURIE (PCU)

Cette maladie héréditaire touche environ 1 bébé sur 10 000. Un dépistage systématique est réalisé à la naissance. C'est un trouble du métabolisme provoquant l'accumulation de phénylalanine (constituant des protéines) dans le sang.

Causes

Si on ne la traite pas, la PCU peut provoquer de graves lésions au cerveau. Le corps ne possédant pas l'enzyme nécessaire pour transformer la phénylalanine, elle s'accumule et affecte le système nerveux.

Traitement

À la naissance, les bébés affectés ne montrent aucune anomalie, mais si la maladie n'est pas diagnostiquée, les symptômes ne tardent pas à se développer.

Le traitement consiste principalement en un régime spécial à suivre toute la vie. Il doit être débuté dès les premières semaines suivant la naissance. Il s'agit de réduire l'apport de phénylalanine, présente dans la plupart des aliments riches en protéines, tout en s'assurant que l'enfant absorbe suffisamment de protéines pour grandir. Le régime recommandé est donc majoritairement végétalien. Le médecin prescrira des compléments alimentaires. Les bébés atteints seront nourris avec des substituts au lait spéciaux.

Pronostic

La majorité des enfants atteints de PCU vont à l'école et ne souffrent pas de retard mental. Il arrive que certains souffrent de trouble du comportement et de difficultés d'apprentissage.

SYMPTÔMES

Sans traitement :

- Graves difficultés d'apprentissage.
- Crises d'épilepsie.
- Odeur de « nichée de souris ».
- Éruption semblable à celle de l'eczéma atopique (*voir p. 234*).

Avec traitement :

- Pas de symptômes ou légères difficultés d'apprentissage.

PRÉVENTION

Lorsqu'un couple donne naissance à un enfant atteint, ses autres enfants risquent aussi d'être malades. On proposera donc aux parents une consultation en conseil génétique. Des tests prénataux existent qui permettent d'envisager une interruption de grossesse le cas échéant.

SYNDROME DE DOWN

Le syndrome de Down ou trisomie 21 est la maladie chromosomique la plus commune ; elle touche 1 bébé sur 700. Le risque de donner naissance à un enfant trisomique augmente nettement chez les femmes de plus de 37 ans. Le risque est aussi plus élevé chez les femmes qui ont déjà un enfant trisomique. La maladie est en général diagnostiquée à la naissance.

Traitement

S'il observe chez votre enfant les signes caractéristiques du syndrome de Down, le médecin fera faire une analyse chromosomique de son sang afin de confirmer son diagnostic. Puis il demandera une échographie du cœur, et éventuellement une radio de l'abdomen. Une opération chirurgicale sera peut-être nécessaire. Enfin, votre enfant sera suivi par un orthophoniste, un ergothérapeute et des éducateurs spécialisés.

Complications possibles

De nombreux enfants trisomiques souffrent de malformation cardiaque et quelques-uns d'anomalie intestinale. Ils ont aussi plus de risques de développer une hypothyroïdie ou une leucémie aiguë (*voir p. 306*). Parfois, une instabilité cervicale oblige à restreindre les activités physiques. Les troubles de l'audition sont aussi courants. Enfin, ces enfants sont très sujets aux infections.

Évolution de la maladie

La plupart des enfants souffrant de trisomie 21 atteignent l'âge de 30 ans. Une petite proportion d'entre eux peut toutefois décéder avant l'âge de 5 ans, en général du fait de cardiopathologies très graves. Les adultes trisomiques 21 peuvent développer prématurément maladie d'Alzheimer et athérosclérose (durcissement des artères).

Les progrès des méthodes éducatives permettent aujourd'hui à plus d'enfants trisomiques d'aller au bout de leurs capacités. Beaucoup d'entre eux sont scolarisés normalement.

SYMPTÔMES

- Des yeux bridés étirés vers le haut avec un épicanthus.
- Visage petit et arrondi avec de grosses joues.
- Grande langue qui a tendance à ressortir.
- Arrière de la tête plat.
- Muscles des membres mous.
- Développement physique ralenti.
- Difficultés d'apprentissage.
- Stature trapue.

PRÉVENTION

L'échographie, ainsi qu'un test proposé à toutes les femmes enceintes, permettent de déterminer le risque de trisomie.

Si ce risque est grand, le médecin suggérera une amniocentèse, qui consiste en un prélèvement de liquide amniotique dans la cavité utérine pour y rechercher des chromosomes anormaux. Si l'amniocentèse montre que le fœtus a le syndrome de Down, les parents peuvent envisager une interruption de grossesse.

DÉFICIT EN MCAD

Le déficit en MCAD est une maladie héréditaire qui affecte 1 enfant sur 8000 environ. La MCAD est une enzyme essentielle dans la transformation des graisses. Pour que l'enfant soit malade, il faut que les deux parents soient porteurs du gène défectueux.

Causes

Lorsque le taux de MCAD (Medium-chain AcylCoA Dehydrogenase) est très bas, les acides gras ne sont pas transformés correctement, la glycémie chute et le foie fonctionne mal. L'enfant, s'il est malade ou obligé de jeûner, risque de perdre connaissance. Il peut y avoir des troubles neurologiques à long terme.

Traitement

Évitez le jeûne et de donner à l'enfant des boissons riches en glucose quand il est malade. En cas de vomissements, du glucose en intraveineuse peut se révéler nécessaire. On ne guérit pas de cette maladie. Bientôt, un dépistage systématique à la naissance devrait permettre de diagnostiquer le déficit avant que l'enfant ne soit malade.

MÉDECINES DOUCES

Les thérapies alternatives partent d'une vision holistique de l'individu : cela signifie qu'elles prennent en considération l'ensemble de la personne qu'elles veulent soigner et étudient autant l'état physique que moral des patients, même si le problème semble localisé dans une seule partie du corps. Certains médecins, infirmiers, kinésithérapeutes ou autres professionnels de la santé pratiquent à la fois médecine traditionnelle et médecines douces.

Sont-elles sûres ?

Consultez toujours un médecin en cas de blessure ou de maladie grave. *Si votre enfant est malade, allez voir un médecin, et faites le point sur ce qui sera le plus approprié pour le guérir. Obtenez toutes les informations sur les médecines douces qui pourraient vous intéresser. En général ces thérapies ne posent pas de problèmes mais elles ne sont pas exemptes de tout risque :*

- En ayant recours à la médecine naturelle, votre enfant risque de recevoir trop tard un traitement conventionnel efficace.
- Les naturothérapeutes peuvent faire de mauvais diagnostics et mal soigner des affections curables.
- Des traitements à base de plantes peuvent être nocifs s'ils sont mal pris. Adressez-vous à un herboriste qualifié.
- Les remèdes homéopathiques ou à base de plantes peuvent provoquer des effets secondaires. Arrêtez alors le traitement et consultez un médecin.
- Certaines manipulations physiques peuvent, dans de rares cas, provoquer des dommages.

QUESTIONS FRÉQUENTES

La médecine holistique considère le patient dans son ensemble en prenant en compte sa personnalité et son tempérament ; elle peut proposer des traitements alternatifs différents de ceux de la médecine traditionnelle. Les réponses aux questions suivantes vous aideront à comprendre la nature des thérapies alternatives et holistiques.

Qu'est-ce que la médecine alternative et pourquoi a-t-elle autant de succès ?

Les médecines alternatives ont souvent une approche holistique du patient, ce que beaucoup de parents trouvent rassurant. Le thérapeute cherche à soigner l'enfant en lui faisant recouvrer son équilibre naturel et en maximisant sa capacité d'autoguérison. En parlant avec l'enfant et en l'écoutant, le thérapeute va reconstituer son profil et lui offrir un traitement personnalisé.

Si les médecines parallèles sont de plus en plus populaires, c'est que le rapport à la santé est en train de changer. La science n'est plus censée apporter toutes les réponses. Beaucoup de parents veulent se montrer responsables et actifs dans le domaine de la santé, pour leurs enfants, mais aussi pour eux-mêmes. L'utilisation excessive de médicaments, comme les antibiotiques, les inquiète et ils sont frustrés par le manque d'explications données par les médecins traditionnels.

Les médecines douces peuvent-elles être utilisées parallèlement à la médecine traditionnelle ?

Il est tout à fait possible de conjuguer thérapie alternative et thérapie conventionnelle, mais il est alors important que le médecin traitant et le thérapeute acceptent de travailler ensemble.

Si votre enfant prend un traitement prescrit par un médecin, vérifiez qu'aucune interaction n'est possible avant de lui donner des remèdes à base de plantes. Votre pharmacien devrait pouvoir vous informer à ce sujet.

Certains médecins ont suivi une formation complémentaire et pratiquent en plus une médecine alternative, comme l'ostéopathie ou l'homéopathie. D'autres pourront vous donner des conseils sur les médecines douces. Si votre enfant est fréquemment sujet à des infections virales, le médecin, après avoir vérifié l'absence de toute maladie grave, vous suggérera peut-être un changement de régime alimentaire ou d'hygiène de vie.

Il peut aussi vous conseiller d'aller voir un phytothérapeute pour qu'il prescrive à votre enfant un traitement

à base d'échinacée, une plante qui stimule le système immunitaire (*voir p.322*) ; ou vous recommander des techniques de relaxation pour diminuer le stress ou la tension de votre enfant (cours de yoga, massages de différentes natures, *voir p.325*). Dans certains cabinets médicaux traditionnels, on trouve des ostéopathes ou des chiropraticiens.

Pourquoi certains médecins sont-ils contre les médecines douces ?

Les médicaments conventionnels ont été soumis à des essais de contrôle randomisés à partir desquels ont été établies les indications sur lesquelles les médecins fondent leur traitement.

Certains médecins ne sont pas très à l'aise quand il s'agit, comme dans les médecines douces, de choisir un traitement en fonction de son efficacité sur le patient.

Pour certains médecins, le seul bénéfice de la médecine douce tient dans la relation qui s'établit entre le thérapeute et l'enfant, et dans le temps et l'attention donnés par le premier au

PREMIÈRES CONSULTATIONS

Une première consultation chez un naturothérapeute peut durer plus d'une heure. Il posera diverses questions concernant votre enfant et voudra notamment savoir :

Quel est son **état de santé général** et s'il a un passé médical.

Quels **médicaments** prend-il.

S'il a des **allergies**.

Si les autres membres de sa **famille** sont malades.

Quel est son **régime alimentaire** et quels sont ses aliments préférés.

Quelle **activité physique** pratique-t-il.

S'il y a eu un **changement récent dans sa vie** (comme un changement d'école ou un déménagement).

S'il a été **perturbé récemment par un événement** (comme l'éloignement d'un grand-parent ou la mort d'un animal domestique).

S'il a des **craintes particulières,** par exemple si son père travaille loin de la maison et qu'il craint qu'il ne revienne plus.

Quel est son **tempérament**, quelle est sa personnalité et quel est son état émotionnel : a-t-il tendance à s'inquiéter, comment réagit-il aux critiques, accepte-t-il ses erreurs ?

Le médecin prendra aussi en compte vos valeurs familiales, par exemple vos croyances, ou le fait que vous apparteniez à un groupe ethnique et culturel, car cela influencera la manière dont vous appréhenderez les symptômes de votre enfant.

« La phytothérapie peut traiter les maux de tête, l'eczéma, l'asthme, les sautes d'humeur, l'insomnie ou le déséquilibre hormonal. »

second. En d'autres termes, il y aurait pour eux un effet placebo et le traitement, comme les remèdes utilisés, seraient sans efficacité.

Il n'est certes pas aisé d'analyser les bénéfices du temps et de l'attention consacrés au patient, ou de l'environnement dans lequel le traitement est administré, avec les méthodes traditionnelles d'une médecine fondée sur des preuves scientifiques. Les essais thérapeutiques coûtent très chers et sont en majorité financés par les grands laboratoires peu intéressés par la médecine alternative. Les autorités sanitaires voudraient des preuves concrètes attestant de la non-dangerosité des médecines douces, de l'efficacité et de la rentabilité de leurs traitements, mais malgré de nombreuses évidences de réussite, ces preuves n'existent pas officiellement.

Comment trouver un naturothérapeute ?

Si votre médecin n'a pas d'adresse à vous donner, demandez autour de vous si quelqu'un connaît un naturothérapeute proche de chez vous, compétent et qui aime les enfants.

La plupart des naturothérapeutes se font connaître par des prospectus ou ont leur site sur Internet. Renseignez-vous toujours sur le prix du traitement avant de prendre rendez-vous et exigez de savoir combien de fois votre enfant devra venir se faire soigner.

Les chiropraticiens et les ostéopathes sont en train d'être reconnus en France ; dans cette spécialité comme en homéopathie, en acupuncture ou en phytothérapie, les thérapeutes se sont regroupés dans des organisations afin de protéger leur profession et de garantir des qualifications. Les spécialités sont si nombreuses que l'on peut s'y perdre ; aussi n'hésitez pas à poser des questions. Il est important que vous soyez bien informé.

Comment se déroule une consultation ?

La plupart des thérapeutes consacrent une heure lors de la première consultation pour cerner le patient dans son intégralité (*voir p. 319*). Essayez de réfléchir à ces questions à l'avance et d'en préparer les réponses avec votre enfant.

On vous questionnera probablement sur le régime alimentaire de votre enfant, il serait donc judicieux de noter sur un carnet tout ce qu'il mange, jour après jour, au moins pendant la semaine précédant le rendez-vous. Demandez aussi à votre enfant comment il se sent et inscrivez les symptômes qu'il vous décrit (crampes d'estomac, maux de tête…).

Prenez des notes lors de la consultation. Et demandez au thérapeute qu'il vous donne ses informations par écrit. Assurez-vous que vous comprenez bien de quelle nature est le traitement qu'il va prescrire à votre enfant. Demandez à ce qu'il vous explique clairement comment lui administrer les remèdes de phytothérapie ou d'homéopathie. Si votre enfant et vous-même ne vous sentez pas à l'aise, n'hésitez pas à changer de thérapeute.

Les médecines alternatives prennent souvent plus de temps que les médicaments courants et votre enfant risque de se sentir encore moins bien du fait du changement d'hygiène de vie et de la thérapie, avant de voir son état s'améliorer. Les soins par le toucher, comme l'ostéopathie ou la chiropractie peuvent être rapidement efficaces mais demandent parfois à être répétés.

Demandez à votre thérapeute son numéro de téléphone ou son e-mail afin de pouvoir le joindre en cas d'inquiétude sur l'état de votre enfant, si vous avez oublié de lui communiquer une information déterminante ou pour lui poser une question importante.

LES THÉRAPIES INTÉRESSANTES

Homéopathie

L'homéopathie a pour principe de base la règle des similitudes qui stipule que ce qui provoque les symptômes chez un enfant sain peut guérir les mêmes symptômes chez un enfant malade. Ainsi, si votre enfant souffre d'un rhume des foins provoqué par le pollen, il sera traité avec un remède homéopathique à base de pollen.

La plupart des remèdes utilisés pour les maux quotidiens, comme Arnica en cas de bosse ou Chamomilla pour les bébés qui font leurs dents, sont disponibles en pharmacie. Les remèdes homéopathiques sont préparés suivant différentes dilutions qui sont indiquées sur l'emballage. Pour le quotidien, utiliser des remèdes 9 CH.

Mais cette médecine alternative peut aussi traiter des maux plus sérieux comme la migraine, la colopathie fonctionnelle, les infections récurrentes, les douleurs articulaires, la fatigue et les infections virales comme la mononucléose infectieuse.

Conduisez toujours votre enfant chez un médecin afin qu'il fasse un diagnostic et vous prescrive un traitement conventionnel. Pour les maladies mentionnées ci-dessus, si vous souhaitez avoir recours à des remèdes homéopathiques, il vous faudra emmener votre enfant chez un homéopathe qui établira un profil symptomatique holistique (*voir p. 319*).

L'homéopathe prescrira ensuite à votre enfant des remèdes adaptés à sa constitution particulière. Il s'agit d'un traitement individualisé à la différence des remèdes quotidiens. Au fur et à mesure que votre enfant évoluera, son traitement évoluera avec lui ; il est donc important que l'homéopathe puisse effectuer un suivi en le revoyant régulièrement.

HOMÉOPATHIE

Conseils pour l'emploi de remèdes homéopathiques de premiers secours :

Utilisez les **remèdes homéopathiques** à la dilution 9 CH pour les premiers secours ou à la maison.

Évitez de toucher les granules : posez-les sur ou sous la langue de votre enfant et dites-lui d'attendre qu'ils fondent. Votre enfant ne doit ni boire ni manger ni se brosser les dents durant les demi-heures précédant et suivant la prise. Vous pouvez écraser et dissoudre les remèdes dans de l'eau. Pour les nouveau-nés, il existe des granules et des solutions buvables.

Administrez une dose et attendez pour voir quel effet est obtenu.

Redonnez une dose de remède (maximum 3 fois par jour) si les symptômes restent identiques.

Dès que votre enfant va mieux, arrêtez de lui donner le remède.

Si son état ne s'améliore pas ou si les symptômes évoluent, le choix du remède est à revoir.

ÉCHINACÉE *(Echinacea)*

Plante originaire des États-Unis, l'échinacée est très connue pour son pouvoir de stimulation du système immunitaire contre rhume, grippe et autres infections. Elle agit en stimulant diverses cellules du système immunitaire et en renforçant la production de l'interféron, une substance antivirale. L'échinacée doit être absorbée à intervalles fréquents – toutes les deux heures lors des infections aiguës. On peut la prendre pour prévenir un rhume à l'apparition des premiers symptômes.

Phytothérapie

Les remèdes phytothérapiques sont préparés à partir des feuilles, des fleurs et des autres parties des plantes. De nombreux médicaments traditionnels comme l'aspirine sont composés de substances provenant de plantes. Les remèdes de phytothérapie, comme l'échinacée ou la camomille, sont eux constitués de parties entières de la plante et contiennent donc différents principes actifs. Le millepertuis, par exemple, contient la même substance que celle utilisée dans de nombreux antidépresseurs mais aussi d'autres substances qui ont pour propriété de stimuler le système immunitaire.

On a recours à la phytothérapie pour traiter de nombreux troubles comme les maux de tête, les douleurs d'estomac, l'eczéma, l'asthme, les sautes d'humeur, l'insomnie et le déséquilibre hormonal. Les remèdes phytothérapiques sont sous forme de teinture, de gélules ou d'infusions.

Après avoir établi un portrait holistique de votre enfant, le phytothérapeute lui proposera un nouveau régime alimentaire et une nouvelle hygiène de vie, avant de lui prescrire un remède. S'il prend déjà des médicaments, vérifiez qu'il n'y a pas d'interaction entre les traitements.

Si vous décidez d'acheter les plantes vous-même, adressez-vous à un fournisseur de qualité. Certains traitements phytothérapiques peuvent être nocifs s'ils ne sont pas administrés correctement. Il est important que vous achetiez des mélanges de plantes composés pour les enfants.

En général, les enfants âgés de 4 à 6 ans doivent recevoir le quart de la dose pour adulte, et les enfants âgés de 7 à 12 ans la moitié.

Une fois que vous disposez du remède bien dosé, s'il se présente en gélule, versez le contenu dans la nourriture de votre enfant. S'il s'agit de teinture, versez-la dans les boissons ou les sauces. Pour dissimuler le goût amer de certaines plantes, vous pouvez les mélanger à de la compote de fruit ou à de l'eau que vous utiliserez pour faire des glaçons.

> « Les remèdes à base de plantes comme la camomille sont constitués de parties entières de la plante et contiennent donc différents principes actifs. »

Nutrithérapie

Le thérapeute spécialiste en thérapie nutritionelle commencera par analyser le régime de votre enfant, et cherchera les causes éventuelles d'une mauvaise digestion ou d'une mauvaise absorption des nutriments.

Il peut repérer un problème de déficience nutritionnelle, d'allergie, d'intolérance à tel ou tel aliment ou de sensibilité à des facteurs environnementaux.

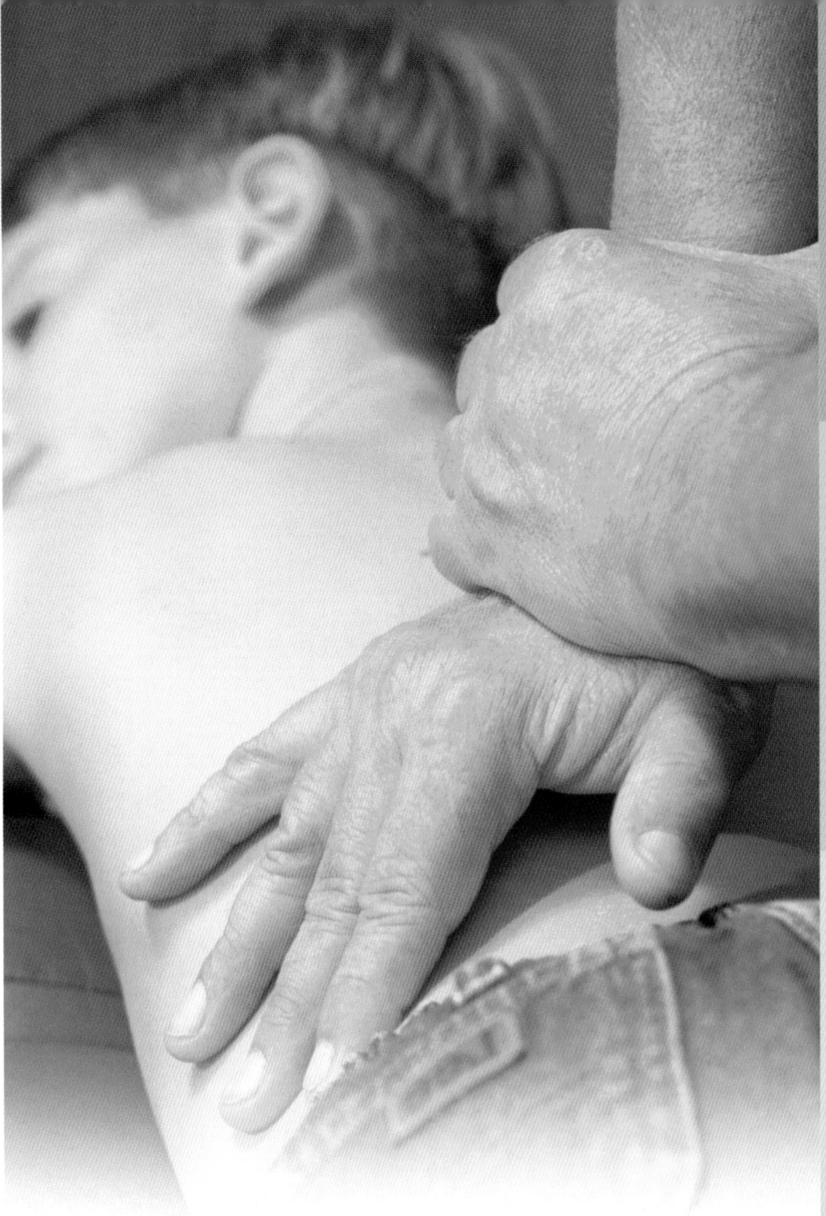

Après avoir établi son diagnostic, le thérapeute vous proposera un nouveau régime alimentaire et prescrira à votre enfant des compléments alimentaires.

Cette thérapie se fonde sur l'idée que la santé est en relation directe avec la qualité de l'alimentation et qu'un régime inadéquat affecte l'humeur, la condition physique et le bien-être.

On a recours à cette thérapie pour traiter des problèmes de fatigue, la colopathie fonctionnelle, les troubles digestifs, l'arthrite, le déséquilibre hormonal, les troubles de la menstruation, l'asthme, l'eczéma, les allergies, l'intolérance et la sensibilité alimentaire. Mais il est recommandé de consulter d'abord un médecin pour éliminer toute maladie grave.

La nutrithérapie peut être appliquée par des nutritionnistes, des naturothérapeutes ou des spécialistes en médecine environnementale. L'iridiologie, la kinésiologie, l'analyse minérale de cheveux, la méthode VEGA-TEST s'appuient sur des techniques de diagnostic encore moins courantes, que des études scientifiques considèrent comme non fiables. L'analyse de cheveux peut dévoiler la présence excessive de métaux lourds. Parmi les dernières analyses évoquées, c'est celle que l'on propose le plus fréquemment aux enfants.

Hypnothérapie

Méthode naturelle permettant d'entrer en contact avec le « moi intérieur » (subconscient). L'hypnose implique un état de relaxation dans lequel le sujet rêve éveillé et ressent un sentiment de bien-être. Une fois dans cet état de calme, le thérapeute peut remplacer les images négatives par des images positives au moyen de techniques de suggestion et de visualisation.

En visualisant des images positives et l'accomplissement de ses désirs, votre enfant prendra confiance en lui et en son aptitude à contrôler ses émotions face aux situations difficiles.

L'hypnothérapie peut être utilisée pour traiter peur, phobie, douleur, stress, problèmes de poids, trouble de la menstruation, énurésie, asthme, allergies et problèmes de peau.

Une série de quinze essais de contrôle effectuée sur des enfants traités par hypnothérapie a abouti à des conclusions prometteuses pour le traitement de la douleur, de l'énurésie et des souffrances liées à la chimiothérapie (traitement du cancer).

Ostéopathie et chiropractie

Ostéopathes et chiropraticiens sont des spécialistes de la thérapie par le toucher qui traitent la colonne vertébrale, les articulations et les muscles.

Les seconds considèrent la colonne vertébrale comme un élément qui protège le système nerveux et relie le cerveau au reste du corps ; les premiers s'intéressent davantage à la structure du corps et à son bon fonctionnement.

Ces thérapeutes manipulent la colonne vertébrale et dénouent les articulations, ce qui peut provoquer des sensations de déblocage. Les deux

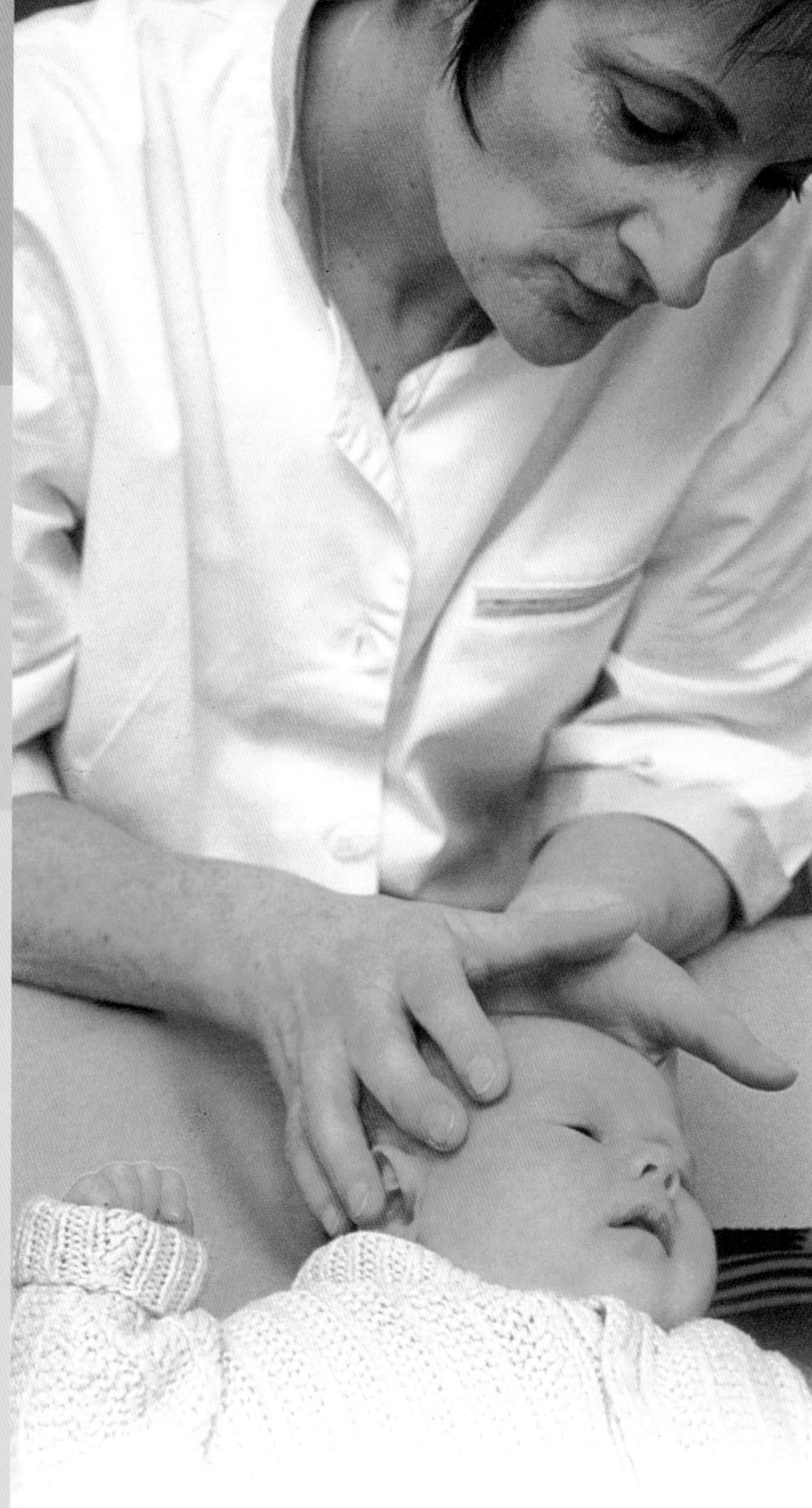

«En posant ses mains sur la tête du bébé, sur son dos ou son sacrum, le thérapeute perçoit le rythme de son corps.»

spécialités sont bien connues pour leur efficacité dans le traitement des douleurs dorsales, cervicales et articulaires. Elles auraient aussi des effets positifs dans le traitement de troubles tels que l'asthme, les troubles digestifs, les otites séromuqueuses, les maux de tête, les vertiges, les douleurs menstruelles et le déséquilibre hormonal. Avant de conduire votre enfant chez un chiropraticien ou un ostéopathe, consultez d'abord un médecin pour éliminer toute maladie grave.

Thérapie cranio-sacrée

Les ostéopathes, chiropraticiens et spécialistes de la thérapie cranio-sacrée rétablissent, par le toucher, les fonctions du liquide et des membranes (méninges) qui protègent le cerveau et la moelle épinière. Cette thérapie est fondée sur l'idée qu'il existe un mouvement entre les os du crâne et un mouvement rythmique du liquide céphalo-rachidien entre la tête (crâne) et le bas de la colonne vertébrale (sacrum).

Elle est surtout connue pour son utilisation chez les nouveau-nés, mais elle peut aider à améliorer l'état de santé général (douleurs chroniques, affections courantes) de tous. Avant de s'occuper d'un bébé, le thérapeute retrace l'histoire de la grossesse et de la naissance et recherche les contraintes qui ont pu affecter la mère ou l'enfant à la naissance.

En posant ses mains sur la tête du bébé, sur son dos ou son sacrum, le thérapeute perçoit le rythme de son corps. Ensuite, il guide le mouvement du liquide céphalo-rachidien et dénoue les tensions, ce qui permet au mécanisme d'autoguérison du bébé de corriger les déséquilibres de son corps.

Digitopuncture

Thérapie chinoise ancienne se fondant sur l'idée qu'une énergie de vie circule au travers du corps le long de canaux appelés méridiens.

Sur chaque méridien se trouve un certain nombre de points d'acupression, qui, si on les masse, agissent sur le flux énergétique et permettent de retrouver l'harmonie corporelle.

Le massage par pression, souvent réalisé avec le pouce, est moins impressionnant que le recours aux aiguilles d'acupuncture. En outre, vous pouvez apprendre à pratiquer ce massage vous-même en veillant à ne pas appuyer trop fort si vous traitez un enfant. La digitopuncture peut soulager en cas de douleurs abdominales, de congestion nasale, de diarrhée, de constipation, d'otite, d'irritation oculaire, de douleurs dentaires, de nausée, de hoquet ou de mal des transports.

Massages

Les massages thérapeutiques sont utilisés depuis des centaines d'années pour soigner les douleurs musculaires et articulaires. Le massage a aussi l'avantage d'améliorer la mobilité corporelle et d'apporter un véritable sentiment de bien-être.

Cette technique est efficace contre les troubles liés au stress, comme l'anxiété, l'insomnie ou la dépression, et contre les troubles digestifs. Réduire le stress et la tension permettrait au système immunitaire d'être plus efficace lors de maladies comme la mononucléose infectieuse ou le syndrome de fatigue chronique. Les massages seraient efficaces contre la constipation.

Aromathérapie

L'aromathérapie a recours aux huiles essentielles, ces huiles sont très puissantes et extraites de plantes spécifiques. Elles peuvent être utilisées en massage, en bain, en bain de pieds ou en inhalation.

L'huile essentielle de mandarine est utilisée en massage : elle calme les enfants agités et soulage les insomnies. L'huile essentielle de rose permet à l'estomac de mieux résister en cas de problème émotionnel et à la peau de rester en bonne condition.

Attention, il faut toujours mélanger ces huiles essentielles à des huiles neutres avant de les appliquer sur la peau. À 10 ml d'huile d'amande douce ou d'huile de pépins de raisin, vous pourrez ajouter : 1 goutte d'huile essentielle pour les bébés ayant entre 3 et 12 mois ; 2 gouttes d'huile essentielle pour les enfants de 1 à 5 ans et la moitié de la dose recommandée aux adultes pour les enfants de 6 à 12 ans. Une fois le mélange effectué, vous pourrez le verser dans l'eau du bain ou sur un gant de toilette si l'enfant prend une douche, ou encore l'utiliser comme huile de massage.

Réflexologie

Pour les réflexologues, la plante des pieds et la paume des mains sont parsemées de points qui correspondent aux autres parties du corps.

Il existe des cartes qui permettent de localiser ces zones réflexes : en exerçant une pression avec un doigt ou le pouce sur une ou plusieurs zones, le thérapeute va corriger les déséquilibres énergétiques, stimuler les capacités d'autoguérison et améliorer la circulation sanguine.

La réflexologie peut soulager des maux quotidiens comme les maux de tête, la sinusite ou la constipation. Demandez au thérapeuthe de vous apprendre à masser certaines des zones réflexes des oreilles ou des mains de votre enfant, afin de pouvoir le soulager, quel que soit le lieu ou le moment.

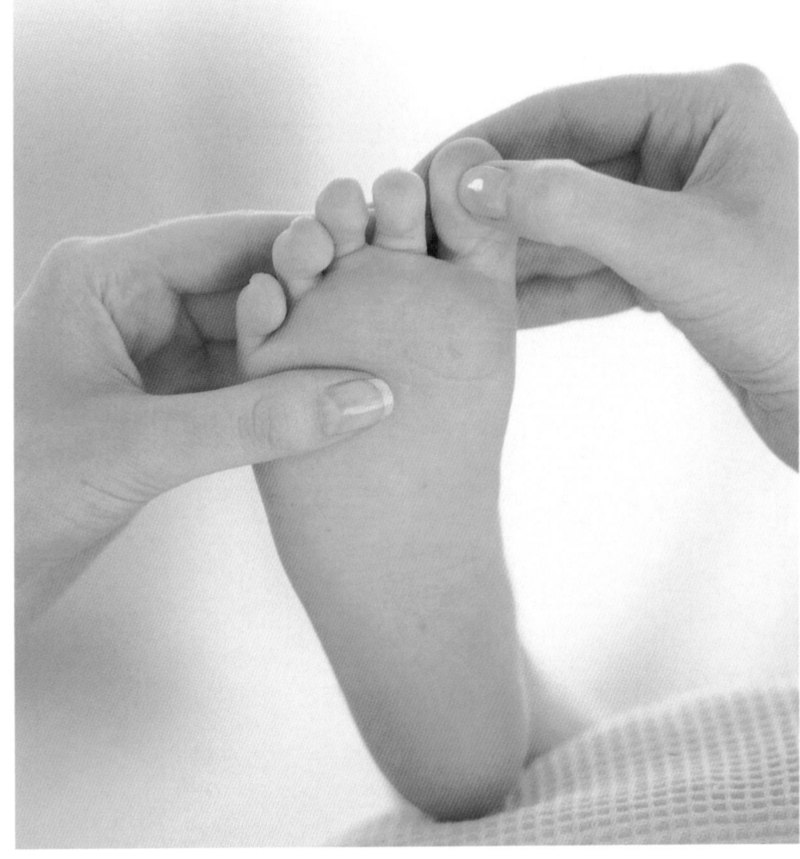

EN CAS D'URGENCE

CHAPITRE CINQ

Les enfants sont naturellement intrépides et se blessent inévitablement de temps en temps. Comment agir et quels premiers soins administrer en attendant éventuellement l'arrivée du médecin ? Ce chapitre répond à ces questions, sachant que, dans l'idéal, les parents se sentiront plus sûrs d'eux s'ils ont quelques rudiments de secourisme.

L'ENFANT MALADE

Il n'est pas toujours nécessaire d'appeler un médecin au chevet d'un enfant malade, sauf s'il se déshydrate – en particulier s'il a la diarrhée, s'il a de la fièvre ou s'il vomit. Il peut aussi manquer d'appétit, auquel cas il ne faut pas le forcer à manger mais lui proposer de petites portions de ce qu'il aime.

PRENDRE LE POULS

Un pouls anormalement rapide ou trop lent peut signaler une maladie, il est donc parfois utile de vérifier le pouls de l'enfant. Il s'agit de placer vos doigts à l'endroit où il est facile de sentir la pression du sang.

Pour un enfant, on le sent bien à l'intérieur du poignet et sur le cou. Pour un bébé, on le sent bien en haut du bras.

Posez le bout de vos doigts – pas le pouce – jusqu'à ce que vous sentiez le pouls. Comptez le nombre de battements par minute en essayant de distinguer si le pouls est faible ou fort, régulier ou irrégulier. Le pouls d'un bébé bat 140 fois par minute, celui d'un petit enfant environ 120 fois, et celui d'un enfant plus grand, 100 fois (*voir également* Comment vérifier le rythme respiratoire, *p. 195*).

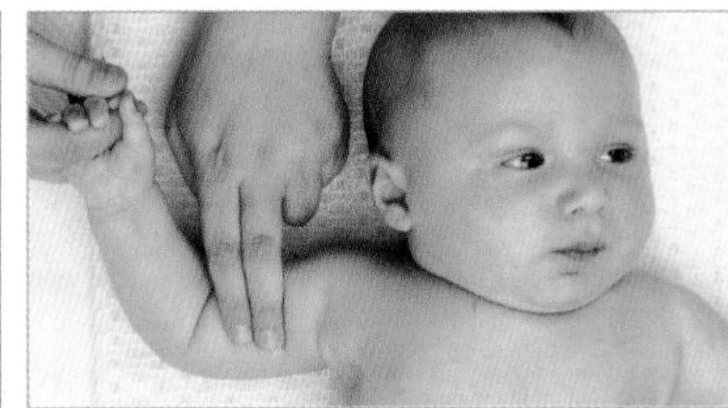

PRENDRE LE POULS D'UN BÉBÉ
Posez votre index et votre majeur à l'intérieur du haut du bras.

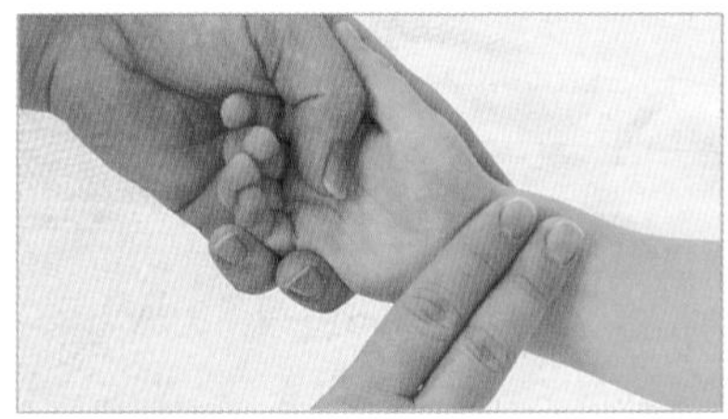

PRENDRE LE POULS D'UN ENFANT
Posez deux doigts à l'intérieur du poignet.

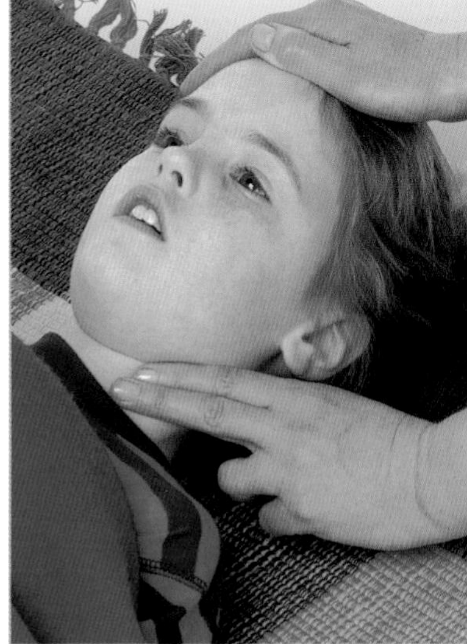

PRENDRE LE POULS AU COU
Posez deux doigts dans le creux entre la trachée et le gros muscle du cou.

PRENDRE LA TEMPÉRATURE

Si votre enfant n'a pas l'air bien et semble avoir de la fièvre (38 °C ou plus), prenez sa température (*voir ci-contre à droite*) toutes les 2 ou 3 heures jusqu'au retour à la normale. Un enfant de 7 ans et plus peut tenir tout seul un thermomètre digital posé sous sa langue. Ne le mettez pas dans la bouche d'un enfant de moins de 7 ans : coincez-le sous l'aisselle ou utilisez un thermomètre frontal. La température indiquée par un thermomètre frontal est inférieure d'environ 0,6 °C à la température réelle du corps ; il faut donc ajouter 0,6 au chiffre que vous lisez.

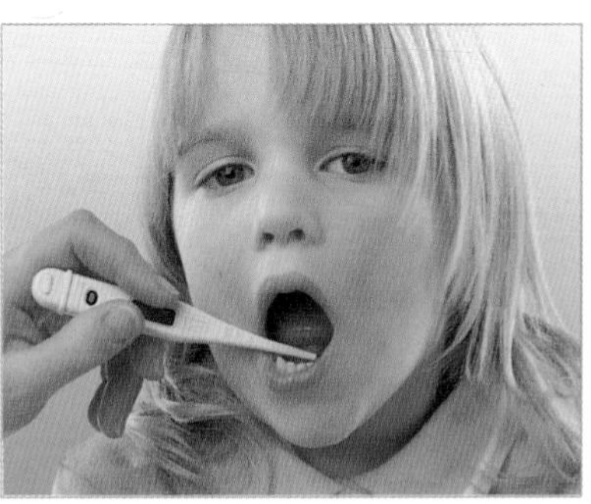

UTILISER UN THERMOMÈTRE DIGITAL
L'enfant étant assis sans bouger, tenez le thermomètre sous son aisselle ou sous sa langue. Attendez le bip – une minute environ – et lisez la température sur l'écran.

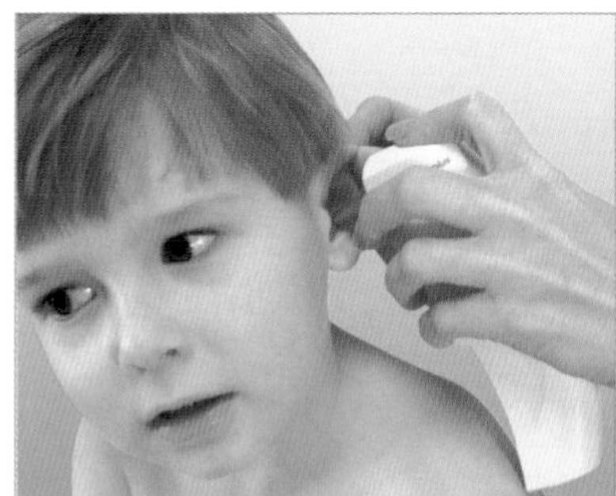

UTILISER UN THERMOMÈTRE AURICULAIRE
Placez le thermomètre dans l'oreille et maintenez-le en position pendant le temps recommandé, puis enlevez-le et lisez la température. L'embout jetable doit être changé à chaque utilisation.

COMMENT ADMINISTRER UN MÉDICAMENT

Les médicaments liquides sont généralement présentés en préparation sucrée, plus agréable pour l'enfant.

Agitez toujours le flacon, mesurez la dose prescrite et donnez-la à l'enfant à l'aide d'une cuillère, d'un tube spécial fourni avec le produit, ou d'une seringue sans aiguille (*voir ci-contre*), cette dernière évitant les fuites et permettant de respecter les doses prescrites.

Suivez bien les conseils de rangement : certains médicaments liquides doivent être conservés au réfrigérateur pour ne pas qu'ils s'altèrent.

Les enfants avalent difficilement les comprimés : choisissez de préférence ceux qui se dissolvent ou peuvent être écrasés et mélangés à du jus de fruit ou de la purée.

Sachez qu'un traitement antibiotique ne doit pas être interrompu avant la durée prescrite.

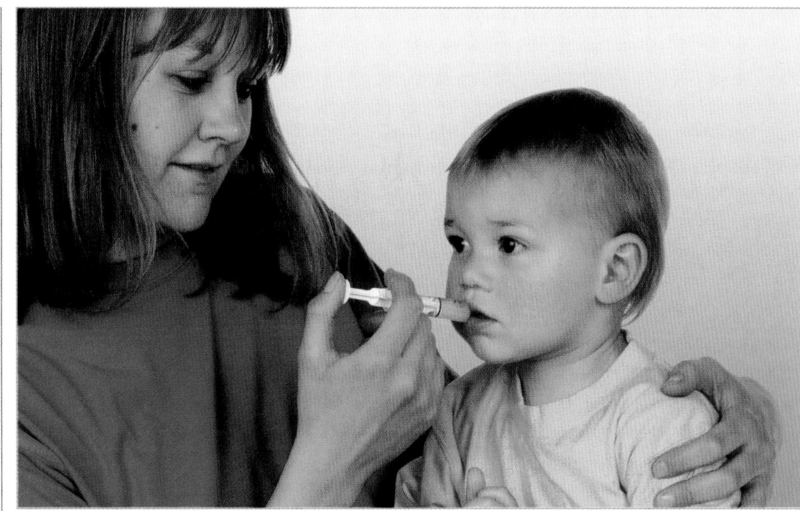

UTILISATION D'UNE SERINGUE
Fixez l'adaptateur conique au flacon de médicament et introduisez la seringue (sans l'aiguille) dans l'adaptateur. Le flacon étant tête en bas, tirez lentement sur le piston jusqu'à ce que la seringue ait aspiré la dose prescrite, indiquée sur les graduations. Puis retirez doucement de l'adaptateur la seringue pleine, mettez le bout de la seringue dans la bouche de l'enfant en le pointant vers une joue, et enfoncez doucement le piston. Faites attention de ne pas pointer le bout de la seringue sur la gorge de l'enfant, qui étoufferait.

Trousse d'urgence

Chaque famille doit posséder une trousse de première urgence pour faire face aux petits accidents pouvant advenir à tout moment. Ayez-en également une dans la voiture. La trousse doit être rangée dans une boîte propre, imperméable et facilement identifiable, et il faut la vérifier régulièrement pour qu'elle soit prête à l'usage le moment venu.

Les trousses de base sont disponibles en pharmacie et on peut y ajouter des pansements, bandes, gants jetables et remèdes pouvant être donnés aux enfants

aussi constituer votre propre trousse en fonction des besoins de votre famille. Évitez d'y mettre trop de choses – contentez-vous du matériel de base (*voir ci-contre*).

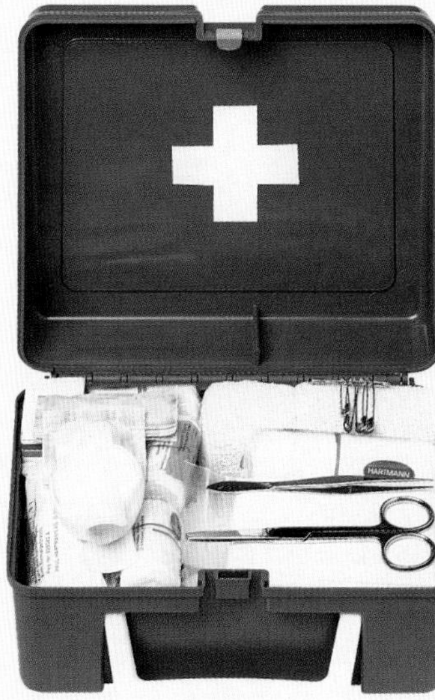

UNE TROUSSE DE PREMIÈRE URGENCE DOIT CONTENIR :

- *une pince à épiler*
- *des épingles à nourrice*
- *des pansements*
- *du sparadrap hypoallergénique*
- *un antiseptique*
- *une petite et grande bande de contention*
- *des compresses stériles*
- *une ou deux bandes adhésives extensibles*
- *une crème cicatrisante*
- *une pochette de sutures adhésives*

LES MALAISES ET PERTES DE CONNAISSANCE

Si le bébé ou l'enfant perd connaissance, il faut, en attendant les secours, effectuer les techniques de secourisme et premiers soins (SPS) ayant pour but de maintenir une bonne oxygénation des organes vitaux jusqu'à l'arrivée des secours.

LES SPS

Ce sont les mêmes pour un bébé ou un enfant. Il faut en priorité dégager les voies respiratoires et s'assurer que l'enfant respire. S'il respire, mettez-le en position latérale de sécurité (*voir ci-dessous*) et appelez à l'aide. S'il ne respire pas, effectuez le bouche-à-bouche, l'air que vous lui insufflez contient assez d'oxygène pour maintenir le fonctionnement des organes vitaux. Après 2 insufflations, voyez si le sang circule : mouvement du corps, respiration, ou visage reprenant des couleurs. Si ce n'est pas le cas, effectuez une réanimation cardio-respiratoire, qui consiste à alterner pressions sur la poitrine et bouche-à-bouche. S'il respire et que le sang circule, traitez les autres problèmes dans l'ordre suivant : saignement, brûlure, fractures, et vérifiez que l'enfant n'est pas en état de choc (*voir p. 336*). Enfin, traitez les autres blessures.

ATTENTION

Si l'enfant inconscient est susceptible de s'être blessé à la colonne vertébrale :

- **Ne le déplacez pas**, sauf s'il court un danger, si ses voies respiratoires sont obstruées, ou si vous devez effectuer la RCR (*voir ci-contre*). Songez que lorsqu'il y a blessure à la tête, la colonne vertébrale peut avoir été touchée.
- **Ne relevez pas la tête de l'enfant** pour faire le bouche-à-bouche : pincez doucement les joues pour les faire remonter vers vous.

SI L'ENFANT RESPIRE

Position latérale de sécurité

Cette position permet d'évacuer les liquides de la bouche pour qu'ils ne passent pas dans les poumons. Si l'enfant a une fracture, immobilisez la partie cassée. Un enfant dont la colonne vertébrale est blessée (*voir* Attention, *ci-dessus*) ne doit être tourné que si sa respiration est obstruée. La tête, le cou et le dos doivent rester alignés.

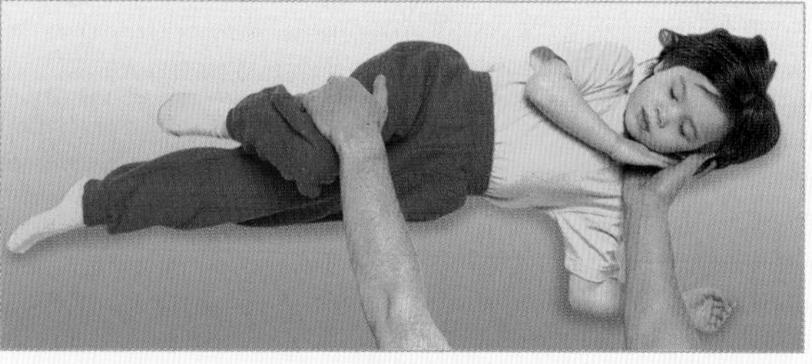

L'ENFANT RESPIRE *Mettez-le en position latérale de sécurité* (photo ci-dessus). *1) Saisissez la cuisse la plus éloignée de vous et 2) Faites rouler l'enfant en tirant la jambe pliée vers vous, tout en faisant en sorte que sa main reste posée contre sa joue.*

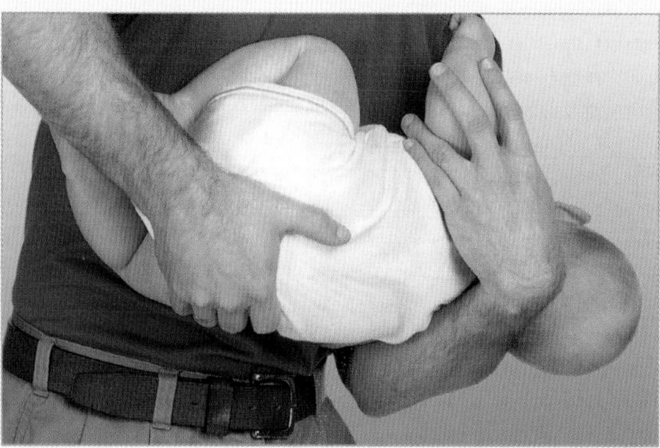

LE BÉBÉ RESPIRE *Tenez-le en position latérale de sécurité* (photo). *Assurez-vous que vous le tenez bien, la tête plus bas que le corps pour que les voies respiratoires restent dégagées, en attendant l'arrivée des secours.*

3) Pliez la jambe du dessus à angle droit. 4) Mettez le bras du dessous dans une position qui empêche l'enfant de tomber. Tenez-lui la tête légèrement relevée pour que ses voies respiratoires restent dégagées.

SPS POUR UN BÉBÉ

Si le bébé semble inconscient, essayez de le faire réagir en l'appelant et en lui tapotant doucement la plante d'un pied. Il ne faut absolument jamais le secouer. Appelez à l'aide. Puis suivez calmement les conseils de réanimation suivants. La réanimation cardio-respiratoire (RCR) doit être effectuée 1 minute avant d'appeler le 911.

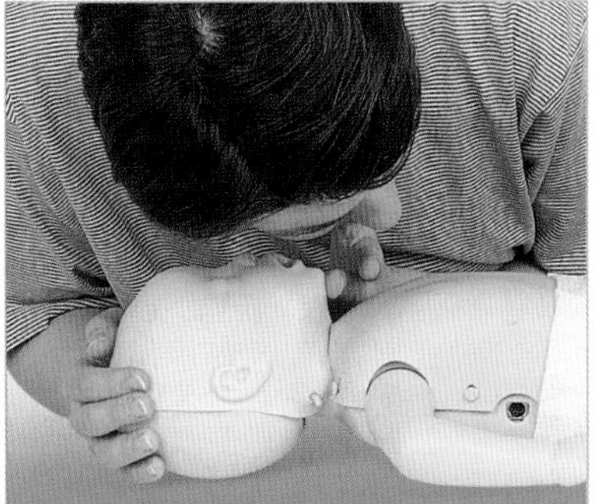

1 **LIBÉREZ LES VOIES AÉRIENNES, VÉRIFIEZ LA RESPIRATION**
Allongez le bébé à plat, la tête légèrement en arrière. Ôtez tout objet ou matière éventuels de sa bouche. Avec un doigt, soulevez son menton. Voyez s'il respire en vérifiant le moindre mouvement de la poitrine ou souffle de respiration, et approchez-vous de sa bouche pour sentir le souffle. Demandez à quelqu'un d'appeler le 911.

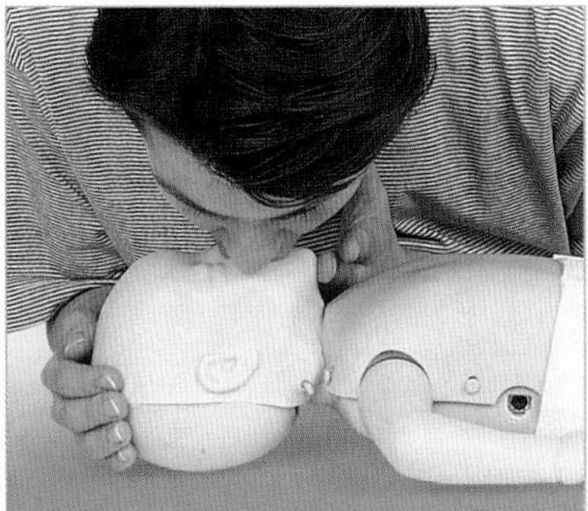

2 **DEUX BOUCHE-À-BOUCHE**
Si le bébé ne respire pas, pratiquez immédiatement le bouche-à-bouche : inspirez profondément, collez votre bouche sur sa bouche ouverte et son nez, et soufflez franchement. Vérifiez que sa poitrine se soulève. Enlevez votre bouche et laissez sa poitrine redescendre. Répétez 2 fois, en reprenant chaque fois votre respiration. Faites si nécessaire cinq tentatives, puis vérifiez que le bébé est oxygéné.

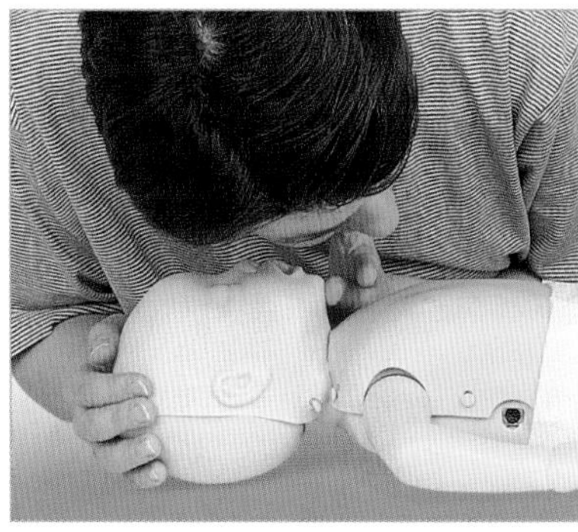

3 **VOYEZ SI LE BÉBÉ RESPIRE**
Observez et tâtez le bébé pour voir s'il bouge, respire ou retrouve des couleurs. Si c'est le cas, continuez le bouche-à-bouche et revérifiez l'oxygénation toutes les minutes. Appelez le 911. Sinon, débutez la RCR (étapes 4 et 5). Si vous n'arrivez pas à faire passer votre souffle dans la trachée du bébé et qu'il étouffe, passez directement à l'étape 4 et pratiquez des massages cardiaques.

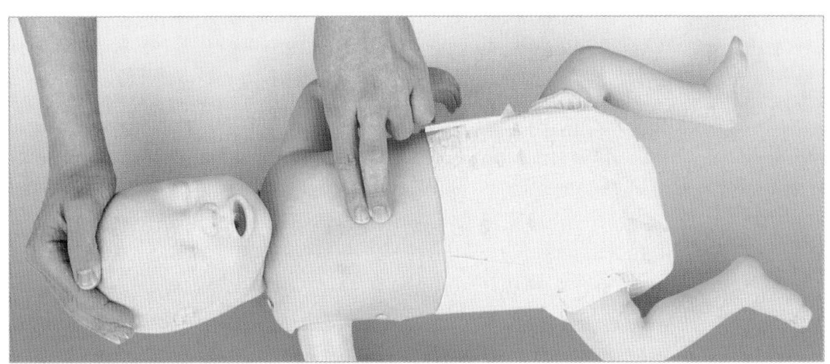

4 **CINQ MASSAGES CARDIAQUES**
Mettez votre index et votre majeur juste sous le sternum, au milieu de la poitrine. Appuyez fermement du bout des doigts jusqu'à 1/3 de la profondeur de la poitrine et relâchez la pression sans enlever vos doigts. Recommencez 5 fois en 3 secondes.

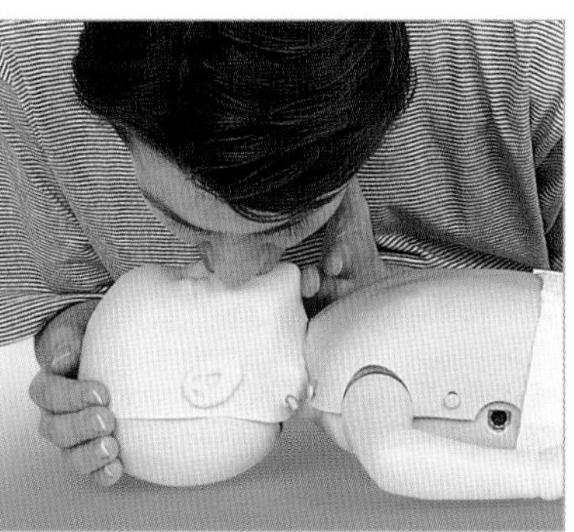

5 **BOUCHE-À-BOUCHE**
Faites un bouche-à-bouche puis répétez l'étape 4. Continuez ce cycle jusqu'à l'arrivée des secours, et ne cessez que si l'enfant bouge ou respire.

SPS POUR UN ENFANT DE MOINS DE 8 ANS

Si l'enfant est inconscient, essayez de le faire réagir en l'appelant ou en lui tapotant l'épaule. Après avoir vérifié s'il respire, faites appeler le 911. Si vous êtes seul, continuez bouche-à-bouche et/ou la réanimation cardio-respiratoire (RCR) pendant 1 minute puis appelez le 911.

1 LIBÉREZ LES VOIES AÉRIENNES, VÉRIFIEZ LA RESPIRATION
D'une main sur le front de l'enfant, renversez sa tête et soulevez son menton. S'il respire, mettez-le en position latérale de sécurité (*voir p. 330*).

2 BOUCHE-À-BOUCHE
S'il ne respire pas, pincez-lui le nez, collez vos lèvres sur sa bouche et soufflez jusqu'à ce que sa poitrine se soulève. Enlevez votre bouche et laissez la poitrine retomber. Recommencez 2 fois. Ne faites pas plus de cinq tentatives.

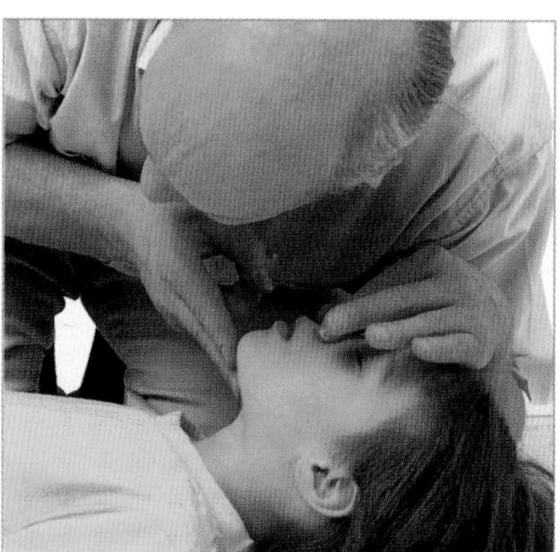

3 VÉRIFIEZ LES SIGNES D'OXYGÉNATION
Si le corps bouge, si l'enfant reprend des couleurs, s'il tousse, continuez le bouche-à-bouche et vérifiez chaque minute qu'il respire. S'il ne respire pas, débutez la RCR (étapes 4, 5).

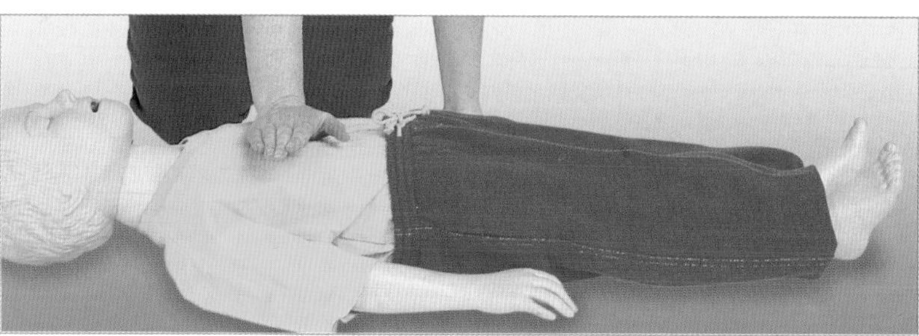

4 CHERCHEZ LE STERNUM ET APPUYEZ SUR LA POITRINE
Trouvez l'endroit de la poitrine où les côtes rejoignent le sternum. Posez votre majeur sur la partie inférieure du sternum et votre index sur l'os qui est juste au-dessus. Glissez la base de l'autre main le long du sternum pour qu'elle touche vos deux doigts et appuyez jusqu'à 1/3 de la profondeur de la poitrine. Faites ceci 5 fois en 3 secondes.

MASSAGE CARDIAQUE PENDANT PLUS DE 8 SECONDES
Placez votre paume sur le sternum, posez l'autre main par-dessus et croisez vos doigts. Penchez-vous et enfoncez le thorax de 4 cm. Recommencez 15 fois, 100 compressions par minute.

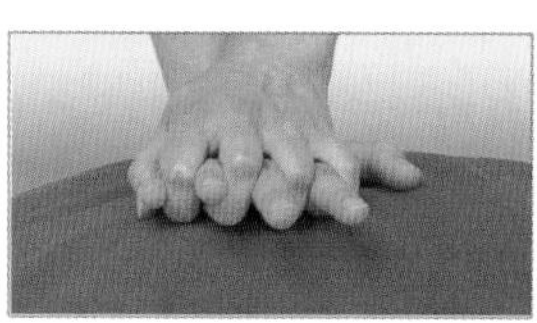

5 BOUCHE-À-BOUCHE
Pincez le nez de l'enfant, soulevez son menton, collez votre bouche sur la sienne et faites une fois le bouche-à-bouche. Répétez les étapes 4 et 5 pendant 1 minute à raison de 5 compressions pour 1 insufflation jusqu'à l'arrivée des secours, et n'arrêtez que si l'enfant respire seul.

L'ÉTOUFFEMENT

L'enfant qui étouffe peut tousser, haleter ou pousser des cris aigus, et il ne peut ni parler ni respirer. Son visage rougit ou bleuit. Incitez-le à tousser et ne commencez les premiers soins que s'il montre des signes de détresse respiratoire.

BÉBÉ ÉTOUFFE

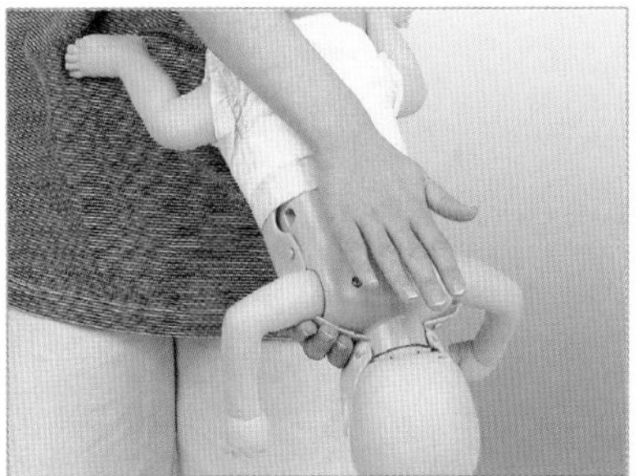

1 5 TAPES DANS LE DOS
Allongez le bébé à plat ventre sur votre bras, la tête plus bas que le corps. Soutenez-lui le menton avec vos doigts. Tapez sur le dos fermement 5 fois avec la paume de votre autre main. Ôtez de sa bouche tout ce qui peut l'obstruer.

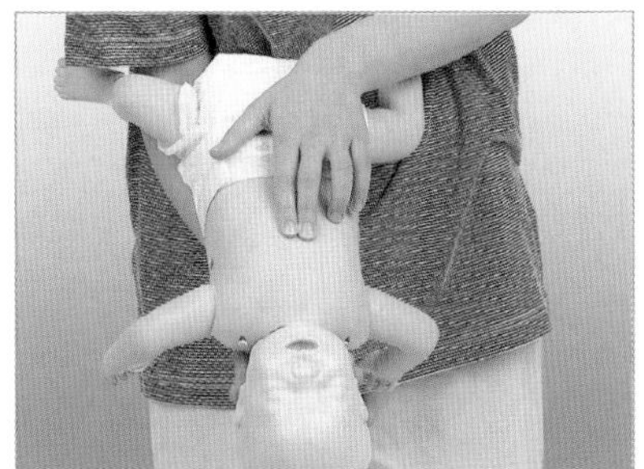

2 5 PRESSIONS SUR LA POITRINE
Si l'étape 1 n'a pas d'effet, retournez le bébé et mettez deux doigts sur son sternum, sous les seins. Pressez et relevez doucement vos doigts. Ôtez ce qui obstrue sa bouche. Si, après 3 fois les étapes 1 et 2 n'ont pas d'effet, gardez Bébé avec vous et appelez le 911.

ATTENTION

Étouffement avec perte de connaissance

Si l'enfant perd connaissance , appelez immédiatement le 911. En attendant, suivez les conseils de SPS (*p. 331* pour un bébé, *p. 332* pour un enfant).

- Dégagez les voies aériennes. Si vous apercevez quelque chose dans la bouche, essayez de l'enlever.
- Voyez si l'enfant respire. Sinon, pratiquez le bouche-à-bouche.
- Si votre bouche-à-bouche échoue, commencez les massages cardiaques (*voir p. 331 ou 332*, étapes 4 et 5).
- À chaque massage, voyez s'il a quelque chose dans la bouche. Insistez jusqu'à l'arrivée des secours.

L'ENFANT ÉTOUFFE

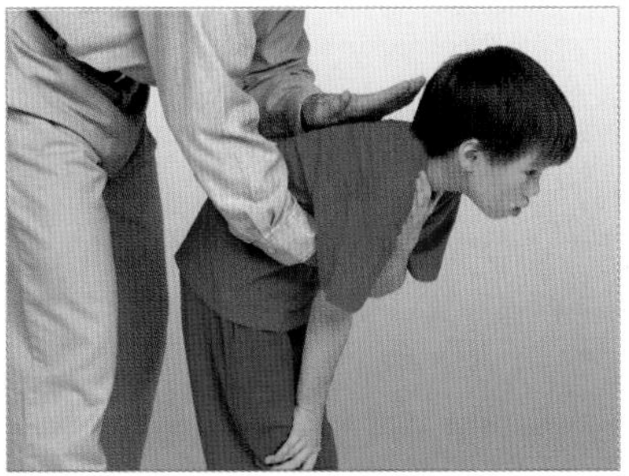

1 5 TAPES DANS LE DOS
Penchez-le en avant en le soutenant. Avec la paume de l'autre main, donnez 5 bonnes tapes entre ses omoplates. Si l'enfant est petit, mettez-le à plat ventre sur vos genoux, la tête en bas. Ôtez de sa bouche tout ce qui peut l'obstruer.

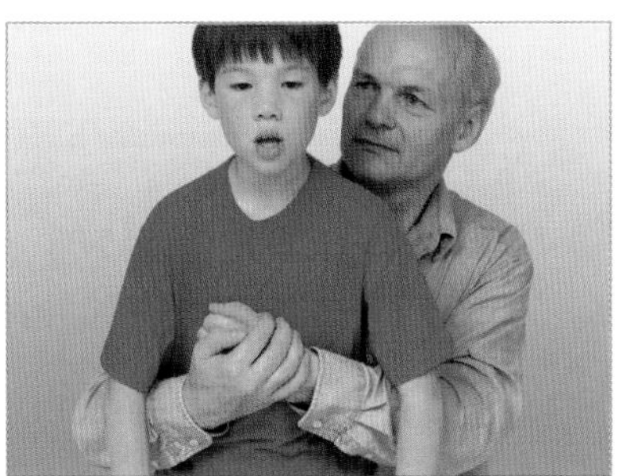

2 5 MANŒUVRES D'HEIMLICH
Si l'étape 1 n'a pas d'effet, entourez l'enfant de vos bras. Serrez un poing sous les côtes, l'autre main par dessus. Enfoncez d'un coup sec vers le haut. Répétez 5 fois toutes les 3 secondes.

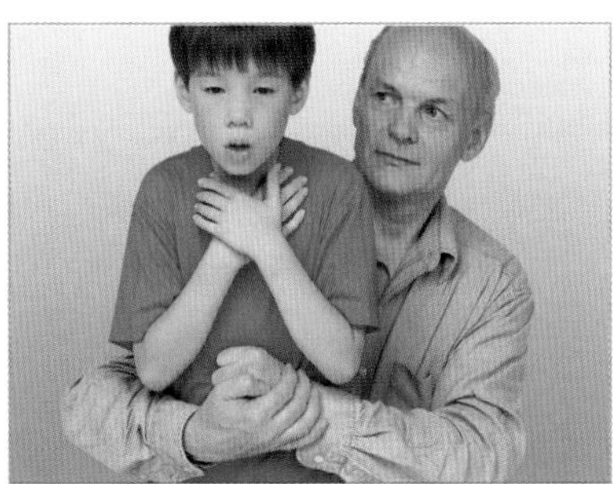

3 5 MANŒUVRES D'HEIMLICH ABDOMINALES
Si l'étape 2 n'a pas d'effet, descendez votre poing au-dessus du ventre et remontez-le fermement en le maintenant enfoncé, 5 fois. Répétez les étapes 1 à 3. Continuez jusqu'à l'arrivée du 911.

LA NOYADE

Il suffit de 2,5 cm d'eau dans une piscine, une mare ou une baignoire pour que l'enfant en aspire par les poumons, cesse de respirer et risque d'étouffer. Les enfants nageant en espace ouvert dans une eau froide ou agitée peuvent aussi être très vite en difficulté. Dans tous les cas, il faut agir rapidement sans vous mettre en danger.

1 SORTEZ L'ENFANT DE L'EAU
Portez-le la tête en bas pour éviter qu'il n'aspire de l'eau. Si celle-ci s'écoule naturellement de sa bouche, laissez faire. Ne tentez pas de faire sortir l'eau de son estomac car il pourrait vomir et inhaler le vomi.

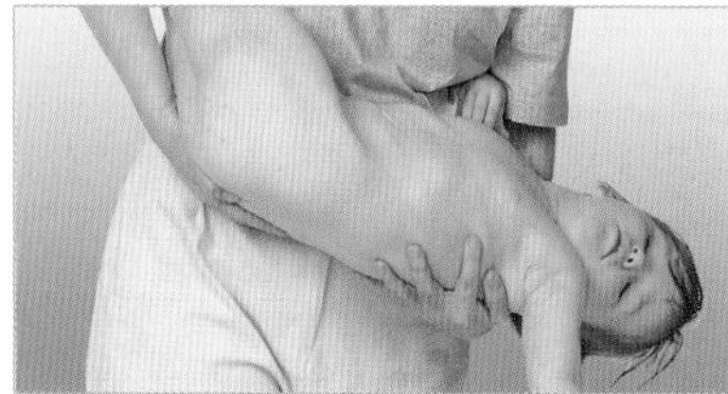

Maintenez l'enfant la tête en bas.

2 SÉCHEZ-LE
Séchez et réchauffez l'enfant le plus vite possible. Assurez-vous qu'il ne souffre pas d'hypothermie (*voir p. 337*).

3 EMMENEZ-LE À L'HÔPITAL
Emmenez-le à l'hôpital même s'il va mieux, car l'eau inhalée peut irriter les poumons et les faire gonfler ultérieurement.

L'ENFANT A PERDU CONNAISSANCE

Si l'enfant qui a avalé de l'eau dans ses poumons a perdu connaissance, ôtez-lui ses vêtements mouillés, allongez-le et couvrez-le d'une serviette ou d'une couverture. Vérifiez ses voies aériennes, assurez-vous qu'il respire et s'oxygène normalement (*voir p. 330-333*) et soyez prêts à pratiquer le bouche-à-bouche (*voir p. 331* pour les bébés *et p. 332* pour les enfants).

S'il vous est difficile d'insuffler l'air dans ses poumons à cause de l'eau qu'il a avalée et du fait que son corps est froid, soufflez un peu moins vite mais légèrement plus fort pour parvenir à ce que sa poitrine se soulève.

Si l'enfant inconscient respire, mettez-le en position latérale de sécurité (*voir p. 330*) et appelez immédiatement le 911.

L'ENFANT A AVALÉ UN OBJET

Les enfants en bas âge avalent souvent de petits objets (pièces de monnaie, boutons, etc.), généralement éliminés dans les selles. Mais les piles boutons, elles, sont un danger mortel, il faut très vite les extraire. De même si l'objet avalé est grand ou pointu, les voies digestives pouvant alors être endommagées.

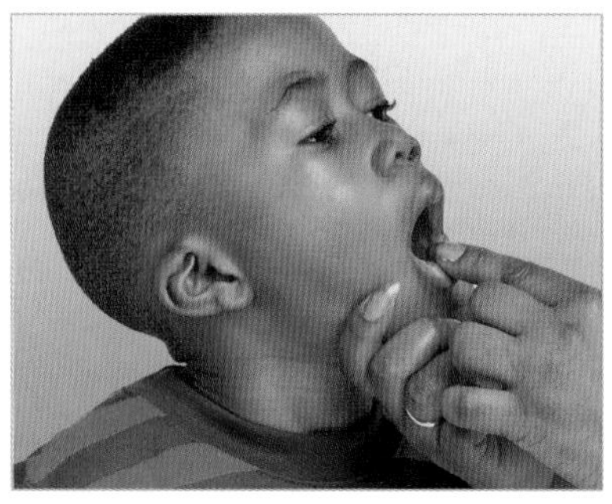

Essayez de savoir ce qu'il a avalé.

1 PARLEZ-LUI
Rassurez l'enfant pour éviter qu'il ne panique, puis essayez de savoir quel objet exactement il a avalé.

2 EMMENEZ-LE À L'HÔPITAL
Si l'objet avalé est petit et mou, emmenez l'enfant chez un médecin ou aux urgences.

3 CONSULTEZ UN MÉDECIN
Si vous savez ou suspectez votre enfant d'avoir avalé une pile bouton, consultez d'urgence.

4 APPELEZ LE 911
Si l'objet est grand ou pointu, ou si l'enfant a du mal à respirer ou à avaler, appelez le 911. Il ne doit ni s'alimenter, ni boire, au cas où il faudrait une anesthésie.

OBJETS DANS LES POUMONS

Un enfant peut s'étouffer en avalant un petit objet (cacahuète, etc.) qui va dans ses poumons. S'il a une toux sèche, a du mal à respirer ou étouffe, agissez vite (*voir* L'étouffement, *p. 333*).

L'INHALATION DE VAPEURS TOXIQUES

Si l'enfant inhale des vapeurs ou des gaz toxiques (colle, solvant, gaz d'échappement ou d'appareils de chauffage défectueux), il peut avoir du mal à respirer, tomber dans la confusion mentale ou manquer d'oxygène et sa peau peut devenir bleu grisâtre. En cas d'incendie, de fumée ou de vapeur, ne vous mettez pas en danger et appelez les pompiers.

1 **FAITES-LE ASSEOIR DROIT**
La position assise l'aidera à respirer. Assurez-vous que l'endroit est aéré et encouragez-le à respirer aussi normalement que possible.

2 **APPELEZ LE 911**
Appelez les secours immédiatement.

3 **SURVEILLEZ-LE**
En attendant l'arrivée des secours, aidez-le à respirer, surveillez son pouls et faites en sorte qu'il reste conscient. Dans le cas contraire, pratiquez le bouche-à-bouche.

PERTE DE CONNAISSANCE

Si l'enfant perd connaissance, pratiquez les techniques de secourisme et premiers soins (*voir p. 330-332*). S'il respire, mettez-le en position latérale de sécurité (*voir p. 330*).

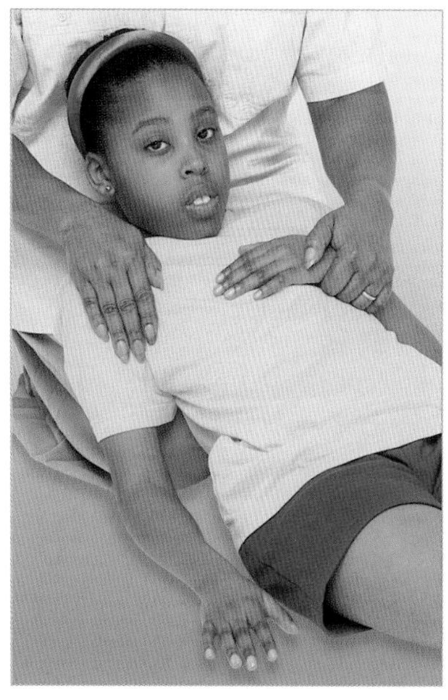

Maintenez l'enfant en position relevée.

LES MORSURES

Les morsures d'animaux (chiens, rongeurs, etc.) risquent de provoquer des infections comme le tétanos ou la rage. Assurez-vous que votre enfant est vacciné, ou qu'il reçoive d'urgence les injections nécessaires.

MORSURES SUPERFICIELLES

Vous pouvez traiter vous-même les morsures qui n'ouvrent que la peau.

1 **NETTOYEZ LA BLESSURE**
Lavez soigneusement la blessure à l'eau chaude savonneuse et rincez à l'eau courante pendant quelques minutes.

2 **SÉCHEZ ET COUVREZ LA MORSURE**
Séchez au mouchoir en papier et couvrez d'un pansement stérile jusqu'à cicatrisation.

MORSURES PROFONDES

Les morsures qui pénètrent profondément sous la peau doivent être examinées par un médecin.

1 **NETTOYEZ LA BLESSURE**
Posez une compresse sur la plaie et appuyez pour faire cesser le saignement (si celui-ci est important, *voir p. 342*).

2 **SURÉLEVEZ LE MEMBRE**
Soulevez au-dessus du niveau du cœur la partie du corps qui est blessée pour que le sang ne reflue pas vers la plaie.

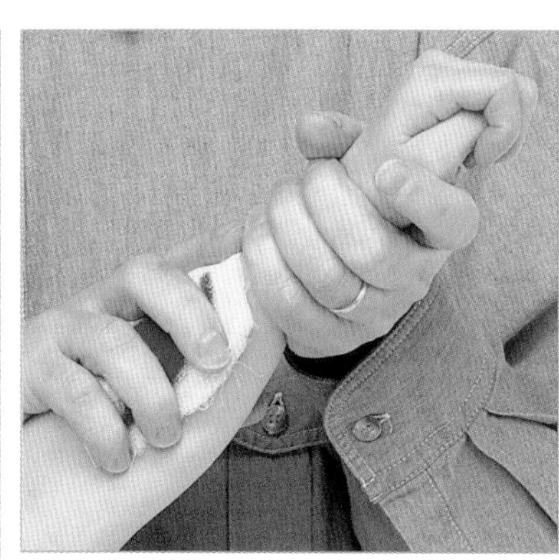

Compressez la plaie et relevez le membre blessé.

3 **COUVREZ LA PLAIE**
Couvrez avec une compresse ou un pansement stérile et bandez en serrant un peu.

4 **CONSULTEZ UN MÉDECIN**
Emmenez immédiatement l'enfant chez un médecin ou aux urgences.

L'ÉTAT DE CHOC

Les causes les plus fréquentes sont les hémorragies (internes ou externes), les brûlures ou ébouillantages, l'hypothermie ou la perte des fluides corporels, parfois consécutive à la diarrhée ou aux vomissements. La peau pâlit, l'enfant a froid et transpire. Le pouls s'affaiblit, la respiration s'accélère et devient superficielle. Ces symptômes sont suivis d'une agitation, d'une soif intense et parfois d'une perte de connaissance.

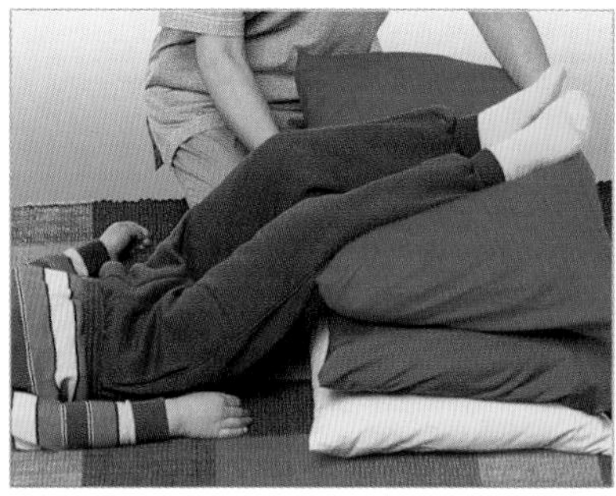

Relevez les jambes de l'enfant.

1 ALLONGEZ L'ENFANT
Allongez l'enfant sur le dos, la tête tournée sur le côté et plus basse que le corps pour que le sang reflue vers le cerveau. Rassurez-le, car votre inquiétude pourrait empirer son état, et prenez les mesures qui s'imposent en fonction de la cause du choc.

2 REHAUSSEZ SES JAMBES
Relevez doucement ses jambes au-dessus du niveau du cœur à l'aide d'une chaise ou d'une pile de coussins ou d'oreillers. Sa tête doit rester plus bas que sa poitrine.

3 DESSERREZ SES VÊTEMENTS
Desserrez ses vêtements au niveau du cou, de la poitrine et de la taille. S'il a soif, ne lui donnez rien à boire, humidifiez-lui les lèvres avec de l'eau.

4 RÉCHAUFFEZ-LE
Enveloppez-le dans une couverture, mais ne le mettez pas en contact direct avec une source de chaleur (bouillotte par exemple).

5 RESTEZ PRÈS DE LUI
Ne laissez pas l'enfant seul et, si possible, demandez à quelqu'un d'appeler le 911.

6 RÉCONFORTEZ-LE
Rassurez-le tout le temps et, si possible, incitez-le à vous parler. Assurez-vous qu'il respire, surveillez son pouls, la teinte de sa peau et faites en sorte qu'il reste conscient.

7 LES TECHNIQUES DE SECOURISME ET PREMIERS SOINS
S'il perd connaissance, dégagez sa trachée, voyez s'il respire (*voir p. 330-332*). Si nécessaire, pratiquez le bouche-à-bouche. S'il respire, mettez-le en position latérale de sécurité (*voir p. 330*).

L'ÉLECTROCUTION

L'enfant qui joue avec une prise ou un câble électrique ou qui arrose un appareil électrique risque l'électrocution. Le courant peut arrêter la respiration et même le cœur, et peut brûler la peau à l'endroit où il entre et sort du corps.

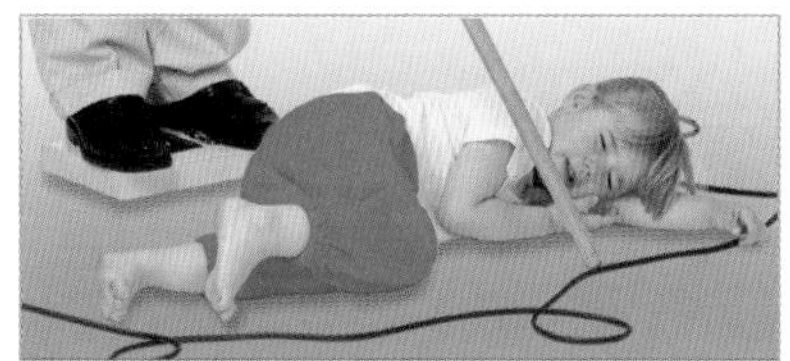

Éloignez les fils électriques de l'enfant.

1 COUPEZ LE COURANT
Si possible, coupez le courant. Si vous ne le pouvez pas, montez sur un objet sec et isolant (une pile d'annuaires, par exemple) et, à l'aide d'un objet non conducteur d'électricité (manche à balai ou chaise en bois), éloignez la source électrique de l'enfant.

2 ÉLOIGNEZ L'ENFANT
Ne touchez pas l'enfant, contentez-vous si nécessaire de le tirer par ses vêtements pour l'éloigner de la source électrique. S'il n'a pas été blessé, encouragez-le à se décontracter et à se reposer. Appelez immédiatement un médecin.

3 LES SPS
S'il perd connaissance, dégagez sa trachée, surveillez sa respiration (*p. 330-332*). Si nécessaire, pratiquez le bouche-à-bouche. Placez-le en position latérale de sécurité (*voir p. 330*).

L'HYPOTHERMIE

Quand la température corporelle descend autour de 35 °C, on parle d'hypothermie modérée. Si elle descend jusqu'à 30 °C, l'hypothermie peut être mortelle. Les symptômes diffèrent selon qu'il s'agit d'un bébé ou d'un enfant plus âgé.

L'HYPOTHERMIE DU BÉBÉ

Bébé étant incapable de bien réguler sa température, le fait d'être dans une chambre peu chauffée risque de le faire tomber en hypothermie. Sa peau peut rester colorée mais il a froid. Il semble alors mou, calme et perd l'appétit.

1 CONSULTEZ UN MÉDECIN
Appelez immédiatement un médecin. Réchauffez Bébé progressivement. Mettez-le dans une pièce chauffée et enveloppez-le dans des couvertures. Mettez-lui un bonnet et gardez-le dans vos bras.

L'HYPOTHERMIE CHEZ L'ENFANT

La cause la plus fréquente d'hypothermie chez l'enfant est l'exposition prolongée à l'eau froide ou à l'air froid. La peau est alors pâle, froide et sèche. L'enfant grelotte et peut être indolent ou confus. Il respire lentement et son pouls ralentit.

1 APPELEZ UN MÉDECIN
N'essayez pas de réchauffer l'enfant trop rapidement en appliquant directement sur sa peau une bouillotte d'eau chaude ou une autre source de chaleur.

2 DONNEZ-LUI UN BAIN
Mettez-le dans un bain chaud. Quand il reprend des couleurs, séchez-le et enveloppez-le dans des couvertures.

3 HABILLEZ-LE
Mettez-lui des vêtements et couvrez-lui la tête avant de le coucher dans une pièce chauffée. Donnez-lui une boisson chaude et restez près de lui jusqu'à l'arrivée du médecin.

4 LES TECHNIQUES DE SECOURISME ET PREMIERS SOINS
S'il perd connaissance, dégagez sa trachée, surveillez sa respiration et sa circulation (*p. 332*). Si nécessaire, pratiquez le bouche-à-bouche. Faites appeler le 911.

LES BLESSURES À LA TÊTE

Une blessure à la tête doit toujours être examinée car elle risque d'entraîner une perte de connaissance (commotion cérébrale) ou une réaction retardée grave (compression). Si la réaction a lieu plusieurs heures, voire plusieurs jours plus tard et que la respiration, le pouls ou les pupilles sont anormaux, appelez le 911.

Appliquez une compresse froide sur la tête.

1 APPLIQUEZ UNE COMPRESSE
Si l'enfant s'est cogné, asseyez-le et appliquez une compresse froide. S'il ne s'en remet pas totalement en 5 minutes, appelez un médecin.

2 APPELEZ LES SECOURS
Si l'enfant perd momentanément connaissance mais se remet bien, faites-le se reposer et appelez un médecin. S'il ne se remet pas au bout d'une demi-heure, appelez le 911.

LA PERTE DE CONNAISSANCE

Si l'enfant perd connaissance à la suite d'une blessure à la tête, il faut libérer ses voies aériennes en relevant sa mâchoire comme indiqué ci-après car la colonne vertébrale peut avoir été blessée : agenouillez-vous derrière sa tête, et mettez vos mains de chaque côté de son visage, au-dessus des oreilles, le bout de vos doigts sur les angles maxillaires. Relevez doucement la mâchoire pour dégager la trachée, sans plier son cou. Vérifiez qu'il respire et que l'oxygénation est normale (*voir p. 332*). Si nécessaire, pratiquez le bouche-à-bouche. S'il respire, continuez à maintenir sa tête dans cette position. Si vous devez vous éloigner – pour appeler le 911 par exemple – mettez-le en position latérale de sécurité (*voir p. 330*).

LES FRACTURES

Les os d'un enfant n'ont pas fini de grandir et peuvent donc se tordre, se fissurer ou se casser. Si l'enfant est susceptible de s'être cassé un os, il faut essayer d'immobiliser la partie affectée.

FRACTURES SIMPLES

Si la peau n'est pas incisée, il s'agit d'une fracture simple.

1 IMMOBILISEZ LA BLESSURE
Demandez à l'enfant de rester tranquille et maintenez la partie blessée. Pour immobiliser celle-ci, attachez-la avec une bande contre une partie non blessée du corps. Il faut toujours fermer le bandage sur la partie blessée.

2 L'ENFANT EN ÉTAT DE CHOC
Si l'enfant semble choqué (*voir p. 336*), allongez-le et surélevez ses jambes – sauf si c'est douloureux.

3 AIDE MÉDICALE
Emmenez-le à l'hôpital si la blessure touche la clavicule, le bras ou les côtes, mais pas le coude. Sinon, appelez le 911. Ne le laissez ni boire, ni manger.

FRACTURES OUVERTES

Si l'os brisé a percé la peau ou s'il y a une plaie près de la fracture, il s'agit d'une fracture ouverte.

1 COUVREZ LA PLAIE
À l'aide d'une compresse stérile, comprimez la plaie. Si l'os sort de la peau, n'appuyez pas dessus et recouvrez d'une gaze en comprimant.

2 COUVREZ LE PANSEMENT
Posez une compresse propre sur le pansement et bandez-le. Si l'os sort de la peau, entourez-le de compresses propres non pelucheuses pour pouvoir faire le bandage et protéger l'os.

3 L'ENFANT EN ÉTAT DE CHOC
Immobilisez la partie blessée (*voir* 1 *ci-contre*). Si l'enfant semble choqué (*voir p. 336*), allongez-le et surélevez ses jambes.

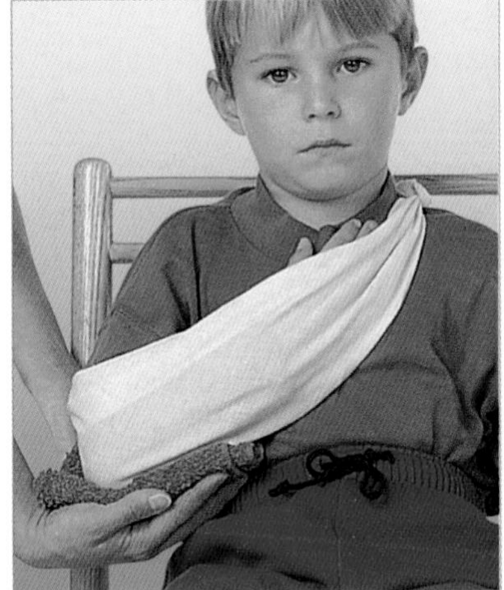

Protégez une fracture ouverte avec un bandage.

4 APPELEZ LE MÉDECIN
Appelez le 911 ou, si la blessure semble mineure, emmenez l'enfant aux urgences. Empêchez-le de boire et de manger en prévision d'une éventuelle anesthésie.

5 VÉRIFIEZ SA CIRCULATION
Toutes les 10 minutes, vérifiez la circulation à travers le bandage. Si elle semble ne pas se faire normalement, refaites le bandage moins serré.

LA FRACTURE DE LA CLAVICULE

La fracture de la clavicule advient généralement quand l'enfant fait du sport. Il faut immobiliser la fracture à l'aide d'un bandage triangulaire porté en écharpe.

1 COMMENT POSER L'ÉCHARPE
Mettez les doigts de la main du côté fracturé sur l'autre épaule. Posez-y un bout de l'écharpe, et descendez celle-ci le long du corps. La pointe doit être sous le coude du côté fracturé.

2 FIXEZ L'ÉCHARPE
Pliez le bandage sous l'avant-bras et le coude pour qu'il supporte le bras du côté fracturé, et remontez-le dans le dos. Faites un nœud plat du côté non fracturé. Plusieurs doigts doivent dépasser.

3 VÉRIFIEZ SA CIRCULATION
Rassemblez le reste du tissu au niveau du coude derrière l'écharpe. Continuez à vérifier que le sang circule bien dans les doigts de l'enfant. S'ils pâlissent, refroidissent ou se raidissent, desserrez alors l'écharpe.

4 AIDE MÉDICALE
Emmenez l'enfant au service des urgences.

LES FRACTURES DE LA JAMBE

Si l'enfant se casse un os de la jambe (fémur ou tibia), il faut immobiliser la jambe blessée pour éviter une complication. N'essayez pas d'étirer la jambe. Si c'est le genou qui est blessé, faites en sorte de glisser un rembourrage en dessous pour le soutenir.

1 SOUTENEZ LA JAMBE
Faites deux gros rembourrages avec des serviettes, une couverture ou des journaux, et mettez-les de chaque côté de la jambe blessée, puis appelez le 911.

2 EMPÊCHEZ-LE DE BOUGER
En attendant le 911, immobilisez la jambe. Le moindre mouvement pourrait aggraver la fracture et provoquer une hémorragie interne.

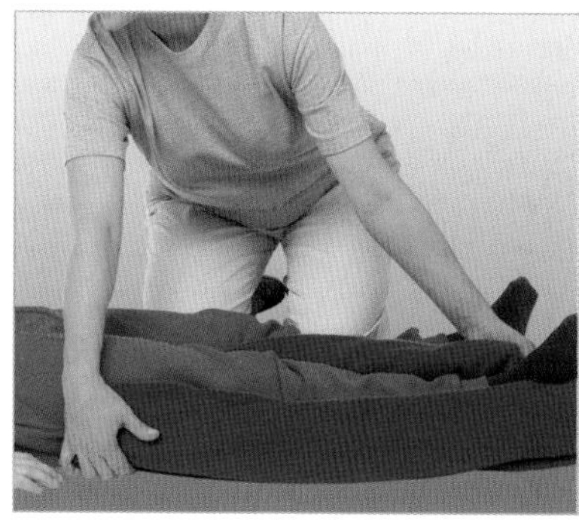

Placez un rembourrage de chaque côté.

LES LUXATIONS

Un tiraillement fort ou un coup peuvent faire sortir un os de son articulation et déchirer les ligaments. Les nerfs peuvent être endommagés et l'os fracturé. N'essayez pas de le remettre en place et ne déplacez pas l'enfant avant d'avoir immobilisé l'articulation.

1 SOUTENEZ L'ARTICULATION
Empêchez l'enfant de bouger et soutenez l'articulation luxée dans la position la plus confortable pour l'enfant.

2 IMMOBILISEZ L'ARTICULATION
Utilisez des rembourrages et des bandes. Si un bras est blessé, mettez-le en écharpe. Traitez l'enfant s'il est choqué (*voir p. 336*).

3 AIDE MÉDICALE
Emmenez l'enfant aux urgences, où un médecin spécialiste remettra l'os en place. Empêchez l'enfant de boire et de manger en prévision d'une éventuelle anesthésie générale. Toutes les 10 minutes, assurez-vous que la circulation sanguine se fait bien près du bandage ; sinon, desserrez celui-ci.

LES CLAQUAGES, ENTORSES ET FOULURES

Un claquage advient quand un muscle ou un tendon est étiré ou déchiré. Une entorse advient quand un mouvement violent ou soudain étire ou déchire un ligament articulaire. Dans les deux cas, suivez la procédure appelée RGCE (repos, glace, compression, élévation). On peut aussi l'utiliser en cas d'hématome profond.

1 SOUTENEZ LA BLESSURE
L'enfant doit rester assis ou allongé pour éviter de bouger la partie affectée. Soutenez celle-ci dans une position confortable pour l'enfant.

2 RAFRAÎCHISSEZ LA BLESSURE
Appliquez une compresse froide (glace ou pois surgelés enveloppés dans un tissu), pendant 10-15 minutes. Ceci atténue la douleur et évite la survenue d'un hématome.

3 COMPRESSEZ LA BLESSURE
Entourez la partie blessée dans une grosse bande de coton. Vérifiez régulièrement la circulation sanguine au-dessus du bandage ; si elle est mauvaise, desserrez-le.

4 SURÉLEVEZ LA BLESSURE
Surélevez et soutenez la partie affectée pour réduire le flux sanguin et atténuer le gonflement. Si l'enfant souffre trop ou ne peut pas du tout se servir de la partie blessée, emmenez-le à l'hôpital.

LES BRÛLURES ET ÉBOUILLANTAGES

Les brûlures sont causées par les flammes ou objets chauds, les frottements, l'électricité ou les produits chimiques ; les ébouillantages par des vapeurs ou liquides chauds. L'enfant brûlé doit être amené à l'hôpital.

PETITES BRÛLURES

Les brûlures qui n'affectent que les couches superficielles de la peau cicatrisent spontanément, mais faites confirmer le diagnostic par un médecin. N'appliquez ni gras ni lotion.

1 **REFROIDIR LA BRÛLURE**
Faites couler de l'eau froide sur la brûlure pendant une dizaine de minutes. Ôtez tout ce qui peut comprimer la région touchée. Couvrez avec une compresse stérile. Faites un bandage peu serré.

2 **LES CLOQUES**
Si une cloque se forme, ne la percez pas. Si elle se déchire, couvrez-la avec un pansement non adhésif jusqu'à cicatrisation.

BRÛLURES GRAVES

Les priorités sont d'éviter la propagation de la brûlure, d'appeler le 911 et d'apaiser la douleur. Si vous le pouvez, traitez toutes autres douleurs associées et minimisez le risque d'infection.

1 **REFROIDIR LA BRÛLURE**
Refroidissez copieusement à l'eau froide, ou tout autre liquide, pendant une dizaine de minutes pour apaiser la douleur. Ne refroidissez pas plus longtemps à cause des risques d'hypothermie. Appelez dès que possible le 911.

2 **APPELEZ LES SECOURS**
Aidez l'enfant à s'allonger en évitant que la partie du corps brûlée soit en contact avec le sol.

3 **DÉCOUPEZ LES VÊTEMENTS**
Ôtez avec précaution tous les vêtements avant que les tissus cutanés ne gonflent. Coupez les vêtements brûlés, sauf s'ils adhèrent à la peau.

4 **FAITES UN PANSEMENT**
Protégez la brûlure contre l'infection avec un pansement stérile – mais n'appliquez ni lotion ni pansement adhésif. Si vous n'en avez pas, utilisez éventuellement un linge propre. La main ou le pied brûlés peuvent être enfermés dans un sac en plastique propre, qui ne doit pas toucher la peau. Ne couvrez pas les lésions du visage car l'enfant peut paniquer et avoir du mal à respirer.

5 **AUTRES BLESSURES**
Traitez les autres blessures. Empêchez l'enfant de boire et de manger. Traitez l'état de choc le cas échéant (*voir p. 336*). Rassurez l'enfant.

LES COUPS DE SOLEIL

La peau brûlée par le soleil démange, est rouge et molle au toucher. Les bébés et jeunes enfants sont très sensibles au soleil, protégez donc leur peau avec une crème, un chapeau et des vêtements.

1 **METTEZ L'ENFANT À L'OMBRE**
L'enfant souffrant d'un coup de soleil doit être mis à l'ombre ou dans une pièce fraîche. Donnez-lui une boisson fraîche et incitez-le à boire par petites gorgées.

2 **APPLIQUEZ UNE LOTION**
Appliquez une crème après-solaire. Si la peau est cloquée, consultez un médecin.

3 **L'INSOLATION**
Si l'enfant est agité, a le vertige, est rouge ou se plaint de maux de tête, il se peut qu'il souffre d'une insolation. Essayez de faire baisser la fièvre. Épongez-lui le corps à l'eau froide ou tiède. Éventez-le à la main ou avec un journal ou un ventilateur électrique. S'il ne va pas mieux, appelez le 911.

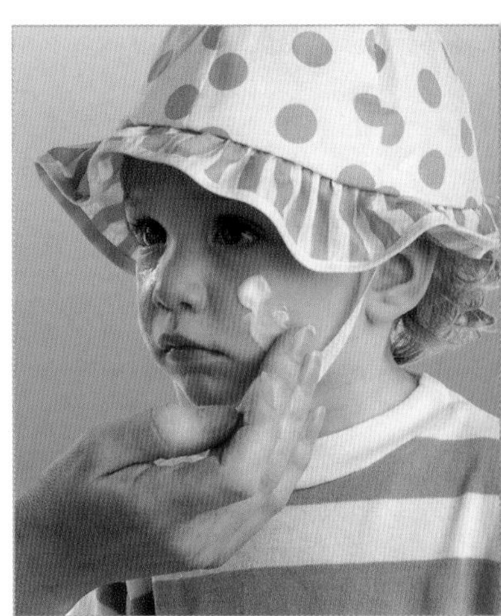

Appliquez une lotion apaisante.

LES CORPS ÉTRANGERS DANS L'OREILLE

L'enfant peut s'introduire un corps étranger dans l'oreille, et celui-ci peut se coincer, provoquer une douleur, une inflammation ou une surdité temporaire. S'il s'enfonce dans le conduit auditif, il peut abîmer le tympan. Si c'est un insecte, l'enfant peut paniquer.

1 PARLEZ À L'ENFANT
Rassurez l'enfant et essayez de savoir ce qu'il s'est mis dans l'oreille. S'il ne peut vous le dire, examinez le conduit auditif, mais s'il y a quelque chose, ne tentez pas de l'enlever : emmenez l'enfant chez un médecin.

2 FAITES ASSEOIR L'ENFANT
Si le corps étranger introduit dans l'oreille est un insecte (mouche, abeille ou guêpe) l'enfant peut paniquer. Rassurez-le, faites-le asseoir et penchez-lui la tête de sorte que l'oreille affectée soit sur le dessus.

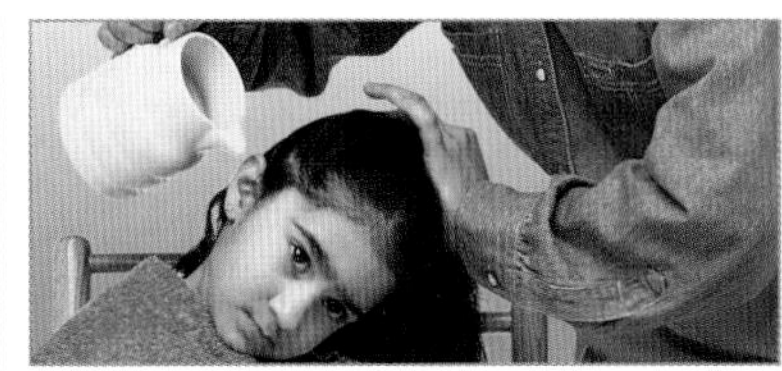

Expulser l'insecte avec de l'eau.

3 VERSEZ DE L'EAU
Tenez sa tête d'une main et, de l'autre, versez de l'eau tiède dans l'oreille jusqu'à ce que l'insecte flotte. Dans le cas contraire, emmenez l'enfant chez un médecin.

LES CORPS ÉTRANGERS DANS L'ŒIL

Les paupières et les larmes constituent une protection remarquable de la cornée et des membranes oculaires, mais il arrive qu'un corps étranger (poussière, grain de sable, etc.) réussisse à passer ces défenses et reste dans l'œil. Avec de la patience et beaucoup de prudence, vous pouvez ôter le corps étranger vous-même.

1 LAISSEZ L'ŒIL LARMOYER
Asseyez l'enfant et faites-lui fixer une source lumineuse. Empêchez-le de se frotter l'œil et incitez-le à regarder devant lui et à pleurer.

2 EXAMINEZ L'ŒIL
Si cela n'a pas d'effet, penchez sa tête en arrière. Ouvrez très délicatement les paupières du pouce et des doigts. Pendant que vous examinez l'œil, demandez-lui de tourner les yeux dans toutes les directions.

3 LAVEZ L'ŒIL
Si le corps étranger est sur le blanc de l'œil, faites-le sortir en versant doucement de l'eau propre ou un collyre dans le coin interne de l'œil.

4 ÔTEZ LE CORPS ÉTRANGER
Si l'objet reste dans l'œil, humidifiez un coin de mouchoir et posez-le sur le corps étranger, qui doit y adhérer, puis soulevez vivement le mouchoir.

5 CONSULTEZ UN MÉDECIN
Si le corps étranger est sous la paupière supérieure, tirez celle-ci, ou versez un peu d'eau et dites à l'enfant de cligner des yeux. Si ceci reste sans résultat, emmenez l'enfant à l'hôpital ou chez un médecin. N'essayez pas d'enlever un corps étranger qui adhère au globe oculaire, qui l'a perforé ou qui est posé sur l'iris ou la pupille ; dans ce cas, appelez immédiatement un médecin.

SUBSTANCE CHIMIQUE

Si un produit chimique entre dans l'œil de l'enfant, rincez l'œil à l'eau froide en douceur mais abondamment pendant une dizaine de minutes. Évitez que l'eau ne lui coule sur le visage assurez-vous aussi qu'elle ne puisse pas entrer dans l'autre œil. Bandez l'œil et emmenez l'enfant à l'hôpital.

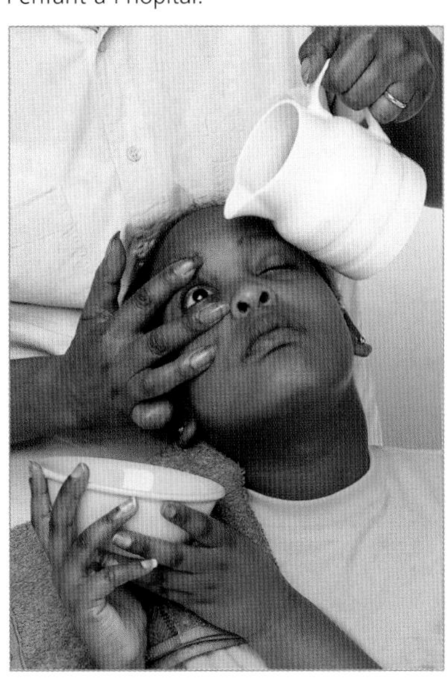

Rincez abondamment l'œil avec de l'eau.

LES HÉMATOMES

Les enfants rentrent souvent à la maison avec des bleus après être tombé ou s'être cogné. Les bleus, qui se forment vite, répondent bien aux premiers soins. Si le bleu est sur le bras, on peut atténuer le gonflement en mettant le bras en écharpe.

Appliquez une compresse froide.

1 SURÉLEVEZ LA PARTIE DU CORPS BLESSÉE
Pour que la partie blessée se décontracte, surélevez-la, ce qui réduira la circulation et atténuera le gonflement.

2 COMPRESSE FROIDE
Appuyez fermement une compresse froide sur le bleu pendant au moins 30 minutes (on peut utiliser une serviette mouillée, un bloc de glace enveloppé dans un linge ou des légumes surgelés dans un tissu sec). Ceci atténuera le gonflement en réduisant le flux sanguin vers le bleu. Quand la compresse est chaude, remplacez-la.

LES COUPURES

Les petites coupures et éraflures peuvent être soignées à la maison. Contrôlez le saignement en comprimant et en surélevant la partie affectée, puis mettez un pansement. L'important est d'éviter l'infection (le tétanos, par exemple) ; vérifiez que l'enfant est bien vacciné.

1 ARRÊTEZ LE SAIGNEMENT
Appuyez une compresse sur la blessure jusqu'à ce que le saignement cesse, puis surélevez la partie blessée.

2 NETTOYEZ ET PANSEZ
Nettoyez la blessure à l'eau du robinet ou avec une lotion sans alcool. Séchez doucement avec une gaze et posez un pansement.

3 UTILISEZ UN SPARADRAP
Enlevez le pansement et mettez un sparadrap dont le carré de gaze couvre largement la blessure.

4 CONSULTEZ UN MÉDECIN
Si le saignement continue, si la blessure comporte un corps étranger ou si elle est due à une morsure ou un objet sale, emmenez l'enfant chez un médecin.

LES SAIGNEMENTS

Un saignement cesse en peu de temps, mais si ce n'est pas le cas, il faut le maîtriser pour éviter l'état de choc (*voir p. 336*). Évitez l'infection en portant des gants jetables ou en vous lavant les mains avant et après avoir traité la blessure.

1 ARRÊTEZ LE SAIGNEMENT
Appuyez une compresse sur la blessure.

2 SURÉLEVEZ LA PARTIE BLESSÉE
Pour reposer la partie blessée, soulevez-la plus haut que le cœur.

3 FIXEZ LA COMPRESSE
Fixez bien la compresse et couvrez avec un pansement stérile. Si le sang la traverse, appliquez-en une nouvelle. Si le sang continue à la traverser, enlevez le pansement, qui n'est pas assez serré, et refaites-en un.

4 SOUTENEZ LA BLESSURE
Faites allonger l'enfant et soutenez la blessure surélevée. Emmenez-le à l'hôpital ou appelez un médecin.

CORPS ÉTRANGER INCRUSTÉ

Si un corps étranger est incrusté dans la blessure, ne l'enlevez pas car vous pourriez aggraver les choses. Couvrez la blessure avec une gaze et entourez le corps étranger de rouleaux de gaze de la même hauteur. Fixez-les en bandant autour de la blessure et emmenez l'enfant à l'hôpital.

LES SAIGNEMENTS DE NEZ

De minuscules vaisseaux dans les membranes qui tapissent l'intérieur du nez peuvent se rompre quand l'enfant éternue, est frappé ou se cure le nez un peu trop vigoureusement. Un saignement de nez est dangereux s'il est abondant ou si le sang perdu à la suite d'une blessure à la tête est transparent et très fluide.

Pincez doucement les narines de l'enfant.

1 POSITIONNEZ L'ENFANT
Faites-le asseoir et demandez-lui de pencher la tête en avant au-dessus d'un récipient pour permettre au sang de couler librement. Faites en sorte qu'il ne renverse pas la tête en arrière, car le sang qui irait dans la gorge pourrait le faire vomir.

2 PINCEZ-LUI LES NARINES
Comprimez la partie charnue des narines et dites à l'enfant de respirer par la bouche. Il peut, s'il est assez grand, faire cela lui-même. Dites-lui de cracher le sang.

3 PARLEZ-LUI
Rassurez-le et dites-lui de ne pas renifler, avaler, tousser ou parler. Il faut pincer les narines une dizaine de minutes. Pendant ce temps, la coagulation se fait.

4 ARRÊTEZ LE SAIGNEMENT
Lâchez les narines pour voir si le saignement s'est arrêté. Si le saignement persiste, répétez l'opération pendant encore une dizaine de minutes. Si le saignement dure plus d'une demi-heure, emmenez l'enfant à l'hôpital ou chez un médecin.

5 NETTOYEZ LE NEZ
Si le saignement s'est arrêté, dites à l'enfant de rester penché et nettoyez le sang autour du nez avec un coton trempé d'eau tiède.

6 REPOS
L'enfant doit ensuite se reposer et éviter de se moucher ou de faire quoi que ce soit qui empêcherait la coagulation.

LES ÉCHARDES

Un enfant peut s'enfoncer des échardes de bois ou des éclats de verre ou même de métal dans les genoux, les mains et les pieds. Si le corps étranger est juste sous la peau, on peut l'extraire avec une pince à épiler stérile. S'il y a risque d'infection tétanique, vérifiez que l'enfant a eu son rappel de vaccin. S'il s'avère difficile d'extraire l'écharde, ou si elle est incrustée plus profondément, emmenez l'enfant à l'hôpital ou chez un médecin.

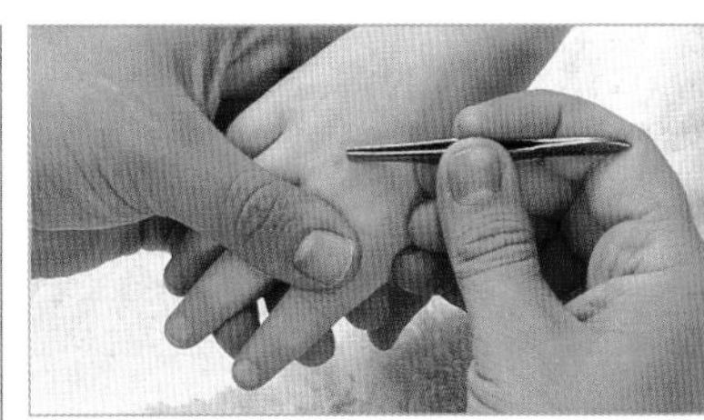

Attrapez l'écharde avec la pince.

1 NETTOYEZ LA PEAU
Stérilisez une pince à épiler à la flamme d'une allumette ou d'un briquet. Laissez-la refroidir pendant que vous nettoyez bien la peau autour de l'écharde à l'eau chaude et au savon.

2 UTILISEZ LA PINCE
Regardez bien l'angle avec lequel l'écharde est entrée sous la peau. Attrapez la pointe de l'écharde avec la pince aussi près de la peau que possible, en tirant dans le sens où elle est entrée.

3 LAISSEZ SAIGNER
Pincez doucement la blessure pour la faire saigner et faire sortir toute saleté.

4 COUVREZ
Nettoyez et séchez le point d'impact et posez un sparadrap.

ADRESSES UTILES

AAIQ
Association des Allergologues et Immunologues du Québec. Site donnant une foule de renseignements sur les allergies.
www.allerg.qc.ca

APESAL
Apesal - Association de prévention et de dépistage précoce des troubles visuels, auditifs, de langage et des anomalies buccodentaires chez l'enfant. Actions d'éducation et de prévention en milieu scolaire concernant la vue, l'ouïe, le langage et les dents.
www.apesal.fr

Association des diététistes du Québec
11, rue Charlevoix, bureau A-106
Montréal, QC H3J 2V9
Tél. : (514) 954-0047
Télec. : (514) 932-8108
www.adaqnet.org

Association des pédiatres du Québec
2, Complexe Desjardins, porte 3000
Montréal, QC H5B 1G8
Tél. : (514) 350-5127
Télec. : (514) 350-5177
Courriel : pediatrie@fmsq.org
www.pediatres.ca

Association québécoise des allergies alimentaires
L'AQAA a pour mission d'offrir du soutien et de l'information, de promouvoir l'éducation et la prévention et d'encourager la recherche en allergie alimentaire et en anaphylaxie.
445, boul. Sainte-Foy, bureau 100
Longueuil, QC J4J 1X9
Tél. et télec. : (514) 990-2575
Courriel : info@aqaa.qc.ca
www.aqaa.qc.ca

Centre antipoison du Québec (CAPQ)
Service d'urgence téléphonique sans frais, 24 heures/24 et 7 jours/7
1-(800)-463-5060

En Cœur
Fondation québécoise
pour les enfants maladies du cœur
Sa mission est d'offrir des services améliorant la qualité de vie des enfants cardiaques et de leurs parents.
5718, rue Northmount
(tout près de l'hôpital Ste-Justine)
Montréal, QC H3S 2H5
Tél : (514) 737-0804 ou
1 (800) EN CŒUR (362-6387)
Télec. : (514) 737-2194
Courriel : encoeur@fondationencoeur.ca
http://www.fondationencoeur.com/

FQATED
Fédération québécoise de l'autisme et des autres troubles envahissants du développement
Regroupement provincial d'organismes qui ont en commun les intérêts de la personne autiste et ceux de sa famille et de ses proches. Il a pour mission de promouvoir et défendre les droits et les intérêts de la personne autiste ou ayant un trouble envahissant du développement, afin qu'elle accède à une vie digne et à une meilleure autonomie sociale possible.
65, rue de Castelnau Ouest, bureau 104
Montréal, QC H2R 2W3
Tél. : (514) 270-7386
Télec. : (514) 270-9261
Courriel : fqa@contact.net
www.autisme.qc.ca

Guide Info-Parents
Coordonnées de 300 organismes d'aide, 1500 suggestions de lecture pour les parents, les enfants et les ados ainsi que 600 liens vers des sites web spécialement conçus pour eux.
www.hsj.qc.ca/CISE/

Hôpital Sainte-Justine
C.I.S.E.
3175, Côte Ste-Catherine
Montréal, QC H3T 1C5
Tél. : (514) 345-4931
Courriel : cise.hsj@ssss.gouv.qc.ca

ICSI
Institut Canadien de la Santé Infantile
384, rue Bank, bureau 300
Ottawa, ON K2P 1Y4
Tél. : (613) 230-8838
Télec. : (613) 230-6654
Courriel : cich@cich.ca
www.cich.ca

INFO-SANTÉ
http://206.167.52.1/fr/organisa/TableCode.nsf/RechCLSC
Outil de recherche à partir de votre code postal pour connaître le numéro INFO-SANTÉ CLSC de votre localité.

Institut Nazareth et Louis-Braille
Centre de réadaptation pour personnes ayant une déficience visuelle
1111, rue Saint-Charles Ouest
Longueuil, QC J4K 5G4
Tél. : (450) 463-1710, ou
1 (800) 361-7063
Télec. : (450) 463-0243
Courriel : info@inlb.qc.ca
www.inlb.qc.ca

L'infirmière virtuelle
Informations détaillées sur les problèmes de santé et les chirurgies mineures. Allergies alimentaires - Amygdalite-Cinquième maladie - Dépression chez les jeunes- Fibrose kystique - Fièvre - Hernie ombilicale- Otite- Soins à la famille - Varicelle
www.infirmiere.net

Nutricommunauté virtuelle
Ce site constitue un lieu de partage de ressources et d'initiatives francophones visant une alimentation et un mode de vie sains.
www.dietitians.ca

Ordre des psychologues du Québec
1100, avenue Beaumont, bureau 510
Mont-Royal, QC H3P 3H5
Tél. : (514) 738-1881 ou
1 (800) 363-2644
Télec. : (514) 738-8838
www.ordrepsy.qc.ca

Petit Web
Information santé rédigée par des praticiens.
www.petitweb.com

Regroupement des associations de parents PANDA du Québec
2, Chemin du Ravin
Sainte-Thérèse-de-Blainville J7E 2T2
(450) 979-7788
Téléc. : (450) 979-5533
http://www.associationpanda.qc.ca/regroupement/

Réseau québécois d'accompagnantes à la naissance
L'accompagnante à la naissance informe et éveille la femme et/ou le couple aux réalités de la grossesse, de l'accouchement, de l'allaitement et de la vie de parents, entre autres par le biais de rencontres prénatales et postnatales.
607, rue Balzac
Chicoutimi, QC G7J 4K9
Tél. : 1 (866) naissance
Courriel : informations@naissance.ca
www.naissance.ca

SAFERA
Syndrome d'Alcoolisation Fœtale et Effets Reliés à l'Alcool
845, chemin du Bord-de-l'eau
Saint-Henri-de-Lévis, QC G0R 3E0
Tél. : (418) 882-2488 ou
1 (886) 272-3372 (ASAFERA)
Télec. : (418) 882-6373 (mère)
www.safera.qc.ca

Santé Canada
Site officiel de Santé Canada
www.hc-sc.gc.ca

Santé-Net Québec
La toile de la santé du Québec. Site internet donnant plusieurs liens permettant de vous informer sur la santé et sur les différentes associations québécoises.
www.sante-net.net
Courriel : majeri@sante-net.net

Société canadienne de pédiatrie
Le site Web de la Société canadienne de pédiatrie est conçu pour fournir, tant aux membres de la SCP qu'aux autres professionnels de la santé, les renseignements dont ils ont besoin pour prendre des décisions éclairées sur les soins aux enfants. Les parents, les journalistes et les autres intervenants dans les soins aux enfants trouveront également ce site utile
2305, boul. St. Laurent
Ottawa, ON K1G 4J8
Tél. : (613) 526-9397
Télec. : (613) 526-3332
www.cps.ca

Société pour les enfants handicapés du Québec
Fondée en 1930, la Société pour les enfants handicapés du Québec est un organisme sans but lucratif soucieux du bien-être des enfants ayant des besoins spéciaux et de la qualité de vie de leur famille.
2300, boul. René-Lévesque O.
Montréal, QC H3H 2R5
Tél. : (514) 937-6171 (région de Montréal)1 (877) 937-6171 (ext.)
Télec. : (514) 937-0082
Courriel : sehq@enfantshandicapes.com
www.enfantshandicapes.com

Soins de nos enfants
Le site Soins de nos enfants est conçu pour fournir de l'information aux parents au sujet de la santé et du bien-être de leur enfant. Puisque le site est élaboré par la Société canadienne de pédiatrie (SCP) — la voix des plus de 2 000 pédiatres canadiens — vous pouvez être assuré de la fiabilité de l'information qu'il contient.
Courriel : webmaster@cps.ca.
www.soinsdenosenfants.cps.ca

Urgences-santé
3232, rue Bélanger
Montréal (Québec) H1Y 3H5
http://www.urgences-sante.qc.ca
Tél.: (514) 723-5600

INDEX

A

B

C

R

S

REMERCIEMENTS ET CRÉDITS

Dorling Kindersley et le Docteur Jane Collins souhaitent remercier les personnes suivantes pour leur contribution à la réalisation de cet ouvrage : Anna Barlow, Debbie Beckerman, Tanya Carr, Tracey Godridge, Harriet Griffey, Professeur James Law, Dr Sarah Temple, Dr Bernard Valman ; merci également à Caroline Buckingham, Jemima Dunne, Glenda Fisher.

Illustration Debbie Maizels
Indexation Hilary Bird
Relecture Alyson Lacewing
Modèles Sharon, Cleveland, Leanne, Alexander et Dominic Williams ; Sam et Bradley Jones ; Rachel Ann Hawkins ; Jessica Casey ; Niel, Kirsty et Grace Stannard ; Nathan, Martha et Luke Jenkinson ; Noa, Ella et Gil Krikler ; Sally, Louis, Cicely, Harvey et Sydney Barron ; la famille Jeffrey ; Shelley et Jake Goswell ; Derek, Lisa et Alexander Butterworth ; Jasper Cumiskey ; Robin et Thomas Engelhard ; Joshua et Charlie Ojeda-Siena ; Max et Evie Register ; Chris et Kiara Lambrias ; Jake, Rosie et Lauren Couch ; Laura Davenport, David Ainsworth et Luke Ainsworth ; Katy Wilson ; Helen Drake et Grace ; Julia Major et Charlie Coulthard ; Leo, Noah et JJ Stiles ; Holden et Hope Jones ; Lucy Butterworth, Isabelle et Chloe ; Kate Limm ; les élèves des écoles primaires *Weston Park*, et *Muswell Hill*.
Iconographie Anna Bedewell, Romaine Werblow et Hayley Smith

Crédits photographiques
L'éditeur tient à remercier les personnes ou sociétés suivantes pour leur aimable autorisation de reproduction des documents contenus dans cet ouvrage : (Abréviations : h = haut, b = bas, d = droite, g = gauche, c = centre, a = au-dessus)
47 : Getty Images : Rosanne Olson (hd) ; 51 : Corbis : Norbert Schaefer (b) ; 55 : Getty Images : Christopher Bissell (h) ; 161 : Science Photo Library : Jim Varney (hd) ; 163 : Getty Images : Bruce Ayres (hg) ; 168-9 : Corbis : Philip James Corwin ; 183 : alamy. com : Stock Connection, Inc (bc) ; 187 : Bubbles (bd), Imagingbody. com (c), Meningitis Research Foundation (cca), Science Photo Library : Dr P. Marazzi (cra), The Wellcome Institute Library, Londres (cd), (bcd) ; 193 : Mike Wyndham (hg), (bc) ; 216-217 : Getty Images : James Darell ; 218 : Getty Images : Richard Price (bd) ; 219 : Getty Images : Charles Thatcher ; 223 : Science Photo Library (cd) ; 225 : Science Photo Library : Damien Lovegrove ; 226 : Science Photo Library : BSIP Chassenet (bg) : Mark Thomas (bc) ; 227 : The Wellcome Institute Library, Londres ; 230 : Science Photo Library : Dr P. Marazzi (cg), (bg) ; 231 : Science Photo Library : St Bartholomew's Hospital (ca), The Wellcome Institute Library, Londres (bg) ; 232 : The Wellcome Institute Library, Londres ; 233 : Science Photo Library : Dr P. Marazzi (bd), The Wellcome Institute Library, Londres (cga) ; 234 : Science Photo Library : Dr P. Marazzi ; 235 : Science Photo Library : Hattie Young (cga) ; The Wellcome Institute Library, Londres (bd) ; 236 : C. James Webb (c), The Wellcome Institute Library, Londres (bd), (cg) ; 237 : The Wellcome Institute Library, Londres (cd), (bg) ; 238 : The Wellcome Institute Library, Londres (cga), (bd) ; 240 : Medical Slide Library ; 243 : Science Photo Library (bd) ; The Wellcome Institute Library, Londres (cd) ; 244 : Science Photo Library : Dr P. Marazzi ; 245 : Science Photo Library : Dr P. Marazzi ; 247 : Science Photo Library : Dr P. Marazzi ; 248 : Science Photo Library : Dr P. Marazzi (hd) ; 256 : Science Photo Library : Professors P. M Motta et F. M Magliocca (cg) ; 259 : The Wellcome Institute Library, Londres (hc) ; 260 : Science Photo Library (bg) ; 261 : Mike Wyndham (c) ; 262 : Medical Slide Library (bc), Science Photo Library : Professors P. M Motta et F. M Magliocca (hg) ; 264 : Science Photo Library : Lowell Georgia (hg) ; 265 : The Wellcome Institute Library, Londres (hd) ; 266 : The Wellcome Institute Library, Londres (cg), (bg) ; 267 : The Wellcome Institute Library, Londres (cg) ; 268 : Dr Jean Watkins (cd) ; 272 : Science Photo Library : CNRI (hd) ; 284 : Science Photo Library : Dr P. Marazzi (bg), Princess Margaret Rose Orthopaedic Hospital (bc) ; 287 : The Wellcome Institute Library, Londres (bd) ; 288 : The Wellcome Institute Library, Londres (cd) ; 291 : Mediscan (cg) ; 295 : Science Photo Library : Will et Deni McIntyre (bd) ; 297 : Mediscan (cd) ; 300 : Science Photo Library : James King-Holmes (hd) ; 305 : Science Photo Library : Tek Image (hd) ; 306 : Science Photo Library : Andrew Syred (bg) ; 307 : The Wellcome Institute Library, Londres (cd) ; 313 : Science Photo Library : Dr Gopal Murti (bd) ; 316 : Science Photo Library : Simon Fraser (hd) ; 319 : Corbis : Rob Lewine (hg), Science Photo Library : Mark Clarke/Bath Chinese Medical Centre (hd) ; 320 : Science Photo Library : Sheila Terry (hg) ; 321 : Science Photo Library : Cordelia Molloy (hd) : Gaillard, Jerrican (b) ; 322 : alamy. com : Frank Krahmer (hg), Science Photo Library : Georgette Douwma (bg) ; 323 : Getty Images : Mary Kate Denny (hd) ; 324 : Science Photo Library : Antonia Reeve ; 326 : Getty Images : Arthur Tilley ; 328 : Corbis : LWA-Stephen Welstead (bd). Les autres images © Dorling Kindersley Limited.